Os Anormais

Michel Foucault

Os Anormais

Curso no Collège de France (1974-1975)

Edição estabelecida sob a direção de François Ewald e Alessandro Fontana, por Valerio Marchetti e Antonella Salomoni

Tradução
EDUARDO BRANDÃO

1ª edição *2001*
2ª edição *2010*
6ª tiragem *2021*

Tradução
EDUARDO BRANDÃO

Revisão técnica
Maurício Pagotto Marsola
Acompanhamento editorial
Luzia Aparecida dos Santos
Revisões
Luciana Veit
Ana Paula Luccisano
Produção gráfica
Geraldo Alves
Paginação
Studio 3 Desenvolvimento Editorial

Dados Internacionais de Catalogação na Publicação (CIP)
(Câmara Brasileira do Livro, SP, Brasil)

Foucault, Michel, 1926-1984.
Os anormais : curso no Collège de France (1974-1975) / Michel Foucault ; tradução Eduardo Brandão. – São Paulo : Editora WMF Martins Fontes, 2010. – (Coleção Obras de Michel Foucault)

Título original: Les anormaux.
"Edição estabelecida sob a direção de François Ewald e Alessandro Fontana, por Valerio Marchetti e Antonella Salomoni"
ISBN 978-85-7827-336-1

1. Desajustamento social 2. Foucault, Michel, 1926-1984 – Contribuições em ciências sociais 3. Foucault, Michel, 1926-1984 – Pontos de vista sobre direito 4. Psicologia e literatura 5. Psiquiatria – História I. Título. II. Série.

10-08582 CDD-616.89

Índices para catálogo sistemático:
1. Anormalidades : Psicologia : Medicina 616.89
2. Psicologia do anormal : Medicina 616.89

Editora WMF Martins Fontes Ltda.
Rua Prof. Laerte Ramos de Carvalho, 133 01325.030 São Paulo SP Brasil
Tel. (11) 3293.8150 e-mail: info@wmfmartinsfontes.com.br
http://www.wmfmartinsfontes.com.br

SUMÁRIO

Advertência IX

Curso, anos 1974-1975

Aula de 8 de janeiro de 1975 3
Os exames psiquiátricos em matéria penal. – A que gênero de discurso eles pertencem? – Discursos de verdade e discursos que fazem rir. – A prova legal no direito penal do século XVIII. – Os reformadores. – O princípio da convicção íntima. – As circunstâncias atenuantes. – A relação entre verdade e justiça. – O grotesco na mecânica do poder. – O duplo psicológico-moral do delito. – O exame mostra como o indivíduo já se assemelhava a seu crime antes de o ter cometido. – A emergência do poder de normalização.

Aula de 15 de janeiro de 1975 27
Loucura e crime. – Perversidade e puerilidade. – O indivíduo perigoso. – O perito psiquiatra só pode ser o personagem Ubu. – O nível epistemológico da psiquiatria e sua regressão no exame médico-legal. – Fim do conflito entre poder médico e poder judiciário. – Exame e anormais. – Crítica da noção de repressão. – Exclusão do leproso e inclusão do pestífero. – Invenção das tecnologias positivas do poder. – O normal e o patológico.

Aula de 22 de janeiro de 1975 47
As três figuras que constituem o domínio da anomalia: o monstro humano; o indivíduo a ser corrigido; a criança masturbadora. – O monstro sexual faz o indivíduo monstruoso e o desviante sexual se comunicarem. – Inversão da importância histórica dessas três figuras. – A noção jurídica de monstro. – A embriologia sagrada e a teoria jurídico-biológica do monstro. – Os irmãos siameses. – Os hermafroditas: casos menores. – O caso Marie Lemarcis. – O caso Anne Grandjean.

Aula de 29 de janeiro de 1975 69
O monstro moral. – O crime no direito clássico. – As grandes cenas de suplício. – A transformação dos mecanismos de poder. – Desaparecimento da dispensa ritual do poder de punir. – Da natureza patológica da criminalidade. – O monstro político. – O casal monstruoso: Luís XVI e Maria Antonieta. – O monstro na literatura jacobina (o tirano) e antijacobina (o povo revoltado). – Incesto e antropofagia.

Aula de 5 de fevereiro de 1975 93
No país dos bichos-papões. – Passagem do monstro ao anormal. – Os três grandes monstros fundadores da psiquiatria criminal. – Poder médico e poder judiciário em torno da noção de ausência de interesse. – A institucionalização da psiquiatria como ramo especializado da higiene pública e domínio particular da proteção social. – Codificação da loucura como perigo social. – O crime sem razão e as provas de entronização da psiquiatria. – O caso Henriette Cornier. – A descoberta dos instintos.

Aula de 12 de fevereiro de 1975 117
O instinto como gabarito de inteligibilidade do crime sem interesse e não punível. – Extensão do saber e do poder psiquiátricos a partir da problematização do instinto. – A lei de 1838 e o papel reclamado pela psiquiatria na segurança pública. – Psiquiatria e regulação administrativa, demanda familiar de psiquiatria, constituição de um discriminante psiquiátrico-político entre os indivíduos. – O eixo do voluntário e do involuntário, do instintivo e do automático. – A fragmentação do campo sintomatológico. – A psiquiatria se torna ciência e técnica dos anormais. – O anormal: um grande domínio de ingerência.

Aula de 19 de fevereiro de 1975 143
O campo da anomalia é atravessado pelo problema da sexualidade. – Os antigos rituais cristãos da revelação. – Da confissão tarifada ao sacramento da penitência. – Desenvolvimento da pastoral. – A "Prática do sacramento de penitência" de Louis Habert e as "Instruções aos confessores" de Carlos Borromeu. – Da confissão à direção de consciência. – O duplo filtro discursivo da vida na confissão. – A confissão depois do concílio de Trento. – O sexto mandamento: os modelos de interrogatório de Pierre Milhard e de Louis Habert. – Aparecimento do corpo de prazer e de desejo no âmago das práticas penitenciais e espirituais.

Aula de 26 de fevereiro de 1975 173
Um novo procedimento de exame: desqualificação do corpo como carne e culpabilização do corpo pela carne. – A direção de consciência, o

desenvolvimento do misticismo católico e o fenômeno da possessão. – Distinção entre possessão e feitiçaria. – A possessão de Loudun. – A convulsão como forma plástica e visível do combate no corpo da possessa. – O problema do(a)s possesso(a)s e de suas convulsões não está inscrito na história da doença. – Os anticonvulsivos: modulação estilística da confissão e da direção de consciência; apelo à medicina; recurso aos sistemas disciplinares e educativos do século XVII. – A convulsão como modelo neurológico da doença mental.

Aula de 5 de março de 1975 201
O problema da masturbação, entre discurso cristão da carne e psicopatologia sexual. – As três formas de somatização da masturbação. – A infância incriminada de responsabilidade patológica. – A masturbação pré-púbere e a sedução pelo adulto: a culpa vem do exterior. – Uma nova organização do espaço e do controle familiares: eliminação dos intermediários e aplicação direta do corpo dos pais ao corpo dos filhos. – A involução cultural da família. – A medicalização da nova família e a confissão da criança ao médico, herdeiro das técnicas cristãs da confissão. – A perseguição médica da infância pelos meios de contenção da masturbação. – A constituição da família celular, que se encarrega do corpo e da vida da criança. – Educação natural e educação estatal.

Aula de 12 de março de 1975 231
O que torna aceitável à família burguesa a teoria psicanalítica do incesto (o perigo vem do desejo da criança). – A normalização do proletariado urbano e a repartição ótima da família operária (o perigo vem do pai e dos irmãos). – Duas teorias do incesto. – Os antecedentes do anormal: engrenagem psiquiátrico-judiciária e engrenagem psiquiátrico-familiar. – A problemática da sexualidade e a análise de suas irregularidades. – A teoria gêmea do instinto e da sexualidade como tarefa epistemológico-política da psiquiatria. – Nas origens da psicopatologia sexual (Heinrich Kaan). – Etiologia das loucuras a partir da história do instinto e da imaginação sexual. – O caso do soldado Bertrand.

Aula de 19 de março de 1975 255
Uma figura mista: o monstro, o masturbador e o inassimilável ao sistema normativo da educação. – O caso Charles Jouy e uma família conectada ao novo sistema de controle e de poder. – A infância como condição histórica da generalização do saber e do poder psiquiátricos. – A psiquiatrização da infantilidade e a constituição de uma ciência das condutas normais e anormais. – As grandes construções teóricas da psiquiatria da segunda metade do século XIX. – Psiquiatria e racismo; psiquiatria e defesa social.

Resumo do curso 283
Situação do curso 291
Índice das noções e conceitos 315
Índice onomástico 325

ADVERTÊNCIA

Michel Foucault ensinou no Collège de France de janeiro de 1971 até a sua morte em junho de 1984 – com exceção do ano de 1977, em que desfrutou de um ano sabático. O título da sua cátedra era: *História dos sistemas de pensamento*.

Essa cátedra foi criada em 30 de novembro de 1969, por proposta de Jules Vuillemin, pela assembleia geral dos professores do Collège de France em substituição à cátedra de história do pensamento filosófico, que Jean Hyppolite ocupou até sua morte. A mesma assembleia elegeu Michel Foucault, no dia 12 de abril de 1970, titular da nova cátedra[1]. Ele tinha 43 anos.

Michel Foucault pronunciou a aula inaugural no dia 2 de dezembro de 1970[2].

O ensino no Collège de France obedece a regras particulares. Os professores têm a obrigação de dar 26 horas de aula por ano (metade das quais, no máximo, pode ser dada na forma de seminários)[3]. Eles devem expor a cada ano uma pesquisa original, o que os obriga a sempre renovar o conteúdo do seu ensino. A frequência às aulas e aos seminários é inteiramente livre, não requer inscrição nem nenhum diploma. E o professor também não fornece certificado algum[4]. No vocabulário do Collège de France, diz-se que os professores não têm alunos, mas ouvintes.

O curso de Michel Foucault era dado todas as quartas-feiras, do começo de janeiro até o fim de março. A assistência, numerosíssima, com-

1. Michel Foucault encerrou o opúsculo que redigiu para sua candidatura com a seguinte fórmula: "Seria necessário empreender a história dos sistemas de pensamento" ("Titres et travaux", em *Dits et écrits*, 1954-1988, ed. por D. Defert & F. Ewald, colab. J. Lagrange, Paris, Gallimard, 1994, vol. I, p. 846).

2. Ela será publicada pelas Éditions Gallimard em maio de 1971 com o título: *L'ordre du discours*. [Trad. bras. *A ordem do discurso*. São Paulo: Loyola, 1997.]

3. Foi o que Michel Foucault fez até o início dos anos 1980.

4. No âmbito do Collège de France.

posta de estudantes, professores, pesquisadores, curiosos, muitos deles estrangeiros, mobilizava dois anfiteatros do Collège de France. Michel Foucault queixou-se repetidas vezes da distância que podia haver entre ele e seu "público" e do pouco intercâmbio que a forma do curso possibilitava[5]. Ele sonhava com um seminário que servisse de espaço para um verdadeiro trabalho coletivo. Fez várias tentativas nesse sentido. Nos últimos anos, no fim da aula, dedicava um bom momento para responder às perguntas dos ouvintes.

Eis como, em 1975, um jornalista do *Nouvel Observateur*, Gérard Petitjean, transcrevia a atmosfera reinante: "Quando Foucault entra na arena, rápido, decidido, como alguém que pula na água, tem de passar por cima de vários corpos para chegar à sua cadeira, afasta os gravadores para pousar seus papéis, tira o paletó, acende um abajur e arranca, a cem por hora. Voz forte, eficaz, transportada por alto-falantes, única concessão ao modernismo de uma sala mal iluminada pela luz que se eleva de umas bacias de estuque. Há trezentos lugares e quinhentas pessoas aglutinadas, ocupando todo e qualquer espaço livre [...] Nenhum efeito oratório. É límpido e terrivelmente eficaz. Não faz a menor concessão ao improviso. Foucault tem doze horas por ano para explicar, num curso público, o sentido da sua pesquisa durante o ano que acaba de passar. Então, compacta o mais que pode e enche as margens como esses missivistas que ainda têm muito a dizer quando chegam ao fim da folha. 19h15. Foucault para. Os estudantes se precipitam para sua mesa. Não é para falar com ele, mas para desligar os gravadores. Não há perguntas. Na confusão, Foucault está só." E Foucault comenta: "Seria bom poder discutir o que propus. Às vezes, quando a aula não foi boa, pouca coisa bastaria, uma pergunta, para pôr tudo no devido lugar. Mas essa pergunta nunca vem. De fato, na França, o efeito de grupo torna qualquer discussão real impossível. E, como não há canal de retorno, o curso se teatraliza. Eu tenho com as pessoas que estão aqui uma relação de ator ou de acrobata. E, quando acabo de falar, uma sensação de total solidão..."[6]

Michel Foucault abordava seu ensino como um pesquisador: explorações para um livro por vir, desbravamento também de campos de problematização, que se formulavam muito mais como um convite lançado a even-

5. Em 1976, na (vã) esperança de reduzir a assistência, Michel Foucault mudou o horário do curso, que passou de 17h45 para as 9 da manhã. Cf. o início da primeira aula (7 de janeiro de 1976) de "*Il faut défendre la société*". *Cours au Collège de France, 1976*, ed. sob a dir. de F. Ewald & A. Fontana por M. Bertani & A. Fontana, Paris, Gallimard/Seuil, 1997. [Trad. bras. *Em defesa da sociedade*. São Paulo: Martins Fontes, 1999.]

6. Gérard Petitjean, "Les Grands Prêtres de l'université française", *Le Nouvel Observateur*, 7 de abril de 1975.

tuais pesquisadores. Assim os cursos do Collège de France não repetem os livros publicados. Não são o esboço desses livros, mesmo que certos temas possam ser comuns a livros e cursos. Eles têm seu estatuto próprio. Originam-se de um regime discursivo específico no conjunto dos "atos filosóficos" efetuados por Michel Foucault. Ele desenvolve aí, em particular, o programa de uma genealogia das relações saber/poder em função do qual, a partir do início dos anos 1970, refletirá seu trabalho – em oposição ao de uma arqueologia das formações discursivas, que até então dominara[7].

Os cursos também tinham uma função na atualidade. O ouvinte que assistia a eles não ficava apenas cativado pelo relato que se construía semana após semana; não ficava apenas seduzido pelo rigor da exposição: também encontrava aí uma luz para a atualidade. A arte de Michel Foucault estava em diagonalizar a atualidade pela história. Ele podia falar de Nietzsche ou de Aristóteles, do exame psiquiátrico no século XIX ou da pastoral cristã, mas o ouvinte sempre tirava do que ele dizia uma luz sobre o presente e sobre os acontecimentos seus contemporâneos. A força própria de Michel Foucault em seus cursos vinha desse sutil cruzamento de uma fina erudição, de um engajamento pessoal e de um trabalho sobre o acontecimento.

*

Os anos 70 conheceram o desenvolvimento e o aperfeiçoamento dos gravadores de fita cassete – a mesa de Michel Foucault logo foi tomada por eles. Os cursos (e certos seminários) foram conservados graças a esses aparelhos.

Esta edição toma como referência a palavra pronunciada publicamente por Michel Foucault. Ela fornece a transcrição mais literal possível[8]. Gostaríamos de poder publicá-la tal qual. Mas a passagem do oral ao escrito impõe uma intervenção do editor: é necessário, no mínimo, introduzir uma pontuação e definir parágrafos. O princípio sempre foi o de ficar o mais próximo possível da aula efetivamente pronunciada.

Quando parecia indispensável, as repetições foram suprimidas; as frases interrompidas foram restabelecidas e as construções incorretas, retificadas.

7. Cf. Em particular "Nietzsche, la généalogie, l'histoire", em *Dits et écrits*, II, p. 137. [Trad. bras. "Nietzsche, a genealogia e a história". In: *Microfísica do poder*. Rio de Janeiro: Graal, 1997.]

8. Foram mais especialmente utilizadas as gravações realizadas por Gérard Burlet e Jacques Lagrange, depositadas no Collège de France e no IMEC.

As reticências assinalam que a gravação é inaudível. Quando a frase é obscura, figura entre chaves uma integração conjuntural ou um acréscimo.

Um asterisco no rodapé indica as variantes significativas das notas utilizadas por Michel Foucault em relação ao que foi dito.

As citações foram verificadas e as referências aos textos utilizados, indicadas. O aparato crítico se limita a elucidar os pontos obscuros, a explicitar certas alusões e a precisar os pontos críticos.

Para facilitar a leitura, cada aula foi precedida por um breve resumo que indica suas principais articulações[9].

O texto do curso é seguido do resumo publicado no *Annuaire du Collège de France*. Michel Foucault os redigia geralmente no mês de junho, portanto pouco tempo depois do fim do curso. Para ele, era uma oportunidade para extrair, retrospectivamente, a intenção e os objetivos do curso. E constituem a melhor apresentação das suas aulas.

Cada volume termina com uma "situação", de responsabilidade do editor do curso. Trata-se de dar ao leitor elementos de contexto de ordem biográfica, ideológica e política, situando o curso na obra publicada e dando indicações relativas a seu lugar no âmbito do *corpus* utilizado, a fim de facilitar sua compreensão e evitar os contrassensos que poderiam se dever ao esquecimento das circunstâncias em que cada um dos cursos foi elaborado e ministrado.

*

Com esta edição dos cursos no Collège de France, um novo aspecto da "obra" de Michel Foucault é publicado.

Não se trata, propriamente, de inéditos, já que esta edição reproduz a palavra proferida em público por Michel Foucault, com exceção do suporte escrito que ele utilizava e que podia ser muito elaborado. Daniel Defert, que possui as notas de Michel Foucault, permitiu que os editores as consultassem. A ele nossos mais vivos agradecimentos.

Esta edição dos cursos no Collège de France foi autorizada pelos herdeiros de Michel Foucault, que desejaram satisfazer à forte demanda de que eram objeto, na França como no exterior. E isso em incontestáveis condições de seriedade. Os editores procuraram estar à altura da confiança que neles foi depositada.

FRANÇOIS EWALD E ALESSANDRO FONTANA

9. No fim do volume, o leitor encontrará, expostos na "situação de curso", os critérios e as soluções adotadas pelos editores para este ano de curso.

Curso
Anos 1974-1975

AULA DE 8 DE JANEIRO DE 1975

Os exames psiquiátricos em matéria penal. – A que gênero de discurso eles pertencem? – Discursos de verdade e discursos que fazem rir. – A prova legal no direito penal do século XVIII. – Os reformadores. – O princípio da convicção íntima. – As circunstâncias atenuantes. – A relação entre verdade e justiça. – O grotesco na mecânica do poder. – O duplo psicológico-moral do delito. – O exame mostra como o indivíduo já se assemelhava a seu crime antes de o ter cometido. – A emergência do poder de normalização.

Gostaria de começar o curso deste ano lendo-lhes dois relatórios de exame psiquiátrico em matéria penal. Vou lê-los diretamente. O primeiro data de 1955, faz exatos vinte anos. É assinado por pelo menos um dos grandes nomes da psiquiatria penal daqueles anos e diz respeito a um caso de que talvez alguns de vocês se lembrem. É a história de uma mulher e de seu amante, que haviam assassinado a filhinha da mulher. O homem, o amante da mãe portanto, tinha sido acusado de cumplicidade no homicídio ou, em todo caso, de incitação ao homicídio da criança; porque havia ficado provado que a mulher mesma é que matara a filha com suas próprias mãos. Eis portanto o exame psiquiátrico que foi feito do homem, que vou chamar, digamos, de A., porque nunca consegui determinar até que ponto é lícito publicar, mantendo os nomes, os exames médico-legais[1].

"Os peritos se acham evidentemente numa situação incômoda para exprimir seu juízo psicológico sobre A., dado que não podem tomar partido sobre a culpa moral deste. Todavia, raciocinaremos com a hipótese de que A. teria exercido sobre o espírito da mulher L., de uma maneira ou de outra, uma influência que teria levado esta ao assassinato de sua filha. Nessa hipótese, portanto, eis como nós representaríamos as coisas e os atores. A. pertence a um meio pouco homogêneo e socialmente mal estabelecido. Filho ilegítimo, foi criado pela mãe e só bem mais tarde o pai o reconheceu; ganhou então meios-irmãos, mas sem que uma verdadeira coesão familiar pudesse se estabelecer. Tanto mais que, morrendo o pai, viu-se sozinho com a mãe, mulher de situação duvidosa. Apesar de tudo, cobraram-lhe que fizesse o secundário, e suas origens devem ter pesado um pouco em seu orgulho natural. Os seres da sua espécie nunca se sentem muito bem assimilados ao mundo a que chegaram; donde o culto do paradoxo e de tudo o que cria desordem. Num ambiente de ideias um tanto quanto revolucionárias, [lembro-lhes que estamos em 1955 – M.F.] eles se sentem menos desambientados do que num meio e numa filosofia regrados. É a história de todas as reformas intelectuais, de todos os cenáculos; é a história de Saint-Germain-des-Prés, do existencialismo[2], etc. Em todos os movimentos, personalidades verdadeiramente fortes podem emergir, principalmente se conservaram certo senso de adaptação. Elas também podem alcançar a celebridade e fundar uma escola estável. Mas muitos não podem se erguer acima da mediocridade e procuram chamar a atenção com extravagâncias de vestuário ou com atos extraordinários. Encontramos neles o alcebiadismo[3] e o erostratismo[4]. Claro que eles não cortam mais o rabo do cachorro nem ateiam fogo no templo de Éfeso, mas às vezes se deixam corromper pelo ódio à moral burguesa, a tal ponto que renegam suas leis e até caem no crime para inflar sua personalidade, tanto mais que essa personalidade é originalmente mais insignificante. Naturalmente, há nisso tudo certa dose de bovarismo[5], desse poder, conferido ao homem, de se conceber diferente do que é, sobretudo mais bonito e maior do que é. Foi por isso que A. pôde se imaginar um super-homem. O curioso, aliás, é que ele resistiu à influência militar. Ele mesmo dizia que a passagem por Saint-Cyr* formava o caráter. Ao que parece, porém, a farda não normalizou muito a atitude de Algarron[6]. Aliás, ele estava sempre ansioso por sair do quartel e cair na farra. Outra característica psicológica de A. [portanto, além do bovarismo, do erostratismo e do alcebiadismo – M.F.] é o donjuanismo[7]. Ele passava literalmente todas as suas horas de liberdade colecionando amantes, em geral fáceis como L. Depois, por uma verdadeira falta de gosto, ele lhes dizia coisas que, em geral, pela instrução primária delas, eram incapazes de compreender. Ele se comprazia em desenvolver diante delas paradoxos 'hénaurmes', segundo a grafia de Flaubert** que algumas ouviam boquiabertas, outras sem prestar atenção. Do mesmo modo que uma cultura demasiado precoce para seu estado mundano e intelectual havia sido pouco favorável a A., a mulher L. pôde seguir-lhe os passos, de modo ao mesmo tempo carica-

* Escola militar francesa. (N. do T.)

** Em vez de *énormes*, enormes. (N. do T.)

tural e trágico. Trata-se de um novo grau inferior de bovarismo. Ela engoliu os paradoxos de A., que por assim dizer a intoxicaram. Parecia-lhe que estava atingindo um plano intelectual superior. A. falava da necessidade que um casal tinha de fazer juntos coisas extraordinárias, para estabelecer entre si um vínculo indissolúvel, por exemplo matar um chofer de táxi; liquidar uma criança só por liquidar ou para se provarem sua capacidade de decisão. E a mulher L. decidiu matar Catherine. Pelo menos é essa a tese dessa mulher. Se A. não a aceita completamente, tampouco a rejeita integralmente, pois admite ter desenvolvido diante dela, talvez de forma imprudente, os paradoxos que ela, por ausência de espírito crítico, pode ter erigido em regra de ação. Assim, sem tomar partido sobre a realidade e o grau de culpa de A., podemos compreender o quanto sua influência sobre a mulher L. pode ter sido perniciosa. Mas, para nós, o problema está em descobrir e dizer qual é, do ponto de vista penal, a responsabilidade de A. Pedimos mais uma vez, encarecidamente, que não confundam os termos da questão. Não estamos procurando determinar qual a parcela de responsabilidade moral de A. nos crimes da mulher L.: isso é um problema para os juízes e os jurados. Procuramos simplesmente saber se, do ponto de vista médico-legal, suas anomalias de caráter têm uma origem patológica, se realizam um distúrbio mental suficiente para atingir a responsabilidade penal. A resposta, é claro, será negativa. A. errou evidentemente por não se ater ao programa das escolas militares e, no amor, às escapadelas de fim de semana, mas seus paradoxos não têm, apesar disso, o valor de ideias delirantes. Claro, se A. não desenvolveu simplesmente diante da mulher L., de modo imprudente, teorias demasiado complicadas para ela, se ele levou-a intencionalmente ao assassinato da criança, seja para eventualmente livrar-se dela, seja para provar sua força de <persuasão>, seja por puro jogo perverso, como Don Juan na cena do pobre[8], sua responsabilidade permanece integral. Não podemos apresentar de outro modo que não seja esta forma condicional conclusões que podem ser atacadas de todos os lados, num caso em que corremos o risco de sermos acusados de ir além da nossa missão e de invadir o papel do júri, de tomar partido pró ou contra a culpa propriamente dita do acusado, ou ainda de ouvirmos a reprovação de excessivo laconismo, se houvéssemos secamente dito o que, caso necessário, teria bastado, a saber: que A. não apresenta nenhum sintoma de doença mental e que, de um modo geral, ele é plenamente responsável."

Aí está, portanto, um texto que data de 1955. Desculpem o tamanho desses documentos (mas, afinal, vocês compreendem logo que eles levantam um problema); gostaria de citar outros, muito mais breves, ou melhor, um relatório que foi feito a propósito de três homens que haviam sido acusados de chantagem num caso sexual. Vou ler pelo menos o relatório sobre dois deles[9].

Um, digamos X., "intelectualmente, sem ser brilhante, não é estúpido; encadeia bem as ideias e tem boa memória. Moralmente, é homossexual desde os doze ou treze anos, e esse vício, no começo, teria sido uma compensação para as zombarias de que era vítima quando, criança, criado pela assistência pública, estava na Mancha [o departamento francês – M.F.]. Talvez seu aspecto afeminado tenha agravado essa tendência à homossexualidade, mas foi a ganância que levou X. a praticar a chantagem. X. é totalmente imoral, cínico, falastrão até. Há três mil anos, certamente teria vivido em Sodoma e os fogos do céu com toda justiça o teriam punido por seu vício. Devemos reconhecer que Y. [a vítima da chantagem – M.F.] teria merecido a mesma punição. Porque, afinal de contas, ele é idoso, relativamente rico e não tinha nada mais a propor a X., senão instalá-lo numa boate de invertidos, de que ele seria o caixa, abatendo progressivamente o dinheiro investido na compra do estabelecimento. Esse Y., sucessiva ou simultaneamente amante masculino ou feminino*, não se sabe, de X., causa desprezo e náusea. X. ama Z. Só vendo o ar afeminado de um e de outro para compreender que tal palavra pode ser empregada quando se trata de dois homens tão afeminados que não é mais em Sodoma, mas em Gomorra, que deveriam viver."

Eu poderia continuar. Então, sobre Z.: "É um ser deveras medíocre, do contra, de boa memória, encadeando bem as ideias. Moralmente, é um ser cínico e imoral. Compraz-se no estupro, é manifestamente esperto e reticente. É literalmente necessário praticar uma *maïotique* em relação a ele [maïotique está escrito m.a.i.o.t.i.q.u.e., algo relativo ao maiô, sem dúvida nenhuma! – M.F.][10]. Mas o traço mais característico do seu caráter parece ser uma preguiça cujo tamanho nenhum qualificativo seria capaz de dar ideia. É evidentemente menos cansativo trocar discos e encontrar clientes numa boate do que trabalhar de verdade. Aliás, ele reconhece que se tornou homossexual por necessidade material, por cobiça, e que, tendo tomado gosto pelo dinheiro, persiste nessa maneira de se conduzir." Conclusão: "Ele é particularmente repugnante."

Como vocês podem compreender, haveria ao mesmo tempo pouquíssima e muitíssima coisa a dizer sobre esse gênero de discurso. Porque, afinal de contas, na verdade são raros, numa sociedade como a nossa, os discursos que possuem a uma só vez três propriedades. A primeira é po-

* *Amant ou maîtresse*. (N. do T.)

der determinar, direta ou indiretamente, uma decisão de justiça que diz respeito, no fim das contas, à liberdade ou à detenção de um homem. No limite (e veremos alguns desses casos), à vida e à morte. Portanto, são discursos que têm, no limite, um poder de vida e de morte. Segunda propriedade: de onde lhes vem esse poder? Da instituição judiciária, talvez, mas eles o detêm também do fato de que funcionam na instituição judiciária como discursos de verdade, discursos de verdade porque discursos com estatuto científico, ou como discursos formulados, e formulados exclusivamente por pessoas qualificadas, no interior de uma instituição científica. Discursos que podem matar, discursos de verdade e discursos – vocês são prova e testemunhas disso[11] – que fazem rir. E os discursos de verdade que fazem rir e que têm o poder institucional de matar são, no fim das contas, numa sociedade como a nossa, discursos que merecem um pouco de atenção. Tanto mais que, se alguns desses exames, o primeiro em particular, diziam respeito, como vocês viram, a um caso relativamente grave, logo relativamente raro, no segundo caso porém, que data de 1974 (quer dizer, aconteceu ano passado), o que está em jogo é evidentemente o pão de cada dia da justiça penal – e eu já ia dizendo de todos os envolvidos na justiça. Esses discursos cotidianos de verdade que matam e que fazem rir estão presentes no próprio âmago da nossa instituição judiciária.

Não é a primeira vez que o funcionamento da verdade judiciária não apenas coloca problemas, mas também faz rir. E vocês sabem muito bem que, no fim do século XVIII (falei-lhes a esse respeito dois anos atrás, creio eu[12]), a maneira como a prova da verdade era administrada na prática penal suscitava ao mesmo tempo ironia e crítica. Vocês devem se lembrar daquela espécie, escolástica e aritmética ao mesmo tempo, de prova judiciária, do que na época era chamado, no direito penal do século XVIII, de prova legal, em que se distinguia toda uma hierarquia de provas que eram quantitativa e qualitativamente ponderadas[13]. Havia as provas completas e as provas incompletas, as provas plenas e as provas semiplenas, as provas inteiras, as semiprovas, os indícios, os adminículos. Depois, todos esses elementos de demonstração eram combinados, adicionados, para chegar a certa quantidade de provas que a lei, ou antes, o costume, definia como o mínimo necessário para obter a condenação. A partir desse momento, a partir dessa aritmética, desse cálculo da prova, o tribunal tinha de tomar sua decisão. E, na sua decisão, ele estava preso, pelo menos até certo ponto, por essa aritmética da prova. Além dessa legalização, dessa definição legal da natureza e da quantidade da prova, fora dessa formalização legal da demonstração, havia o princípio segundo o qual as punições deviam ser determinadas de maneira proporcional à quantidade das provas reunidas. Ou seja, não bastava dizer: temos de chegar a uma prova plena, inteira e completa, para determinar uma punição. O direito clássico dizia: se a adição não atinge o grau mínimo de provas a partir do qual se pode aplicar a pena plena e inteira, se a adição ficar de certo modo suspensa, se só se têm três quartos de prova e não, ao todo, uma prova plena, isso não quer dizer que não se deva punir. Para três quartos de prova, três quartos de punição; para meia prova, meia pena[14]. Em outras palavras, ninguém é suspeito impunemente. O mais ínfimo elemento de demonstração ou, em todo caso, certo elemento de demonstração, bastará para acarretar certo elemento de pena. Foi essa prática da verdade que suscitou, entre os reformadores do fim do século XVIII – seja Voltaire, seja Beccaria, seja gente como Servan ou Dupaty –, ao mesmo tempo crítica e ironia[15].

Foi a esse sistema da prova legal, da aritmética da demonstração, que se opôs o princípio do que se chama convicção íntima[16]; um princípio que hoje, quando o vemos funcionar e quando vemos a reação das pessoas ante seus efeitos, nos dá a impressão de que autoriza a condenar sem provas. Mas, para dizer a verdade, o princípio da convicção íntima, tal como foi formulado e institucionalizado no fim do século XVIII, tinha um sentido histórico perfeitamente preciso[17].

Primeiro, este: não se deve mais condenar antes de ter chegado a uma certeza total. Isto é, não deve mais haver proporcionalidade entre a demonstração e a pena. A pena deve obedecer à lei do ou tudo, ou nada, uma prova não completa não pode acarretar uma pena parcial. Uma pena, por mais leve que seja, só deve ser decidida quando a prova total, completa, exaustiva, inteira, da culpa do réu tiver sido estabelecida. É a primeira significação do princípio da convicção íntima: o juiz só deve começar a condenar se estiver intimamente persuadido da culpa, não basta ter apenas suspeitas.

Segundo, o sentido desse princípio é o seguinte: não se podem validar apenas provas definidas e qualificadas pela lei. Mas, contanto que seja probatória, isto é, contanto que ela seja de tal natureza que obtenha a adesão de qualquer espírito capaz de verdade, capaz de juízo, logo de verdade, toda prova deve poder ser aceita. Não é a legalidade da prova, sua conformidade com a lei, que fará dela uma prova: é sua demonstratividade. É a demonstratividade da prova que a torna válida.

E, por fim – é o terceiro significado do princípio da convicção íntima –, o critério pelo qual se reconhecerá que a demonstração foi estabelecida não é o quadro canônico das boas provas, é a convicção: a convicção de um sujeito qualquer, de um sujeito indiferente. Como indivíduo pensante, ele é capaz de conhecimento e de verdade. Ou seja, com o princípio da convicção íntima passamos desse regime aritmético-escolástico e tão ridículo da prova clássica ao regime comum, ao regime honrado, ao regime anônimo da verdade para um sujeito supostamente universal.

Ora, de fato, esse regime da verdade universal, a que a justiça penal parece ter se submetido a partir do século XVIII, abriga dois fenômenos, realmente e na maneira como é efetivamente aplicado; ele abriga dois fatos ou duas práticas que são importantes e que, creio eu, constituem a prática real da verdade judiciária e, ao mesmo tempo, a desequilibram em relação a essa formulação estrita e geral do princípio da convicção íntima.

Primeiro, vocês sabem que, apesar do princípio segundo o qual nunca se deve punir sem antes ter chegado à prova, à convicção íntima do juiz, na prática sempre permanece certa proporcionalidade entre o grau de certeza e a gravidade da pena imposta. Vocês sabem perfeitamente que, quando não tem plena certeza de um delito ou de um crime, o juiz – seja ele magistrado ou jurado – tende a traduzir sua incerteza por uma atenuação da pena. A uma incerteza incompletamente adquirida corresponderá, na verdade, uma pena levemente ou amplamente atenuada, mas que continua sendo uma pena. Ou seja, presunções fortes, mesmo em nosso sistema e a despeito do princípio da convicção íntima, nunca permanecem totalmente impunes. É dessa maneira que funcionam as circunstâncias atenuantes.

As circunstâncias atenuantes, em princípio, eram destinadas a quê? De um modo geral, a modular o rigor da lei tal como fora formulada em 1810, no Código Penal. O verdadeiro objetivo que o legislador de 1832 buscava, tendo definido as circunstâncias atenuantes, não era permitir uma atenuação da pena; era, ao contrário, impedir absolvições que eram decididas muitas vezes pelo júri quando ele não queria aplicar a lei em todo o seu rigor. Em particular no caso do infanticídio, os júris provinciais tinham o costume de simplesmente não condenar, porque, se condenassem, seriam obrigados a aplicar a lei, que era a pena de morte. Para não aplicar a pena de morte, eles absolviam. E foi para conceder aos júris e à justiça penal um justo grau de severidade que foi dada aos júris, em 1832, a possibilidade de modular a aplicação da lei com as circunstâncias atenuantes.

Mas, na verdade, por trás desse objetivo, que era explicitamente o do legislador, o que aconteceu? A severidade dos júris aumentou. Mas também aconteceu o seguinte: foi possível, a partir daí, contornar o princípio da convicção íntima. Quando os jurados se acharam na situação de ter de decidir sobre a culpa de alguém, culpa a propósito da qual havia muitas provas, mas ainda não a certeza, aplicava-se o princípio das circunstâncias atenuantes e dava-se uma pena leve ou largamente inferior à pena prevista pela lei. A presunção, o grau de presunção era assim transcrito na gravidade da pena.

No caso Goldman[18], que acabou de ter seu desfecho faz umas semanas, se o escândalo estourou no próprio seio da instituição judiciária, se o próprio procurador-geral, que pedira uma pena, formulou sua surpresa diante do veredicto, é que no fundo o júri não havia aplicado esse uso, que no entanto é absolutamente contrário à lei e que diz que, quando não se tem muita certeza, aplicam-se as circunstâncias atenuantes. O que aconteceu no caso Goldman? No fundo, o júri aplicou o princípio da convicção íntima ou, se quiserem, não o aplicou, mas aplicou a própria lei. Isto é, considerou que tinha uma convicção íntima e aplicou a pena tal como havia sido pedida pelo procurador. Ora, o procurador estava tão acostumado a ver que, quando há algumas dúvidas, não se aplicam exatamente as requisições do ministério público mas fica-se um nível abaixo, que ele próprio ficou surpreso com a severidade da pena. Ele traía, em sua surpresa, esse uso absolutamente ilegal, em todo caso contrário ao princípio, que faz que as circunstâncias atenuantes sejam destinadas a mostrar a incerteza do júri. Em princípio, elas nunca devem servir para transcrever a incerteza do júri; se ainda há incerteza, tem-se pura e simplesmente de absolver o acusado. De fato, por trás do princípio da convicção íntima temos portanto uma prática que continua, exatamente como no velho sistema das provas legais, a modular a pena de acordo com a incerteza da prova.

Uma outra prática também leva a falsear o princípio da convicção íntima e a reconstituir algo que é da ordem da prova legal, em todo caso que se assemelha, por certas características, ao modo de funcionamento da justiça, tal como se produzia no século XVIII. Essa quase-reconstituição, essa pseudorreconstituição da prova legal não está, é claro, na reconstituição de uma aritmética das provas, mas no fato de que – contrariamente ao princípio da convicção íntima, que exige que todas as provas possam ser fornecidas, todas possam ser reunidas e que somente a consciência do juiz, jurado ou magistrado, deve pesá-las – certas provas têm, em si, efeitos de poder, valores demonstrativos, uns maiores que os outros, independentemente de sua estrutura racional própria. Portanto, não em função da estrutura racional delas, mas em função de quê? Pois bem, do sujeito que as produz. Assim é que, por exemplo, os relatórios de polícia ou os depoimentos dos policiais têm, no sistema da justiça francesa atual, uma espécie de privilégio com relação a qualquer outro relatório e depoimento, por serem enunciados por um funcionário juramentado da polícia. Por outro lado, o relatório dos peritos – na medida em que o estatuto de perito confere aos que o pronunciam um valor de cientificidade, ou antes, um estatuto de cientificidade – goza, com relação a qualquer outro elemento da demonstração judiciária, de certo privilégio. Não são provas legais no sentido em que o direito clássico as entendia ainda no fim do século XVIII, mas são enunciados judiciários privilegiados que comportam presunções estatutárias de verdade, presunções que lhe são inerentes, em função dos que as enunciam. Em suma, são enunciados com efeitos de verdade e de poder que lhes são específicos: uma espécie de supralegalidade de certos enunciados na produção da verdade judiciária.

Eu gostaria de me deter um instante sobre essa relação verdade-justiça, porque, claro, é um dos temas fundamentais da filosofia ocidental[19]. Afinal de contas, é um dos pressupostos mais imediatos e mais radicais de todo discurso judiciário, político, crítico, o de que existe uma pertinência essencial entre o enunciado da verdade e a prática da justiça. Ora, acontece que, no ponto em que vêm se encontrar a instituição destinada a administrar a justiça, de um lado, e as instituições qualificadas para enunciar a verdade, do outro, sendo mais breve, no ponto em que se encontram o tribunal e o cientista, onde se cruzam a instituição judiciária e o saber médico ou científico em geral, nesse ponto são formulados enunciados que possuem o estatuto de discursos verdadeiros, que detêm efeitos judiciários consideráveis e que têm, no entanto, a curiosa propriedade de ser alheios a todas as regras, mesmo as mais elementares, de formação de um discurso científico; de ser alheios também às regras do direito e de ser, no sentido estrito, como os textos que li há pouco para vocês, grotescos.

Textos grotescos – e quando digo "grotesco" gostaria de empregar a palavra num sentido, se não absolutamente estrito, pelo menos um pouco rígido ou sério. Chamarei de "grotesco" o fato, para um discurso ou para um indivíduo, de deter por estatuto efeitos de poder de que sua qualidade intrínseca deveria privá-los. O grotesco ou, se quiserem, o "ubuesco"[20] não é simplesmente uma categoria de injúrias, não é um epíteto injurioso, e eu não queria empregá-lo nesse sentido. Creio que existe uma categoria precisa; em todo caso, dever-se-ia definir uma categoria precisa da análise histórico-política, que seria a categoria do grotesco ou do ubuesco. O terror ubuesco, a soberania grotesca ou, em termos mais austeros, a maximização dos efeitos do poder a partir da desqualificação de quem os produz: isso, creio eu, não é um acidente na história do poder, não é uma falha mecânica. Parece-me que é uma das engrenagens que são parte inerente dos mecanismos do poder. O poder político, pelo menos em certas sociedades, em todo caso na nossa, pode se atribuir, e efetivamente se atribuiu, a possibilidade de transmitir seus efeitos, e muito mais que isso, de encontrar a origem dos seus efeitos num canto que é manifestamente, explicitamente, voluntariamente desqualificado pelo odioso, pelo infame ou pelo ridículo. Afinal de contas, essa mecânica grotesca do poder, ou essa engrenagem do grotesco na mecânica do poder, é antiquíssima nas estruturas, no funcionamento político das nossas sociedades. Vocês têm exemplos relevantes disso na história do Império romano, onde essa desqualificação quase teatral do ponto de origem, do ponto de contato de todos os efeitos de poder na pessoa do imperador foi precisamente uma maneira, se não exatamente de governar, pelo menos de dominar; essa desqualificação que faz aquele que é o detentor da *majestas* – desse algo mais de poder em relação a todo poder, qualquer que seja ele – ser ao mesmo tempo, em sua pessoa, em sua personagem, em sua realidade física, em seus trajes, em seu gesto, em seu corpo, em sua sexualidade, em sua maneira de ser, um personagem infame, grotesco, ridículo. De Nero a Heliogábalo, o funcionamento, a engrenagem do poder grotesco, da soberania infame, foi perpetuamente aplicada no funcionamento do Império romano[21].

O grotesco é um dos procedimentos essenciais à soberania arbitrária. Mas vocês também sabem que o grotesco é um procedimento inerente à burocracia aplicada. Que a máquina administrativa, com seus efeitos de poder incontornáveis, passa pelo funcionário medíocre, nulo, imbecil, cheio de caspa, ridículo, puído, pobre, impotente, tudo isso foi um dos traços essenciais das grandes burocracias ocidentais, desde o século XIX. O grotesco administrativo não foi simplesmente a espécie de percepção visionária da administração que Balzac, Dostoiévski, Courteline ou Kafka tiveram. O grotesco administrativo é, de fato, uma possibilidade que a burocracia se deu. "Ubu burocrata" pertence ao funcionamento da administração moderna, como pertencia ao funcionamento do poder imperial de Roma ser como um histrião louco. E o que digo do Império romano, o que digo da burocracia moderna, poderia perfeitamente ser dito de outras formas mecânicas de poder, no nazismo ou no fascismo. O grotesco de alguém como Mussolini estava absolutamente inscrito na mecânica do poder. O poder se dava essa imagem de provir de alguém que estava teatralmente disfarçado, desenhado como um palhaço, como um bufão de feira.

Parece-me que encontramos aí, da soberania infame à autoridade ridícula, todos os graus do que poderíamos chamar de indignidade do poder. Vocês sabem que os etnólogos – penso em particular nas belíssimas análises que Clastres acaba de publicar[22] – identificaram esse fenômeno pelo qual aquele a quem é dado um poder é, ao mesmo tempo, por meio de certo número de ritos e de cerimônias, ridicularizado ou tornado abjeto, ou mostrado sob um aspecto desfavorável. Será que se trata, nas sociedades arcaicas ou primitivas, de um ritual para limitar os efeitos do poder? Pode ser. Mas eu diria que, se são esses os rituais que encontramos em nossas sociedades, eles têm uma função bem diferente. Mostrando explicitamente o poder como abjeto, infame, ubuesco ou simplesmente ridículo, não se trata, creio, de limitar seus efeitos e descoroar magicamente aquele a quem é dada a coroa. Parece-me que se trata, ao contrário, de manifestar da forma mais patente a incontornabilidade, a inevitabilidade do poder, que pode precisamente funcionar com todo o seu rigor e na ponta extrema da sua racionalidade violenta, mesmo quando está nas mãos de alguém efetivamente desqualificado. Esse problema da infâmia da soberania, esse problema do soberano desqualificado, pensando bem, é o problema de Shakespeare; e toda a série das tragédias dos reis coloca precisamente esse problema, sem que nunca, acho eu, ninguém tenha elaborado a teoria da infâmia do soberano[23]. No entanto, mais uma vez, em nossa sociedade, de Nero (que talvez seja a primeira grande figura iniciadora do soberano infame) até o homenzinho de mãos trêmulas que, no fundo do seu *bunker*, coroado por quarenta milhões de mortos, não pedia mais que duas coisas: que todo o resto fosse destruído acima dele e que lhe trouxessem, até ele arrebentar, doces de chocolate – vocês têm todo um enorme funcionamento do soberano infame[24].

Não tenho nem força, nem coragem, nem tempo para consagrar meu curso deste ano a esse tema. Mas gostaria pelo menos de retomar o problema do grotesco a propósito dos textos que acabo de ler para vocês. Creio que não há por que considerar como pura e simples injúria o fato de reconhecer como grotesco e de colocar o problema da existência do grotesco e da função do grotesco nesses textos. Em sua ponta extrema, onde ela se dá o direito de matar, a justiça instaurou um discurso que é o discurso de Ubu, faz Ubu falar doutamente. Para dizer as coisas de uma maneira solene, digamos o seguinte: o Ocidente, que sem dúvida desde a sociedade, desde a cidade grega, não parou de sonhar em dar poder ao discurso de verdade numa cidade justa, finalmente conferiu um poder incontrolado, em seu aparelho de justiça, à paródia, e à paródia reconhecida como tal do discurso científico. Deixemos então a outros o cuidado de colocar a questão dos efeitos de verdade que podem ser produzidos, no discurso, pelo sujeito que supostamente sabe[25]. De minha parte, procurarei estudar os efeitos de poder que são produzidos, na realidade, por um discurso que é ao mesmo tempo estatutário e desqualificado. Essa análise, evidentemente, poderíamos tentá-la em diferentes direções, procurar identificar a ideologia que pode animar os discursos de que lhes dei alguns exemplos. Também poderíamos tentá-la a partir da instituição que os suporta, ou das duas instituições que os suportam, a judiciária e a médica, para ver como puderam nascer. O que procurarei fazer aqui (aqueles de vocês que vieram nos anos anteriores com certeza desconfiam de que é essa a direção que vou tomar) é – em vez de tentar uma análise ideológica ou uma análise "institucionalista" – identificar, analisar a tecnologia de poder que utiliza esses discursos e tenta fazê-los funcionar.

Para tanto, numa primeira aproximação, farei a pergunta: o que acontece nesse discurso de Ubu que está no âmago da nossa prática judiciária, da nossa prática penal? Teoria, pois, do Ubu psiquiátrico-penal. Quanto ao essencial, creio que podemos dizer que, através dos discursos de que lhes dei alguns exemplos, o que acontece é uma série, eu ia dizendo de substituições, mas creio que a palavra não é adequada: melhor seria dizer de dobramentos*. Porque não se trata, na verdade, de um jogo de substituições, mas da introdução de duplos sucessivos. Em outras palavras, não se trata, no caso desses discursos psiquiátricos em matéria penal, de instaurar, como dizem as pessoas, outra cena; mas, ao contrário, de desdobrar os elementos *na* mesma cena. Não se trata pois da cesura que assinala o acesso ao simbólico, mas da síntese coercitiva que assegura a transmissão do poder e o deslocamento indefinido de seus efeitos[26].

Primeiro, o exame psiquiátrico permite dobrar o delito, tal como é qualificado pela lei, com toda uma série de outras coisas que não são o delito mesmo, mas uma série de comportamentos, de maneiras de ser que, bem entendido, no discurso do perito psiquiatra, são apresentadas como a causa, a origem, a motivação, o ponto de partida do delito. De fato, na realidade da prática judiciária, elas vão constituir a substância, a própria matéria punível. Vocês sabem que de acordo com a lei penal, sempre a do Código de Napoleão de 1810 – e já era um princípio reconhecido nos chamados códigos intermediários da Revolução[27] –, pois bem, desde o fim do século XVIII, de acordo com a lei penal, só são condenáveis as infrações definidas como tais pela lei, e por uma lei que deve ser anterior ao ato em questão. Não há retroatividade da lei penal, salvo para certo número de casos excepcionais. Ora, o que faz o exame em relação a esta letra da lei que é: "Só são puníveis as infrações definidas como tais pela lei"? Que tipo de objetos ele faz surgir? Que tipo de objetos ele propõe ao juiz como sendo o objeto da sua intervenção judiciária e o alvo da punição? Se vocês retomarem as palavras – e eu poderia lhes

* *Doublages*. O autor joga com os duplos sentidos das palavras da família de *doubler* (dobrar). Na acepção teatral, significa um ator substituir outro, daí a alusão à cena, pouco abaixo. *Doublage*, aqui traduzida como *dobramento*, seria tal substituição. (N. do T.)

citar outros textos, trouxe uma breve série de exames, todos eles datados dos anos 1955-1974 –, quais são pois os objetos que o exame psiquiátrico faz surgir, que ele cola no delito e de que constitui o dublê ou o duplo? São as noções que encontramos perpetuamente em toda essa série de textos: "imaturidade psicológica", "personalidade pouco estruturada", "má apreciação do real". Tudo isso são expressões que encontrei efetivamente nesses exames: "profundo desequilíbrio afetivo", "sérios distúrbios emocionais". Ou ainda: "compensação", "produção imaginária", "manifestação de um orgulho perverso", "jogo perverso", "erostratismo", "alcebiadismo", "donjuanismo", "bovarismo", etc. Ora, que função tem esse conjunto de noções? Primeiro, repetir tautologicamente a infração para inscrevê-la e constituí-la como traço individual. O exame permite passar do ato à conduta, do delito à maneira de ser, e de fazer a maneira de ser se mostrar como não sendo outra coisa que o próprio delito, mas, de certo modo, no estado de generalidade na conduta de um indivíduo. Em segundo lugar, essas séries de noções têm por função deslocar o nível de realidade da infração, pois o que essas condutas infringem não é a lei, porque nenhuma lei impede ninguém de ser desequilibrado afetivamente, nenhuma lei impede ninguém de ter distúrbios emocionais, nenhuma lei impede ninguém de ter um orgulho pervertido, e não há medidas legais contra o erostratismo. Mas, se não é a lei que essas condutas infringem, é o quê? Aquilo contra o que elas aparecem, aquilo em relação ao que elas aparecem, é um nível de desenvolvimento ótimo: "imaturidade psicológica", "personalidade pouco estruturada", "profundo desequilíbrio". É igualmente um critério de realidade: "má apreciação do real". São qualificações morais, isto é, a modéstia, a fidelidade. São também regras éticas.

Em suma, o exame psiquiátrico permite constituir um duplo psicológico-ético do delito. Isto é, deslegalizar a infração tal como é formulada pelo código, para fazer aparecer por trás dela seu duplo, que com ela se parece como um irmão, ou uma irmã, não sei, e que faz dela não mais, justamente, uma infração no sentido legal do termo, mas uma irregularidade em relação a certo número de regras que podem ser fisiológicas, psicológicas, morais, etc. Vocês vão me dizer que não é tão grave assim e que, se os psiquiatras, quando lhes pedimos para examinar um delinquente, dizem "Afinal, se ele cometeu um roubo, é porque é ladrão; ou, se cometeu um assassinato, é porque tem uma compulsão a matar", isso nada mais é que a molieresca análise do mutismo da filha[28]. Só que, na verdade, é mais grave, e não é grave simplesmente porque pode acarretar a morte, como eu lhes dizia há pouco. O que é mais grave é que, na verdade, o que é proposto nesse momento pelo psiquiatra não é a explicação do crime:

na realidade, o que se tem de punir é a própria coisa, e é sobre ela que o aparelho judiciário tem de se abater.

Vocês se lembram do que acontecia no exame de Algarron. Os peritos diziam: "Nós, como peritos, não temos de dizer se ele cometeu o crime que lhe imputamos. Mas [e era assim que começava o parágrafo final que eu lhes li há pouco – M.F.] suponhamos que ele o tenha cometido. Eu, perito psiquiatra, vou lhes explicar como ele cometeu, se é que cometeu." Toda a análise desse caso (eu disse várias vezes o nome, azar) é na realidade a explicação da maneira como o crime poderia ter sido efetivamente cometido. Os peritos, aliás, dizem isso cruamente: "Raciocinaremos com a hipótese de que A. teria exercido sobre o espírito da mulher L., de uma maneira ou de outra, uma influência que teria levado esta ao assassinato de sua filha." E no fim dizem: "Sem tomar partido sobre a realidade e o grau de culpa de A., podemos compreender o quanto sua influência sobre a mulher L. pode ter sido perniciosa." E a conclusão final, como vocês se lembram: "Ele deve ser considerado responsável." Ora, entrementes, entre a hipótese segundo a qual ele teria de fato uma responsabilidade qualquer e a conclusão final, o que apareceu? Apareceu um certo personagem que foi oferecido, de certo modo, ao aparelho judiciário, um homem incapaz de se integrar ao mundo, que gosta da desordem, que comete atos extravagantes ou extraordinários, que odeia a moral, que renega as leis desta e pode chegar ao crime. De tal modo que, no final das contas, quem vai ser condenado não é o cúmplice efetivo do assassinato em questão: é esse personagem incapaz de se integrar, que gosta da desordem, que comete atos que vão até o crime. E, quando digo que esse personagem é que foi efetivamente condenado, não quero dizer que no lugar de um culpado ter-se-á, graças ao perito, condenado um suspeito (o que é verdade, claro), mas quero dizer mais. O que, em certo sentido, é mais grave é que, no fim das contas, mesmo que o sujeito em questão seja culpado, o que o juiz vai poder condenar nele, a partir do exame psiquiátrico, não é mais precisamente o crime ou o delito. O que o juiz vai julgar e o que vai punir, o ponto sobre o qual assentará o castigo, são precisamente essas condutas irregulares, que terão sido propostas como a causa, o ponto de origem, o lugar de formação do crime, e que dele não foram mais que o duplo psicológico e moral.

O exame psiquiátrico possibilita a transferência do ponto de aplicação do castigo, da infração definida pela lei à criminalidade apreciada do ponto de vista psicológico-moral. Por meio de uma atribuição causal cujo caráter tautológico é evidente, mas, ao mesmo tempo, tem pouca importância (a não ser que se tente, o que seria desinteressante, fazer a análise das estruturas racionais de tal texto), passou-se do que poderíamos chamar de alvo da punição – o ponto de aplicação de um mecanismo de poder, que é o castigo legal – a um domínio de objetos que pertence a um conhecimento, a uma técnica de transformação, a todo um conjunto racional e concertado de coerções*. Que o exame psiquiátrico constitua um suporte de conhecimento igual a zero é verdade, mas não tem importância. O essencial do seu papel é legitimar, na forma do conhecimento científico, a extensão do poder de punir a outra coisa que não a infração. O essencial é que ele permite situar a ação punitiva do poder judiciário num *corpus* geral de técnicas bem pensadas de transformação dos indivíduos.

A segunda função do exame psiquiátrico (sendo a primeira, portanto, dobrar o delito com a criminalidade) é dobrar o autor do crime com esse personagem, novo no século XVIII, que é o delinquente. No exame "clássico", o que era definido nos termos da lei de 1810, a questão no fundo era simplesmente a seguinte: o perito só será chamado para saber se o indivíduo imputado estava em estado de demência, quando cometeu a ação. Porque, se estava, não pode mais, por causa disso, ser considerado responsável pelo que fez. É o célebre artigo 63 [*rectius*: 64], em que não há nem crime nem delito, se o indivíduo estiver em estado de demência no momento do ato[29]. Ora, nos exames como os que vocês veem funcionar agora e como os que lhes dei como exemplo, o que acontece? Por acaso tenta-se efetivamente determinar se um estado de demência permite não considerar mais o autor do ato como um sujeito juridicamente responsável por seus atos? De jeito nenhum. O exame faz algo bem diferente. Ele tenta, primeiro, estabelecer os antecedentes de certa forma infraliminares da penalidade.

Cito-lhes o exemplo de um exame que foi feito, por volta dos anos 60, por três dos grandes medalhões da psiquiatria penal e que, aliás, resultou em morte, já que o objeto do exame foi condenado à morte e guilhotinado. E vejam o que lemos a propósito desse indivíduo: "Ao lado do desejo de surpreender, o gosto de dominar, de comandar, de exercer seu poder (que é outra manifestação do orgulho) apareceu bem cedo em R., que desde a infância tiranizava os pais fazendo cenas ante a menor contrariedade e que, já no secundário, tentava induzir seus colegas a matar aula. O gosto pelas armas de fogo e pelos automóveis, a paixão pelo jogo também foram muito precoces nele. No secundário, já exibia revólveres. Encontramo-lo brincando com uma pistola numa livraria-papelaria. Mais tarde, ele colecionava as armas, tomava emprestadas, traficava e desfruta-

* O manuscrito diz: "de uma coerção racional e concertada".

va dessa sensação reconfortante de poder e superioridade que o porte de uma arma de fogo dá aos fracos. Do mesmo modo, as motocicletas, depois os carros velozes, que ele parece ter consumido em larga escala e que sempre dirigia o mais depressa possível, contribuíam para satisfazer, de forma muito imperfeita de resto, sua fome de dominação."[30]

Trata-se, pois, num exame como esse, de reconstituir a série do que poderíamos chamar de faltas sem infração, ou também de defeitos sem ilegalidade. Em outras palavras, mostrar como o indivíduo já se parecia com seu crime antes de o ter cometido. O simples uso repetitivo, ao longo de todas essas análises, do advérbio "já" é, em si, uma maneira de ressaltar assim, de uma maneira simplesmente analógica, toda essa série de ilegalidades infraliminares, de incorreções não ilegais, de cumulá-las para fazer que se pareçam com o próprio crime. Reconstituir a série das faltas, mostrar como o indivíduo se assemelhava ao seu crime e, ao mesmo tempo, através dessa série, pôr em evidência uma série que poderíamos chamar de parapatológica, próxima da doença, mas uma doença que não é uma doença, já que é um defeito moral. Porque, no fim das contas, essa série é a prova de um comportamento, de uma atitude, de um caráter, que são moralmente defeitos, sem ser nem patologicamente doenças, nem legalmente infrações. É a longa série dessas ambiguidades infraliminares cuja dinastia os peritos sempre procuraram reconstituir.

Aqueles de vocês que examinaram o caso Rivière[31] já veem como, em 1836, era a praxe dos psiquiatras e, ao mesmo tempo, das testemunhas cujo depoimento era pedido reconstituir essa série absolutamente ambígua do infrapatológico e do paralegal, ou do parapatológico e do infralegal, que é uma espécie de reconstituição antecipadora, numa cena reduzida, do próprio crime. É para isso que serve o exame psiquiátrico. Ora, nessa série das ambiguidades infraliminares, parapatológicas, sublegais, etc., a presença do sujeito é inscrita na forma do desejo. Todos esses detalhes, todas essas minúcias, todas essas pequenas maldades, todas essas coisas não muito corretas: o exame mostra como o sujeito está efetivamente presente aí na forma do desejo do crime. Assim, nesse exame que li para vocês, o perito dizia o seguinte de alguém que acabou condenado à morte: "Ele queria conhecer todos os prazeres, desfrutar de tudo e bem depressa, sentir emoções fortes. Era esse o objetivo que ele se dera. Só hesitou, diz ele, diante da droga, cuja dependência ele temia, e diante da homossexualidade, não por princípio, mas por inapetência. A seus projetos, a seus caprichos, R. não suportava que se interpusessem obstáculos. Ele não podia admitir que nada e ninguém se opusesse às suas vontades. Com os pais, ele usava da chantagem afetiva; com estranhos e com a gente do seu meio, ele empregava ameaças e violências." Em outras palavras, essa análise do perpétuo desejo do crime permite estabelecer o que poderíamos chamar de posição radical de ilegalidade na lógica ou no movimento do desejo. Pertinência do desejo do sujeito à transgressão da lei*: seu desejo é fundamentalmente mau. Mas esse desejo do crime – e é também o que encontramos regularmente nessas experiências [*rectius*: exames] – é sempre correlativo de uma falha, de uma ruptura, de uma fraqueza, de uma incapacidade do sujeito. É por isso que vocês veem surgir regularmente noções como "ininteligência", "insucesso", "inferioridade", "pobreza", "feiura", "imaturidade", "defeito de desenvolvimento", "infantilismo", "arcaísmo das condutas", "instabilidade". É que, de fato, essa série infrapenal, parapatológica, em que se leem ao mesmo tempo o ilegalismo do desejo e a deficiência do sujeito, não é de modo algum destinada a responder à questão da responsabilidade; ela se destina, ao contrário, a não responder a ela, a evitar que o discurso psiquiátrico formule a questão que, no entanto, é implicitamente definida pelo artigo 64. Ou seja, que a partir dessa seriação do crime com a infrapenalidade e o parapatológico, a partir desse relacionamento, vai-se estabelecer em torno do autor da infração uma espécie de região de indiscernibilidade jurídica. Vai se constituir, junto com suas irregularidades, suas ininteligências, seus insucessos, seus desejos incansáveis e infinitos, uma série de elementos a propósito dos quais a questão da responsabilidade não pode mais ser formulada ou nem sequer pode ser formulada, porque, no fim das contas, nos termos dessas descrições, o sujeito fica sendo responsável por tudo e responsável por nada. É uma personalidade juridicamente indiscernível a que a justiça é, por conseguinte, obrigada a rejeitar de sua alçada. Não é mais um sujeito jurídico que os magistrados, os jurados, têm diante de si, mas um objeto: o objeto de uma tecnologia e de um saber de reparação, de readaptação, de reinserção, de correção. Em suma, o exame tem por função dobrar o autor, responsável ou não, do crime, com um sujeito delinquente que será objeto de uma tecnologia específica.

Enfim, creio que o exame psiquiátrico tem um terceiro papel: não apenas, portanto, dobrar o delito com a criminalidade, depois de ter dobrado o autor da infração com o sujeito delinquente. Ele tem por função constituir, pedir outro desdobramento, ou antes, um grupo de outros desdobramentos. É, de um lado, a constituição de um médico que será ao mesmo tempo um médico-juiz. Ou seja – a partir do momento em que o médico ou o psiquiatra tem por função dizer se é efetivamente possível

* O manuscrito diz: "A pertinência fundamental da lógica do desejo à transgressão da lei."

encontrar no sujeito analisado certo número de condutas ou de traços que tornam verossímeis, em termos de criminalidade, a formação e o aparecimento da conduta infratora propriamente dita – o exame psiquiátrico tem muitas vezes, para não dizer regularmente, um valor de demonstração ou de elemento demonstrador da criminalidade possível, ou antes, da eventual infração de que se acusa o indivíduo. Descrever seu caráter de delinquente, descrever o fundo das condutas criminosas ou paracriminosas que ele vem trazendo consigo desde a infância, é evidentemente contribuir para fazê-lo passar da condição de réu ao estatuto de condenado.

Vou lhes citar apenas um exemplo, a propósito de uma história recente que deu muito que falar. Tratava-se de saber quem tinha matado uma moça cujo cadáver foi encontrado num campo. Havia dois suspeitos: um era um personagem de destaque do lugar, o outro era um adolescente de dezoito ou vinte anos. Eis como o perito psiquiatra descreve o estado mental do personagem em questão (aliás, foram convocados dois peritos para examinar o notável). Dou um resumo – não obtive o exame mesmo – tal como figura nas requisições da promotoria na Câmara de Acusação: "Os psiquiatras não descobriram nenhum distúrbio de memória. Ouviram confidências sobre os sintomas que o sujeito apresentara em 1970; eram problemas profissionais e financeiros. Ele lhes declarou ter obtido o bacharelado aos dezesseis anos e a licenciatura aos vinte; ter obtido dois diplomas de estudos superiores e ter feito vinte e sete meses de serviço militar na África do Norte, como subtenente. Em seguida, assumiu a empresa do pai e trabalhou muito, tendo como únicas distrações o tênis, a caça e a vela."

Agora passemos à descrição, por dois outros peritos, do rapaz que também era réu no caso. Os psiquiatras notam "pouca nuance de caráter", "imaturidade psicológica", "personalidade pouco estruturada" (como estão vendo, são sempre as mesmas categorias), "juízo sem rigor", "má apreciação do real", "profundo desequilíbrio afetivo", "sérios distúrbios emocionais". Fora isso: "Depois de evocar sua paixão pela leitura de histórias em quadrinhos e livros de *Satanik*, os peritos levaram em consideração o surgimento das pulsões sexuais normais num rapaz dessa compleição física [ele tem dezoito ou vinte anos – M.F.]. Eles se fixaram na hipótese de que, uma vez posto diante {...} das confissões da paixão que a moça em questão lhe revelava, possa ter sentido brutalmente uma repulsa, estimando-as de caráter satânico. Donde a explicação de um gesto gerado por essa repulsa profunda que ele teria experimentado então."

Esses dois relatórios foram entregues à Câmara de Acusações para saber qual dos dois era culpado no caso em questão. E não venham me dizer agora que são os juízes que julgam e que os psiquiatras apenas analisam a mentalidade, a personalidade psicótica ou não dos sujeitos em questão. O psiquiatra se torna efetivamente um juiz; ele instrui efetivamente o processo, e não no nível da responsabilidade jurídica dos indivíduos, mas no de sua culpa real. E, inversamente, o juiz vai se desdobrar diante do médico. Porque, a partir do momento em que ele vai efetivamente pronunciar seu julgamento, isto é, sua decisão de punição, não tanto relativa ao sujeito jurídico de uma infração definida como tal pela lei, mas relativa a esse indivíduo que é portador de todos esses traços de caráter assim definidos, a partir do momento em que vai lidar com esse duplo ético-moral do sujeito jurídico, o juiz, ao punir, não punirá a infração. Ele poderá permitir-se o luxo, a elegância ou a desculpa, como vocês preferirem, de impor a um indivíduo uma série de medidas corretivas, de medidas de readaptação, de medidas de reinserção. O duro ofício de punir vê-se assim alterado para o belo ofício de curar. É a essa alteração que serve, entre outras coisas, o exame psiquiátrico.

Antes de terminar, gostaria de ressaltar duas coisas. É que vocês talvez vão dizer: tudo isso é muito bonito, mas você está descrevendo com certa agressividade uma prática médico-legal que, afinal de contas, é de data relativamente recente. A psiquiatria está sem dúvida em seus balbucios, e penosa, lentamente, estamos saindo dessas práticas confusas, de que ainda podemos encontrar vestígios nos textos grotescos que você por maldade escolheu. Ora, eu vou lhes responder que é exatamente o contrário, que, no que concerne ao exame psiquiátrico em matéria penal, se o tomarmos em suas origens históricas, isto é – digamos para simplificar –, a partir dos primeiros anos de aplicação do Código Penal (os anos 1810-1830), ele era um ato médico, em suas formulações, em suas regras de constituição, em seus princípios gerais de formação, absolutamente isomorfo ao saber médico da época. Em compensação, agora (e temos de prestar essa homenagem aos médicos e, em todo caso, a certos psiquiatras), não conheço nenhum médico, conheço poucos psiquiatras, que ousariam assinar textos como os que acabo de ler. Ora, se eles se recusam a assiná-los como médicos ou mesmo como psiquiatras em sua prática corrente, e se são no fim das contas esses mesmos médicos e psiquiatras que aceitam elaborá-los, escrevê-los, assiná-los na prática judiciária – trata-se afinal da liberdade ou da vida de um homem –, vocês hão de compreender que temos aí um problema. Essa espécie de desvinculação, ou ainda, de involução no nível da normatividade científica e racional dos discursos, coloca efetivamente um problema. Houve – a partir de uma situação que, no início do século XIX, punha os exames médico-legais no mesmo plano que todo saber médico da época – um movimento de desvinculação, um movimento pelo qual a psiquiatria penal se desligou dessa normatividade e aceitou, acolheu, viu-se submetida a novas regras de formação.

Se houve uma evolução nesse sentido, não bastaria dizer, sem dúvida, que os psiquiatras ou os peritos são pura e simplesmente responsáveis por ela[32]. De fato, a própria lei ou os decretos de aplicação da lei mostram muito bem em que sentido vamos e por que caminhos passamos para chegar a este ponto; já que, de maneira geral, os exames médico-legais são regidos, primeiramente, pela velha fórmula do Código Penal, artigo 64: não há nem crime nem delito, se o indivíduo estava em estado de demência no momento do seu ato. Essa regra praticamente comandou e inspirou o exame penal durante todo o século XIX. No início do século XX, vocês têm uma circular, que é a circular Chaumié, datada de 1903 [*rectius*: 1905], na qual já se acha falseado, consideravelmente infletido, o papel que havia sido confiado ao psiquiatra; já que, nessa circular, está dito que o papel do psiquiatra não é, evidentemente – por ser demasiado difícil, porque não é possível [desempenhá-lo] –, definir a responsabilidade jurídica de um sujeito criminoso, mas sim constatar se existem, nele, anomalias mentais que podem ser relacionadas com a infração em questão. Estão vendo que já entramos num domínio bem diferente, que não é mais o do sujeito jurídico responsável por seu ato e medicalmente qualificado como tal. Entramos num domínio que é o da anomalia mental, numa relação não definida com a infração. E, por fim, outra circular, que data do pós-guerra, dos anos 50 (não me lembro mais direito da data; acho que é 1958, mas não ouso garanti-lo, desculpem-me se me equivoco), pela qual se pede aos psiquiatras que sempre respondam, se puderem, é claro, à tal pergunta do artigo 64: estava ele em estado de demência? Mas pede-se sobretudo que digam – primeira questão – se o indivíduo é perigoso. Segunda questão: se ele é sensível a uma sanção penal. Terceira questão: se é curável ou readaptável. Estão vendo, pois, que no nível da lei, e não apenas no nível mental do saber dos psiquiatras, no próprio nível da lei, identifica-se uma evolução perfeitamente clara. Passou-se do problema jurídico da atribuição de responsabilidade a outro problema. O indivíduo é perigoso? É sensível à sanção penal? É curável e readaptável? Em outras palavras, a sanção penal deverá ter doravante por objeto, não um sujeito de direito tido como responsável, mas um elemento correlativo de uma técnica que consiste em pôr de lado os indivíduos perigosos, em cuidar dos que são sensíveis à sanção penal, para curá-los ou readaptá-los. Em outras palavras, é uma técnica de normalização que doravante terá de se ocupar do indivíduo delinquente. Foi essa substituição do indivíduo juridicamente responsável pelo elemento correlativo de uma técnica de normalização, foi essa transformação que o exame psiquiátrico, entre vários outros procedimentos, conseguiu constituir[33].

É isso, esse aparecimento, essa emergência das técnicas de normalização, com os poderes que lhes são ligados, que eu gostaria de tentar estudar, estabelecendo como princípio, como hipótese inicial (mas voltarei um pouco mais demoradamente sobre isso da próxima vez) que essas técnicas de normalização, e os poderes de normalização que são ligados a elas, não são apenas efeito do encontro, da composição, da conexão entre o saber médico e o poder judiciário, mas que, na verdade, através de toda a sociedade moderna, um certo tipo de poder – nem médico, nem judiciário, mas outro – é que conseguiu colonizar e repelir tanto o saber médico como o poder judiciário; um tipo de poder que desemboca finalmente na cena teatral do fórum, apoiando-se, é claro, na instituição judiciária e na instituição médica, mas que, em si mesmo, tem sua autonomia e suas regras. Essa emergência do poder de normalização, a maneira como ele se formou, a maneira como se instalou, sem jamais se apoiar numa só instituição, mas pelo jogo que conseguiu estabelecer entre diferentes instituições, estendeu sua soberania em nossa sociedade – é o que eu gostaria de estudar*. Então, da próxima vez nós começamos.

*

NOTAS

1. Cf. *L'Affaire Denise Labbé – [Jacques] Algarron*, Paris, 1956 (Bibliothèque nationale de France, *Factums*, 16 Fm 1449). Desde 1971, Michel Foucault consagrou seu seminário ao estudo da perícia psiquiátrica; cf. Michel Foucault, "Entretien sur la prison: le livre et sa méthode" (1975), em *Dits et écrits, 1954-1988*, edição estabelecida sob a direção de D. Defert & F. Ewald, com a colaboração de J. Lagrange, Paris, 1994, 4 vol.; I: *1954-1969*, II: *1970-1975*, III: *1976-1979*, IV: *1980-1988*; cf. II, p. 746. [Trad. bras. *Ditos e escritos*. Rio de Janeiro: Forense Universitária, vol. I: 2002, vol. II: 2005, vol. III: 2006, vol. IV: 2006, vol. V: 2006, vol. VI: 2010].

2. A palavra "existencialismo" é utilizada aqui em sua significação mais banal: "Nome dado, principalmente após a Segunda Guerra Mundial, a jovens que afetavam uma maneira negligente de se vestir e uma repugnância pela vida ativa e que frequentavam certos cafés parisienses do bairro de Saint-Germain-des-Prés" (*Grand Larousse de la langue française*, III, Paris, 1973, p. 1820).

3. Segundo o *Grand Robert de la langue française. Dictionnaire alphabétique et analogique*, I, Paris, 1985², p. 237, o nome de Alcebíades foi utilizado com frequência como sinônimo de uma "pessoa cujo caráter reúne grandes qualidades e numerosos defeitos (pretensão, arrivismo)". Os dicionários relativos às ciências psiquiátricas não registram a palavra.

* O manuscrito diz: "fazer a arqueologia disso".

4. Cf. A. Porot, *Manuel alphabétique de psychiatrie clinique, thérapeutique et médico-légale*, Paris, 1952, p. 149: "Em referência ao exemplo do incêndio do templo de Diana em Éfeso por Eróstrato, [P.] Valette [*De l'érostratisme ou vanité criminelle*, Lyon, 1903] criou o termo de erostratismo para designar a associação da malignidade com a amoralidade e a vaidade nos débeis e caracterizar o gênero de atentados que resultam dessas disposições mentais" (definição de C. Bardenat).

5. Cf. A. Porot, *op. cit.*, p. 54: "Expressão tirada do célebre romance de Flaubert, *Madame Bovary*, [que] sugeriu a certos filósofos fazer dela uma entidade psicológica", enquanto Jules Gaultier definiu o bovarismo como "o poder dado ao homem de se conceber diferente do que é".

6. Michel Foucault deixa escapar aqui, sem querer, o nome da pessoa submetida ao exame.

7. Segundo o *Grand Robert*, III, 1985[2], p. 627, o "donjuanismo" em psiquiatria é, num homem, "a busca patológica de novas conquistas", mas os dicionários relativos às ciências psiquiátricas não registram a palavra.

8. Alusão ao ato III, cena 2, de *Dom Juan ou le Festin de pierre* de Molière (em *Oeuvres*, publicadas por E. Despois & P. Mesnard, V, Paris, 1880, pp. 114-20 [trad. bras. *Don Juan – o convidado de pedra*. Porto Alegre: L&PM, 1997]).

9. Trata-se de extratos das conclusões dos exames médico-psicológicos de três homossexuais detidos na penitenciária de Fleury-Mérogis em 1973, acusados de roubo e chantagem. Cf. "Expertise psychiatrique et justice", *Actes. Les cahiers d'action juridique*, 5/6, dezembro de 1974-janeiro de 1975, pp. 38-9.

10. Michel Foucault ressalta aqui a consonância entre "maïotique" ["maiôtica" – N. do T.] e "maïeutique" [maiêutica], isto é, o método socrático ou, mais geralmente, heurístico, que tem por objeto descobrir a verdade.

11. Alusão aos risos frequentes que acompanharam a leitura dos exames psiquiátricos.

12. Ver o curso no Collège de France, ano letivo de 1971-1972: *Théories et institutions pénales*; resumo em *Dits et écrits*, II, pp. 389-93.

13. Cf. D. Jousse, *Traité de la justice criminelle en France*, I, Paris, 1771, pp. 654-837; F. Hélie, *Histoire et théorie de la procédure criminelle*, IV, Paris, 1866, pp. 334-41, n. 1766-69.

14. Foucault refere-se à situação provocada pelas *Ordonnances* [decretos] de Luís XIV. A *Ordonnance* sobre o processo criminal, em 28 artigos, de 1670, é um código de instrução criminal, pois foi promulgado na ausência de um código penal. Cf. F. Serpillon, *Code criminel ou Commentaire sur l'ordonnance de 1670*, Lyon, 1767; F. Hélie, *Traité de l'instruction criminelle ou Théorie du code d'instruction criminelle*, Paris, 1866.

15. Cf. C. Beccaria, *Dei delitti e delle pene*, Livorno, 1764 (trad. fr.: *Traité des délits et des peines*, Lausanne, 1766) [trad. bras. *Dos delitos e das penas*. São Paulo: Martins Fontes, 5ª ed., 2005]; Voltaire, *Commentaire sur le Traité des délits et des peines*, Paris, 1766; J.-M.-A. Servan, *Discours sur l'administration de la justice criminelle*, Genebra, 1767; [C.-M.-J.-B. Mercier Dupaty], *Lettres sur la procédure criminelle de la France, dans lesquelles on montre sa conformité avec celle de l'Inquisition et les abus qui en résultent*, [s.l.], 1788.

16. Cf. A. Rached, *De l'intime conviction du juge. Vers une théorie scientifique de la preuve en matière criminelle*, Paris, 1942.

17. Cf. F. Hélie, *Traité de l'instruction criminelle..., op. cit.*, IV, p. 340 (princípio formulado em 29 de setembro de 1791 e institucionalizado em 3 de brumário do ano IV [1795]).

18. Pierre Goldman compareceu diante do tribunal de Paris, no dia 11 de dezembro de 1974, acusado de assassinato e roubo. Foi condenado à prisão perpétua. O apoio de um comitê de intelectuais, que haviam denunciado várias irregularidades na instrução e vícios proces-

suais, acarretou a revisão do processo. No julgamento em recurso, Goldman foi condenado a doze anos de prisão pelas três agressões reconhecidas. Cf. em *Souvenirs obscurs d'un juif polonais né en France*, Paris, 1975, um extrato da peça de acusação. Pierre Goldman foi assassinado no dia 20 de setembro de 1979.

19. Cf. M. Foucault, "La vérité et les formes juridiques" (1974) em *Dits et Écrits*, II, pp. 538-623 [trad. bras. "A verdade e as formas jurídicas". Rio de Janeiro: Edpuc, 1995].

20. O adjetivo "ubuesco" foi introduzido em 1922, a partir da peça de A. Jarry, *Ubu roi*, Paris, 1896. Ver *Grand Larousse*, VII, 1978, p. 6319: "Diz-se do que, por seu caráter grotesco, absurdo ou caricato, lembra o personagem Ubu"; *Le Grand Robert*, IX, 1985², p. 573: "Que se assemelha ao personagem Ubu rei (por um caráter comicamente cruel, cínico e covarde ao extremo)."

21. Alusão ao desenvolvimento de uma literatura inspirada pela oposição da aristocracia senatorial ao fortalecimento do poder imperial. Ilustrada notadamente por *De vita Caesarum* de Suetônio, ela põe em cena a oposição entre os imperadores virtuosos (*principes*) e os imperadores viciosos (*monstra*), representados pelas figuras de Nero, Calígula, Vitélio e Heliogábalo.

22. Cf. P. Clastres, *La société contre l'état. Recherches d'anthropologie politique*, Paris, 1974 [trad. bras. *A sociedade contra o Estado*. Rio de Janeiro: Francisco Alves, 1978].

23. Sobre as tragédias de Shakespeare que colocam o problema da passagem da ilegitimidade ao direito, cf. M. Foucault, "*Il faut défendre la société*". *Cours au Collège de France (1975-1976)*, Paris, 1997, pp. 155-6 [trad. bras. *Em defesa da sociedade*, São Paulo: Editora WMF Martins Fontes, 2ª ed., 2010].

24. Ver J. Fest, *Hitler*, II: *Le Führer, 1933-1945*, trad. fr. Paris, 1973, pp. 387-453 (ed. orig. Frankfurt am Main-Berlim-Viena, 1973) [trad. bras. *Hitler*. Rio de Janeiro: Nova Fronteira, 1977].

25. Alusão a "Du sujet supposé savoir", em J. Lacan, *Le Séminaire*, livro IX: *Les Quatre Concepts fondamentaux de la psychanalyse*, Paris, 1973, cap. XVIII.

26. Certas ideias aqui desenvolvidas também foram enunciadas durante uma "Table ronde sur l'expertise psychiatrique" (1974), em *Dits et écrits*, II, pp. 664-75.

27. Sobre a produção dos códigos intermediários da Revolução (no caso, o *Código Penal* votado pela Constituinte em 1791, mas também o *Código de instrução criminal* promulgado em 1808), ver G. Lepointe, *Petit précis des sources de l'histoire du droit français*, Paris, 1937, pp. 227-40.

28. Molière, *Le Médecin malgré lui*, ato II, cena 4: "Certa malignidade, que é causada [...] pela agrura dos humores gerados na concavidade do diafragma, sucede que esses vapores [...] *ossabardus, nequeys, nequer, potarinum, quipsa milus*, é justamente o que faz que sua filha seja muda" (em *Oeuvres*, *op. cit.*, VI, 1881, pp. 87-8).

29. O artigo 64 do Código Penal diz: "Não há crime nem delito quando o réu estava em estado de demência no momento da ação, ou quando foi coagido por uma força à qual não pôde resistir." Cf. E. Garçon, *Code pénal annoté*, I, Paris, 1952, pp. 207-26; R. Merle & A. Vitu, *Traité de droit criminel*, I, Paris, 1984⁶, pp. 759-66 (1ª ed. 1967).

30. Trata-se do caso de Georges Rapin. Cf. *infra*, aula de 5 de fevereiro.

31. *Moi, Pierre Rivière, ayant égorgé ma mère, ma soeur et mon frère... Un cas de parricide au XIXᵉ siècle*, apresentado por M. Foucault, Paris, 1973. [Trad. bras. *Eu, Pierre Rivière, que matei minha mãe, minha irmã e meu irmão*. Rio de Janeiro: Graal, 1992.] O dossiê, encontrado integralmente por J.-P. Peter, foi examinado no seminário das segundas-feiras do ano letivo universitário de 1971-72, em que se realizava o "estudo das práticas e dos conceitos médico-legais". Ver o relatório anexado ao resumo do curso, já citado: *Théories et institutions pénales*, em *Dits et Écrits*, III, p. 392.

32. M. Foucault retomará esse tema em "L'évolution de la notion d''individu dangereux' dans la psychiatrie légale du XIXe siècle" (1978), em *Dits et écrits*, III, pp. 443-64.

33. A circular do ministro da Justiça, Joseph Chaumié, foi promulgada no dia 12 de dezembro de 1905. O novo Código de Processo Penal entrou em vigor em 1958 (a referência é ao artigo 345 do Código de Instrução Geral de Aplicação). O esquema utilizado por Foucault pode ser encontrado em A. Porot, *Manuel alphabétique de psychiatrie...*, *op. cit.*, pp. 161-3.

AULA DE 15 DE JANEIRO DE 1975

Loucura e crime. – Perversidade e puerilidade. – O indivíduo perigoso. – O perito psiquiatra só pode ser o personagem Ubu. – O nível epistemológico da psiquiatria e sua regressão no exame médico-legal. – Fim do conflito entre poder médico e poder judiciário. – Exame e anormais. – Crítica da noção de repressão. – Exclusão do leproso e inclusão do pestífero. – Invenção das tecnologias positivas do poder. – O normal e o patológico.

Na semana passada, depois da aula, alguém me perguntou se eu não tinha me enganado e afinal não tinha dado uma aula sobre exames médico-legais, em vez de dar o curso prometido sobre os anormais. Não é exatamente a mesma coisa, mas vocês vão ver que, a partir do problema do exame médico-legal, vou chegar ao problema dos anormais.

De fato, o que eu tinha tentado mostrar a vocês é que, de acordo com o Código Penal de 1810, nos próprios termos do célebre artigo 64, segundo o qual não há crime nem delito se o indivíduo estiver em estado de demência no momento do crime, o exame deve permitir, em todo caso deveria permitir, estabelecer a demarcação: uma demarcação dicotômica entre doença e responsabilidade, entre causalidade patológica e liberdade do sujeito jurídico, entre terapêutica e punição, entre medicina e penalidade, entre hospital e prisão. É necessário optar, porque a loucura apaga o crime, a loucura não pode ser o lugar do crime e, inversamente, o crime não pode ser, em si, um ato que se arraiga na loucura. Princípio da porta giratória: quando o patológico entra em cena, a criminalidade, nos termos da lei, deve desaparecer. A instituição médica, em caso de loucura, deve tomar o lugar da instituição judiciária. A justiça não pode ter competência sobre o louco, ou melhor, a loucura [*rectius*: justiça] tem de se declarar incompetente quanto ao louco, a partir do momento em que o reconhecer como louco: princípio da soltura, no sentido jurídico do termo.

Ora, na verdade, o exame contemporâneo substituiu essa demarcação e esse princípio de demarcação, claramente estabelecidos nos textos, por outros mecanismos que vemos serem tramados, pouco a pouco, ao longo de todo o século XIX, que vemos – por uma espécie de cumplicidade geral, eu já ia dizendo – se esboçar relativamente cedo: quando, por exemplo, desde os anos 1815-1820, vemos júris criminais declarar que alguém é culpado e, depois, ao mesmo tempo, pedir que, apesar da culpa afirmada pela sentença, seja mandado para um hospital psiquiátrico por ser doente. Portanto os júris começam a estabelecer o parentesco, a pertinência, entre loucura e crime; mas os próprios juízes, os magistrados, aceitam até certo ponto essa espécie de irmanação, tanto que às vezes os vemos dizer que um indivíduo pode muito bem ser mandado para um hospital psiquiátrico, apesar do crime que cometeu, porque, no fim das contas, a chance de sair de um hospital psiquiátrico não é maior do que a de sair de uma prisão. Quando as circunstâncias atenuantes forem adotadas, em 1832, isso permitirá justamente que se obtenham condenações que não serão moduladas conforme as circunstâncias mesmas do crime, mas de acordo com a qualificação, a apreciação, o diagnóstico do próprio criminoso. Trama-se pois, pouco a pouco, essa espécie de *continuum* médico-judiciário, cujos efeitos podemos ver e cuja institucionalização--mestra vemos no exame médico-legal.

Em linhas gerais, podemos dizer o seguinte: o exame contemporâneo substituiu a exclusão recíproca entre o discurso médico e o discurso judiciário por um jogo que poderíamos chamar de jogo da dupla qualificação médica e judiciária. Essa prática, essa técnica da dupla qualificação organiza o que poderíamos chamar de domínio da "perversidade", uma noção curiosíssima que começa a aparecer na segunda metade do século XIX e que vai dominar todo o campo da dupla determinação e autorizar o aparecimento, no discurso dos peritos, e de peritos que são cientistas, de toda uma série de termos ou de elementos manifestamente caducos, ridículos ou pueris. Quando vocês percorrem esses exames médico-legais, como os que li da última vez, o que mais salta aos olhos são termos como "preguiça", "orgulho", "obstinação", "maldade"; o que nos é relatado são elementos biográficos, mas que não são de maneira nenhuma princípios de explicação do ato, e sim espécies de reduções anunciadoras, de pequenas cenas infantis, de pequenas cenas pueris, que já são como que o analogado do crime. Uma espécie de redução para crianças da criminalidade, qualificada por termos iguais aos utilizados pelos pais ou na moral dos livros infantis. Na verdade, essa puerilidade mesma dos termos, das noções e da análise, que está no âmago do exame médico-legal contemporâneo, tem uma função muito precisa: é ela que vai servir de ponte entre as categorias jurídicas, que são definidas pelo próprio Código e que pretendem que só se pode punir se houver verdadeiramente intenção de causar dano ou dolo, e noções médicas, como as de "imaturidade", de "debilidade do Eu", de "não desenvolvimento do superego", de "estrutura de caráter", etc. Como vocês estão vendo, noções como todas as que, *grosso modo*, estão ligadas à perversidade permitem costurar, uma na outra, a série das categorias jurídicas que definem o dolo, a intenção de causar dano, e as categorias mais ou menos constituídas no interior de um discurso médico ou, em todo caso, psiquiátrico, psicopatológico, psicológico. Todo esse campo das noções da perversidade, postas em circulação em seu vocabulário pueril, permite pôr as noções médicas para funcionar no campo do poder judiciário e, inversamente, as noções jurídicas no campo de competência da medicina. É como ponte, portanto, que ele funciona bem, e funciona tanto melhor quanto mais fraco for epistemologicamente.

Outra operação possibilitada pelo exame: substituir a alternativa institucional "ou prisão, ou hospital", "ou expiação, ou cura", pelo princípio de uma homogeneidade da reação social. Ele permite estabelecer ou, em todo caso, justificar a existência de uma espécie de *continuum* protetor através de todo o corpo social, que irá da instância médica de cura à instituição penal propriamente dita, isto é, a prisão e, no extremo, o cadafalso. Afinal de contas, no fundo de todos esses discursos da penalidade moderna, portanto da que começa a se tramar desde o século XIX, vocês sabem que corre a frase indefinidamente repetida: "Você vai acabar na forca!" Mas, se a frase "você vai acabar na forca" é possível (tanto que todos nós a ouvimos mais ou menos assim, da primeira vez que não tiramos uma nota boa), se essa frase é efetivamente possível, se ela tem uma base histórica, é na medida em que o *continuum*, que vai da primeira correção aplicada ao indivíduo até a última grande sanção jurídica que é a morte, foi efetivamente constituído por uma imensa prática, uma imensa institucionalização do repressivo e do punitivo, que é alimentada discursivamente pela psiquiatria penal e, em particular, pela prática maior do exame. Em suma, a sociedade vai responder à criminalidade patológica de dois modos, ou antes, vai propor uma resposta homogênea com dois polos: um expiatório, outro terapêutico. Mas esses dois polos são os dois polos de uma rede contínua de instituições, que têm como função, no fundo, responder a quê? Não à doença exatamente, é claro, porque, se só se tratasse da doença, teríamos instituições propriamente terapêuticas; tampouco respondem exatamente ao crime, porque nesse caso bastariam instituições punitivas. Na verdade, todo esse *continuum*, que tem seu polo terapêutico e seu polo judiciário, toda essa miscibilidade institucional* responde a quê? Ao perigo, ora essa.

* *Mixité institutionnelle*. *Mixité* (que traduzimos por *miscibilidade*) é a qualidade do que é misto, em particular do que reúne elementos, pessoas, de origem (cultural, étnica, etc.) diversa. (N. do T.)

É para o indivíduo perigoso, isto é, nem exatamente doente nem propriamente criminoso, que esse conjunto institucional está voltado. No exame psiquiátrico (aliás, a circular de 1958, creio eu, diz isso explicitamente), o que o perito tem a diagnosticar, o indivíduo com o qual ele tem de se haver em seu interrogatório, em sua análise e em seu diagnóstico, é o indivíduo eventualmente perigoso. De modo que temos finalmente duas noções que se deparam e que vocês logo veem quão próximas e vizinhas são: a noção de "perversão", de um lado, que permite costurar uma na outra a série de conceitos médicos e a série de conceitos jurídicos; e, de outro lado, a noção de "perigo", de "indivíduo perigoso", que permite justificar e fundar em teoria a existência de uma cadeia ininterrupta de instituições médico-judiciárias. Perigo e perversão: é isso que, na minha opinião, constitui a espécie de núcleo essencial, o núcleo teórico do exame médico-legal.

Mas, se é esse o núcleo teórico do exame médico-legal, podemos, creio eu, a partir daí, compreender certo número de coisas. A primeira, é claro, é esse caráter propriamente grotesco e ubuesco que eu havia tentado ressaltar da última vez com certo número de exames que li para vocês e que, repito, emanam todos eles dos maiores nomes da psiquiatria legal. Como agora eu não lhes cito esses exames, posso lhes dar o nome dos autores (vocês não vão poder relacionar o nome dos autores ao dos exames). Trata-se de Cénac, Gouriou, Heuyer, Jénil-Perrin[1]. Esse caráter propriamente grotesco, propriamente ubuesco, do discurso penal, pode ser explicado precisamente, em sua existência e em sua manutenção, a partir desse núcleo teórico constituído pela parelha perversão-perigo. De fato, vocês veem que a junção do médico com o judiciário, que é possibilitada pelo exame médico-legal, essa função do médico e do judiciário só se efetua graças à reativação dessas categorias, que vou chamar de categorias elementares da moralidade, que vêm se distribuir em torno da noção de perversidade e que são, por exemplo, as categorias de "orgulho", de "obstinação", de "maldade", etc. Em outras palavras, a junção do médico com o judiciário implica e só pode ser efetuada pela reativação de um discurso essencialmente parental-pueril, parental-infantil, que é o discurso dos pais com os filhos, que é o discurso da moralização mesma da criança. Discurso infantil, ou antes, discurso essencialmente dirigido às crianças, discurso necessariamente em forma de bê-á-bá. E, de outro lado, é o discurso que não apenas se organiza em torno do campo da perversidade, mas igualmente em torno do problema do perigo social: isto é, ele será também o discurso do medo, um discurso que terá por função detectar o perigo e opor-se a ele. É, pois, um discurso do medo e um discurso da moralização, é um discurso infantil, é um discurso cuja organização epistemológica, toda ela comandada pelo medo e pela moralização, não pode deixar de ser ridícula, mesmo em relação à loucura.

Ora, esse caráter ubuesco não está simplesmente ligado à pessoa dos que o pronunciam, nem mesmo a um caráter não elaborado do exame ou do saber ligado ao exame. Esse caráter ubuesco está, ao contrário, ligado muito positivamente ao papel de ponte que o exame penal exerce. Ele está diretamente ligado às funções desse exame. Para voltar pela última vez a Ubu (vamos abandoná-lo aqui), se se admitir – como tentei lhes mostrar da última vez – que Ubu é o exercício do poder através da desqualificação explícita de quem o exerce, se o grotesco político é a anulação do detentor do poder pelo próprio ritual que manifesta esse poder e esse detentor, vocês hão de convir que o perito psiquiatra na verdade não pode deixar de ser a própria personagem Ubu. Ele só pode exercer o terrível poder que lhe pedem para exercer – e que, no fim das contas, é o de determinar a punição de um indivíduo ou dela participar em boa parte – por meio de um discurso infantil, que o desqualifica como cientista quando foi precisamente pelo título de cientista que o convocaram, e por meio de um discurso do medo, que o ridiculariza precisamente quando ele fala num tribunal a propósito de alguém que está no banco dos réus e que, por conseguinte, está despojado de todo e qualquer poder. Ele fala a linguagem da criança, fala a linguagem do medo, logo ele, que é o cientista, que está ao abrigo, protegido, sacralizado até, por toda a instituição judiciária e sua espada. Essa linguagem balbuciante, que é a do exame, funciona precisamente como aquilo que vai transmitir, da instituição judiciária à instituição médica, os efeitos de poder que são próprios a uma e a outra, através da desqualificação daquele que faz a junção. Em outras palavras, é a condessa de Ségur protegida, por um lado, de Esquirol e, por outro, de Fouquier-Tinville[2]. Em todo caso, vocês compreendem por que, de Pierre Rivière a Rapin[3], ou às pessoas cujos exames citei para vocês outro dia, de Pierre Rivière a esses criminosos de hoje, é sempre o mesmo tipo de discurso que se faz. O que se revela através desses exames? A doença? Não. A responsabilidade? Não. A liberdade? Não. Mas sempre as mesmas imagens, sempre os mesmos gestos, sempre as mesmas atitudes, as mesmas cenas pueris: "ele brincava com suas armas de madeira"; "ele cortava a cabeça dos repolhos"; "ele magoava os pais"; "ele matava aula"; "ele não aprendia a lição"; "ele era preguiçoso". E: "Concluo que ele era responsável." No cerne de um mecanismo em que o poder judiciário cede lugar, com tanta solenidade, ao saber médico, vocês veem que o que aparece é Ubu, ao mesmo tempo ignaro e apavorado, mas que permite, precisamente, a partir daí, que essa mesma maquinaria dupla funcione. A bufonaria e a função de perito psiquiatra se confundem: é como funcionário que ele é efetivamente um bufão.

A partir daí, creio ser possível reconstituir dois processos históricos correlativos um do outro. Primeiro, é a curiosíssima regressão histórica à qual assistimos desde o século XIX até nossos dias. No início, o exame psiquiátrico – o de Esquirol, de Georget, de Marc – era a simples transposição à instituição judiciária de um saber médico que era constituído fora dela: no hospital, na experiência clínica[4]. Ora, o que vemos agora é um exame que é, como eu lhes dizia da última vez, absolutamente desvinculado do saber psiquiátrico da nossa época. Porque, pense-se o que se pensar do discurso dos psiquiatras atualmente, vocês viram que o que diz um perito psiquiatra está mil vezes abaixo do nível epistemológico da psiquiatria. Mas o que reaparece nessa espécie de regressão, de desqualificação, de decomposição do saber psiquiátrico no exame? O que reaparece é fácil perceber. É alguma coisa assim, um texto que tomo do século XVIII. É um *placet*, um pedido que foi feito por uma mãe de família para internar seu filho em Bicêtre, no ano de 1758 [*rectius*: 1728]. Tomo o exemplo do trabalho que Christiane Martin está fazendo sobre as *lettres de cachet**. Vocês vão reconhecer exatamente o mesmo tipo de discurso que o atualmente utilizado pelos psiquiatras.

"A suplicante [portanto, é a mulher que pede a *lettre de cachet* para a internação do filho – M.F.] tinha se casado em segundas núpcias após três anos de viuvez, para garantir um pedaço de pão para si, com um comércio de mercearia; ela achou por bem trazer de volta para casa seu filho [...]. Esse libertino prometeu contentá-la para que ela lhe desse um certificado de aprendiz de merceeiro. A suplicante, amando ternamente o filho apesar de todas as mágoas que ele [já] lhe causara, o fez aprendiz, abrigou-o em casa; infelizmente para ela e para seus [outros] filhos, ele aí ficou dois anos, tempo durante o qual a roubava cotidianamente, e a teria arruinado se tivesse ficado mais tempo. A suplicante, achando que em casa alheia ele se comportaria melhor, já conhecendo o comércio e sendo capaz de trabalhar, empregou-o com o sr. Cochin, homem probo, comerciante merceeiro na Porte Saint-Jacques; ele simulou por três meses, depois esse libertino roubou seiscentas libras que a suplicante foi obrigada a pagar para salvar a vida do filho e a honra da sua família [...]. Não sabendo como enganar a mãe, esse pilantra fingiu querer tornar-se monge,

* Carta com o timbre real ordenando a prisão ou o desterro de uma pessoa sem julgamento. (N. do T.)

para o que tapeou várias pessoas probas [que], crendo de boa-fé no que esse espertalhão lhes contava, chamaram sua mãe à razão e lhe disseram que ela responderia diante de Deus pelo que viesse a acontecer com seu filho, se se opusesse à sua vocação [...]. A suplicante, que conhecia há tempos a má conduta do filho, caiu na armadilha, deu-lhe generosamente [*rectius*: geralmente] tudo o que era necessário para entrar no mosteiro de Yvernaux [...]. O desgraçado lá ficou apenas três meses, dizendo que aquela ordem não lhe agradava, que ele preferia ser *prémontré*[5]. A suplicante, que não queria ter nada do que se recriminar, deu ao filho tudo o que ele pedia para entrar na casa de Prémontré, onde ele tomou hábito. Mas esse miserável, na verdade, que só queria enganar a mãe, logo deu mostras da sua astúcia, o que obrigou aqueles senhores [*prémontrés* – M.F.] a expulsá-lo da sua casa após seis meses de noviciado." Bem, a coisa continua e termina assim: "A suplicante [isto é, a mãe – M.F.] recorre a vossa bondade, Monsenhor, e vos suplica [é ao chefe de polícia que a petição é dirigida – M.F.] mui humildemente que lhe facilite uma *lettre de cachet* para internar seu filho e mandá-lo para as Ilhas na primeira oportunidade, sem o que ela e seu marido nunca ficarão sossegados, nem a vida deles estará segura."[6]

Perversidade e perigo. Estão vendo que encontramos de novo aqui, reativada através de uma instituição e de um saber que nos são contemporâneos, toda uma imensa prática que a reforma judiciária do fim do século XVIII deveria ter feito desaparecer e que agora encontramos tal qual. E isso não apenas por uma espécie de efeito de arcaísmo, mas – à medida que o crime vai se patologizando cada vez mais, à medida que o perito e o juiz trocam de papel – toda essa forma de controle, de apreciação, de efeito de poder ligado à caracterização de um indivíduo, tudo isso se torna cada vez mais ativo.

Fora dessa regressão e dessa reativação de toda uma prática ora multissecular, o outro processo histórico que, de certa forma, lhe faz face é uma reivindicação indefinida de poder, em nome da modernização mesma da justiça. Ou seja, desde o início do século XIX, não se para de reivindicar, e cada vez com maior insistência, o poder judiciário do médico, ou o poder médico do juiz. No início do século XIX, no fundo, o problema do poder do médico no aparelho judiciário era um problema conflituoso, no sentido de que os médicos reivindicavam, por motivos que demoraria demais explicar agora, o direito de exercer seu saber no interior da instituição judiciária. Ao que, no essencial, a instituição judiciária se opunha como uma invasão, como um confisco, como uma desqualificação da sua competência. Ora, a partir do fim do século XIX, isso é importante, vemos desenvolver-se, pouco a pouco, uma espécie de reivindicação comum dos juízes no sentido da medicalização da sua profissão, da sua função, das suas decisões. E, depois, uma reivindicação gêmea da institucionalização, de certa forma judiciária, do saber médico: "Como médico, sou judiciariamente competente" – repetem os médicos desde o [início do] século XIX. Mas, pela primeira vez na segunda metade do século XIX, ouve-se os juízes começarem a dizer: pedimos que nossa função seja uma função terapêutica, tanto quanto uma função de julgamento e expiação. É característico ver que, no segundo congresso internacional de criminologia, realizado em 1892 creio (quer dizer, não sei, digamos em torno de 1890 – a data me escapa neste momento), propostas seriíssimas foram feitas no sentido da supressão do júri, com base no seguinte tema[7]: o júri [é composto] de pessoas que não são nem médicos nem juízes, e que, por conseguinte, não têm nenhuma competência, nem da ordem do direito, nem da ordem da medicina. Tal júri é necessariamente um obstáculo, um elemento opaco, um núcleo não manipulável no interior da instituição judiciária tal como deve funcionar no estado ideal. A verdadeira instituição judiciária seria composta de quê? De um júri de peritos sob a responsabilidade jurídica de um magistrado. Ou seja, [tem-se] o curto-circuito de todas as instâncias judiciárias de tipo coletivo, que haviam sido instituídas na reforma penal do fim do século XVIII, para que enfim se unam, mas numa união sem terceiros, os médicos e os magistrados. Essa reivindicação, obviamente, nessa época simplesmente sinaliza um movimento; ela acarretou imediatamente grande oposição entre os médicos e, sobretudo, entre os magistrados. Como quer que seja, é ela que serve de ponto de mira para toda uma série de reformas, que foram instituídas, no essencial, em fins do século XIX e no decorrer do século XX, e que organizam efetivamente uma espécie de poder médico-judiciário, cujos principais elementos ou as principais manifestações são os seguintes.

Primeiro, a obrigação de que todo indivíduo levado diante de um tribunal do júri seja antes examinado por peritos psiquiatras, de tal sorte que nunca ninguém chegue diante de um tribunal apenas com seu crime. Chega-se com o relatório do exame do psiquiatra, e é com o peso de seu crime e desse relatório que o réu se apresenta diante do tribunal do júri. E pretende-se que essa medida, que é geral e obrigatória para o tribunal do júri, também se torne obrigatória diante dos tribunais correcionais, nos quais é apenas aplicada em certo número de casos, mas ainda não de forma geral.

Um segundo sinal dessa implantação é a existência de tribunais especiais, os tribunais para menores, nos quais a informação que é fornecida ao juiz, que é ao mesmo tempo juiz da instrução e do julgamento, é uma informação essencialmente psicológica, social, médica. Por conseguinte, ela diz muito mais respeito ao contexto de existência, de vida, de disciplina do indivíduo, do que ao próprio ato que ele cometeu e pelo qual é levado diante do tribunal para menores. É um tribunal da perversidade e do perigo, não é um tribunal do crime aquele a que o menor comparece. É também a implantação, na administração penitenciária, de serviços médico-psicológicos encarregados de dizer como, durante o desenrolar da pena, se dá a evolução do indivíduo; isto é, o nível de perversidade e o nível de perigo que o indivíduo ainda representa em determinado momento da pena, estando entendido que, se ele atingiu um nível suficientemente baixo de perigo e de perversidade, poderá ser libertado, pelo menos condicionalmente. Também poderíamos citar toda a série das instituições de vigilância médico-legal que enquadram a infância, a juventude, a juventude em perigo, etc.

Temos pois, no total, um sistema em partida dupla, médico e judiciário, que se instaurou a partir do século XIX e do qual o exame, com seu curiosíssimo discurso, constitui a peça de certo modo central, a pequena cavilha, infinitamente fraca e infinitamente sólida, que mantém de pé o conjunto.

E é aqui que vou chegar ao objeto do curso deste ano. Parece-me que o exame médico-legal, tal como o vemos funcionar agora, é um exemplo particularmente notável da irrupção ou, mais verossimilmente, da insidiosa invasão da instituição judiciária e da instituição médica, exatamente na fronteira entre as duas, por certo mecanismo que, justamente, não é médico e não é judiciário. Se falei tão detidamente do exame médico-legal, foi para mostrar, de um lado, que ele fazia a junção, que ele cumpria a função de costura entre o judiciário e o médico. Mas tentei o tempo todo mostrar a vocês como ele era estranho, tanto em relação à instituição judiciária como em relação à normatividade interna do saber médico; e não apenas estranho, mas ridículo. O exame médico viola a lei desde o início; o exame psiquiátrico em matéria penal ridiculariza o saber médico e psiquiátrico desde a sua primeira palavra. Ele não é homogêneo nem ao direito nem à medicina. Embora tenha, na junção de ambos, embora tenha, na fronteira entre ambos, um papel capital para o ajuste institucional entre um e outra, seria totalmente injusto julgar o direito moderno (ou, em todo caso, o direito tal como funcionava no início do século XIX) por uma prática como essa; seria injusto avaliar o saber médico e, mesmo, o saber psiquiátrico utilizando essa prática como critério. No fim das contas, é de outra coisa que se trata. É de outra parte que vem o exame médico-legal. Ele não deriva do direito, não deriva da medicina. Nenhuma prova histórica de derivação do exame penal remeteria nem à evolução do direito, nem à evolução da medicina, nem mesmo à evolução geminada de ambos. É algo que vem se inserir entre eles, assegurar sua junção, mas que vem de outra parte, com termos outros, normas outras, regras de formação outras. No fundo, no exame médico-legal, a justiça e a psiquiatria são ambas adulteradas. Elas não têm a ver com seu objeto próprio, não põem em prática sua regularidade própria. Não é a delinquentes ou a inocentes que o exame médico-legal se dirige, não é a doentes opostos a não doentes. É a algo que está, a meu ver, na categoria dos "anormais"; ou, se preferirem, não é no campo da oposição, mas sim no da gradação do normal ao anormal, que se desenrola efetivamente o exame médico-legal.

A força, o vigor, o poder de penetração e de subversão do exame médico-legal em relação à regularidade da instituição jurídica, estão precisamente no fato de que ele lhes propõe outros conceitos; ele se dirige a outro objeto, ele traz consigo técnicas que são outras e que formam uma espécie de terceiro termo insidioso e oculto, cuidadosamente encoberto, à direita e à esquerda, de um lado e do outro, pelas noções jurídicas de "delinquência", de "reincidência", etc., e os conceitos médicos de "doença", etc. Ele propõe, na verdade, um terceiro termo, isto é, ele pertence verossimilmente – e é o que eu gostaria de mostrar a vocês – ao funcionamento de um poder que não é nem o poder judiciário nem o poder médico, um poder de outro tipo, que eu chamarei, provisoriamente e por enquanto, de poder de normalização. Com o exame, tem-se uma prática que diz respeito aos anormais, que faz intervir certo poder de normalização e que tende, pouco a pouco, por sua força própria, pelos efeitos de junção que ele proporciona entre o médico e o judiciário, a transformar tanto o poder judiciário como o saber psiquiátrico, a se constituir como instância de controle do anormal. E é na medida em que constitui o médico-judiciário como instância de controle, não do crime, não da doença, mas do anormal, do indivíduo anormal, é nisso que ele é ao mesmo tempo um problema teórico e político importante. É nisso também que ela remete a toda uma genealogia desse curioso poder, genealogia que gostaria de fazer agora.

Antes de passar, da próxima vez, à análise concreta, eu gostaria de fazer agora algumas reflexões que são um pouco de ordem metódica. Na verdade, não sou, é claro, o primeiro a tratar do tema de que lhes falarei da próxima vez – a história desse poder de normalização essencialmente aplicado à sexualidade, às técnicas de normalização da sexualidade desde o século XVII. Certo número de obras foram consagradas ao assunto, e recentemente traduziram em francês um livro de Van Ussel que se chama *A repressão da sexualidade* ou *História da repressão da sexualidade*[8].

Ora, precisamente, o que eu gostaria de fazer se distingue desse trabalho, e de certo número de outros trabalhos que foram escritos na mesma linha, não diria exatamente por uma diferença de método, mas por uma diferença de ponto de vista: uma diferença quanto ao que essas análises e as minhas supõem, implicam, em termos de teoria do poder. Parece-me, de fato, que nas análises a que me refiro a noção principal, central, é a noção de "repressão"[9]. Quer dizer, essas análises implicam a referência a um poder cuja função maior seria a repressão, cujo nível de eficácia seria essencialmente superestrutural, da ordem da superestrutura, enfim, cujos mecanismos seriam essencialmente ligados ao desconhecimento, à cegueira. Ora, é outra concepção, outro tipo de análise do poder que eu gostaria de sugerir, através das análises que farei da normalização da sexualidade desde o século XVII.

Para que as coisas fiquem claras, vou dar imediatamente dois exemplos que ainda me parecem caracterizar as análises contemporâneas. E vocês vão ver logo que, citando-lhes esses dois exemplos, é a mim mesmo em análises anteriores que eu questiono[10].

Todo o mundo sabe como se desenrolava no fim da Idade Média, ou mesmo durante toda a Idade Média, a exclusão dos leprosos[11]. A exclusão da lepra era uma prática social que comportava primeiro uma divisão rigorosa, um distanciamento, uma regra de não contato entre um indivíduo (ou um grupo de indivíduos) e outro. Era, de um lado, a rejeição desses indivíduos num mundo exterior, confuso, fora dos muros da cidade, fora dos limites da comunidade. Constituição, por conseguinte, de duas massas estranhas uma à outra. E a que era rejeitada, era rejeitada no sentido estrito nas trevas exteriores. Enfim, em terceiro lugar, essa exclusão do leproso implicava a desqualificação – talvez não exatamente moral, mas em todo caso jurídica e política – dos indivíduos assim excluídos e expulsos. Eles entravam na morte, e vocês sabem que a exclusão do leproso era regularmente acompanhada de uma espécie de cerimônia fúnebre, no curso da qual eram declarados mortos (e, por conseguinte, seus bens, transmissíveis) os indivíduos que eram declarados leprosos e que iam partir para esse mundo exterior e estrangeiro. Em suma, eram de fato práticas de exclusão, práticas de rejeição, práticas de "marginalização", como diríamos hoje. Ora, é sob essa forma que se descreve, e a meu ver ainda hoje, a maneira como o poder se exerce sobre os loucos, sobre os doentes, sobre os criminosos, sobre os desviantes, sobre as crianças, sobre os pobres. Descrevem-se em geral os efeitos e os mecanismos de poder que se exercem sobre eles como mecanismos e efeitos de exclusão, de desqualificação, de exílio, de rejeição, de privação, de recusa, de desconhecimento; ou seja, todo o arsenal dos conceitos e mecanismos negativos da exclusão. Acho, continuo achando, que essa prática ou esse modelo da exclusão do leproso foi um modelo historicamente ativo, ainda bem tarde na nossa sociedade. Em todo caso, quando, em meados do século XVII, deu-se início à grande caça aos mendigos, aos vagabundos, aos ociosos, aos libertinos, etc., e sancionou-se, seja pela rejeição para fora das cidades de toda essa população flutuante, seja por seu internamento nos hospitais gerais – acho que ainda era a exclusão do leproso, ou esse modelo, que era politicamente ativado pela administração real[12]. Em compensação, existe outro modelo de controle que me parece ter tido uma fortuna histórica muito maior e muito mais duradoura*.

Afinal de contas, parece-me que o modelo "exclusão dos leprosos", o modelo do indivíduo expulso para purificar a comunidade, acabou desaparecendo, *grosso modo*, em fins do século XVII-início do século XVIII. Em compensação, outra coisa, outro modelo foi não estabelecido, mas reativado. Esse modelo é quase tão antigo quanto o da exclusão do leproso. É o problema da peste e do policiamento da cidade empesteada. Parece-me que, no fundo, no que diz respeito ao controle dos indivíduos, o Ocidente só teve dois grandes modelos: um é o da exclusão do leproso; o outro é o modelo da inclusão do pestífero. E creio que a substituição, como modelo de controle, da exclusão do leproso pela inclusão do pestífero é um dos grandes fenômenos ocorridos no século XVIII. Para lhes explicar isso, gostaria de lembrar como se instituía a quarentena de uma cidade, quando a peste nela era declarada[13]. Claro, circunscrevia-se – e aí encerrava-se bem encerrado – certo território: o de uma cidade, eventualmente o de uma cidade e de seus subúrbios, e esse território era constituído como território fechado. Mas, fora essa analogia, a prática relativa à peste era muito diferente da prática relativa à lepra. Porque esse território não era o território confuso para o qual se repelia a população da qual a cidade devia se purificar. Esse território era objeto de uma análise sutil e detalhada, de um policiamento minucioso.

A cidade em estado de peste – vou citar para vocês toda uma série de regulamentos, aliás absolutamente idênticos uns aos outros, que foram publicados desde o fim da Idade Média até o início do século XVIII – era dividida em distritos, os distritos eram divididos em quarteirões, e então nesses bairros eram isoladas as ruas e havia em cada rua vigias, em cada

* O manuscrito diz: "É bem possível que esse modelo tenha sido historicamente ativo na época do 'grande internamento' ou da caça aos mendigos, mas ele não parava de perder força, quando foi substituído por outro modelo que me parece ter tido..."

quarteirão inspetores, em cada distrito responsáveis por eles e na cidade mesma seja um governador nomeado para tanto, seja escabinos que, no momento da peste, receberam um suplemento de poder. Portanto, análise do território em seus elementos mais pormenorizados; organização, através desse território assim analisado, de um poder contínuo, e contínuo em dois sentidos. De um lado, por causa dessa pirâmide, de que eu lhes falava há pouco. Das sentinelas postadas diante das portas das casas, na extremidade das ruas, aos responsáveis pelos quarteirões, aos responsáveis pelos distritos e aos responsáveis pela cidade, vocês têm uma espécie de grande pirâmide de poder na qual nenhuma interrupção devia ocorrer. Era um poder que era contínuo também em seu exercício, e não apenas em sua pirâmide hierárquica, já que a vigilância devia ser exercida sem nenhuma interrupção. As sentinelas deviam estar sempre presentes na extremidade das ruas, os inspetores de quarteirão e de distrito deviam, duas vezes por dia, fazer sua inspeção, de tal modo que nada que acontecesse na cidade pudesse escapar ao olhar deles. E tudo o que era assim observado devia ser registrado, de forma permanente, por essa espécie de exame visual e, igualmente, pela transcrição de todas as informações em grandes registros. De fato, no início da quarentena, todos os cidadãos presentes na cidade deviam dar seu nome. Seus nomes eram anotados numa série de registros. Alguns desses registros ficavam na mão dos inspetores locais, os outros ficavam em poder da administração central da cidade. E todos os dias os inspetores deviam passar diante de cada casa, parar e fazer a chamada. A cada indivíduo era atribuída uma janela à qual devia se mostrar e, quando chamavam seu nome, ele devia se apresentar nessa janela, estando entendido que se não se apresentava é que estava de cama; e, se estava de cama, é que estava doente; e, se estava doente, é que era perigoso. E, por conseguinte, era necessário intervir. Era nesse momento que se fazia a triagem dos indivíduos, entre os que estavam doentes e os que não estavam. Todas essas informações assim constituídas, duas vezes por dia, pela visita – essa espécie de passagem em revista, de parada dos vivos e dos mortos que o inspetor realizava, todas essas informações transcritas no registro eram confrontadas em seguida com o registro central que os escabinos detinham na administração central da cidade[14].

Ora, vocês estão vendo que uma organização como essa é, de fato, absolutamente antitética, oposta, em todo caso, a todas as práticas relativas aos leprosos. Não se trata de uma exclusão, trata-se de uma quarentena. Não se trata de expulsar, trata-se ao contrário de estabelecer, de fixar, de atribuir um lugar, de definir presenças, e presenças controladas. Não rejeição, mas inclusão. Vocês estão vendo que não se trata tampouco de uma espécie de demarcação maciça entre dois tipos, dois grupos de população: a que é pura e a que é impura, a que tem lepra e a que não tem. Trata-se, ao contrário, de uma série de diferenças sutis, e constantemente observadas, entre os indivíduos que estão doentes e os que não estão. Individualização, por conseguinte divisão e subdivisão do poder, que chega a atingir o grão fino da individualidade. Por conseguinte, estamos longe da demarcação maciça e efervescente que caracteriza a exclusão do leproso. Também estão vendo que não se trata de maneira nenhuma dessa espécie de distanciamento, de ruptura de contato, de marginalização. Trata-se, ao contrário, de uma observação próxima e meticulosa. Enquanto a lepra pede distância, a peste implica uma espécie de aproximação cada vez mais sutil do poder aos indivíduos, uma observação cada vez mais constante, cada vez mais insistente. Não se trata tampouco de uma espécie de grande rito de purificação, como na lepra; trata-se, no caso da peste, de uma tentativa para maximizar a saúde, a vida, a longevidade, a força dos indivíduos. Trata-se, no fundo, de produzir uma população sadia; não se trata de purificar os que vivem na comunidade, como acontecia com a lepra. Enfim, vocês estão vendo que não se trata de uma marcação definitiva de uma parte da população; trata-se do exame perpétuo de um campo de regularidade, no interior do qual vai se avaliar sem cessar cada indivíduo, para saber se está conforme à regra, à norma de saúde que é definida.

Vocês sabem que existe toda uma literatura sobre a peste, que é bastante interessante, na qual a peste passa por ser esse momento de grande confusão pânica em que os indivíduos, ameaçados pela morte que transita entre eles, abandonam sua identidade, tiram a máscara, esquecem seu estatuto e se entregam à grande depravação das pessoas que sabem que vão morrer. Há uma literatura da peste que é uma literatura da decomposição da individualidade; toda uma espécie de sonho orgiástico da peste, em que a peste é o momento em que as individualidades se desfazem, em que a lei é esquecida. O momento em que a peste se desencadeia é o momento em que, na cidade, toda regularidade é suspensa. A peste passa por cima da lei, assim como passa por cima dos corpos. É esse, pelo menos, o sonho literário da peste[15]. Mas vocês estão vendo que houve outro sonho da peste: um sonho político da peste, em que esta é, ao contrário, o momento maravilhoso em que o poder político se exerce plenamente. A peste é o momento em que o policiamento de uma população se faz até seu ponto extremo, em que nada das comunicações perigosas, das comunidades confusas, dos contatos proibidos pode mais se produzir. O momento da peste é o momento do policiamento exaustivo de uma população por um poder político, cujas ramificações capilares atingem sem cessar o próprio grão dos indivíduos, seu tempo, seu hábitat, sua localização, seu corpo. A peste traz consigo, talvez, o sonho literário ou teatral do grande momento orgiástico; a peste traz consigo também o sonho político de um poder exaustivo, de um poder sem obstáculos, de um poder inteiramente transparente a seu objeto, de um poder que se exerce plenamente. Entre o sonho de uma sociedade militar e o sonho de uma sociedade empesteada, entre esses dois sonhos que vemos nascer nos séculos XVI-XVII, se estabelece, como vocês veem, uma pertinência. E, de fato, creio que o que contou politicamente a partir, justamente, dos séculos XVI-XVIII não foi o velho modelo da lepra, de que sem dúvida encontramos um derradeiro resíduo ou, enfim, uma das derradeiras grandes manifestações, na exclusão dos mendigos, dos loucos, etc., e no grande "internamento". Esse modelo foi substituído, no curso do século XVII, por outro, muito diferente. A peste substituiu a lepra como modelo de controle político, e é essa uma das grandes invenções do século XVIII, ou em todo caso da Idade Clássica e da monarquia administrativa.

Eu diria em linhas gerais o seguinte. Que, no fundo, a substituição do modelo da lepra pelo modelo da peste corresponde a um processo histórico importantíssimo que chamarei, numa palavra, de invenção das tecnologias positivas de poder. A reação à lepra é uma reação negativa; é uma reação de rejeição, de exclusão, etc. A reação à peste é uma reação positiva; é uma reação de inclusão, de observação, de formação de saber, de multiplicação dos efeitos de poder a partir do acúmulo da observação e do saber. Passou-se de uma tecnologia do poder que expulsa, que exclui, que bane, que marginaliza, que reprime, a um poder que é enfim um poder positivo, um poder que fabrica, um poder que observa, um poder que sabe e um poder que se multiplica a partir de seus próprios efeitos.

Eu diria que a Idade Clássica costuma ser louvada por ter sabido inventar uma massa considerável de técnicas científicas e industriais. Inventou também, como se sabe, formas de governo; elaborou aparelhos administrativos, instituições políticas... Tudo isso é verdade. Mas, e acho que isso chama menos a atenção, a Idade Clássica também inventou técnicas de poder tais que o poder não age por arrecadação, mas por produção e maximização da produção. Um poder que não age por exclusão, mas sim por inclusão densa e analítica dos elementos. Um poder que não age pela separação em grandes massas confusas, mas por distribuição de acordo com individualidades diferenciais. Um poder que não é ligado ao desconhecimento, mas, ao contrário, a toda uma série de mecanismos que asseguram a formação, o investimento, a acumulação, o crescimento do saber.

[A Idade Clássica inventou técnicas de poder], enfim, como as que podem ser transferidas para suportes institucionais muito diferentes, como os aparelhos de Estado, as instituições, a família, etc. A Idade Clássica, portanto, elaborou o que podemos chamar de uma "arte de governar", precisamente no sentido em que se entendia, nessa época, o "governo" das crianças, o "governo" dos loucos, o "governo" dos pobres e, logo depois, o "governo" dos operários. E por "governo" cumpre entender, tomando o termo no senso lato, três coisas. Primeiro, é claro, o século XVIII, ou a Idade Clássica, inventou uma teoria jurídico-política do poder, centrada na noção de vontade, na sua alienação, na sua transferência, na sua representação num aparelho governamental. O século XVIII, ou a Idade Clássica, implantou todo um aparelho de Estado, com seus prolongamentos e seus apoios em diversas instituições. E depois – é nisso que gostaria de me deter um pouquinho, ou que deveria servir de pano de fundo para a análise da normalização da sexualidade – ele aperfeiçoou uma técnica geral de exercício do poder, técnica transferível a numerosas e diversas instituições e aparelhos. Essa técnica constitui o reverso das estruturas jurídicas e políticas da representação, e a condição de funcionamento e de eficácia desses aparelhos. Essa técnica geral do governo dos homens comporta um dispositivo tipo, que é a organização disciplinar de que lhes falei ano passado[16]. Esse dispositivo tipo é finalizado pelo quê? Por algo que podemos chamar, acho eu, de "normalização". Este ano portanto não vou mais me consagrar à mecânica mesma dos aparelhos disciplinares, mas a seus efeitos de normalização, àquilo para que são finalizados, aos efeitos que eles obtêm e que podemos colocar no item "normalização".

Mais umas palavras, se vocês me derem alguns minutos. Eu gostaria de dizer o seguinte. Gostaria de remeter a um texto que vocês vão encontrar na segunda edição do livro de Canguilhem sobre *O normal e o patológico** (a partir da página 169). Nesse texto, que trata da norma e da normalização, temos um certo lote de ideias que me parecem histórica e metodologicamente fecundas. De um lado, a referência a um processo geral de normalização social, política e técnica, que vemos se desenvolver no século XVIII e que manifesta seus efeitos no domínio da educação, com suas escolas normais; da medicina, com a organização hospitalar; e também no domínio da produção industrial. E poderíamos sem dúvida acrescentar: no domínio do exército. Portanto, processo geral de normalização, no curso do século XVIII, multiplicação dos seus efeitos de normalização quanto à infância, ao exército, à produção, etc. Vocês também vão

* Trad. bras. Rio de Janeiro: Forense, 1993. (N. do R. T.)

encontrar, sempre no texto a que me refiro, a ideia, que acho importante, de que a norma não se define absolutamente como uma lei natural, mas pelo papel de exigência e de coerção que ela é capaz de exercer em relação aos domínios a que se aplica. Por conseguinte, a norma é portadora de uma pretensão ao poder. A norma não é simplesmente um princípio, não é nem mesmo um princípio de inteligibilidade; é um elemento a partir do qual certo exercício do poder se acha fundado e legitimado. Conceito polêmico – diz Canguilhem. Talvez pudéssemos dizer político. Em todo caso – e é a terceira ideia que acho ser importante –, a norma traz consigo ao mesmo tempo um princípio de qualificação e um princípio de correção. A norma não tem por função excluir, rejeitar. Ao contrário, ela está sempre ligada a uma técnica positiva de intervenção e de transformação, a uma espécie de poder normativo[17].

É esse conjunto de ideias que eu gostaria de tentar aplicar historicamente, essa concepção ao mesmo tempo positiva, técnica e política da normalização, aplicando-a ao domínio da sexualidade. E vocês podem ver que, por trás disso, no fundo, aquilo a que vou me prender, ou de que gostaria de me desprender, é a ideia de que o poder político – sob todas as suas formas e qualquer que seja o nível em que o tomemos – não deve ser analisado no horizonte hegeliano de uma espécie de bela totalidade que o poder teria por efeito seja desconhecer, seja fragmentar por abstração ou por divisão. Parece-me que é um erro ao mesmo tempo metodológico e histórico considerar que o poder é essencialmente um mecanismo negativo de repressão; que o poder tem essencialmente por função proteger, conservar ou reproduzir relações de produção. E parece-me que é um erro considerar que o poder é algo que se situa, em relação ao jogo das forças, num nível superestrutural. É um erro enfim considerar que ele está essencialmente ligado a efeitos de desconhecimento. Parece-me que – se tomarmos essa espécie de concepção tradicional e onicirculante do poder que encontramos seja em escritos históricos, seja também em textos políticos ou polêmicos atuais – essa concepção do poder é, na verdade, construída a partir de certo número de modelos, que são modelos históricos superados. É uma noção compósita, é uma noção inadequada em relação à realidade de que somos secularmente contemporâneos, quero dizer, contemporâneos desde pelo menos o fim do século XVIII.

De fato, a ideia de que o poder pesa de certa forma desde fora, maciçamente, segundo uma violência contínua que alguns (sempre os mesmos) exerceriam sobre os outros (que também são sempre os mesmos), é uma espécie de concepção do poder que é tomada emprestada de quê? Do modelo, ou da realidade histórica, como vocês preferirem, de uma sociedade escravagista. A ideia de que o poder – em vez de permitir a circulação, as alternâncias, as múltiplas combinações de elementos – tem por função essencial proibir, impedir, isolar, parece-me uma concepção do poder que se refere a um modelo também historicamente superado, que é o modelo da sociedade de casta. Fazendo do poder um mecanismo que não tem por função produzir, mas arrecadar, impor transferências obrigatórias de riqueza, por conseguinte privar do fruto do trabalho; em suma, a ideia de que o poder tem por função essencial bloquear o processo de produção e fazer que este beneficie, numa recondução absolutamente idêntica das relações de poder, certa classe social, não me parece referir-se ao funcionamento real do poder nos dias de hoje, mas ao funcionamento do poder tal como podemos supô-lo ou reconstruí-lo na sociedade feudal. Enfim, referindo-se a um poder que viria se superpor, com sua máquina administrativa de controle, a formas, forças, relações de produção estabelecidas no nível de uma economia já dada; descrevendo assim o poder, parece-me que, no fundo, ainda se está utilizando um modelo historicamente superado, desta vez o da monarquia administrativa.

Em outras palavras, parece-me que, fazendo das características gerais atribuídas ao poder político uma instância de repressão, uma instância superestrutural, uma instância que tem por função essencial reproduzir e, por conseguinte, conservar relações de produção, não se faz outra coisa que constituir, a partir de modelos históricos ao mesmo tempo superados e diferentes, uma espécie de daguerreótipo do poder, que é na realidade estabelecido a partir do que se acha possível observar de um poder numa sociedade escravagista, numa sociedade de castas, numa sociedade feudal, numa sociedade como a monarquia administrativa. E isso talvez seja desconhecer a realidade dessas sociedades, mas pouco importa; em todo caso, é desconhecer o que há de específico, o que há de novo, o que aconteceu no curso do século XVIII e da Idade Clássica, a saber, a implantação de um poder que não desempenha, em relação às forças produtivas, em relação às relações de produção, em relação ao sistema social preexistente, um papel de controle e de reprodução, mas, ao contrário, que representa um papel efetivamente positivo. O que o século XVIII instaurou mediante o sistema de "disciplina para a normalização", mediante o sistema de "disciplina-normalização", parece-me ser um poder que, na verdade, não é repressivo, mas produtivo – a repressão só figura a título de efeito colateral e secundário, em relação a mecanismos que, por sua vez, são centrais relativamente a esse poder, mecanismos que fabricam, mecanismos que criam, mecanismos que produzem.

Parece-me também que o que o século XVIII chegou a criar (e o desaparecimento da monarquia, do que chamamos de *Ancien Régime* [Antigo Regime], no fim do século XVIII, é precisamente a sanção disso) foi um poder que não é de superestrutura, mas que é integrado no jogo, na distribuição, na dinâmica, na estratégia, na eficácia das forças; portanto um poder investido diretamente na repartição e no jogo das forças. Parece-me que o século XVIII instituiu também um poder que não é conservador, mas um poder que é inventivo, um poder que detém em si os princípios de transformação e de inovação.

Parece-me enfim que o século XVIII instituiu, com as disciplinas e a normalização, um tipo de poder que não é ligado ao desconhecimento, mas que, ao contrário, só pode funcionar graças à formação de um saber, que é para ele tanto um efeito quanto uma condição de exercício. Assim, é a essa concepção positiva dos mecanismos do poder e dos efeitos desse poder que procurarei me referir, analisando de que maneira, do século XVII até o fim do século XIX, tentou-se praticar a normalização no domínio da sexualidade.

*

NOTAS

1. Sobre M. Cénac, P. Gouriou, G. Heuyer, Jénil-Perrin, cf. A. Porot & C. Bardenat, *Psychiatrie médico-légale*, Paris, 1959, pp. 60, 92, 154, 270. Em particular, no que diz respeito à contribuição de M. Cénac ao que Foucault chama de "miscibilidade institucional", ver seu relatório, discutidíssimo, "Le témoignage et sa valeur au point de vue judiciaire" , apresentado na XLIX sessão do congresso dos alienistas e neurologistas da França em 1951 (*Rapports*, Paris, 1952, pp. 261-99); e sua "Introduction théorique aux fonctions de la psychanalyse en criminologie" (assinada com J. Lacan), por ocasião da XIII conferência dos psicanalistas de língua francesa em 1950 e publicada na *Revue française de psychanalyse*, XV/1, 1951, pp. 7-29 (depois republicada em J. Lacan, *Écrits*, Paris, 1966, pp. 125-49 [trad. bras. *Escritos*. Rio de Janeiro: Jorge Zahar, 1998]).

2. Para entender a alusão de Foucault, recordemos que Sophie Rostopchine, condessa de Ségur (1799-1874), é autora de um grande número de obras para a juventude, escritas justamente na linguagem infantil das mães; que A.-Q. Fouquier-Tinville (1746-1795) foi acusador público no tribunal revolucionário durante o Terror; que J.-E.-D. Esquirol (1772-1840), fundador, com Ph. Pinel, da clínica psiquiátrica, foi médico-chefe da casa real de Charenton em 1825.

3. Sobre Pierre Rivière, cf. *supra*, aula de 8 de janeiro, e *infra*, aula de 12 de fevereiro. Georges Rapin assassinou sua amante na floresta de Fontainebleau, no dia 29 de maio de 1960. Defendido por René Floriot, foi condenado à morte e executado no dia 26 de julho de 1960.

4. Sobre os relatórios elaborados por J.-E.-D. Esquirol, E.-J. Georget e Ch.-Ch.-H. Marc, a partir dos anos 20 do século XIX, cf. *infra*, aula de 5 de fevereiro. Cf. o resumo do curso no Collège de France, ano letivo de 1970-1971: *La volonté de savoir*, em *Dits et écrits*, II, p. 244:

"O seminário desse ano tinha por âmbito geral o estudo da penalidade na França no século XIX. Ele se referiu esse ano aos primeiros desenvolvimentos de uma psiquiatria penal na época da Restauração. O material utilizado era, em grande parte, o texto dos exames médico-legais feitos pelos contemporâneos e discípulos de Esquirol."

5. Ordem de cônegos regulares, fundada em 1120 e submetida à regra agostiniana. Foi suprimida durante a Revolução.

6. O documento citado aqui provém do inventário das *lettres de cachet* feito a pedido de Michel Foucault por Christiane Martin, falecida antes de terminar seu trabalho; está publicado em *Le désordre des familles. Lettres de cachet des Archives de la Bastille*, apresentado por A. Farge & M. Foucault, Paris, 1982, pp. 294-6.

7. O debate sobre a supressão do júri ocorreu no II congresso internacional de antropologia criminal de 1889. As atas foram publicadas em *Archives de l'anthropologie criminelle et des sciences pénales*, IV, 1889, pp. 517-660.

8. Títulos da tradução alemã (*Sexualunterdrückung. Geschichte der Sexualfeindschaft*, Hamburgo, 1970) e francesa (por C. Chevalot: *Histoire de la répression sexuelle*, Paris, 1972) do livro em neerlandês de J. Van Ussel, *Geschiedenis van het seksuele probleem*, Meppel, 1968. [Trad. bras. *Repressão sexual*: Rio de Janeiro: Campus, 1980].

9. Cf. o capítulo "L'hypothèse répressive" de M. Foucault, em *La volonté de savoir*, Paris, 1976, pp. 23-67 [trad. bras. *História da sexualidade I*: A vontade do saber: Rio de Janeiro: Graal, 2003].

10. Alusão à análise das formas de tática punitiva, proposta no curso do Collège de France, 1972-1973: *La société punitive* (em particular 3 de janeiro de 1973).

11. Essas regras de exclusão, esboçadas a partir de 583 nos concílios, retomadas em 789 por uma capitular de Carlos Magno, proliferam a partir dos séculos XII e XIII nos textos consuetudinários e nos estatutos dos sínodos. Assim, por volta de 1400-1430, o leproso deve passar em certas dioceses do Norte e do Leste da França por uma cerimônia relativa ao seu alijamento. Levado à igreja ao canto do *Libera me*, como se fosse um morto, o leproso ouve a missa escondido sob um catafalco, antes de passar por um simulacro de inumação e de ser acompanhado até sua nova morada. A extinção da lepra acarreta, após 1580, o desaparecimento dessa liturgia. Ver A. Bourgeois, "Lépreux et maladreries", em *Mémoires de la commission départementale des monuments historiques du Pas-de-Calais*, XIV/2, Arras, 1972.

12. Cf. M. Foucault, *Histoire de la folie à l'âge classique*, Paris, 1972, pp. 13-6, 56-91 [trad. bras. *História da loucura na Idade Clássica*. São Paulo: Perspectiva, 8ª ed., 2009].

13. Cf. J.-A.-F. Ozanam, *Histoire médicale générale et particulière des maladies épidémiques, contagieuses et épizootiques, qui ont régné en Europe depuis les temps les plus reculés jusqu'à nos jours*, IV, Paris, 1835², pp. 5-93.

14. Cf. M. Foucault, *Surveiller et punir. Naissance de la prison*, Paris, 1975, pp. 197-201 [trad. bras. *Vigiar e punir. O nascimento da prisão*. Petrópolis: Vozes, 1997].

15. Essa literatura começa com Tucídides, *Istoriai*, II, 47, 54, e T. Lucretius Carus, *De natura rerum*, VI, 1138, 1246, e se prolonga até A. Artaud, *Le théâtre et son double*, Paris, 1938, e A. Camus, *La peste*, Paris, 1946 [trad. bras. *A peste*. Rio de Janeiro: Record, 1997].

16. Ver o curso no Collège de France, ano letivo de 1973-1974: *Le pouvoir psychiatrique* (em particular, 21 e 28 de novembro, 5 de dezembro de 1973); resumo em *Dits et écrits*, II, pp. 675-86.

17. G. Canguilhem, *Le normal et le pathologique*, Paris, 1972², pp. 169-222 [trad. bras. *O normal e o patológico*, Rio de Janeiro: Forense Universitária, 2006] (em particular p. 177, para a referência à norma como "conceito polêmico"). Cf. M. Foucault, "La vie: l'expérience et la science" (1985), em *Dits et écrits*, IV, pp. 774-6.

AULA DE 22 DE JANEIRO DE 1975

As três figuras que constituem o domínio da anomalia: o monstro humano; o indivíduo a ser corrigido; a criança masturbadora. – O monstro sexual faz o indivíduo monstruoso e o desviante sexual se comunicarem. – Inversão da importância histórica dessas três figuras. – A noção jurídica de monstro. – A embriologia sagrada e a teoria jurídico-biológica do monstro. – Os irmãos siameses. – Os hermafroditas: casos menores. – O caso Marie Lemarcis. – O caso Anne Grandjean.

Eu gostaria de começar hoje a análise desse domínio da anomalia tal como funciona no século XIX. Eu queria tentar lhes mostrar que esse domínio se constituiu a partir de três elementos. Esses três elementos começam a se isolar, a se definir, a partir do século XVIII e eles fazem a articulação com o século XIX, introduzindo esse domínio da anomalia que, pouco a pouco, vai recobri-los, confiscá-los, de certo modo colonizá-los, a ponto de absorvê-los. Esses três elementos são, no fundo, três figuras ou, se vocês quiserem, três círculos, dentro dos quais, pouco a pouco, o problema da anomalia vai se colocar.

A primeira dessas figuras é a que chamarei de "monstro humano". O contexto de referência do monstro humano é a lei, é claro. A noção de monstro é essencialmente uma noção jurídica – jurídica, claro, no sentido lato do termo, pois o que define o monstro é o fato de que ele constitui, em sua existência mesma e em sua forma, não apenas uma violação das leis da sociedade, mas uma violação das leis da natureza. Ele é, num registro duplo, infração às leis em sua existência mesma. O campo de aparecimento do monstro é, portanto, um domínio que podemos dizer "jurídico-biológico". Por outro lado, nesse espaço, o monstro aparece como um fenômeno ao mesmo tempo extremo e extremamente raro. Ele é o limite, o ponto de inflexão da lei e é, ao mesmo tempo, a exceção que só se encontra em casos extremos, precisamente. Digamos que o monstro é o que combina o impossível com o proibido.

Daí um certo número de equívocos que vão continuar – e é por isso que eu gostaria de insistir um pouco sobre esse ponto – a perseguir por muito tempo a figura do homem anormal, mesmo quando o homem anormal, tal como será constituído na prática e no saber do século XVIII, tiver reduzido e confiscado, absorvido, de certa forma, as características próprias do monstro. De fato, o monstro contradiz a lei. Ele é a infração, e a infração levada a seu ponto máximo. E, no entanto, mesmo sendo a infração (infração de certo modo no estado bruto), ele não deflagra, da parte da lei, uma resposta que seria uma resposta legal. Podemos dizer que o que faz a força e a capacidade de inquietação do monstro é que, ao mesmo tempo que viola a lei, ele a deixa sem voz. Ele arma uma arapuca para a lei que está infringindo. No fundo, o que o monstro suscita, no mesmo momento em que, por sua existência, ele viola a lei, não é a resposta da lei, mas outra coisa bem diferente. Será a violência, será a vontade de supressão pura e simples, ou serão os cuidados médicos, ou será a piedade. Mas não é a lei mesma que responde a esse ataque que, no entanto, a existência do monstro representa contra ela. O monstro é uma infração que se coloca automaticamente fora da lei, e é esse um dos primeiros equívocos. O segundo é que o monstro é, de certo modo, a forma espontânea, a forma brutal, mas, por conseguinte, a forma natural da contranatureza. É o modelo ampliado, a forma, desenvolvida pelos próprios jogos da natureza, de todas as pequenas irregularidades possíveis. E, nesse sentido, podemos dizer que o monstro é o grande modelo de todas as pequenas discrepâncias. É o princípio de inteligibilidade de todas as formas – que circulam na forma de moeda miúda – da anomalia. Descobrir qual o fundo de monstruosidade que existe por trás das pequenas anomalias, dos pequenos desvios, das pequenas irregularidades é o problema que vamos encontrar ao longo de todo o século XIX. É a questão, por exemplo, que Lombroso formulará ao lidar com os delinquentes[1]. Qual é o grande monstro natural que se oculta detrás de um gatuno? O monstro é, paradoxalmente – apesar da posição-limite que ocupa, embora seja ao mesmo tempo o impossível e o proibido –, um princípio de inteligibilidade. No entanto esse princípio de inteligibilidade é propriamente tautológico, pois é precisamente uma propriedade do monstro afirmar-se como monstro, explicar em si mesmo todos os desvios que podem derivar dele, mas ser em si mesmo ininteligível. Portanto, é essa inteligibilidade tautológica, esse princípio de explicação que só remete a si mesmo, que vamos encontrar bem no fundo das análises da anomalia.

Esses equívocos do monstro humano, que se alastram no fim do século XVIII e no início do século XIX, vão se encontrar presentes, vivazes, atenuados é claro, discretos, mas ainda assim realmente ativos, em toda essa problemática da anomalia e em todas as técnicas judiciárias ou médicas que no século XIX vão girar em torno da anomalia. Digamos numa palavra que o anormal (e isso até o fim do século XIX, talvez XX; lembrem-se dos exames que li para vocês no início) é no fundo um monstro cotidiano, um monstro banalizado. O anormal vai continuar sendo, por muito tempo ainda, algo como um monstro pálido. É essa primeira figura que eu gostaria de estudar um pouco.

A segunda, sobre a qual retornarei mais tarde e que também faz parte da genealogia da anomalia e do indivíduo anormal, é a que poderíamos chamar de figura do "indivíduo a ser corrigido". Ele também é um personagem que aparece nitidamente no século XVIII, até mais recentemente, o monstro, como vocês verão, tem uma longuíssima ascendência às suas costas. O indivíduo a ser corrigido é, no fundo, um indivíduo bem específico dos séculos XVII e XVIII – digamos da Idade Clássica. O contexto de referência do monstro era a natureza e a sociedade, o conjunto das leis do mundo: o monstro era um ser cosmológico ou anticosmológico. O contexto de referência do indivíduo a ser corrigido é muito mais limitado: é a família mesma, no exercício de seu poder interno ou na gestão da sua economia; ou, no máximo, é a família em sua relação com as instituições que lhe são vizinhas ou que a apoiam. O indivíduo a ser corrigido vai aparecer nesse jogo, nesse conflito, nesse sistema de apoio que existe entre a família e, depois, a escola, a oficina, a rua, o bairro, a paróquia, a igreja, a polícia, etc. Esse contexto, portanto, é que é o campo de aparecimento do indivíduo a ser corrigido.

Ora, o indivíduo a ser corrigido também tem em comum com o monstro esta outra diferença: sua taxa de frequência é evidentemente muito mais elevada. O monstro é, por definição, uma exceção; o indivíduo a ser corrigido é um fenômeno corrente. É um fenômeno tão corrente que apresenta – e é esse seu primeiro paradoxo – a característica de ser, de certo modo, regular na sua irregularidade. Por conseguinte, a partir daí vai se desenrolar também toda uma série de equívocos que vamos encontrar por muito tempo, depois do século XVIII, na problemática do homem anormal. Primeiro o seguinte: na medida em que o indivíduo a ser corrigido é muito frequente, na medida em que é imediatamente próximo da regra, sempre vai ser difícil determiná-lo. De um lado, é uma espécie de evidência familiar, cotidiana, que faz que possamos reconhecê-lo imediatamente, mas reconhecê-lo sem que tenhamos provas a dar, a tal ponto ele é familiar. Por conseguinte, na medida em que não há provas a dar, nunca se poderá fazer efetivamente a demonstração de que o indivíduo é um incorrigível. Ele está no exato limite da indizibilidade. Dele, não se têm provas a dar e não se podem dar demonstrações. Primeiro equívoco.

Outro equívoco é que, no fundo, quem deve ser corrigido se apresenta como sendo a corrigir na medida em que fracassaram todas as técnicas, todos os procedimentos, todos os investimentos familiares e corriqueiros de educação pelos quais se pode ter tentado corrigi-lo. O que define o indivíduo a ser corrigido, portanto, é que ele é incorrigível. E no entanto, paradoxalmente, o incorrigível, na medida em que é incorrigível, requer um certo número de intervenções específicas em torno de si, de sobreintervenções em relação às técnicas familiares e corriqueiras de educação e correção, isto é, uma nova tecnologia da reeducação, da sobrecorreção. De modo que vocês veem desenhar-se em torno desse indivíduo a ser corrigido a espécie de jogo entre a incorrigibilidade e a corrigibilidade. Esboça-se um eixo da corrigível incorrigibilidade, em que vamos encontrar mais tarde, no século XIX, o indivíduo anormal, precisamente. O eixo da corrigibilidade incorrigível vai servir de suporte a todas as instituições específicas para anormais que vão se desenvolver no século XIX. Monstro empalidecido e banalizado, o anormal do século XIX também é um incorrigível, um incorrigível que vai ser posto no centro de uma aparelhagem de correção. Eis o ancestral do anormal do século XIX.

Quanto ao terceiro, é o "masturbador". O masturbador, a criança masturbadora, é uma figura totalmente nova no século XIX (é na verdade própria do fim do século XVIII), e cujo campo de aparecimento é a família. É inclusive, podemos dizer, algo mais estreito que a família: seu contexto de referência não é mais a natureza e a sociedade como [no caso de] o monstro, não é mais a família e seu entorno como [no caso de] o indivíduo a ser corrigido. É um espaço muito mais estreito. É o quarto, a cama, o corpo; são os pais, os tomadores de conta imediatos, os irmãos e irmãs; é o médico – toda uma espécie de microcélula em torno do indivíduo e do seu corpo.

Essa figura do masturbador que vemos aparecer no fim do século XVIII apresenta, em relação ao monstro e também em relação ao corrigível incorrigível, certo número de características específicas. A primeira é que o masturbador se apresenta e aparece no pensamento, no saber e nas técnicas pedagógicas do século XVIII, como um indivíduo em nada excepcional, nem mesmo como um indivíduo frequente. Ele aparece como um indivíduo quase universal. Ora, esse indivíduo absolutamente universal, isto é, essa prática da masturbação que se reconhece como universal, diz-se ao mesmo tempo que é uma prática desconhecida, ou mal conhecida, de que ninguém falou, que ninguém conhece e cujo segredo nunca é revelado. A masturbação é o segredo universal, o segredo compartilhado por todo o mundo, mas que ninguém comunica a ninguém. É o segredo detido por cada um, o segredo que nunca chega à consciência de si e ao discurso universal (voltaremos sobre tudo isso mais tarde), cuja fórmula geral é (praticamente não deformo o que se encontra nos livros de fins do século XVIII sobre a masturbação): "Quase ninguém sabe que quase todo o mundo pratica." Temos, na organização do saber e das técnicas antropológicas do século XIX, algo de absolutamente decisivo. Esse segredo, que ao mesmo tempo todo o mundo compartilha e que ninguém comunica, é colocado em sua quase-universalidade como a raiz possível, ou mesmo a raiz real, de quase todos os males possíveis. Ele é a espécie de causalidade polivalente à qual se pode vincular, e à qual os médicos do século XVIII vão vincular, imediatamente, toda a parafernália, todo o arsenal das doenças corporais, das doenças nervosas, das doenças psíquicas. No fim das contas, não haverá na patologia de fins do século XVIII praticamente nenhuma doença que, de uma maneira ou outra, não decorra dessa etiologia, isto é, da etiologia sexual. Em outras palavras, esse princípio quase universal, que encontramos praticamente em todo o mundo, é ao mesmo tempo o princípio de explicação da alteração mais extrema da natureza; ele é o princípio de explicação da singularidade patológica. Como quase todo o mundo se masturba, isso explica que alguns contraem doenças extremas que ninguém mais apresenta. É essa espécie de paradoxo etiológico que vocês vão encontrar, até "o fim" dos séculos XIX ou XX, a propósito da sexualidade e das anomalias sexuais. Logo, não há nada de surpreendente. O surpreendente, se vocês quiserem, é essa espécie de paradoxo e essa forma geral de análise já serem formulados de uma maneira tão axiomática nos últimos anos do século XVIII.

Acho que podemos dizer, para situar essa espécie de arqueologia da anomalia, que o anormal do século XIX é um descendente desses três indivíduos, que são o monstro, o incorrigível e o masturbador. O indivíduo anormal do século XIX vai ficar marcado – e muito tardiamente, na prática médica, na prática judiciária, no saber como nas instituições que vão rodeá-lo – por essa espécie de monstruosidade que se tornou cada vez mais apagada e diáfana, por essa incorrigibilidade retificável e cada vez mais investida por aparelhos de retificação. E, enfim, ele é marcado por esse segredo comum e singular, que é a etiologia geral e universal das piores singularidades. Por conseguinte, a genealogia do indivíduo anormal nos remete a estas três figuras: o monstro, o incorrigível, o onanista.

Antes de começar, desta vez, o estudo do monstro eu gostaria de fazer um certo número de observações. A primeira seria a seguinte. Claro, essas três figuras, que eu assinalei em suas particularidades no século XVIII, se comunicam entre si e se comunicam bem cedo, desde a segunda metade do século XVIII. Vocês veem surgir, por exemplo, esta figura que, no fundo, era ignorada nas épocas precedentes: a figura do monstro sexual. Vocês veem a figura do indivíduo monstruoso e a figura do desviante sexual se comunicarem. Vocês encontram o tema recíproco de que a masturbação é capaz de provocar não apenas as piores doenças, mas também as piores deformidades do corpo e, por fim, as piores monstruosidades do comportamento. Vocês também verão que, nesse fim do século XVIII, todas as instituições de correção dedicarão cada vez mais atenção à sexualidade e à masturbação como sendo o próprio cerne do problema do incorrigível. De sorte que o monstro, o incorrigível, o masturbador são personagens que começam a intercambiar alguns de seus traços e cujo perfil começa a se superpor. Mas acho – e será um dos pontos essenciais em que eu gostaria de insistir – que essas três figuras permanecem ainda assim perfeitamente distintas e separadas até o fim do século XVIII e o início do século XIX. E, precisamente, o ponto de aparecimento do que poderíamos chamar de uma genealogia da anomalia humana, uma genealogia dos indivíduos anormais, se formará quando houver sido estabelecida uma rede regular de saber e de poder que reunirá, ou em todo caso investirá, de acordo com o mesmo sistema de regularidades, essas três figuras. Só nesse momento é que se constituirá efetivamente um campo de anomalias em que encontraremos seja os equívocos do monstro, seja os equívocos do incorrigível, seja os equívocos do masturbador, mas desta vez retomados no interior de um campo homogêneo e relativamente menos regular. Mas antes disso, isto é, na época em que me situo (fim do século XVIII-início do século XIX), parece-me que essas três figuras permanecem separadas. Elas permanecem separadas essencialmente na medida em que os sistemas de poder e os sistemas de saber a que essas três figuras são referidas permanecem separados uns dos outros.

O monstro é referido portanto ao que poderíamos chamar, de um modo geral, de contexto dos poderes político-judiciários. E sua figura vai se precisar, vai até se transformar, no fim do século XVIII, à medida que as funções da família e o desenvolvimento das técnicas disciplinares serão remanejados. Quanto ao masturbador, ele aparece e vai se precisar numa redistribuição dos poderes que investem o corpo dos indivíduos. Essas instâncias de poder não são, é claro, independentes umas das outras, mas não obedecem ao mesmo tipo de funcionamento. Não existe, para reuni-las, uma mesma tecnologia de poder que asseguraria o funcionamento coerente delas. E é nessa medida, acredito eu, que podemos encontrar, separadas umas das outras, essas três figuras. Do mesmo modo, as instâncias de saber a que elas se referem também são separadas. O primeiro monstro se refere a uma história natural essencialmente centrada na distinção absoluta e insuperável das espécies, gêneros, reinos, etc. O incorrigível, por sua vez, se refere a um tipo de saber que está se constituindo lentamente no século XVIII: é o saber que nasce das técnicas pedagógicas, das técnicas de educação coletiva, de formação de aptidões. Enfim, o masturbador aparece muito tardiamente, nos derradeiros anos do século XVIII, referido a uma nascente biologia da sexualidade que, na verdade, só por volta de 1820-1830 adquirirá sua regularidade científica. De sorte que a organização dos controles de anomalia, como técnica de poder e de saber no século XIX, deverá precisamente organizar, codificar, articular umas sobre as outras essas instâncias de saber e essas instâncias de poder que, no século XVIII, funcionam em estado disperso.

Enfim, outra observação: existe manifestamente uma espécie de tendência histórica, marcante no decorrer do século XIX, que vai subverter a importância recíproca dessas três figuras. Em fins do século XVIII, ou em todo caso no curso do século XVIII, a figura mais importante, a figura que vai dominar e que, precisamente, vemos emergir (e com que vigor!) na prática judiciária do início do século XIX, é evidentemente a do monstro. O monstro é que é o problema, o monstro é que interroga tanto o sistema médico como o sistema judiciário. É em torno do monstro que toda a problemática da anomalia vai se desenrolar por volta de 1820-1830, em torno dos grandes crimes monstruosos, como os da mulher de Sélestat, Henriette Cornier, Léger, Papavoine, etc., de que voltaremos a falar[2]. O monstro é que é a figura essencial, a figura em torno da qual as instâncias de poder e os campos de saber se inquietam e se reorganizam. Depois, pouco a pouco, é a figura mais modesta, mais discreta, menos cientificamente carregada, a que aparece como a mais indiferente ao poder, isto é, o masturbador ou, se quiserem, a universalidade do desvio sexual, é isso que vai adquirir uma importância cada vez maior. É ela que, no fim do século XIX, encobrirá as outras figuras e, no fim das contas, é ela que deterá o essencial dos problemas que giram em torno da anomalia.

É isso, no que diz respeito à apresentação dessas três figuras. Nas três ou quatro aulas seguintes, gostaria de estudar um pouco a formação, a transformação e o percurso dessas três figuras, do século XVIII à segunda metade do século XIX, isto é, no momento em que, de um lado, elas se formam e, depois, a partir de certo momento, são retomadas no problema, na técnica e no saber da anomalia.

Hoje, vamos começar a falar do monstro[3]. Monstro, portanto, não uma noção médica, mas uma noção jurídica. No direito romano, que evidentemente serve de pano de fundo para toda essa problemática do monstro, distinguiam-se com cuidado, se não com clareza, duas categorias: a categoria da deformidade, da enfermidade, do defeito (o disforme, o enfermo, o defeituoso, é o que chamavam de *portentum* ou *ostentum*), e o monstro, o monstro propriamente dito[4]. O que é o monstro numa tradição ao mesmo tempo jurídica e científica? O monstro, da Idade Média ao século XVIII de que nos ocupamos, é essencialmente o misto. É o misto de dois reinos, o reino animal e o reino humano: o homem com cabeça de boi, o homem com pés de ave – monstros[5]. É a mistura de duas espécies, é o misto de duas espécies: o porco com cabeça de carneiro é um monstro. É o misto de dois indivíduos: o que tem duas cabeças e um corpo, o que tem dois corpos e uma cabeça, é um monstro. É o misto de dois sexos: quem é ao mesmo tempo homem e mulher é um monstro. É um misto de vida e de morte: o feto que vem à luz com uma morfologia tal que não pode viver, mas que apesar dos pesares consegue sobreviver alguns minutos, ou alguns dias, é um monstro. Enfim, é um misto de formas: quem não tem braços nem pernas, como uma cobra, é um monstro. Transgressão, por conseguinte, dos limites naturais, transgressão das classificações, transgressão do quadro, transgressão da lei como quadro: é disso de fato que se trata, na monstruosidade. Mas não acho que é só isso que constitui o monstro. Não é a infração jurídica da lei natural que basta para constituir – no caso do pensamento da Idade Média sem dúvida, com toda certeza no do pensamento dos séculos XVII e XVIII – a monstruosidade. Para que haja monstruosidade, essa transgressão do limite natural, essa transgressão da lei-quadro tem de ser tal que se refira a, ou em todo caso questione certa suspensão da lei civil, religiosa ou divina. Só há monstruosidade onde a desordem da lei natural vem tocar, abalar, inquietar o direito, seja o direito civil, o direito canônico ou o direito religioso. É no ponto de encontro, no ponto de atrito entre a infração à lei-quadro, natural, e a infração a essa lei superior instituída por Deus ou pelas sociedades, é nesse ponto de encontro de duas infrações que vai se assinalar a diferença entre a enfermidade e a monstruosidade. A enfermidade é, de fato, algo que também abala a ordem natural, mas não é uma monstruosidade, porque a enfermidade tem seu lugar no direito civil e no direito canônico. O enfermo pode não ser conforme à natureza, mas é de certa forma previsto pelo direito. Em compensação, a monstruosidade é essa irregularidade natural que, quando aparece, o direito é questionado, o direito não consegue funcionar. O direito é obrigado a se interrogar sobre seus próprios fundamentos, ou sobre suas práticas, ou a se calar, ou a renunciar, ou a apelar para outro sistema de referência, ou a inventar uma casuística. No fundo, o monstro é a casuística necessária que a desordem da natureza chama no direito.

Assim, dir-se-á que é monstro o ser em que se lê a mistura de dois reinos, porque, de um lado, quando se pode ler, num só e mesmo indivíduo, a presença do animal e a presença da espécie humana, a que é remetido quem busca saber a causa disso? A uma infração do direito humano e do direito divino, isto é, à fornicação, entre os genitores, de um indivíduo da espécie humana com um animal[6]. É por ter havido uma relação sexual entre um homem e um animal, ou entre uma mulher e um animal, que o monstro, em que se mesclam os dois reinos, vai aparecer. Nessa medida, somos remetidos portanto à infração, ao direito civil ou ao direito religioso. Mas, ao mesmo tempo que a desordem natural remete a essa infração ao direito religioso e ao direito civil, esse direito religioso ou esse direito civil se acha num embaraço absoluto, que é assinalado pelo fato, por exemplo, de que se coloca o problema de saber se é ou não necessário batizar um indivíduo que tem um corpo humano e uma cabeça de animal, ou um corpo de animal e uma cabeça humana. E o direito canônico, que no entanto previu tantas enfermidades, impotências, etc., não pode resolver isso. Assim, a desordem da natureza abala a ordem jurídica, e aí aparece o monstro. É da mesma maneira que, por exemplo, o nascimento de um ser informe que está necessariamente fadado à morte, mas que vive alguns instantes, algumas horas ou alguns dias, também coloca um problema, e um problema para o direito[7]. É uma infração à ordem da natureza, mas é ao mesmo tempo um enigma jurídico. No direito, por exemplo, das sucessões, na jurisprudência, vocês encontram toda uma série de discussões, de casos infinitas vezes repetidos, o mais típico dos quais é o seguinte. Um homem morre, sua mulher está grávida; ele faz um testamento em que diz: "Se o filho que minha mulher espera vier a termo, herdará todos os meus bens. Se, ao contrário, a criança não nascer ou nascer morta, se for natimorto, então os bens passarão para a minha família."[8] Se nasce um monstro, para quem irão os bens? Deve-se considerar que o filho nasceu ou que não nasceu? A partir do momento em que nasce essa espécie mista de vida e de morte que é a criança monstruosa, coloca-se para o direito um problema insolúvel. Quando nasce um monstro com dois corpos, ou com duas cabeças, deve receber um ou dois batismos?[9] Deve-se considerar que o casal teve um filho ou dois?[10] Descobri vestígios (mas infelizmente não pude saber onde estavam as peças do caso, do processo, nem como seria possível sabê-lo)[11] da história de dois irmãos siameses, um dos quais havia cometido um crime, e o problema era saber se era para executar um ou os dois. Se se executasse um, o outro morria; mas, se se deixasse o inocente viver, tinha-se de deixar o outro viver[12]. É aí que aparece efetivamente o problema da monstruosidade. É igualmente monstro o ser que tem dois sexos e, por conseguinte, que não se sabe se deve ser tratado como menino ou como menina; se se deve ou não autorizá-lo a se casar e com quem; se pode ser titular de benefícios eclesiásticos; se pode receber as ordens religiosas, etc.[13]

Todos esses problemas da teratologia jurídica são desenvolvidos num livro interessantíssimo, que me parece absolutamente capital para entender a questão do nascimento e do desenvolvimento do problema jurídico-natural, jurídico-médico do monstro. É um livro de um padre que se chamava Cangiamila. Em 1745, ele publicou um texto que se chama *Traité d'embryologie sacrée*, em que vocês têm a teoria jurídico-natural, jurídico-biológica do monstro[14]. Portanto, o monstro aparece e funciona no século XVIII exatamente no ponto de junção da natureza com o direito. Ele traz consigo a transgressão natural, a mistura das espécies, o embaralhamento dos limites e dos caracteres. Mas ele só é monstro porque também é um labirinto jurídico, uma violação e um embaraço da lei, uma transgressão e uma indecidibilidade no nível do direito. O monstro é, no século XVIII, um complexo jurídico-natural.

O que eu lhes disse vale para o século XVIII – creio que, na verdade, esse funcionamento jurídico-natural do monstro é bastante antigo. Ainda o encontramos, e por muito tempo, no século XIX. É ele que encontramos transposto, transformado, nos exames que li para vocês. Mas parece-me que o ponto de elaboração da nova teoria da monstruosidade que encontraremos no século XIX é encontrado no século XVIII a propósito de um tipo particular de monstro. Acho, aliás, que houve em cada época – pelo menos para a reflexão jurídica e médica – formas privilegiadas de monstro. Na Idade Média, era evidentemente o homem bestial, isto é, o misto dos dois reinos, o que era ao mesmo tempo homem e animal. Parece-me – isso precisa ser mais bem estudado – impressionante ver que, na época do Renascimento, há uma forma de monstruosidade que foi particularmente privilegiada na literatura em geral, mas também nos livros de medicina e de direito, nos livros religiosos também: os irmãos siameses. O um que é dois, os dois que são um. Com uma curiosíssima referência, que encontramos praticamente sempre, em todo caso muito regularmente, nessas análises do fim do século XVI e ainda no início do século XVII: o indivíduo que só tem uma cabeça e dois corpos, ou um corpo e duas cabeças; é a imagem do reino, é também a imagem da cristandade dividida em duas comunidades religiosas. Há discussões interessantíssimas, em que se articulam justamente a problemática religiosa e a problemática médica. Em particular, a história desses dois irmãos [*rectius*: irmãs] siamesas que foram batizadas, ou antes, cujo batismo foi iniciado.

Uma foi batizada, mas eis que a segunda morre antes de poderem lhe dar o batismo. Então, ocorre uma imensa discussão, e o padre católico (que fizera o batizado) disse: "É simples. Se a outra morreu, é porque teria sido protestante." E temos a imagem do reino de França, com sua metade salva pelo batismo, e a que será danada e perdida. Em todo caso, é característico que, nos assuntos jurídicos, médicos e religiosos do fim do século XVI e início do século XVII, os irmãos siameses constituam o tema mais frequente[15].

Mas, na Idade Clássica, é um terceiro tipo de monstro que, na minha opinião, é privilegiado: os hermafroditas. Foi em torno dos hermafroditas que se elaborou, em todo caso que começou a se elaborar, a nova figura do monstro, que vai aparecer no fim do século XVIII e que vai funcionar no início do século XIX. Em linhas gerais, podemos admitir – mas seria necessário examinar a coisa muito mais detalhadamente –; em todo caso diz-se que na Idade Média, e até o século XVI (até pelo menos o início do século XVII também), os hermafroditas eram, como hermafroditas, considerados monstros e executados, queimados, suas cinzas jogadas ao vento. Admitamos. De fato, encontramos, bem no fim do século XVI, por exemplo, em 1599, um caso de punição de um hermafrodita, que é condenado como hermafrodita e, ao que parece, sem que houvesse nada além do fato de ele ser hermafrodita. Era alguém que se chamava Antide Collas, que havia sido denunciado como hermafrodita. Ele morava em Dôle e, após um exame, os médicos concluíram que, de fato, aquele indivíduo possuía os dois sexos, e que só podia possuir os dois sexos porque tivera relações com Satanás e que as relações com Satanás é que haviam acrescentado a seu sexo primitivo um segundo sexo. Torturado, o hermafrodita de fato confessou ter tido relações com Satanás e foi queimado vivo em Dôle, em 1599. É esse, parece-me, um dos últimos casos em que encontramos um hermafrodita queimado por ser hermafrodita[16].

Ora, pouco depois, vemos aparecer uma jurisprudência de outro tipo – que vocês encontram exposta longamente no *Dictionnaire des arrêts des parlements de France* de Brillon[17] – que mostra que um hermafrodita, em todo caso a partir do século XVII, não era condenado por ser hermafrodita. Se fosse reconhecido como tal, pediam-lhe que escolhesse seu sexo, o que era dominante nele, que se comportasse em função do sexo que era assim determinado, que, em particular, se vestisse de acordo com ele; e era só se usasse o sexo anexo que, nesse momento, incorria nas leis penais e merecia ser condenado por sodomia[18]. De fato, encontramos toda uma série de condenações de hermafroditas por esse uso suplementar do sexo anexo. Assim é que Héricourt, em *Les lois ecclésiastiques de*

France, publicadas em 1761 [*rectius*: 1771], se refere a uma história que data do início do século XVII[19]. Temos um hermafrodita que é condenado porque – tendo escolhido o sexo masculino – serviu-se, com um homem, de seu outro sexo, e foi queimado por isso[20]. Ou ainda, bem no início do século XVII também, encontramos dois hermafroditas que foram queimados vivos, e suas cinzas jogadas ao vento, simplesmente porque viviam juntos, e necessariamente, era o que se supunha em todo caso, cada um fazia uso dos seus dois sexos com o outro[21].

Ora, a história dos hermafroditas, do século XVII ao fim do século XVIII, é interessante, a meu ver. Vou examinar dois casos. Um, que data de 1614-1615 [*rectius*: 1601][22], o outro, de 1765. Primeiro caso, o que é conhecido na época pelo nome de "o hermafrodita de Rouen"[23]. Tratava-se de alguém que havia sido batizado com o nome de Marie Lemarcis e que, pouco a pouco, tinha se tornado homem, usava roupas de homem e tinha se casado com uma viúva que, de seu lado, já era mãe de três filhos. Denúncia. Marie Lemarcis – que adotara então o nome de Marin Lemarcis – é levada a juízo e os primeiros juízes mandam fazer um exame médico, por um médico, um boticário, dois cirurgiões. Eles não encontram nenhum sinal de virilidade. Marie Lemarcis é condenada a ser enforcada, queimada e suas cinzas jogadas ao vento. Quanto à sua mulher (quer dizer, a mulher que vivia com ele ou com ela), é condenada a assistir ao suplício do marido e a ser fustigada na encruzilhada da cidade. Pena capital, logo recurso e, então, diante da Corte [de Rouen], novo exame. Os peritos concordam com os primeiros, em que não há nenhum sinal de virilidade, salvo um deles, que se chama Duval e que reconhece sinais de virilidade. O veredicto da Corte de Rouen é interessante, pois solta a mulher, prescreve-lhe simplesmente que mantenha as roupas femininas e proíbe-a de morar com qualquer outra pessoa de um ou outro sexo, "sob pena da vida". Logo, interdição de qualquer relação sexual, mas nenhuma condenação por hermafroditismo, por natureza de hermafroditismo, e nenhuma condenação tampouco pelo fato de ter vivido com uma mulher, embora, ao que parece, seu sexo dominante fosse o feminino.

Esse caso me parece importante por um certo número de razões. Primeiro esta. É que ele deu ensejo a um debate contraditório entre dois médicos: um, que era o grande especialista dos monstros na época, que escrevera certo número de livros sobre a monstruosidade e que se chamava Riolan; e o tal médico, de que lhes falei, Duval, que fez o exame[24]. Ora, o exame de Duval é interessantíssimo, porque nele vemos o que poderíamos chamar de primeiros rudimentos de uma clínica da sexualidade. Duval faz um exame que não é o exame tradicional das matronas, dos médicos e dos cirurgiões. Ele pratica um exame minucioso com palpação e sobretudo descrição detalhada, em seu relatório, dos órgãos tais como os encontrou. Temos aqui, creio eu, o primeiro dos textos médicos em que a organização sexual do corpo humano é dada, não em sua forma geral, mas em seu detalhe clínico, a propósito de um caso particular. Até então, o discurso médico só falava dos órgãos sexuais em geral, em sua conformação global, a propósito de qualquer um e com grande reserva de vocabulário. Aqui, ao contrário, temos uma descrição, uma descrição detalhada, individual, em que as coisas são chamadas por seu nome.

Ora, Duval não faz somente isso, ele também fornece a teoria do discurso médico sobre a sexualidade. E diz o seguinte. No fundo, não é de espantar que os órgãos da sexualidade ou da reprodução nunca tenham podido ser nomeados no discurso médico. Era normal que o médico hesitasse em nomear essas coisas. Por quê? Porque é uma velha tradição da Antiguidade. Porque, na Antiguidade, as mulheres eram gente particularmente desprezível. As mulheres da Antiguidade se comportavam com tal depravação, que era normal que alguém que fosse mestre do saber não pudesse falar dos órgãos sexuais da mulher. Mas veio a Virgem Maria, que – diz Duval – "trouxe nosso Salvador em seus flancos". A partir desse momento, o "sagrado matrimônio" foi instituído, toda a "lubricidade terminou" e os "costumes viciosos das mulheres foram abolidos". Do que se segue certo número de consequências. A primeira é que "a matriz que outrora era principalmente censurada na mulher" teve de ser reconhecida como "o mais amável, augusto, santo, venerável e milagroso templo do universo". Segundo, a inclinação que os homens têm pela matriz das mulheres deixou de ser esse gosto pela lubricidade para ser uma espécie de "sensível preceito divino"[25]. Terceiro, o papel da mulher tornou-se em geral venerável. É a ela que, desde o cristianismo, se confiam a guarda e a conservação dos bens da casa e sua transmissão aos descendentes. Outra consequência ainda, ou antes, consequência geral disso tudo: doravante, já que a matriz tornou-se esse objeto sagrado, no momento mesmo e pelo fato de que a mulher foi sacralizada pela religião, pelo matrimônio e pelo sistema econômico da transmissão dos bens, é necessário conhecer a matriz. Por quê? Primeiro porque isso permitirá evitar muitas dores às mulheres e, principalmente, evitar que muitas delas morram de parto. Isso permitirá enfim e sobretudo evitar que morram muitas crianças no momento do nascimento ou mesmo antes do nascimento. E, diz ele, numa estimativa que, claro, é totalmente delirante: todos os anos há um milhão de crianças que poderiam ver o dia, se o saber dos médicos fosse elaborado o bastante para poder praticar como se deve o parto das mães. Quantas crianças não viram o dia, cujas mães morreram, encerradas nos mesmos sepulcros, por causa, diz ele, desse "vergonhoso silêncio"! Vocês estão vendo portanto como, nesse texto, que data de 1601, vêm se articular diretamente, um sobre o outro, o tema da sacralização religiosa e econômica da mulher e o tema, mercantilista, estritamente econômico da força de uma nação, ligado ao tamanho da sua população. As mulheres são preciosas porque reproduzem; os filhos são preciosos porque fornecem uma população, e nenhum "vergonhoso silêncio" deve impedir que se conheça o que permitirá, precisamente, salvar essas existências. E Duval escreve: "Ó crueldade, ó grande miséria, ó suprema impiedade reconhecer que tantas almas, que seriam promovidas à luz deste mundo [...] só pedem um dispositivo de nossa parte." Ora, esse dispositivo, nós não o temos por causa de palavras que "uns dizem [ser] melindrosas, as quais [palavras] poderiam induzir à lubricidade", o que é uma "pobre resposta, em contrapeso a tantos males e tamanhos inconvenientes"[26]. Esse texto me parece importante, pois temos nele não apenas, de fato, uma descrição médica dos órgãos da sexualidade, uma descrição clínica de um caso particular, mas também a teoria do antigo silêncio médico sobre os órgãos da sexualidade e a teoria da necessidade agora de um discurso explícito.

Abro aqui um microparêntese. Dizem em toda parte que, até o século XVI e o início do século XVII, a licença verbal, a linguagem sem rodeios, permitiam nomear uma sexualidade que, ao contrário, havia entrado no domínio do silêncio, ou em todo caso no da metáfora, a partir da Idade Clássica. Acho que isso tudo é bem verdadeiro e bem falso. É bem falso, se vocês falarem da língua em geral, mas é bem verdadeiro a partir do momento em que vocês distinguem com cuidado os tipos de formação ou de prática discursiva a que vocês se referem. Se é verdade que, na linguagem literária, a enunciação da sexualidade pôde efetivamente obedecer a um regime de censura ou de deslocamento, a partir dessa época, em compensação, no discurso médico, foi exatamente a transferência inversa que se produziu. O discurso médico foi, até essa época, completamente impermeável, fechado a esse tipo de enunciação e de descrição. É a partir desse momento, e portanto a propósito desse caso do hermafrodita de Rouen, que vocês veem aparecer, e ao mesmo tempo se teorizar, a necessidade de um discurso científico sobre a sexualidade e, em todo caso, sobre a organização anatômica da sexualidade.

A outra razão da importância desse caso do hermafrodita de Rouen é a seguinte. É que nele encontramos claramente a afirmação de que o hermafrodita é um monstro. Isso se encontra no discurso de Riolan, em que se diz que o hermafrodita é um monstro porque é contra a ordem e a regra ordinária da natureza, que separou o gênero humano em dois: machos e fêmeas[27]. Portanto, se alguém tem os dois sexos ao mesmo tempo, deve ser dado e reputado por monstro. Por outro lado, já que o hermafrodita é um monstro, se o exame deve ser feito é – segundo Riolan – para determinar que roupas deve vestir e se, efetivamente, deve se casar e com quem[28]. Temos aqui, de um lado, a exigência claramente formulada de um discurso médico sobre a sexualidade e seus órgãos e, de outro, a concepção ainda tradicional do hermafroditismo como monstruosidade, mas uma monstruosidade que, como vocês veem, apesar disso escapou de fato à condenação, que era de regra outrora.

Agora, em 1765, logo 150 anos depois, fim do século XVIII: caso quase idêntico. É o caso de Anne Grandjean, que tinha sido batizada como menina[29]. Mas, como devia dizer alguém que escreveu uma memória em seu favor, "certo instinto de prazer aproximou-a por volta dos catorze anos de suas companheiras"[30]. Inquieta com essa atração que sentia pelas meninas do mesmo sexo que ela, resolve vestir roupas de menino, muda de cidade, instala-se em Lyon, onde se casa com alguém que se chamava Françoise Lambert. E, denunciada, é levada a juízo. Exame do cirurgião, que conclui que ela é mulher e que, por conseguinte, se viveu com outra mulher, é condenável. Ela usou pois do sexo que não era dominante nela e é condenada pelos primeiros juízes ao colar, com o cartaz: "Profanador do sacramento do matrimônio"[31]. Colar, chibata e pelourinho. Também nesse caso, recurso à Corte de Dauphiné. Ela é libertada, com a obrigação de usar indumentárias femininas e proibição de frequentar Françoise Lambert ou qualquer outra mulher. Estão vendo que, no caso, o processo judiciário, o veredicto são praticamente os mesmos de 1601, com a diferença de que Françoise Lambert [*rectius*: Anne Grandjean] é proibida de frequentar as mulheres, e tão somente as mulheres, ao passo que, no caso precedente, era com qualquer pessoa de "qualquer" sexo[32]. Eram a sexualidade e a relação sexual que estavam vedadas a Marie Lemarcis[33].

Esse caso Grandjean, apesar do seu isomorfismo quase total com o caso de 1601, assinala ainda assim uma evolução importantíssima. Primeiro, o fato de que, no discurso médico, o hermafroditismo não é mais definido, como ainda o era por Riolan, como um misto dos sexos[34]. Nas memórias que Champeaux escreveu e publicou a propósito do caso Grandjean, ele se refere explicitamente a um texto quase contemporâneo do *Dictionnaire de médecine*, no verbete "Hermafrodita", em que está dito: "Eu considero fábulas todas as histórias que se contam sobre os hermafroditas."[35] Para Champeaux, e para a maioria dos médicos da época, não há mistura de sexos, nunca há presença simultânea dos dois sexos num só organismo e num só indivíduo[36]. Mas existem indivíduos "que têm um sexo [predominante], mas cujas partes de geração são tão mal conformadas que não podem gerar [neles nem fora deles]"[37]. E, por conseguinte, o que se chama hermafroditismo não passa de uma má conformação acompanhada de uma impotência. Há os que têm órgãos masculinos e algumas aparências (chamaríamos isso de algumas características secundárias) femininas, e – diz Champeaux – estes são pouco numerosos[38]. E há os que, ou antes as que, são mulheres, têm órgãos femininos e aparências, características secundárias masculinas, e essas pessoas – diz Champeaux – são numerosíssimas[39].

Desaparece portanto a monstruosidade como mistura dos sexos, como transgressão de tudo o que separa um sexo do outro[40]. Por outro lado – e é aí que começa a se elaborar a noção de monstruosidade que vamos encontrar no início do século XIX –, não há mistura de sexos: há tão somente esquisitices, espécies de imperfeições, deslizes da natureza. Ora, essas esquisitices, essas más conformações, esses deslizes, esses gaguejos da natureza são, talvez, em todo caso, o princípio ou o pretexto de certo número de condutas criminosas. O que deve suscitar, a propósito da Grandjean, o que deve provocar a condenação – diz Champeaux – não é o fato de ela ser hermafrodita. É simplesmente o fato de que, sendo mulher, ela tem gostos perversos, gosta de mulheres, e é essa monstruosidade, não de natureza mas de comportamento, que deve provocar a condenação. A monstruosidade não é mais, portanto, a mistura indevida do que deve ser separado pela natureza. É simplesmente uma irregularidade, um ligeiro desvio, mas que torna possível algo que será verdadeiramente a monstruosidade, isto é, a monstruosidade da natureza. E Champeaux diz: "Por que então supor nessas mulheres", que afinal de contas não passam de mulheres "lúbricas, uma suposta divisão de sexo, e culpar as primeiras marcas da natureza em seu sexo por sua inclinação a uma depravação tão criminosa? Seria desculpar o crime terrível desses homens, opróbrios da humanidade, que rejeitam uma aliança natural para saciar sua brutalidade com outros homens. Dirão que eles sentem apenas frieza junto das mulheres, e que um instinto de prazer, cuja causa eles ignoram, os aproxima, contra a vontade deles, do seu sexo? Ai de quem tal raciocínio pudesse persuadir!"[41]

Estão vendo como, a partir dessa história, vemos dissociar-se o complexo jurídico-natural da monstruosidade hermafrodita. Contra o fundo do que não passa de uma imperfeição, um desvio (poderíamos dizer, antecipando, uma anomalia somática), aparece a atribuição de uma monstruosidade que não é mais jurídico-natural, que é jurídico-moral; uma monstruosidade que é a monstruosidade da conduta, e não mais a monstruosidade da natureza[42]. E na verdade esse tema da monstruosidade da conduta é que organizou e esteve no centro de toda a discussão em torno do caso Grandjean. O defensor de Anne Grandjean, Vermeil, que era advogado (ele não a defendeu, porque não havia advogado nos julgamentos penais naquela época, mas publicou uma memória em sua defesa), insistia, ao contrário, a despeito da opinião geral do médico, sobre a importância da deformidade orgânica[43]. Vermeil tentava, contra os médicos, sustentar que, em Anne Grandjean, havia uma mistura de sexos, logo verdadeiro hermafroditismo. Porque, então, ele poderia desculpá-la pela monstruosidade moral de que os médicos a acusavam, na medida em que os próprios médicos tinham parado de reconhecer o caráter monstruoso do hermafroditismo ou tinham parado de reconhecer que se tratava de uma mistura efetiva de sexos. Também teríamos então a prova de que é disso mesmo que se trata. Porque havia sido publicado em favor de Anne Grandjean um poema, que circulou assinado com seu nome e que era um poema de amor à mulher com a qual ela vivia. Esse poema, ao que tudo infelizmente indica, era de outra pena que não a de Anne Grandjean. É um longo poema em versos populares, cujo sentido reside, creio eu, no fato de que se tratava de mostrar, com os defensores de Anne Grandjean, que o sentimento que ela tinha pela mulher com a qual vivia era um sentimento perfeitamente natural e não monstruoso[44].

Em todo caso, quando comparamos o primeiro e o último caso, o de Rouen e o de Lyon, o de 1601 e o de 1765, vemos que se esboça uma mudança, que é de certo modo a autonomização de uma monstruosidade moral, de uma monstruosidade de comportamento que transpõe a velha categoria do monstro, do domínio da alteração somática e natural para o domínio da criminalidade pura e simples. A partir desse momento, vemos emergir uma espécie de domínio específico, que será o da criminalidade monstruosa ou da monstruosidade que tem seu ponto de efeito não na natureza e na desordem das espécies, mas no próprio comportamento.

Trata-se, é claro, tão somente de um esboço. É o início de um processo que vai se desenvolver, justamente, em torno de 1765 e, mais tarde, 1820-1830; então explodirá o problema da conduta monstruosa, da criminalidade monstruosa. Aqui é apenas o ponto de partida desse movimento e dessa transformação. Mas, para resumir tudo em duas palavras, direi o seguinte. Que, em meados do século XVIII, havia um estatuto criminal da monstruosidade, na medida em que ela era transgressão de todo um sistema de leis, quer sejam leis naturais, quer sejam leis jurídicas. Logo era a própria monstruosidade que era criminosa. A jurisprudência dos séculos XVII e XVIII elimina o máximo possível as consequências penais dessa monstruosidade em si mesma criminosa. Mas creio que ela continua a ser, até tarde no século XVIII, ainda essencialmente, fundamentalmente, criminosa. Portanto é a monstruosidade que é criminosa. Depois, por volta de 1750, em meados do século XVIII (por motivos que tentarei analisar em seguida), vemos surgir outra coisa, a saber, o tema de uma natureza monstruosa da criminalidade, de uma monstruosidade que tem seus efeitos no campo da conduta, no campo da criminalidade, e não no campo da natureza mesma. A criminalidade era, até meados do século XVIII, um expoente necessário da monstruosidade, e a monstruosidade ainda não era o que se tornou depois, isto é, um qualificativo eventual da criminalidade. A figura do criminoso monstruoso, a figura do monstro moral, vai bruscamente aparecer, e com uma exuberância vivíssima, no fim do século XVIII e no início do século XIX. Ela vai aparecer nas formas de discursos e práticas extraordinariamente diferentes. O monstro moral eclode, na literatura, com o romance gótico, no fim do século XVIII. Eclode com Sade. Aparece também com toda uma série de temas políticos, de que procurarei lhes falar da próxima vez. Aparece também no mundo judiciário e médico. O problema precisamente é saber como se deu a transformação. O que afinal de contas impedia a formação dessa categoria de criminalidade monstruosa? O que impedia de conceber a criminalidade exasperada como uma espécie de monstruosidade? Como é que não se aproximou a extremidade do crime da aberração da natureza? Por que foi necessário esperar o fim do século XVIII e o início do século XIX para que aparecesse essa figura do celerado, essa figura do monstro criminoso, em que a infração mais extrema se junta à aberração da natureza? E não é a aberração da natureza que é, em si mesma, infração, mas a infração é que remete, como se à sua origem, como se à sua causa, como se à sua desculpa, como se a seu contexto, pouco importa, a algo que é a aberração mesma da natureza.

É isso que eu gostaria de tentar explicar da próxima vez. É, bem entendido, no âmbito de uma espécie de economia do poder de punir e de transformação dessa economia que se encontra, a meu ver, o princípio dessa transformação.

*

NOTAS

1. Michel Foucault se refere aqui, entenda-se, ao conjunto da atividade de Cesare Lombroso no domínio da antropologia criminal. Ver em particular C. Lombroso, *L'uomo delinquente studiato in rapporto all'antropologia, alla medicina legale ed alle discipline carcerarie*, Milão,

1876 (trad. fr. da 4ª ed. italiana: *L'homme criminel*, Paris, 1887 [trad. bras. *O homem delinquente*. Porto Alegre: Lenz, 2001]).

2. Cf. *infra*, aulas de 29 de janeiro e de 5 de fevereiro.

3. A análise da figura do monstro que Foucault desenvolve nesse curso é baseada notadamente em E. Martin, *Histoire des monstres depuis l'Antiquité jusqu'à nos jours*, Paris, 1880.

4. *Ibid.*, p. 7: "As expressões de *portentum* e *ostentum* designarão uma simples anomalia, e a de *monstrum* se aplicará exclusivamente a todo ser que não tem forma humana." O fundamento do direito romano é *Digesta* I.5.14: "Non sunt liberi qui contra formam humani generis converso more procreantur: veluti si mulier monstrosum aliquid aut prodigiosum enixa sit. Partus autem, qui membrorum humanorum officia ampliavit, aliquatenus videtur effectus et ideo inter liberos connumerabitur" (*Digesta Iustiani Augusti*, edidit Th. Mommsen, II, Berolini, 1870, p. 16).

5. E. Martin, *Histoire des monstres...*, *op. cit.*, pp. 85-110.

6. Ver A. Paré, *Des monstres et prodiges*, *Les oeuvres*, Paris, 1617[7], p. 1031: "Há monstros que nascem metade figura de animal, e outra metade humana, ou em tudo se assemelhando aos animais, que são produtos de sodomitas e ateístas, que se juntam e se descomedem contra a natureza com animais, donde se engendram vários monstros hediondos e mui vergonhosos de se ver e de falar a respeito: todavia a desonestidade jaz nos fatos, e não nas palavras, e quando isso se faz é coisa deveras infeliz e abominável, e é grande infâmia e abominação do homem ou da mulher misturar-se e copular com os animais, do que alguns nascem semi-homens e semianimais." Cf. A. Pareus, *De monstris et prodigiis*, em *Opera*, latinitate donata I. Guilleameau labore et diligentia, Parisiis, 1582, p. 751.

7. Cf. [F. E. Cangiamila], *Abrégé de l'embryologie sacrée ou Traité des devoirs des prêtres, des médecins et autres, sur le salut éternel des enfants qui sont dans le ventre de leur mère* [trad. J.-A.-T. Dinouart], Paris, 1762. O capítulo sobre o batismo dos monstros termina precisando que, embora o monstro, "inteiramente disforme e horroroso em sua conformação, morra logo, naturalmente", há uma legislação "que veda expressamente sufocar esses monstros e que ordena chamar o padre para vê-los e opinar" (pp. 192-3).

8. Cf. P. Zacchia, *Questionum medico-legalium tomus secundus*, Lugduni, 1726, p. 526. Sobre toda a questão da sucessão em caso de nascimento de um *monstrum*, nas jurisprudências da Europa moderna, ver E. Martin, *Histoire des monstres...*, *op. cit.*, pp. 177-210.

9. "Podem-se levantar aqui duas questões: 'Quando se pode crer que um monstro tem uma alma razoável, para que se lhe dê o batismo?'; 'Em que caso há apenas uma alma, ou duas, para que se deva dar apenas um ou dois batismos?'" (F. E. Cangiamila, *Abrégé de l'embryologie sacrée...*, *op. cit.*, pp. 188-9).

10. "Se um monstro tem dois corpos que, embora unidos juntos, tenham cada um seus membros distintos [...], devem-se conferir separadamente dois batismos, porque há certamente dois homens e duas almas; num perigo extremo, pode-se usar uma fórmula no plural: 'Eu vos batizo', 'Ego vos baptiso'" (*ibid.*, pp. 190-1).

11. Não encontramos a documentação a que Foucault se refere aqui.

12. O caso é citado por H. Sauval, *Histoire et recherches des antiquités de la ville de Paris*, II, Paris, 1724, p. 564: "Como veio a matar um homem a facada, foi processado e condenado à morte; mas não foi executado, por causa do irmão, que não tomou parte desse assassínio, não se podendo fazer um morrer sem fazer o outro morrer ao mesmo tempo."

13. As fontes jurídicas da discussão – *Digesta Iustiniani*, I.5.10 (*Quaeritur*); XXII.5.15 (*Repetundarum*); XXVIII.2.6 (*Sed est quaesitum*) – encontram-se em *Digesta Iustiniani Augusti*, ed. cit., pp. 16, 652, 820. No que concerne à questão do casamento, há unanimidade das *Summae* da Idade Média (por exemplo: H. de Segusio, *Summa aurea ad vetustissimos codices*

collata, Basileia, 1573, col. 488). Para o sacerdócio: S. Maiolus, *Tractatus de irregularitate et aliis canonicis impedimentis in quinque libros distributos quibus ecclesiasticos ordines suscipere et susceptos administrare quisque prohibetur*, Romae, 1619, pp. 60-3.

14. F. E. Cangiamila, *Embriologia sacra ovvero dell'uffizio de' sacerdoti, medici e superiori circa l'eterna salute de' bambini racchiusi nell'utero libri quattro*, Palermo, 1745; id., *Embryologia sacra sive De officio sacerdotum, medicorum et aliorum circa aeternam parvulorum in utero existentium salutem libri quatuor*, Panormi, 1758. M. Foucault utiliza a segunda edição francesa, consideravelmente aumentada e aprovada pela Academia Real de Cirurgia: [id.], *Abrégé de l'embryologie sacrée ou Traité des devoirs des prêtres, des médecins, des chirurgiens, et des sages-femmes envers les enfants qui sont dans le sein de leur mère*, Paris, 1766. Em sua análise da teoria "jurídico-natural" ou "jurídico-biológica", ele se apoia essencialmente no capítulo VIII ("Du baptême des monstres") do livro III, pp. 188-93.

15. O julgamento de M. Foucault deriva de H. Sauval, *Histoire et recherches des antiquités*..., *op. cit.*, II, p. 563: "Viram-se em Paris tantas crianças nascidas acopladas e presas uma à outra, que daria para fazer um livro, tantos são os casos encontrados nos autores, sem falar naqueles a que não se fez menção." Podemos ler alguns desses casos, "dos mais raros e dos mais monstruosos" (*ibid.*, pp. 563-6). No que concerne à literatura médica, ver A. Paré, *Des monstres et prodiges*, edição crítica e comentada por J. Céard, Genebra, 1971, pp. 9-20 (com uma bibliografia completa, estabelecida por J. Céard, dos autores que trataram de irmãos siameses em suas obras sobre os monstros, pp. 203-18). Cumpre notar também que o termo "irmãos siameses" foi introduzido na literatura médica apenas no século XIX.

16. O caso de Antide Collas é relatado por E. Martin, *Histoire des monstres*..., *op. cit.*, p. 106: "Em fins de 1599 [...] uma mulher de Dôle, de nome Antide Collas, foi processada sob a acusação de apresentar uma conformação que, se nos referirmos aos detalhes contidos nas peças do processo, devia ser um caso semelhante ao de Marie le Marcis. Foram convocados médicos para proceder a um exame; eles estabeleceram que o vício de que Antide Collas sofria em sua conformação sexual era o resultado de um comércio infame com os demônios. Como tais conclusões eram favoráveis à acusação, Antide Collas foi mandada de volta para a prisão. Submeteram-na à tortura; ela resistiu algum tempo mas, vencida pelos sofrimentos atrozes, acabou resolvendo confessar: 'Ela confessou – diz o cronista – que tivera relações criminosas com Satanás; foi queimada viva na praça pública de Dôle.'"

17. P.-J. Brillon, *Dictionnaire des arrêts ou Jurisprudence universelle des parlements de France et autres tribunaux*, Paris, 1711, 3 vol.; Paris, 1727, 6 vol.; Lyon, 1781-1788, 7 vol. M. Foucault utiliza a primeira edição, que apresenta, no volume II (pp. 366-7), seis questões relativas ao hermafroditismo.

18. *Ibid.*, p. 367: "Hermafroditas. São tidos como do sexo que prevalece neles. Alguns consideraram que a acusação do crime de sodomia podia ser movida contra os hermafroditas que, tendo escolhido o sexo viril que prevalecia neles, fizeram ofício de mulher. Um jovem hermafrodita foi condenado por isso a ser enforcado e, em seguida, queimado por decisão do parlamento de Paris em 1603." No entanto várias fontes (por exemplo, o *Dictionnaire universel français et latin vulgairement appelé Dictionnaire de Trévoux*, IV, Paris, 1771, p. 798) não mencionam a sodomia como causa da condenação.

19. L. de Héricourt, *Les lois ecclésiastiques de France dans leur ordre naturel et une analyse des livres du droit canonique, considérées avec les usages de l'Église gallicane*, Paris, 1719. M. Foucault utiliza a última edição (1771).

20. *Ibid.*, III, p. 88: "Por decisão do parlamento de Paris, do ano de 1603, um hermafrodita, que escolhera o sexo viril que dominava nele e que foi acusado de ter usado o outro, foi condenado a ser enforcado e queimado."

21. O caso é relatado por E. Martin, *Histoire des monstres..., op. cit.*, pp. 106-7: "Em 1603 [...] um jovem hermafrodita foi acusado de ter tido relações com outra pessoa que apresentava a mesma conformação. Mal o fato ficou conhecido, a autoridade voltou-se contra os dois infelizes: foram processados. [...] Provada a culpa deles, foram condenados à morte e executados."

22. Para a correção da datação, ver a nota seguinte.

23. O processo começa no dia 7 de janeiro e termina no dia 7 de junho de 1601. O caso é relatado por J. Duval, *Des hermaphrodits, accouchements des femmes, et traitement qui est requis pour les relever en santé et bien élever leurs enfants*, Rouen, 1612, pp. 383-447 (reed.: J. Duval, *Traité des hermaphrodits, parties génitales, accouchements des femmes*, Paris, 1880, pp. 352-415).

24. J. Riolan, *Discours sur les hermaphrodits, où il est démontré, contre l'opinion commune, qu'il n'y a point de vrais hermaphrodits*, Paris, 1614; J. Duval, *Réponse au discours fait par le sieur Riolan, docteur en médecine et professeur en chirurgie et pharmacie à Paris, contre l'histoire de l'hermaphrodit de Rouen*, Rouen [s.d.: 1615].

25. J. Duval, *Réponse au discours fait par le sieur Riolan..., op. cit.*, pp. 23-4.

26. *Ibid.*, pp. 34-5.

27. Cf. J. Riolan, *Discours sur les hermaphrodits..., op. cit.*, pp. 6-10 ("o que é o hermafrodita e se é um monstro").

28. *Ibid.*, pp. 124-30 ("como se devem conhecer os hermafroditas para lhes atribuir o sexo conveniente à sua natureza"), pp. 130-4 ("como se devem tratar os hermafroditas para lhes dar uma natureza inteira, capaz de geração").

29. Sobre o caso de Anne Grandjean, cf. [F.-M. Vermeil], *Mémoire pour Anne Grandjean connu sous le nom de Jean-Baptiste Grandjean, accusé et appelant, contre Monsieur le Procureur général, accusateur et intimé. Question: "Un hermaphrodite, qui a épousé une fille, peut-il être réputé profanateur du sacrement de mariage, quand la nature, qui le trompait, l'appelait à l'état de mari?"*, Paris. 1765; [C. Champeaux], *Réflexions sur les hermaphrodites relativement à Anne Grand-Jean, qualifiée telle dans un mémoire de Maître Vermeil, avocat au Parlement*, Avignon, 1765. O caso foi divulgado na Europa graças à exumação desses raros documentos por G. Arnaud [de Ronsil], *Dissertation sur les hermaphrodites*, em *Mémoires de chirurgie*, I, Londres-Paris, 1768, pp. 329-90, que os publicou integralmente e os mandou traduzir em alemão com o título: *Anatomisch-chirurgische Abhandlung über die Hermaphroditen*, Estrasburgo, 1777.

30. [F.-M. Vermeil], *Mémoire pour Anne Grandjean..., op. cit.*, p. 4.

31. *Ibid.*, p. 9.

32. "Por decisão de la Tournelle de 10 de janeiro de 1765, o procurador-geral aceitou apelação considerando abusiva a celebração do casamento de Anne Grand-Jean, cujo casamento foi declarado nulo. Sobre a acusação de profanação do sacramento, sentença pronunciada, acusada libertada com a injunção de usar vestimentas de mulher e proibição de frequentar Françoise Lambert e qualquer outra pessoa do mesmo sexo" (nota manuscrita no exemplar da *Mémoire* do advogado Vermeil, conservado na Bibliothèque nationale de France).

33. "[O tribunal] lhe determinou expressos interditos e proibição de morar com outra pessoa de um ou outro sexo sob pena da vida" (J. Duval, *Traité des hermaphrodits..., op. cit.*, p. 410).

34. Cf. J. Riolan, *Discours sur les hermaphrodits..., op. cit.*, p. 6.

35. [C. Champeaux], *Réflexions sur les hermaphrodites..., op. cit.*, p. 10. Cf. o verbete "Hermaphrodit", no *Dictionnaire universel de médecine*, IV, Paris, 1748, col. 261: "Vejo todas as histórias que se contam dos hermafroditas como fábulas. Observarei tão somente aqui que não encontrei nas pessoas que me apresentavam como tais outras coisas que um clitóris de uma grossura e um comprimento exorbitantes, os lábios das partes naturais prodigiosamente incha-

dos e nada que pertencesse ao homem." Esse *Dictionnaire* é a tradução francesa – por Denis Diderot – de R. James, *A Medicinal Dictionary*, Londres, 1743-1745.

36. [C. Champeaux], *Réflexions sur les hermaphrodites..., op. cit.*, p. 10.

37. *Ibid.*, p. 36.

38. *Ibid.*, pp. 7, 11-5.

39. *Ibid.*, pp. 7, 15-36.

40. *Ibid.*, pp. 37-8.

41. *Ibid.*, pp. 26-7.

42. "Tantas observações tão unanimemente constatadas devem sem dúvida ser vistas como um corpo de provas incontestes, cuja espécie algumas irregularidades da natureza numa das partes distintivas do sexo em nada alteram, ainda menos as inclinações do indivíduo em que essa conformação viciosa se encontra" (*ibid.*, pp. 35-6).

43. "Assim, o erro de Grandjean era um erro comum a todo o mundo. Se ela é criminosa, dever-se-ia então incriminar a todos. Porque foi esse erro público que reforçou a confiança do acusado. Digamos melhor, é esse erro que hoje o justifica. Somente a natureza está em falta neste caso, e como poder fazer do acusado um avalista dos erros da natureza?" (G. Arnaud, *Dissertation sur les hermaphrodites..., op. cit.*, p. 351).

44. [E.-Th. Simon], *L'hermaphrodite ou Lettre de Grandjean à Françoise Lambert, sa femme*, Grenoble, 1765.

AULA DE 29 DE JANEIRO DE 1975

O monstro moral. – O crime no direito clássico. – As grandes cenas de suplício. – A transformação dos mecanismos de poder. – Desaparecimento da dispensa ritual do poder de punir. – Da natureza patológica da criminalidade. – O monstro político. – O casal monstruoso: Luís XVI e Maria Antonieta. – O monstro na literatura jacobina (o tirano) e antijacobina (o povo revoltado). – Incesto e antropofagia.

Vou falar hoje do aparecimento, no limiar do século XIX, desse personagem que terá um destino tão importante até o fim do século XIX-início do século XX: o monstro moral.

Creio que, até os séculos XVII-XVIII, podia-se dizer que a monstruosidade, a monstruosidade como manifestação natural da contranatureza, trazia em si um indício de criminalidade*. O indivíduo monstruoso do ponto de vista das regras das espécies naturais e do ponto de vista das distinções das espécies naturais era, se não sistemática, pelo menos virtualmente, sempre referido a uma criminalidade possível. Depois, a partir do século XIX, veremos a relação se inverter, e haverá o que poderíamos chamar de suspeita sistemática de monstruosidade no fundo de qualquer criminalidade. Todo criminoso poderia muito bem ser, afinal de contas, um monstro, do mesmo modo que outrora o monstro tinha uma boa probabilidade de ser criminoso.

Problema portanto: como se deu a transformação? Qual foi o operador dessa transformação? Creio que, para resolver a questão, é preciso primeiro formular outra, desdobrar a questão e se perguntar como é que, no século XVII, e ainda tarde no século XVIII, a leitura da monstruosidade não foi reversível. Como é que se pôde admitir o caráter virtualmente criminoso da monstruosidade sem estabelecer ou formular a recíproca,

* O manuscrito diz: "... de criminalidade, indício cujo valor se modificou, mas que ainda não se havia apagado em meados do século XVIII."

que era o caráter virtualmente monstruoso da criminalidade? Inscreveram efetivamente a aberração da natureza na transgressão das leis e, no entanto, não se fez o inverso, isto é, não se aproximou a extremidade do crime da aberração da natureza. Admitia-se a punição de uma monstruosidade involuntária e não se admitia, no fundo do crime, o mecanismo espontâneo de uma natureza turva, perturbada, contraditória. Por quê?

Gostaria de responder antes a essa primeira subquestão. Parece-me que a razão disso deve ser procurada no que poderíamos chamar de economia do poder de punição. No direito clássico – acho que já falei várias vezes a esse respeito, de modo que serei breve[1] – o crime era o dano voluntário feito a alguém, mas não apenas isso. Não era apenas tampouco uma lesão e um dano aos interesses da sociedade inteira. O crime era crime na medida em que, além disso, e pelo fato de ser crime, atingia o soberano; ele atingia os direitos, a vontade do soberano, presentes na lei; por conseguinte, ele atacava a força, o corpo, o corpo físico, do soberano. Em todo crime, portanto, choque de forças, revolta, insurreição contra o soberano. No menor crime, um pequeno fragmento de regicídio. Com isso, e em função dessa lei econômica fundamental do direito de punir, a punição por sua vez – como vocês compreendem – não era simplesmente nem reparação dos danos, claro, nem reivindicação dos direitos ou dos interesses fundamentais da sociedade. A punição era algo mais: era a vingança do soberano, era sua revanche, era a volta da sua força. A punição era sempre vindita, e vindita pessoal do soberano. O soberano enfrentava de novo o criminoso; mas, desta vez, na ostentação ritual da sua força, no cadafalso, era o reverso cerimonioso do crime ocorrido. Na punição do criminoso, assistia-se à reconstituição ritual e regulamentada da integridade do poder. Entre o crime e a punição do crime não havia, a bem da verdade, algo como uma medida que teria servido de unidade comum a um e a outro. Não havia ponto comum ao crime e à punição, não havia elemento que pudéssemos encontrar num e noutro. Não era em termos de medida, de igualdade ou de desigualdade mensurável que se colocava o problema da relação crime e castigo. Entre um e outro, havia antes uma espécie de liça, de rivalidade. O excesso da punição devia responder ao excesso do crime e devia prevalecer sobre ele. Havia pois, necessariamente, um desequilíbrio no próprio cerne do ato de punição. Tinha de haver um algo mais do lado do castigo. Esse algo mais era o terror, era o caráter aterrorizante do castigo. E por caráter aterrorizante do castigo deve-se entender certo número de elementos constitutivos desse terror. Primeiro, o terror inerente ao castigo devia retomar em si a manifestação do crime, o crime devia estar de certo modo presente, representado, atualizado ou reatualizado no próprio castigo. O próprio horror do crime devia estar presente, no cadafalso. Por outro lado, devia haver, nesse terror, como elemento fundamental, o brilho da vingança do soberano, que devia se apresentar como insuperável e invencível. Enfim, nesse terror, devia haver a intimidação de todo crime futuro. O suplício, por conseguinte, tinha seu lugar naturalmente inscrito nessa economia, que era a economia desequilibrada das punições. A peça principal dessa economia não era, pois, a lei da medida: era o princípio da manifestação excessiva. E esse princípio tinha por corolário o que poderíamos chamar de comunicação no atroz. O que ajustava o crime e seu castigo não era uma medida comum: era o atroz. O atroz era, do lado do crime, essa forma, ou antes, essa intensidade que ele adquiria quando alcançava certo grau de raridade, de violência ou de escândalo. Um crime que chegava a certo ponto de intensidade era considerado atroz, e ao crime atroz devia corresponder a atrocidade da pena. Os castigos atrozes eram destinados a responder, a repetir em si, mas anulando-as e triunfando delas, as atrocidades do crime. Tratava-se, na atrocidade da pena, de fazer a atrocidade do crime reverter no excesso do poder que triunfa. Réplica, por conseguinte, e não medida[2].

O crime e seu castigo só se comunicam nessa espécie de desequilíbrio que gira em torno dos rituais da atrocidade. Com isso, vocês estão vendo que não havia monstruosidade do crime que pudesse contar, porque, precisamente, por mais monstruoso que pudesse ser um crime, por mais atroz que se manifestasse, sempre havia um poder a mais; havia, próprio da intensidade do poder soberano, algo que permitia que esse poder sempre respondesse a um crime, por mais atroz que fosse. Não havia crime em suspenso, na medida em que, do lado do poder encarregado de responder ao crime, sempre havia um excesso de poder capaz de anulá-lo. É por isso que, diante de um crime atroz, o poder nunca precisava recuar ou hesitar: uma provisão de atrocidades intrínseca a ele lhe permitia absorver o crime.

Foi assim que vimos se desenrolar as grandes cenas de suplício do século XVII ou mesmo do século XVIII. Lembrem-se, por exemplo, do crime atroz perpetrado contra Guilherme de Orange. Quando Guilherme de Orange foi assassinado, respondeu-se com um suplício igualmente atroz. Isso aconteceu em 1584, e quem conta é Brantôme. O assassino de Guilherme de Orange foi supliciado durante dezoito dias: "No primeiro dia, ele foi levado à praça onde encontrou um caldeirão de água fervendo, no qual foi enfiado o braço com que desferira o golpe. No dia seguinte o braço foi cortado, o qual, tendo caído a seus pés, ele teve de empurrar com o pé, de cima a baixo da escada. No terceiro dia, foi atenazado pela frente, nos mamilos e na parte dianteira do braço. No quarto, foi atenazado por trás, no braço e nas nádegas. E assim, consecutivamente, esse homem foi martirizado no espaço de dezoito dias, no último dos quais foi submetido à roda e ao corpete. Ao cabo de seis horas, ele ainda pedia água, que não lhe deram. Enfim, solicitou-se ao tenente-penal que pusesse fim a ele, estrangulando-o, para que sua alma não desesperasse."[3]

Ainda podemos encontrar exemplos desse mesmo excesso ritual de poder no fim do século XVII. Este exemplo é tirado da jurisprudência de Avignon (trata-se dos Estados do papa e, portanto, não é exatamente o que acontecia na França, mas dá a vocês uma ideia do estilo geral e dos princípios econômicos que regiam o suplício). A *massola* consistia no seguinte. O condenado era preso ao pelourinho de olhos vendados. Em torno do cadafalso haviam sido dispostas estacas com ganchos de ferro. O confessor falava ao ouvido do penitente e, "depois de lhe dar a bênção, o executor, que tem uma maça de ferro, como essas que são utilizadas na escalda dos açougues, bate com ela com toda a sua força na têmpora do infeliz, que cai morto". E é justamente depois da morte que o suplício começa. Porque, afinal de contas, não era tanto o castigo propriamente dito do culpado que se pretendia, não era tanto a expiação do crime, quanto a manifestação ritual do poder infinito de punir: era essa cerimônia do poder de punir, que se desenrolava a partir desse poder mesmo e no momento em que seu objeto havia desaparecido, deflagrando-se portanto contra um cadáver. Depois de o desgraçado cair morto, nesse instante, o executor, "que tem um facão enorme, corta-lhe a garganta, o que o ensopa de sangue e proporciona um espetáculo horrível de ver; corta-lhe os tendões com os dois calcanhares, depois abre-lhe o ventre de onde tira o coração, o fígado, o baço, os pulmões, que prende nos ganchos de ferro, e corta-os e disseca-os por pedaços, que prende nos outros ganchos à medida que os corta, assim como se faz com os de um animal. Olhe quem olhar possa"[4].

Bem, como vocês estão vendo, os mecanismos do poder são tão fortes, seu excesso é tão ritualmente calculado, que o castigo do crime nunca tem de reinscrever um crime, por mais monstruoso que seja, em alguma coisa que fosse uma natureza. Os mecanismos de poder são fortes o bastante para poderem, eles mesmos, absorver, exibir, anular, em rituais de soberania, a monstruosidade do crime. Nessa medida, não é necessário, é até impossível, no limite, haver algo como uma natureza do crime monstruoso. Não há natureza do crime monstruoso; na verdade, não há mais que um combate, que uma ira, que um furor, a partir do crime e em torno dele. Não há mecânica do crime que seria da alçada de um saber possível; não há mais que uma estratégia do poder, que exibe sua força em torno e a propósito do crime. É por isso que, até o fim do século XVII, ninguém nunca se interrogou verdadeiramente sobre a natureza do criminoso. A economia do poder era tal que essa questão não devia ser levantada, ou antes, só a encontramos levantada de uma forma muito marginal, que assinalo a vocês de passagem. Em certo número de textos, em particular num texto de Bruneau que data de 1715 e que se chama *Observations et maximes sur les matières criminelles*, vocês podem ler o seguinte. O juiz deve estudar o acusado, deve estudar seu espírito, seus costumes, o vigor das suas qualidades corporais, sua idade, seu sexo. Deve transportar-se, tanto quanto puder, "para dentro" do criminoso, a fim de penetrar, se possível, sua alma[5]. Um texto como esse, evidentemente, parece desmentir inteiramente tudo o que eu lhes dizia, de uma maneira um tanto quanto esquemática, desenvolta, faz pouco. Mas, na verdade, quando examinamos o texto, percebemos que, se o saber criminal é requerido ao juiz, se o juiz tem de entrar no criminoso, não é em absoluto para compreender o crime, mas apenas para saber se ele foi cometido. Ou seja, o juiz deve conhecer a alma do criminoso para poder interrogá-lo como convém, para poder pegá-lo com suas perguntas, para poder tecer em torno dele toda a astúcia capciosa dos interrogatórios e lhe extorquir a verdade. É como sujeito detentor da verdade que o criminoso deve ser investido pelo saber do juiz; não é nunca como criminoso, como quem cometeu o crime. Porque, ao confessar, todo esse saber se torna, nesse mesmo instante, inútil para a determinação do castigo. Não é o sujeito criminoso, é o sujeito sapiente que é assim investido por esse saber. Portanto, podemos dizer, creio eu, que até o fim do século XVIII a economia do poder punitivo era tal, que a natureza do crime, principalmente a natureza do crime monstruoso, não tinha por que ser colocada.

Como é que se deu a transformação? Passamos agora à segunda parte da questão. Mais precisamente, como o exercício do poder de punir os crimes necessitou, num momento dado, se referir à natureza do criminoso? Como a demarcação entre atos lícitos e atos ilícitos foi obrigada a ser dobrada, a partir de um momento dado, por uma distribuição dos indivíduos em indivíduos normais e indivíduos anormais? Gostaria de indicar pelo menos a linha da resposta na seguinte direção. É sabido, todos os historiadores dizem, que o século XVIII inventou toda uma série de tecnologias científicas e industriais. É bem sabido também que, por outro lado, o século XVIII definiu, ou em todo caso esquematizou e teorizou, certo número de formas políticas de governo. Sabe-se igualmente que ele implantou, ou desenvolveu e aperfeiçoou, aparelhos de Estado e todas as instituições que são ligadas a tais aparelhos. Mas o que seria necessário ressaltar e que se encontra, parece-me, no princípio da transformação que tento identificar aqui, agora, é que o século XVIII fez outra coisa. Ele elaborou o que poderíamos chamar de uma nova economia dos mecanismos de poder: um conjunto de procedimentos e, ao mesmo tempo, de análises, que permitem majorar os efeitos do poder, diminuir o custo do exercício do poder e integrar o exercício do poder aos mecanismos da produção. Majorar os efeitos do poder. Quero dizer o seguinte. O século XVIII encontrou certo número de meios ou, em todo caso, encontrou o princípio segundo o qual o poder – em vez de se exercer de uma maneira ritual, cerimonial, descontínua, como era o caso tanto do poder do feudalismo como ainda da grande monarquia absoluta – tornou-se contínuo. Isso quer dizer que ele não se exerceu mais através do rito, mas através dos mecanismos permanentes de vigilância e controle. Majorar os efeitos do poder quer dizer que esses mecanismos de poder perderam o caráter lacunar que tinham no regime feudal, e ainda sob o regime da monarquia absoluta. Em vez de ter por objeto pontos, gamas, indivíduos, grupos arbitrariamente definidos, o século XVIII encontrou mecanismos de poder que podiam se exercer sem lacunas e penetrar o corpo social em sua totalidade. Majorar os efeitos do poder quer dizer, enfim, que ele soube torná-los, em princípio, inevitáveis – isto é, destacá-los do princípio do arbítrio do soberano, da boa vontade do soberano, para fazer dele uma espécie de lei absolutamente fatal e necessária, pesando, em princípio, da mesma maneira sobre todo o mundo. Portanto majoração dos efeitos de poder, redução também do custo do poder: o século XVIII aperfeiçoou toda uma série de mecanismos graças aos quais o poder ia se exercer com despesas – despesas financeiras, econômicas – menores do que na monarquia absoluta. Vai-se também diminuir seu custo, no sentido de que vão se reduzir as possibilidades de resistência, de descontentamento, de revolta, que o poder monárquico podia suscitar. E, enfim, diminui-se a amplitude, o nível, a superfície coberta por todas as condutas de desobediência e de ilegalismo que o poder monárquico e feudal era obrigado a tolerar. Depois dessa majoração dos efeitos de poder, dessa redução do custo econômico e político do poder, integração ao processo de produção: em vez de ter um poder que procede essencialmente por arrecadação com base nos produtos da produção, o século XVIII inventou mecanismos de poder que podem se tramar diretamente com base nos processos de produção, acompanhá-los ao longo de todo o seu desenvolvimento e se efetuar como uma espécie de controle e de majoração permanente dessa produção. Como vocês veem, estou apenas resumindo esquematicamente o que expliquei, dois anos atrás, a propósito das disciplinas[6]. Digamos, em linhas gerais, o seguinte: a revolução burguesa não foi simplesmente a conquista, por uma nova classe social, dos aparelhos de Estado constituídos, pouco a pouco, pela monarquia absoluta. Ela também não foi simplesmente a organização de um conjunto institucional. A revolução burguesa do século XVIII e início do século XIX foi a invenção de uma nova tecnologia do poder, cujas peças essenciais são as disciplinas.

Dito isso (e mais uma vez referindo-me a análises anteriores), parece-me que, nesse novo conjunto tecnológico do poder, a penalidade e a organização do poder de punir podem servir de exemplo. Em primeiro lugar, temos – no fim do século XVIII – um poder de punir que vai se apoiar numa rede de vigilância tão densa, que o crime, em princípio, não poderá mais escapar. Desaparecimento, portanto, dessa justiça lacunar em favor de um aparelho de justiça e de polícia, de vigilância e de punição, que não deixará mais nenhuma descontinuidade no exercício do poder de punir. Em segundo lugar, a nova tecnologia do poder de punir vai ligar o crime e sua punição, de uma forma necessária e evidente, por meio de certo número de procedimentos, na primeira linha dos quais está a publicidade dos debates e a regra da convicção íntima. A partir de então, a um crime deverá corresponder necessariamente uma pena, uma pena que será aplicada de forma pública e em função de uma demonstração acessível a todos. Enfim, terceira característica dessa nova tecnologia do poder de punir, a punição deverá ser exercida de tal modo que se punirá exatamente tanto quanto for necessário para que o crime não recomece, e nada mais que isso. Todo esse excesso, toda essa grande economia da despesa ritual e magnífica do poder de punir, toda essa grande economia de que eu lhes dava alguns exemplos vai desaparecer agora em benefício de uma economia não mais do desequilíbrio e do excesso, mas da medida. Vai ser necessário encontrar certa unidade de medida entre o crime e o castigo, unidade de medida que permitirá ajustar a punição de tal sorte que seja justo o suficiente para punir o crime e impedir que ele recomece. Essa unidade de medida que a nova tecnologia do poder de punir foi obrigada a procurar é o que os teóricos do direito penal e o que os próprios juízes chamam de interesse, ou ainda, de razão do crime: esse elemento que pode ser considerado como a razão de ser do crime, o princípio do seu aparecimento, da sua repetição, da sua imitação pelos outros, da sua maior frequência. Em poucas palavras: a espécie de suporte do crime real, tal como foi cometido, e o suporte possível de outros crimes análogos nos outros. Esse suporte natural do crime, essa razão do crime, é isso que deve servir de unidade de medida. É esse elemento que a punição deverá repetir no interior dos seus mecanismos, a fim de neutralizar esse suporte do crime, opor a ele um elemento no mínimo tão forte, ou um pouquinho mais forte, de tal modo que esse suporte seja neutralizado; um elemento, por conseguinte, que deverá ser o objeto da punição, de acordo com uma economia que será uma economia medida exatamente. A razão do crime, ou o interesse do crime como razão do crime – é isso que a teoria penal e a nova legislação do século XVIII vão definir como o elemento comum ao crime e à punição. Em vez daqueles grandes rituais dispendiosos, no decorrer dos quais a atrocidade da punição repetia a atrocidade do crime, teremos um sistema calculado, no qual a punição não terá por objeto nem repetirá em si o próprio crime, mas terá por objeto simplesmente o interesse do crime, fazendo valer um interesse semelhante, análogo, simplesmente um pouquinho mais forte que o interesse que serviu de suporte ao próprio crime. É isso, esse elemento interesse-razão do crime, que é o novo princípio de economia do poder de punir e que substitui o princípio da atrocidade.

Vocês compreendem que, a partir daí, vai se levantar toda uma série de novas questões. Daí em diante, não é a questão das circunstâncias do crime – velha noção jurídica – que vai ser a mais importante; não é nem mesmo a questão que os casuístas formulavam sobre a intenção do criminoso. A questão que vai ser levantada é a questão, de certa forma, da mecânica e do jogo dos interesses, que puderam tornar criminoso aquele que é agora acusado de ter cometido um crime. A questão que vai ser levantada não é portanto o entorno do crime, nem mesmo a intenção do sujeito, mas a racionalidade imanente à conduta criminal, sua inteligibilidade natural. Qual é a inteligibilidade natural que suporta o crime e que vai permitir determinar a punição exatamente adequada? O crime não é mais, portanto, apenas o que viola as leis civis e religiosas; o crime não é mais apenas o que viola eventualmente, através das leis civis e religiosas, as leis da própria natureza. O crime é agora o que tem uma natureza. Eis o crime, pelo jogo mesmo da nova economia do poder de punir, lastreado do que nunca havia recebido ainda e do que não podia receber na antiga economia do poder de punir; ei-lo lastreado de uma natureza. O crime tem uma natureza e o criminoso é um ser natural caracterizado, no próprio nível da sua natureza, por sua criminalidade. Com isso, vocês estão vendo que é exigido, por essa economia do poder, um saber absolutamente novo, um saber de certo modo naturalista da criminalidade. Vai ser preciso fazer a história natural do criminoso como criminoso.

A terceira série de questões, de exigências, que encontramos então é que, se é verdade que o crime é uma coisa que tem em si mesmo uma natureza, se o crime deve ser analisado e punido – e deve ser analisado para ser punido – como uma conduta que tem sua inteligibilidade natural, coloca-se então a questão de saber qual a natureza do interesse que é tal que viola o interesse de todos os outros e, no limite, até se expõe aos piores perigos, pois se arrisca a ser punido. Será que esse interesse, esse elemento natural, essa inteligibilidade imanente ao ato criminoso, não é um interesse cego a seu próprio fim? Será que não é uma inteligibilidade que, de certo modo, é premida por alguma coisa e por um mecanismo natural? Será que esse interesse que leva o indivíduo ao crime, que por conseguinte leva o indivíduo a se expor ao castigo – que deve ser agora, na nova economia, fatal e necessário – não deveria ser concebido como um interesse tão forte e tão violento que nem calcula suas próprias consequências, que é incapaz de ver além de si mesmo? Será que não se trata de um interesse que se contradiz afirmando-se? E, de todo modo, será que não se trata de um interesse irregular, desviante, não conforme à natureza mesma de todos os interesses? Porque não se deve esquecer que o contrato primitivo, que os cidadãos deveriam firmar uns com os outros, ou que deveriam ter subscrito individualmente, mostrou muito bem que é da natureza do interesse ligar-se ao interesse dos outros e renunciar à sua afirmação solitária. De modo que, quando o criminoso retoma, de certo modo, seu interesse egoísta, arranca-o da legislação do contrato, ou da legislação fundada pelo contrato, e o faz valer contra o interesse de todos os outros, não estará indo no sentido oposto ao curso da natureza? Não estará indo no sentido oposto à história e à necessidade intrínseca deste? Será, por conseguinte, que não vamos, com o criminoso, encontrar um personagem que será, ao mesmo tempo, a volta da natureza ao interior do corpo social que renunciou ao estado natural pelo pacto e pela obediência às leis? Será que esse indivíduo natural não vai ser bastante paradoxal, pois terá por propriedade ignorar o desenvolvimento natural do interesse? Ele ignora o curso necessário desse interesse, ignora que o ponto supremo do seu interesse é aceitar o jogo dos interesses coletivos. Será que não vamos ter um indivíduo natural que trará consigo o velho homem da floresta, portador de todo esse arcaísmo fundamental de antes da sociedade e que será, ao mesmo tempo, um indivíduo contrário à natureza? Será que ele não é o monstro?

É de fato nessa espécie de clima geral, no qual a nova economia do poder de punir se formula numa nova teoria da punição e da criminalidade, é nesse horizonte que vemos surgir, pela primeira vez, a questão da natureza eventualmente patológica da criminalidade*. Segundo uma tradição que vocês encontrarão em Montesquieu, mas que remonta ao século XVI,

* O manuscrito acrescenta: "Pertinência do crime a todo esse domínio ainda confuso do patológico, da doença, da aberração natural, da desordem, do espírito e do corpo. No crime, devemos ver um indicador de anomalias. Isso explica por que assistimos, no fim do século XVIII, ao deslocamento de um tema tradicional."

à Idade Média e também ao direito romano, o criminoso e, sobretudo, a frequência dos crimes representam numa sociedade como que a doença do corpo social[7]. É a frequência da criminalidade que representa uma doença, mas a doença da coletividade, a doença do corpo social. Bem diferente é o tema, no entanto análogo na superfície, que vocês veem despontar no fim do século XVIII, no qual não é o crime que é a doença do corpo social, mas sim o criminoso que, como criminoso, poderia ser de fato um doente. Isso é dito, com toda clareza, na época da Revolução Francesa, nas discussões travadas por volta de 1790-1791, no momento em que se elaborava o novo Código Penal[8]. Vou lhes citar alguns textos, por exemplo o de Prugnon, que dizia: "Os assassinos são exceções às leis da natureza, todo o ser moral deles está extinto [...]. Eles estão fora das proporções ordinárias."[9] Ou este texto: "Um assassino é [verdadeiramente] um ser doente, cuja organização viciada corrompeu todas as afeições. Um humor acre e ardente o consome."[10] Vitet, em *Médecine expectante*, diz que alguns crimes talvez sejam, em si, espécies de doenças[11]. E, no tomo XVI do *Journal de médecine*, Prunelle apresenta um projeto de pesquisa na penitenciária de Toulon, para verificar se os grandes criminosos presos em Toulon podem ser considerados ou não doentes. Primeira pesquisa, acho eu, sobre a medicalização possível dos criminosos[12].

Creio que com esse conjunto de textos e projetos, em particular o projeto Prunelle, assinala-se o ponto a partir do qual vai se organizar o que poderíamos chamar de uma patologia da conduta criminosa. Daí em diante – em virtude dos princípios de funcionamento do poder penal, em virtude não de uma nova teoria do direito, de uma nova ideologia, mas das regras intrínsecas da economia do poder de punir –, só se punirá, em nome da lei, é claro, em função da evidência do crime manifestada a todos, mas se punirão indivíduos que serão julgados como criminosos porém avaliados, apreciados, medidos, em termos de normal e de patológico. A questão do ilegal e a questão do anormal, ou ainda, a do criminoso e a do patológico, passam portanto a ficar ligadas, e isso não se dá a partir de uma nova ideologia própria, nem de um aparelho estatal, mas em função de uma tecnologia que caracteriza as novas regras da economia do poder de punir.

É essa história do monstro moral, das quais acabo de tentar indicar para vocês pelo menos as condições de possibilidade, que eu gostaria de iniciar agora, fazendo surgir antes de mais nada o primeiro perfil, o primeiro rosto desse monstro moral, assim chamado pela nova economia do poder de punir. Ora, curiosamente, e de uma maneira que me parece bastante característica, o primeiro monstro moral que aparece é o monstro político. Ou seja, a patologização do crime operou-se, na minha opinião, a partir de uma nova economia do poder, e teríamos uma espécie de prova suplementar disso no fato de que o primeiro monstro moral que aparece no fim do século XVIII, em todo caso o mais importante, o mais notável, é o criminoso político. De fato, na nova teoria do direito penal de que eu lhes falava há pouco, o criminoso é aquele que, rompendo o pacto que subscrevera, prefere seu interesse às leis que regem a sociedade de que é membro. Ele retorna portanto ao estado natural, já que rompeu o contrato primitivo. É o homem da floresta que reaparece com o criminoso, homem da floresta paradoxal, pois desconhece o cálculo de interesse que o levou, a ele e seus semelhantes, a subscrever o pacto. Como o crime é uma espécie de ruptura do pacto, afirmação, condição do interesse pessoal em oposição a todos os outros, vocês estão vendo que o crime é essencialmente da ordem do abuso de poder. O criminoso é sempre, de certo modo, um déspota, que faz valer, como despotismo e em seu nível próprio, seu interesse pessoal. Assim é que vocês podem ver se formular, com toda clareza, por volta dos anos 1760 (isto é, trinta anos antes da Revolução), o tema, que será tão importante durante a Revolução Francesa, do parentesco, do parentesco essencial, entre o criminoso e o tirano, entre o infrator e o monarca despótico. Há, dos dois lados do pacto assim quebrado, uma espécie de simetria, de parentesco entre o criminoso e o déspota, que de certa forma se dão a mão, como dois indivíduos que, rejeitando, desprezando ou rompendo o pacto fundamental, fazem de seu interesse a lei arbitrária que querem impor aos outros. Duport, em 1790 (e Duport, como vocês sabem, não representava uma posição extrema, longe disso), diz o seguinte, justamente quando das discussões do novo Código Penal: "O déspota e o malfeitor perturbam, um como o outro, a ordem pública. Uma ordem arbitrária e um assassinato são crimes iguais, a nosso ver."[13]

Esse tema do vínculo entre o soberano acima das leis e o criminoso abaixo das leis, o tema desses dois fora da lei que são o soberano e o criminoso, vamos encontrá-lo primeiro antes da Revolução Francesa, sob a forma mais pálida e mais corrente, que será a seguinte: o arbítrio do tirano é um exemplo para os possíveis criminosos, ou é, ainda, em sua ilegalidade fundamental, a permissão dada ao crime. De fato, quem não poderia se autorizar a infringir as leis, quando o soberano, que deve promovê-las, impô-las e aplicá-las, se dá a possibilidade de contorná-las, suspendê-las ou em todo caso não as aplicar a si mesmo? Por conseguinte, quanto mais despótico for o poder, mais numerosos serão os criminosos. O poder forte de um tirano não faz desaparecer os malfeitores; ao contrário, ele os multiplica. E, de 1760 a 1780-1790, é um tema que vocês encontrarão perpetuamente em todos os teóricos do direito penal[14]. Mas, a partir da Revolução, e principalmente a partir de 1792, é sob uma forma muito mais concisa e violenta, muito mais densa, se quiserem, que vocês vão encontrar esse tema do parentesco, da comparação possível entre o criminoso e o soberano. E, para dizer a verdade, não é simplesmente à comparação entre o criminoso e o soberano que assistimos nessa época, mas antes a uma espécie de inversão dos papéis por uma nova diferenciação entre o criminoso e o soberano.

Porque, afinal de contas, o que é um criminoso? Um criminoso é aquele que rompe o pacto, que rompe o pacto de vez em quando, quando precisa ou tem vontade, quando seu interesse manda, quando num momento de violência ou de cegueira ele faz prevalecer a razão do seu interesse, a despeito do cálculo mais elementar da razão. Déspota transitório, déspota relâmpago, déspota por cegueira, por fantasia, por furor, pouco importa. O déspota, porém, ao contrário do criminoso, faz valer a predominância do seu interesse e da sua vontade; ele a faz prevalecer de forma permanente. É por estatuto que o déspota é um criminoso, enquanto é por acidente que o criminoso é um déspota. E quando digo por estatuto ainda exagero, porque o despotismo, justamente, não pode ter estatuto na sociedade. É por um estado de violência permanente que o déspota pode impor sua vontade ao corpo social inteiro. O déspota é, portanto, aquele que exerce em permanência – fora do estatuto e fora da lei, mas de uma maneira que é completamente intricada em sua existência mesma – e que impõe de uma maneira criminosa seu interesse. É o fora da lei permanente, é o indivíduo sem vínculo social. O déspota é o homem só. O déspota é aquele que, por sua existência mesma e apenas por sua existência, efetua o crime máximo, o crime por excelência, o crime da ruptura total do pacto social pelo qual o próprio corpo da sociedade deve poder existir e se manter. O déspota é aquele cuja existência coincide com o crime, cuja natureza é portanto idêntica a uma contranatureza. É o indivíduo que impõe sua violência, seus caprichos, sua não razão, como lei geral ou como razão de Estado. Ou seja, no sentido estrito, do seu nascimento à sua morte, em todo caso durante todo o exercício do seu poder despótico, o rei – em todo caso o rei tirânico – é simplesmente um monstro. O primeiro monstro jurídico que vemos surgir, delinear-se no novo regime da economia do poder de punir, o primeiro monstro que aparece, o primeiro monstro identificado e qualificado, não é o assassino, não é o estuprador, não é o que infringe as leis da natureza; é o que infringe o pacto social fundamental. O primeiro monstro é o rei. O rei é que é, assim creio, o grande modelo geral do qual derivarão historicamente, por toda uma série de deslocamentos e de transformações sucessivas, os inúmeros monstrinhos que vão povoar a psiquiatria e a psiquiatria legal do século XIX. Parece-me, em todo caso, que a queda de Luís XVI e a problematização da figura do rei assinalam um ponto decisivo nessa história de monstros humanos. Todos os monstros humanos são descendentes de Luís XVI.

Esse aparecimento do monstro como rei e do rei como monstro podemos vê-lo muito claramente, na minha opinião, no mesmo momento em que se colocou, no fim do ano de 1792 e no início do ano de 1793, a questão do processo do rei, da pena que lhe deveria ser aplicada, e mais ainda da forma que seu processo devia revestir[15]. O comitê de legislação havia proposto que fosse aplicado ao rei o suplício reservado aos traidores e aos conspiradores. Ao que certo número de jacobinos, e essencialmente Saint-Just, responderam: não se pode aplicar a Luís XVI a pena dos traidores e dos conspiradores, porque essa pena é prevista pela lei; portanto, ela é um efeito do contrato social, e só se pode aplicá-la legitimamente a alguém que subscreveu o contrato social e que, nessa medida, tendo a certo momento rompido o pacto, aceita agora que este aja contra si, sobre si ou a propósito de si. O rei, porém, nunca subscreveu, em nenhum momento, o pacto social. Portanto está fora de cogitação aplicar a ele as cláusulas internas desse pacto ou as cláusulas que derivam do pacto. Não se pode aplicar a ele nenhuma lei do corpo social. Ele é o inimigo absoluto que o corpo social inteiro deve considerar como inimigo. Portanto há que matá-lo, como se mata um inimigo ou como se mata um monstro. E isso também é demais, dizia Saint-Just, porque, se se pedir ao corpo social inteiro para matar Luís XVI e livrar-se dele como sendo um inimigo monstruoso, impõe-se o corpo social inteiro contra Luís XVI. Ou seja, admite-se, de certa forma, uma simetria entre um indivíduo e o corpo social. Ora, Luís XVI nunca reconheceu a existência do corpo social e sempre aplicou seu poder desconhecendo a existência do corpo social e aplicando esse seu poder a indivíduos particulares, como se o corpo social não existisse. Tendo por conseguinte suportado o poder do rei como indivíduo, e não como corpo social, os indivíduos terão de se livrar de Luís XVI como indivíduo. É portanto uma lei individual de hostilidade que deve servir de suporte ao desaparecimento de Luís XVI. O que quer dizer, em termos claros, no nível das estratégias políticas da época, que era uma maneira de evitar, bem entendido, que a nação inteira tivesse de se pronunciar sobre a sorte de Luís XVI. Mas isso queria dizer, no nível da teoria do direito (que é importantíssima), que qualquer um, mesmo sem o consentimento geral dos outros, tinha o direito de liquidar Luís XVI. Qualquer um podia matar o rei: "O direito dos homens contra a tirania é um direito pessoal", diz Saint-Just[16].

Toda a discussão que ocupou o fim de 1792 e o início de 1793 a propósito do processo do rei é, penso eu, importantíssima não apenas porque vemos aparecer nela o primeiro grande monstro jurídico, que é o inimigo político, que é o rei, mas igualmente porque vocês vão encontrar todos esses raciocínios transpostos e aplicados a um domínio totalmente distinto, no século XIX, principalmente na segunda metade quando o criminoso de todos os dias, o criminoso cotidiano, por meio das análises psiquiátricas, criminológicas, etc. (de Esquirol a Lombroso)[17], tiver sido efetivamente caracterizado como um monstro. A partir desse momento o criminoso monstruoso trará consigo a questão: devemos efetivamente aplicar-lhe as leis? Como ser de natureza monstruosa e inimigo da sociedade inteira, não deve a sociedade se livrar dele, sem nem sequer passar pelo arsenal das leis? O criminoso monstruoso, o criminoso nato, na verdade nunca subscreveu o pacto social: insere-se ele efetivamente no domínio das leis? Devem as leis ser aplicadas a ele? Os problemas que estão presentes nas discussões a propósito da condenação de Luís XVI, as formas dessa condenação, vocês vão encontrar transpostos na segunda metade do século XIX, a propósito dos criminosos natos, a propósito dos anarquistas que, também eles, rejeitam o pacto social, a propósito de todos os criminosos monstruosos, a propósito de todos esses grandes nômades que giram em torno do corpo social, mas que o corpo social não reconhece como fazendo parte dele.

A essa argumentação jurídica fazia eco, nessa época, toda uma representação, que a meu ver é igualmente importante, uma representação caricatural, polêmica, do rei monstruoso, do rei que é criminoso por uma espécie de natureza contranatural, que é unha e carne com ele. É a época em que se coloca o problema do rei monstruoso, é a época em que se escreve toda uma série de livros, verdadeiros anais dos crimes reais, de Ninrode a Luís XVI, de Brunilda a Maria Antonieta[18]. É o livro de Levasseur, por exemplo, sobre os *Tigres couronnés*[19]; de Prudhomme sobre os *Crimes des reines de France*[20]; de Mopinot, as *Effrayantes histoires des crimes horribles qui ne sont communs qu'entre les familles des rois*, que data de 1793 e que é um texto interessantíssimo porque traça uma espécie de genealogia da realeza. Ele diz que a instituição real nasceu da seguinte maneira. Na origem da humanidade, havia duas categorias de gente: os que se dedicavam à agricultura e à pecuária, e os que eram obrigados a proteger os primeiros, porque os animais selvagens e ferozes podiam comer as mulheres e as crianças, destruir as colheitas, devorar os rebanhos, etc. Eram necessários, portanto, caçadores destinados a proteger a capacidade dos agricultores contra as feras. Veio depois o momento em que esses caçadores foram tão eficientes que as feras desapareceram. Com isso, eles se tornaram inúteis; mas, preocupados com essa inutilidade que ia privá-los dos privilégios que exerciam como caçadores, eles próprios se transformaram em animais selvagens, voltando-se contra aqueles a quem protegiam. Por sua vez, atacaram os rebanhos e as famílias que deviam proteger. Foram os lobos do gênero humano. Foram os tigres da sociedade primitiva. Os reis não são outra coisa que esses tigres, esses caçadores de outrora que haviam tomado o lugar das feras, girando em torno das primeiras sociedades[21].

É a época de todos esses livros sobre os crimes das realezas, é também a época em que Luís XVI e Maria Antonieta, como vocês sabem, são representados em todos os panfletos como o casal monstruoso, ávido de sangue, ao mesmo tempo chacal e hiena[22]. E tudo isso, qualquer que seja o caráter puramente conjuntural desses textos e qualquer que seja sua ênfase, é ainda assim importante, por causa da inscrição na figura do monstro humano de certo número de temas que não vão se apagar ao longo de todo o século XIX. É principalmente acerca de Maria Antonieta que essa temática do monstro humano vai se cristalizar, Maria Antonieta que acumula, nos panfletos da época, um certo número de traços próprios da monstruosidade. Claro, ela é em primeiro lugar, ela é essencialmente estrangeira, isto é, ela não faz parte do corpo social[23]. Ela é, portanto, em relação ao corpo social do país em que reina, a fera, ela é em todo caso o ser no estado natural. Além do mais ela é a hiena, ela é o bicho-papão, a "fêmea do tigre", que – diz Prudhomme – "uma vez que viu [...] o sangue, não pode mais se sentir saciada"[24]. Portanto, todo o lado canibal, antropofágico do soberano ávido de sangue de seu povo. E depois é também a mulher escandalosa, a mulher depravada, que se entrega à libertinagem mais extrema, e isso de duas formas privilegiadas[25]. Primeiro o incesto, pois nos textos, esses panfletos que podemos ler a seu respeito, ficamos sabendo que, quando ainda era uma criancinha, ela foi desvirginada por seu irmão José II; que ela se tornou amante de Luís XV; que depois foi amante do cunhado deste, quando o delfim era o filho do conde de Artois, acho eu. Vou citar um desses textos para dar a vocês uma ideia dessa temática, um texto que extraio de *La vie privée, libertine et scandaleuse de Marie-Antoinette*, publicado no ano I, justamente a propósito das relações entre Maria Antonieta e José II: "Foi o mais ambicioso dos soberanos, o homem mais imoral, o irmão de Leopoldo, enfim, que colheu as primícias da rainha da França. E a introdução do priapo imperial no canal austríaco culminou, por assim dizer, a paixão do incesto, os gozos mais imundos, o ódio à França [*rectius*: aos franceses], a aversão aos deveres de esposa e mãe, numa palavra, tudo o que reduz a humanidade ao nível dos animais ferozes."[26] Assim, temos aí a incestuosa e, ao lado da incestuosa, outra transgressão sexual: ela é homossexual. Aí então, relações com as arquiduquesas, suas irmãs e suas primas, relações com as mulheres do seu *entourage*, etc.[27] O par antropofagia-incesto, as duas grandes consumações proibidas, parece-me característico dessa primeira apresentação do monstro no horizonte da prática, do pensamento e da imaginação jurídicos do fim do século XVIII. E tem mais: nessa primeira figura do monstro, Maria Antonieta, a figura da depravação, da depravação sexual e, em particular, do incesto, parece-me ser o tema dominante.

Mas, em face do monstro real e na mesma época, na literatura adversa, isto é, na literatura antijacobina, contrarrevolucionária, vocês vão encontrar a outra grande figura do monstro. E desta vez não é o monstro por abuso de poder, mas o monstro que rompe o pacto social pela revolta. Como revolucionário e não mais como rei, o povo vai ser precisamente a imagem invertida do monarca sanguinário. Ele vai ser a hiena que ataca o corpo social. Vocês têm, na literatura monarquista, católica, etc., inglesa também, da época da Revolução, uma espécie de imagem invertida dessa Maria Antonieta que os panfletos jacobinos e revolucionários apresentavam. É essencialmente a propósito dos massacres de setembro que vocês veem o outro perfil do monstro: o monstro popular, o monstro que rompe o pacto social, de certa forma a partir de baixo, ao passo que Maria Antonieta e o soberano o rompiam a partir de cima. Madame Roland, por exemplo, descrevendo os massacres de setembro, dizia: "Se vocês soubessem dos pavorosos detalhes das expedições! As mulheres brutalmente violentadas antes de serem dilaceradas por esses tigres, as tripas cortadas, usadas como fitas, carnes humanas comidas sangrentas!"[28] Barruel, na *Histoire du clergé pendant la Révolution*, conta a história de uma tal condessa de Pérignon, que teria sido assada na Place Dauphine com as duas filhas, e seis padres também teriam sido queimados vivos na praça, porque tinham se recusado a comer o corpo assado da condessa[29]. Barruel conta também que venderam no Palais Royal patês de carne humana[30]. Bertrand de Molleville[31], Maton de la Varenne[32] contam toda uma série de histórias: a célebre história de Mademoiselle de Sombreuil bebendo um copo de sangue para salvar a vida do pai[33], ou daquele homem que havia sido obrigado a beber o sangue tirado do coração de um rapaz para salvar seus dois amigos[34]; ou ainda, massacradores de setembro que teriam bebido uma aguardente na qual Manuel teria posto pólvora de canhão e que teriam comido pãezinhos molhados nos ferimentos[35]. Temos aí também a figura do depravado-antropófago, mas na qual a antropofagia prevalece sobre a depravação. Os dois temas, interdição sexual e interdição alimentar, ligam-se com muita clareza nessas duas grandes primeiras figuras de monstro e de monstro político. Essas duas figuras pertencem a uma conjuntura precisa, embora também retomem temas antigos: a depravação dos reis, a libertinagem dos grandes, a violência do povo. Tudo isso são velhos temas; mas é interessante o fato de terem sido reativados e reatados no interior dessa primeira figura do monstro. Isso por um certo número de razões.

De um lado, portanto, porque creio que a reativação desses temas e o novo desenho da selvageria bestial estão ligados à reorganização do poder político, a suas novas regras de exercício. Não é por acaso que o monstro aparece a propósito do processo de Luís XVI e a propósito dos massacres de setembro, que vocês sabem foram uma espécie de reivindicação popular de uma justiça mais violenta, mais expeditiva, mais direta e mais justa do que a justiça institucional. Foi em torno do problema do direito e do exercício do poder de punir que essas duas figuras do monstro apareceram. Essas figuras são igualmente importantes por outro motivo: porque elas têm um eco de enorme amplitude em toda a literatura da época, e a literatura no sentido mais tradicional do termo, em todo caso a literatura de terror. Parece-me que a súbita irrupção da literatura de terror no fim do século XVIII, nos anos que são mais ou menos contemporâneos da Revolução, deve ser relacionada a essa nova economia do poder de punir. A natureza contranatural do criminoso, o monstro, é isso que aparece nesse momento. E nessa literatura vemo-lo aparecer igualmente sob duas formas. De um lado, temos o monstro por abuso de poder: é o príncipe, é o senhor, é o mau padre, é o monge culpado. Depois, temos também, nessa mesma literatura de terror, o monstro de baixo, o monstro que volta à natureza selvagem, o bandido, o homem das florestas, o bruto com seu instante ilimitado. São essas figuras que vocês encontram nos romances, por exemplo, de Ann Radcliffe[36]. Tomem o *Château des Pyrénées*[37], todo ele construído com base na conjunção dessas duas figuras: o senhor destronado, que se vinga praticando os crimes mais pavorosos e que utiliza para sua vingança bandidos que, para se protegerem e servirem a seus próprios interesses, aceitaram ter como chefe esse senhor destronado. Dupla monstruosidade: o *Château des Pyrénées* liga uma à outra as duas grandes figuras da monstruosidade, e liga-as no interior de uma paisagem, numa cenografia, que é de resto bastante típica, já que a cena, como vocês sabem, se desenrola num lugar que é ao mesmo tempo castelo e montanha. É uma montanha inacessível, mas que foi escavada e recortada para se tornar uma verdadeira fortaleza. O castelo feudal, sinal do superpoder do senhor, manifestação pois desse poder fora da lei que é o poder criminoso, faz um só corpo com a selvageria da própria natureza, em que os bandidos se refugiaram. Temos aí, parece-me, nessa figura do *Château des Pyrénées*, uma imagem bastante densa dessas duas formas de monstruosidade tais como aparecem na temática política e imaginária da época. Os romances de terror devem ser lidos como romances políticos.

São igualmente essas duas formas de monstros, é claro, que vocês encontram em Sade. Na maioria dos seus romances, em todo caso em *Juliette*, há esse acoplamento regular entre a monstruosidade do poderoso e a monstruosidade do homem do povo, a monstruosidade do ministro e a monstruosidade do revoltado, e a cumplicidade de um com o outro. Juliette e a Dubois estão evidentemente no centro dessa série de pares da monstruosidade superpoderosa e da monstruosidade revoltada. Em Sade, a libertinagem é sempre ligada a um desvio de poder. Em Sade, o monstro não é simplesmente uma natureza intensificada, uma natureza mais violenta que a natureza dos outros. O monstro é um indivíduo a quem o dinheiro, ou então a reflexão, ou então o poderio político, dão a possibilidade de se voltar contra a natureza. De sorte que, no monstro de Sade, por esse excesso de poder, a natureza se volta contra ela mesma e acaba anulando sua racionalidade natural, para não ser mais que uma espécie de furor monstruoso que se abate não apenas sobre os outros, mas sobre ela própria. A autodestruição da natureza, que é um tema fundamental em Sade, essa autodestruição numa espécie de monstruosidade sem amarras, sempre é efetuada pela presença de um certo número de indivíduos que detêm um superpoder. O superpoder do príncipe, do senhor, do ministro, do dinheiro, ou o superpoder do revoltado. Não há em Sade monstro politicamente neutro e médio: ou ele vem da escória do povo e ergueu a cabeça contra a sociedade estabelecida, ou é um príncipe, um ministro, um senhor que detém sobre todos os poderes sociais um superpoder sem lei. Como quer que seja, o poder, o excesso de poder, o abuso de poder, o despotismo, são sempre, em Sade, o operador da libertinagem. É esse superpoder que transforma a simples libertinagem em monstruosidade.

Acrescentarei o seguinte: essas duas figuras do monstro – o monstro de baixo e o monstro de cima, o monstro antropófago, representado sobretudo na figura do povo revoltado, e o monstro incestuoso, que é representado sobretudo pela figura do rei –, esses dois monstros são importantes, porque vamos encontrá-los no fundo da temática jurídico-médica do monstro no século XIX. São essas duas figuras, em sua gemelidade mesma, que vão estar presentes na problemática da individualidade anormal. De fato, não se deve esquecer (e voltarei a esse ponto mais demoradamente da próxima vez) que os primeiros grandes casos da medicina legal, no fim do século XVIII e sobretudo no início do século XIX, não foram em absoluto crimes cometidos em estado de loucura flagrante e manifesta. Não foi esse o problema. O problema, o que foi o ponto de formação da medicina legal, foi justamente a existência desses dois monstros, que só são reconhecidos como monstros precisamente porque eram ao mesmo tempo incestuosos e antropófagos, ou ainda na medida em que transgrediam as duas grandes interdições: a alimentar e a sexual. O primeiro monstro que foi registrado, vocês sabem, é aquela mulher de Sélestat, cujo caso Jean-Pierre Peter analisou numa revista de psicanálise. A mulher de Sélestat, que matou a filha, cortou-a em pedaços e cozinhou sua coxa com repolho em 1817[38]. É também, poucos anos depois, o caso de Léger, aquele pastor que a solidão conduziu de volta ao estado natural e que matou uma menina, violentou-a, cortou-lhe fora os órgãos sexuais e comeu-os, arrancou-lhe o coração e chupou-o[39]. É também, nos anos 1825, o caso do soldado Bertrand, que, no cemitério de Montparnasse, abria os túmulos, retirava os cadáveres das mulheres, violentava-os e, em seguida, abria-os à faca e pendurava como guirlandas as entranhas nas cruzes dos túmulos e nos galhos dos ciprestes[40]. É isso, essas figuras é que foram os pontos de organização, de deflagração, de toda a medicina legal: figuras da monstruosidade portanto, da monstruosidade sexual e antropofágica. São esses temas, sob a dupla figura do transgressor sexual e do antropófago, que vão correr ao longo de todo o século XIX, que encontraremos perpetuamente nos confins da psiquiatria e da penalidade, e que darão toda a sua estatura a essas grandes figuras da criminalidade do fim do século XIX. É Vacher na França, é o Vampiro de Düsseldorf na Alemanha, é principalmente Jack, o Estripador, na Inglaterra, que apresentava a vantagem de não apenas estripar prostitutas, mas ter ao que tudo indica parentesco direto com a rainha Vitória. Com isso, a monstruosidade do povo e a monstruosidade do rei se uniam em sua figura turva.

São essas duas figuras, do antropófago – monstro popular – e do incestuoso – monstro principesco –, que mais tarde serviram de gabarito de inteligibilidade, de via de acesso para certo número de disciplinas. Penso, é claro, na etnologia, talvez não a etnologia entendida como prática de terreno, mas pelo menos a etnologia como reflexão acadêmica sobre as populações ditas primitivas. Ora, se examinarmos como se formou a disciplina acadêmica da antropologia, se vocês pegarem, por exemplo, Durkheim como ponto, se não exatamente de origem, [pelo menos] de primeira grande cristalização dessa discussão universitária, verão que são esses problemas da antropofagia e do incesto que estão na base da sua problemática.

O totemismo como ponto de interrogação das sociedades primitivas; com o totemismo o que temos? Pois bem, o problema da comunidade de sangue, do animal portador dos valores do grupo, portador da sua energia e da sua vitalidade, da sua vida mesma. É o problema do consumo ritual desse animal. Logo, absorção do corpo social por cada um, ou ainda, absorção de cada um pela totalidade do corpo social. Por trás do totemismo, o que se lê, no ver do próprio Durkheim, é uma antropofagia ritual como momento de exaltação da comunidade, e esses momentos, para Durkheim, são simplesmente momentos de intensidade máxima, que apenas assinalam um estado de certo modo estável e regular do corpo social[41]. Estado estável que é caracterizado por quê? Justamente pelo fato de que o sangue da comunidade é proibido, que não se pode tocar nas pessoas que pertencem a essa comunidade mesma, que não se pode tocar nas mulheres em particular. O grande banquete totêmico, o grande banquete marcado pela antropofagia, apenas cadencia, de modo regular, uma sociedade presidida pela lei da exogamia, isto é, da interdição do incesto. Comer de vez em quando o alimento absolutamente proibido, isto é, o próprio homem, e depois proibir-se regularmente de consumir suas mulheres: sonho da antropofagia, rejeição do incesto. São esses dois problemas que organizaram para Durkheim, enfim, que cristalizaram para Durkheim, e dele em diante aliás, todo o desenvolvimento dessa disciplina. O que você come e quem você não desposa? Com quem você entra nos vínculos de sangue e o que você tem o direito de cozinhar? Aliança e cozinha: vocês sabem perfeitamente que são essas as questões que ainda preocupam atualmente a etnologia teórica e acadêmica.

É com essas questões, a partir dessas questões do incesto e da antropofagia, que abordamos todos os pequenos monstros da história, todas essas bordas externas da sociedade e da economia que as sociedades primitivas constituem. Poderíamos dizer em linhas gerais o seguinte. Os antropólogos e teóricos da antropologia que privilegiam o ponto de vista do totemismo, isto é, em última análise, da antropofagia, estes acabam produzindo uma teoria etnológica que leva à extrema dissociação e distanciamento em relação às nossas sociedades, já que elas são remetidas precisamente à sua antropofagia primitiva. É Levy-Bruhl[42]. E, ao contrário, se vocês referirem os fenômenos do totemismo às regras da aliança, isto é, se vocês dissolverem o tema da antropofagia para privilegiar a análise das regras da aliança e da circulação simbólica, produzirão uma teoria etnológica que é uma teoria da inteligibilidade das sociedades primitivas e da requalificação do chamado selvagem. Depois de Lévy-Bruhl, Lévi-Strauss[43]. Mas estão vendo que, como quer que seja, estamos sempre presos ao binômio canibalismo-incesto, isto é, à dinastia de Maria Antonieta. O grande exterior, a grande alteridade que é definida por nossa interioridade jurídico-política desde o século XVIII, é de qualquer modo o canibalismo e o incesto.

O que vale para a etnologia vocês sabem que vale, evidentemente e *a fortiori*, para a psicanálise, já que – se a antropologia seguiu uma linha que a levou do problema, historicamente primeiro para ela, do totemismo, isto é, da antropofagia, ao problema mais recente da interdição do incesto – podemos dizer que a história da psicanálise se fez em sentido inverso e que o gabarito de inteligibilidade que Freud aplicou à neurose é o do incesto[44]. Incesto: crime dos reis, crime do poder excessivo, crime de Édipo e da sua família. É a inteligibilidade da neurose. Seguiu-se o gabarito de inteligibilidade da psicose, com Melanie Klein[45]. Gabarito de inteligibilidade que se formou a partir de quê? Do problema da devoração, da introjeção dos bons e maus objetos, do canibalismo não mais crime dos reis, mas crime dos famintos.

Parece-me que o monstro humano, que a nova economia do poder de punir começou a esboçar no século XVIII, é uma figura em que se combinam fundamentalmente esses dois grandes temas, do incesto dos reis e do canibalismo dos famintos. São esses dois temas, formados no fim do século XVIII no novo regime da economia das punições e no contexto particular da Revolução Francesa, com as duas grandes formas do fora da lei, segundo o pensamento burguês e a política burguesa, isto é, o soberano despótico e o povo revoltado; são essas duas figuras que vocês veem percorrer o campo da anomalia. Os dois grandes monstros que velam o domínio da anomalia e que ainda não estão adormecidos – a etnologia e a psicanálise comprovam – são os dois grandes temas do consumo proibido: o rei incestuoso e o povo canibal[46].

*

NOTAS

1. Ver o curso, já citado, *La société punitive* (em particular, 10 de janeiro de 1973).

2. Em toda a discussão que se segue, M. Foucault retoma e desenvolve temas abordados em *Surveiller et punir*, *op. cit.*, pp. 51-61 (cap. II: "L'éclat des suplices").

3. P. de Bourdeille seigneur de Brantôme, *Mémoires contenant les vies des hommes illustres et grands capitaines étrangers de son temps*, II, Paris, 1722, p. 191 (1ª ed. 1665).

4. A. Bruneau, *Observations et maximes sur les matières criminelles*, Paris, 1715², p. 259.

5. M. Foucault resume aqui A. Bruneau, *op. cit.*, p. iij$^{r^o-v^o}$.

6. Ver o curso, já citado, *La société punitive*, resumido em *Dits et écrits*, II, pp. 456-70.

7. Ver, por exemplo, o verbete de L. de Jaucourt, "Crime (droit naturel)", em *Encyclopédie raisonnée des sciences, des arts et des métiers*, IV, Paris, 1754, pp. 466b-8a, que se baseia no *Espírito das leis* de Montesquieu (1748).

8. M. Foucault se refere em particular a M. Lepeletier de Saint-Fargeau, "Extrait du rapport sur le projet de Code pénal, fait au nom des comités de constitution et de législation criminelle", *Gazette nationale, ou le Moniteur universel*, 150, 30 de maio de 1791, pp. 525-8; 151, 31 de maio de 1791, pp. 522-6, 537 ("Discussion sur la question de savoir si la peine de mort sera conservée"); 155, 4 de junho de 1791, pp. 572-4. Cf. *De l'abrogation de la peine de mort. Fragments extraits du rapport sur le projet de Code pénal présenté à l'Assemblée constituante*, Paris, 1793. O *Projet de Code pénal* está publicado em M. Lepeletier de Saint-Fargeau, *Oeuvres*, Bruxelas, 1826, pp. 79-228.

9. L.-P.-J. Prugnon, *Opinion sur la peine de mort*, Paris [s.d.: 1791], pp. 2-3: "Uma das primeiras atenções do legislador deve ser prevenir os crimes, e ele é fiador, diante de toda a sociedade, de todos os que não impediu quando podia. Deve portanto ter dois objetivos: um, exprimir todo o horror que os grandes crimes inspiram; o outro, assustar por meio de grandes exemplos. Sim, é o exemplo, e não o homem punido, que se deve ver no suplício. A alma é agradavelmente comovida, é, se assim posso dizer, revigorada ao ver uma associação de homens que não conhece nem suplícios nem cadafalsos. Concebo que é a mais deliciosa de todas as meditações; mas onde se esconde a sociedade da qual os carrascos poderiam ser impunemente banidos? O crime mora na terra, e o grande erro dos escritores modernos é emprestar seus cálculos e sua lógica aos assassinos: eles não viram que esses homens eram uma exceção às leis da natureza, que todo o ser moral deles estava extinto. É esse o sofisma gerador dos livros. Sim, o aparelho do suplício, mesmo visto de longe, apavora os criminosos e os detém; o cadafalso está mais perto deles do que a eternidade. Eles são gente fora das proporções ordinárias; se não fossem, acaso assassinariam? Cumpre portanto armar-se contra o primeiro juízo do coração e desconfiar dos preconceitos da virtude." Essa passagem também pode ser lida nos *Archives parlementaires de 1781 à 1860. Recueil complet des débats législatifs et politiques des chambres françaises*, XXVI, Paris, 1887, p. 619.

10. Ver a intervenção na sessão da Assembleia Nacional de 30 de maio de 1791 (*Gazette nationale, ou le Moniteur universel*, 153, 2 de junho de 1791, p. 552), reproduzida em A.-J.-F. Duport, *Opinion sur la peine de mort*, Paris [1791], p. 8.

11. Na classe VIII da seção "Maladies mentales" de [L.] Vitet, *Médecine expectante*, V, Lyon, 1803, pp. 156-374, não é mencionado o crime como doença. No ano VI da Revolução, Louis Vitet (autor, entre outras coisas, de uma dissertação, *Le médecin du peuple*, Lyon, 1805) havia participado da elaboração dos projetos de lei sobre as escolas especiais de medicina. Cf. M. Foucault, *Naissance de la clinique. Une archéologie du regard médical*, Paris, 1963, pp. 16-7. [Trad. bras. *O nascimento da clínica*, Rio de Janeiro: Forense Universitária, 2008].

12. O artigo não foi publicado no volume XVI do *Journal de médecine, chirurgie, pharmacie* (1808). Cf. C.-V.-F.-G. Prunelle, *De la médecine politique en général et de son objet. De la médecine légale en particulier, de son origine, de ses progrès et des secours qu'elle fournit au magistrat dans l'exercice de ses fonctions*, Montpellier, 1814.

13. Não encontramos a citação.

14. M. Foucault os enumera em *Dits et écrits*, II, p. 458.

15. Os documentos foram reunidos e apresentados por A. Soboul, *Le Procès de Louis XVI*, Paris, 1966.

16. Argumentos similares são invocados por Louis-Antoine-Lion Saint-Just em suas "Opinions concernant le jugement de Louis XVI" (13 de novembro e 27 de dezembro de 1792),

em *Oeuvres*, Paris, 1854, pp. 1-33. Cf. M. Lepeletier de Saint-Fargeau, *Opinion sur le jugement de Louis XVI*, Paris, 1792 (e *Oeuvres*, *op. cit.*, pp. 331-46).

17. Sobre a análise psiquiátrica e criminológica de Esquirol, cf. *infra*, aula de 5 de fevereiro; sobre Lombroso, cf. *supra*, aula de 22 de janeiro.

18. M. Foucault faz alusão às "Observations historiques sur l'origine des rois et sur les crimes qui soutiennent leur existence", de A.-R. Mopinot de la Chapotte, *Effrayante histoire des crimes horribles qui ne sont communs qu'entre les familles des rois depuis le commencement de l'ère vulgaire jusqu'à la fin du XVIIIe siècle*, Paris, 1793, pp. 262-303. Sobre Ninrode, fundador do império babilônico, ver *Gênesis*, 10: 8-12. Brunilda, nascida c. 534, é a filha mais moça de Atanagildo, rei dos visigodos da Espanha.

19. Levasseur, *Les tigres couronnés ou Petit abrégé des crimes des rois de France*, Paris [s.d.: 4ª ed., 1794]. Sobre a noção de "tigridomania", ver A. Matthey, *Nouvelles recherches sur les maladies de l'esprit*, Paris, 1816, pp. 117, 146.

20. L. Prudhomme [L. Robert], *Les crimes des reines de France, depuis le commencement de la monarchie jusqu'à Marie-Antoinette*, Paris, 1791; id., *Les crimes de Marie-Antoinette d'Autriche, dernière reine de France, avec les pièces justificatives de son procès*, Paris, II [1793-1794].

21. Cf. A.-R. Mopinot de la Chapotte, *Effrayante histoire...*, *op. cit.*, pp. 262-6.

22. Por exemplo: *La chasse aux bêtes puantes et féroces, qui, après avoir inondé les bois, les plaines, etc., se sont répandues à la cour et à la capitale*, 1789; *Description de la ménagerie royale d'animaux vivants, établie aux Tuileries près de la Terrasse nationale, avec leurs noms, qualités, couleurs et propriétés* [s.l.], 1789.

23. *L'autrichienne en goguettes ou l'Orgie royale* [s.l.], 1791.

24. L. Prudhomme, *Les crimes de Marie-Antoinette d'Autriche...*, *op. cit.*, p. 446.

25. *Bordel royal, suivi d'un entretien secret entre la reine et le cardinal de Rohan après son entrée aux États-généraux* [s.l.], 1789; *Fureurs utérines de Marie-Antoinette, femme de Louis XVI*, Paris, 1791.

26. *Vie de Marie-Antoinette d'Autriche, reine de France, femme de Louis XVI, roi des Français, depuis la perte de son pucelage jusqu'au premier mai 1791*, Paris, I [1791], p. 5. Cf. *La vie privée, libertine et scandaleuse de Marie-Antoinette d'Autriche, ci-devant reine des Français, depuis son arrivée en France jusqu'à sa détention au Temple*, [s.l.n.d.].

27. *Les bordels de Lesbos ou le Génie de Sapho*, São Petersburgo, 1790.

28. *Lettres de Madame Roland*, publicadas por C. Perroud, II, Paris, 1902, p. 436.

29. A. Barruel, *Histoire du clergé pendant la Révolution française*, Londres, 1797, p. 283.

30. A história é contada por P. Caron, *Les massacres de septembre*, Paris, 1935, pp. 63-4, que dá a fonte da maledicência e os desmentidos dos contemporâneos.

31. A.-F. Bertrand de Molleville, *Histoire de la Révolution de France*, Paris, 14 vol., IX-XI [1800-1803].

32. P.-A.-L. Maton de la Varenne, *Les crimes de Marat et des autres égorgeurs, ou Ma résurrection. Où l'on trouve non seulement la preuve que Marat et divers autres scélérats, membres des autorités publiques, ont provoqué tous les massacres des prisonniers, mais encore des matériaux précieux pour l'histoire de la Révolution française*, Paris, III [1794-1795]; id., *Histoire particulière des événements qui ont eu lieu en France pendant les mois de juin, juillet, d'août et de septembre 1792, et qui ont opéré la chute du trône royal*, Paris, 1806, pp. 345-53.

33. Cf. A. Granier de Cassagnac, *Histoire des girondins et des massacres de septembre d'après les documents officiels et inédits*, II, Paris, 1860, p. 226. A história de Mademoiselle de Sombreuil deu lugar a uma vasta literatura: ver P.-V. Duchemin, *Mademoiselle de Sombreuil, l'héroïne au verre de sang (1767-1823)*, Paris, 1925.

34. Cf. J.-G. Peltier, *Histoire de la révolution du 10 août 1792, des causes qui l'ont produite, des événements qui l'ont précédée, et des crimes qui l'ont suivie*, II, Londres, 1795, pp. 334-5.

35. P.-A.-L. Maton de la Varenne, *Les crimes de Marat et des autres égorgeurs..., op. cit.*, p. 94.

36. Ver, por exemplo [A. W. Radcliffe], *The Romance of the Forest*, Londres, 1791.

37. O romance *Les visions du château des Pyrénées*, Paris, 1803, atribuído a A. W. Radcliffe, é um apócrifo.

38. J.-P. Peter, "Ogres d'archives", *Nouvelle revue de psychanalyse*, 6, 1972, pp. 251-8. O caso de Sélestat (Schlettstadt, na Alsácia) foi divulgado na França por Ch.-Ch.-H. Marc, que publicou, nos *Annales d'hygiène publique et de médecine légale*, VIII/1, 1832, pp. 397-411, a tradução do exame médico-legal de F. D. Reisseisen, originalmente publicado em alemão no *Jahrbuch der Staatsarzneikunde* de J. H. Kopp (1817). Cf. Ch.-Ch.-H. Marc, *De la folie considérée dans ses rapports avec les questions médico-judiciaires*, II, Paris, 1840, pp. 130-46.

39. E.-J. Georget, *Examen médical des procès criminels des nommés Léger, Feldtmann, Lecouffe, Jean-Pierre et Papavoine, dans lesquels l'aliénation mentale a été alléguée comme moyen de défense. Suivi de quelques considérations médico-légales sur la liberté morale*, Paris, 1825, pp. 2-16. Cf. J.-P. Peter, *art. cit.*, pp. 259-67; id., "Le corps du délit", *Nouvelle revue de psychanalyse*, 3, 1971, pp. 71-108.

40. Cf. *infra*, aula de 12 de março.

41. E. Durkheim, "La prohibition de l'inceste et ses origines", *L'Année sociologique*, II, 1898, pp. 1-70.

42. L. Lévy-Bruhl, *La mentalité primitive*, Paris, 1922; id., *Le Surnaturel et la Nature dans la mentalité primitive*, Paris, 1932. [Trad. bras. *A mentalidade primitiva*. São Paulo: Paulus, 2008].

43. Cl. Lévi-Strauss, *Les structures élémentaires de la parenté*, Paris, 1947 [trad. bras. *As estruturas elementares do parentesco*. Rio de Janeiro: Vozes, 2005]; id., *Le totémisme aujourd'hui*, Paris, 1962 [trad. bras. *O totemismo hoje*. Petrópolis: Vozes, 1975].

44. S. Freud, *Totem und Tabu. Über einige Übereinstimmungen im Seelenleben der Wilden und der Neurotiker*, Leipzig-Viena, 1913 (trad. fr.: *Totem et tabou. Quelques concordances entre la vie psychique des sauvages et celle des névrosés*, Paris, 1993 [trad. bras. *Totem e tabu*. São Paulo: Imago, 1998]).

45. M. Klein, "Criminal Tendencies in Normal Children", *British Journal of Medical Psychology*, 1927 (trad. fr.: "Les tendances criminelles chez les enfants normaux", em *Essais de psychanalyse, 1921-1945*, Paris, 1968, pp. 269-71).

46. Sobre a "posição privilegiada" da psicanálise e da etnologia no saber ocidental, cf. cap. X, § v de M. Foucault, *Les mots et les choses. Une archéologie des sciences humaines*, Paris, 1966, pp. 385-98. [Trad. bras. *As palavras e as coisas*. São Paulo: Martins, 2007].

AULA DE 5 DE FEVEREIRO DE 1975

No país dos bichos-papões. – Passagem do monstro ao anormal. – Os três grandes monstros fundadores da psiquiatria criminal. – Poder médico e poder judiciário em torno da noção de ausência de interesse. – A institucionalização da psiquiatria como ramo especializado da higiene pública e domínio particular da proteção social. – Codificação da loucura como perigo social. – O crime sem razão e as provas de entronização da psiquiatria. – O caso Henriette Cornier. – A descoberta dos instintos.

Parece-me pois que é o personagem do monstro, com seus dois perfis, o do antropófago e o do incestuoso, que dominou os primeiros anos da psiquiatria penal ou da psicologia criminal. É antes de mais nada como monstro, isto é, como natureza contranatural, que o louco criminoso faz sua aparição.

A história que eu gostaria de contar para vocês este ano, a história dos anormais, começa simplesmente com King Kong, ou seja, estamos logo de saída no país dos bichos-papões. A grande dinastia dos Pequenos Polegares anormais remonta precisamente à grande figura do bicho-papão[1]. Eles são descendentes deste, o que está na lógica da história, sendo o único paradoxo o de que os pequenos anormais, os Pequenos Polegares anormais, é que acabaram devorando os grandes bichos-papões monstruosos que lhes serviam de pais. É desse problema portanto que eu gostaria de lhes falar agora: como é que a estatura desses grandes gigantes monstruosos foi se reduzindo, pouco a pouco, no correr dos anos, de tal modo que, no fim do século XIX, o personagem monstruoso, se ainda aparece (e de fato aparece), não será mais que uma espécie de exagero, de forma paroxística de um campo geral de anomalia, que, por sua vez, constituirá o pão cotidiano da psiquiatria, de um lado, e da psicologia criminal, da psiquiatria penal, de outro? Como a espécie de grande monstruosidade excepcional pôde acabar se distribuindo, se dividindo, nessa nuvem de pequenas anomalias, de personagens que são ao mesmo tempo anormais e familiares? Como a psiquiatria criminal passou, de uma forma em que ela interrogava esses grandes monstros canibais, a uma prática que é a interrogação, a análise, a medida de todos os maus habitantes, pequenas perversidades, maldades infantis, etc.?

Portanto passagem do monstro ao anormal. Eis o problema, admitindo-se, é claro, que não basta admitir uma coisa como uma necessidade epistemológica, uma inclinação científica, que levaria a psiquiatria a colocar o problema do menor depois de ter colocado o do maior, a colocar o problema do menos visível depois de ter colocado o do mais visível, do menos importante depois do mais importante; admitindo-se igualmente que não se deve buscar a origem, o princípio do processo que leva do monstro ao anormal no aparecimento de técnicas ou de tecnologias como a psicotécnica, ou a psicanálise, ou a neuropatologia. Porque são antes esses fenômenos, [é antes] o aparecimento dessas técnicas que decorre de uma grande transformação que vai do monstro ao anormal.

Eis o problema. Sejam, pois, os três grandes monstros fundadores da psiquiatria criminal, o trem desses três grandes monstros que não <...> muito tempo. O primeiro é essa mulher de Sélestat de que já lhes falei várias vezes e que, como vocês sabem, matou a filha, cortou-a em pedaços, cozinhou sua coxa com repolho e comeu-a[2]. O caso de Papavoine, por outro lado, que assassinou no bosque de Vincennes duas crianças, que talvez tenha tomado por descendentes dos filhos da duquesa de Berry[3]. E, enfim, Henriette Cornier, que cortou o pescoço de uma filhinha dos vizinhos[4].

Esses três monstros se enquadram de uma maneira ou de outra, como vocês veem, na grande temática do monstro de que lhes falei da última vez: a antropofagia, a decapitação, o problema do regicídio. Todos os três se destacam contra o fundo dessa paisagem em que, justamente, apareceu no fim do século XVIII o monstro, não ainda como categoria psiquiátrica, mas como categoria jurídica e como fantasma político. O fantasma da devoração, o fantasma do regicídio estão presentes, de forma explícita ou implícita, nas três histórias que acabo de evocar. E vocês entendem por que esses três personagens se viram imediatamente carregados de uma grande intensidade. No entanto, parece-me que o terceiro, e somente o terceiro, isto é, Henriette Cornier, é que finalmente cristalizou o problema da monstruosidade criminal. Por que Henriette Cornier? Por que essa história e não as outras duas, ou mais, em todo caso, que as outras duas?

Primeira história, era o caso de Sélestat. Creio já ter lhes dito vinte vezes, de modo que vou repetir pela última vez, que nesse caso de Sélestat o que ao mesmo tempo nos surpreende, e que impediu que a história se tornasse realmente um problema para os psiquiatras, é simplesmente que essa pobre mulher, uma mulher miserável mesmo, matou a filha, cortou-a em pedaços, cozinhou-a e devorou-a numa época – era em 1817 – em que reinava uma fome grave na Alsácia. Com isso, o tribunal pôde, em suas requisições, postular que aquela mulher não era louca, porque, se matou a filha e comeu, o fez levada por um móvel que era admissível por todo o mundo: a fome. Se ela não passasse fome, se não houvesse aquele surto de fome, se ela não fosse miserável, aí sim se poderia questionar se seu ato tinha sido ditado pela razão ou pela desrazão. Mas, como ela passava fome e como essa fome é um móvel (mais do que válido para comer a própria filha, ora essa!), não havia por que levantar o problema da loucura. Um conselho, pois: quando se come o próprio filho, é melhor ser rico! Resultado: o caso foi esvaziado do ponto de vista psiquiátrico.

Caso Papavoine, caso importante, que posteriormente foi muito discutido, mas que, naquele momento, também foi esvaziado como problema jurídico-psiquiátrico, na medida em que, logo, logo, quando Papavoine foi interrogado sobre esse assassinato aparentemente absurdo e sem razão, que era o assassinato de duas crianças que ele não conhecia, ele desenvolveu, ou em todo caso afirmou, que imaginara reconhecer nelas dois filhos da família real. E, em torno disso, desenvolveu um certo número de temas, de crenças, de afirmações, que logo puderam ser postas, inscritas no registro do delírio, da ilusão, da falsa crença, logo da loucura. Resultado, o crime foi inserido na loucura, exatamente como, ao contrário, o crime da mulher de Sélestat fora inserido no interesse de certo modo razoável e quase lúcido.

Já no que concerne a Henriette Cornier, temos um caso muito mais difícil e que, de certo modo, parece escapar tanto da atribuição à razão como da atribuição à loucura; e que – na medida em que escapa da atribuição à razão – escapa do direito e da punição. Mas, na medida em que também é difícil, num caso como esse, reconhecer, apontar o fato da loucura, o caso escapa assim do médico e é remetido à instância psiquiátrica. O que acontece nesse caso Cornier? Uma mulher ainda moça – que teve filhos e que, aliás, os havia abandonado, que ela própria havia sido abandonada pelo primeiro marido – trabalha como empregada doméstica para certo número de famílias de Paris. E eis que um dia, depois de ter várias vezes ameaçado se suicidar, de ter manifestado ideias de tristeza, aparece na casa da vizinha, oferece-se para tomar conta da filhinha desta, de dezoito [*rectius*: dezenove] meses. A vizinha hesita, mas acaba aceitando. Henriette Cornier leva a menina para o quarto e ali, com um facão que havia preparado, corta-lhe inteiramente o pescoço, fica uns quinze minutos diante do cadáver da menina, com o tronco de um lado e a cabeça do outro, e, quando a mãe vem buscar a filha, Henriette Cornier lhe diz: "Sua filha está morta." A mãe, ao mesmo tempo, fica preocupada e não acredita, tenta entrar no quarto e, nesse momento, Henriette Cornier pega um avental, põe a cabeça no avental e joga a cabeça pela janela. Prendem-na e lhe perguntam: "Por quê?" Ela responde: "Foi uma ideia."[5] E não foi possível tirar praticamente mais nada dela.

Temos aí um caso no qual não podem funcionar nem a identificação de um delírio subjacente, como no caso Papavoine, nem tampouco o mecanismo de um interesse elementar, grosseiro, como no caso de Sélestat. Ora, parece-me que é em torno dessa história ou, em todo caso, a partir de casos que, de uma maneira ou de outra, recordem o perfil geral dessa história, entrem nessa espécie de singularidade que Henriette Cornier apresenta em estado puro; parece-me que são esses casos, esses tipos de ação que vão constituir um problema para a psiquiatria criminal. E, quando digo constituir um problema para a psiquiatria criminal, não creio que minha expressão seja exata. Na verdade, isso não constitui nenhum problema para a psiquiatria criminal, são esses casos que constituem a psiquiatria criminal, ou antes, que são o terreno a propósito do qual a psiquiatria criminal poderá se constituir como tal. É em torno desses casos que vamos ver se desenvolverem ao mesmo tempo o escândalo e o embaraço. E é em torno desses casos que vão se desenvolver toda uma série de operações, de um e outro lado desses atos enigmáticos; operações das quais umas, vindas em geral da acusação e da mecânica judiciária, vão tentar mascarar, de certa forma, a ausência de razão do crime, para descobrir ou afirmar a razão, o estado de razão do criminoso; e também, de outro lado, todas as operações da defesa e da psiquiatria, para fazer funcionar essa ausência de razão, essa ausência de interesse, como ponto de ancoragem para a intervenção psiquiátrica.

Para lhes mostrar um pouco desse mecanismo que é, na minha opinião, importantíssimo não apenas para a história dos anormais, não apenas para a história da psiquiatria criminal, mas também para a história da psiquiatria pura e simplesmente, e no fim das contas das ciências humanas, e que agiu no caso Cornier e em casos desse tipo, gostaria de dispor minha exposição da seguinte maneira. Primeiro, falar dos motivos gerais pelos quais houve o que poderíamos chamar de um duplo empenho em torno da ausência de interesse. Duplo empenho: quero dizer empenho dos juízes, empenho do aparelho judiciário, da mecânica penal em torno desses casos e, de outro lado, empenho do aparelho médico, do saber médico, do recente poder médico, em torno desses mesmos casos. Como um e outro se encontraram – poder médico e poder judiciário – em torno desses casos, tendo sem dúvida interesses e táticas diferentes, mas de tal modo que a engrenagem atuou? Depois de expor essas razões gerais, tentarei ver como elas efetivamente agiram no caso Cornier, tomando esse caso como um exemplo de todos os que pertencem mais ou menos ao mesmo tipo.

Portanto, razões gerais, primeiro, do duplo empenho médico-judiciário, médico de um lado e judiciário do outro, em torno do problema do que poderíamos chamar de ausência de interesse. Primeiro, empenho da mecânica penal, do aparelho judiciário. O que é que fascina a tal ponto os juízes diante de um ato que se apresenta como não sendo motivado por um interesse decifrável e inteligível? Tentei mostrar a vocês que, no fundo, esse escândalo, esse fascínio, essa interrogação não podiam ocorrer, não podiam encontrar seu lugar no antigo sistema penal, numa época em que o único caso em que o crime seria desmedido, que por conseguinte iria além de todos os limites concebíveis, seria um crime tal que nenhum castigo, por mais cruel que fosse, poderia apagar, anular e restaurar, depois dele, a soberania do poder. Haverá um crime tão violento que nenhum suplício poderá responder a ele? O fato é que o poder sempre encontrou suplícios tais que respondiam, e largamente, à selvageria do crime. Nenhum problema, portanto. Em compensação, no novo sistema penal, o que torna o crime mensurável, o que por conseguinte permite que se ajuste a ele uma punição medida, o que fixa e determina a possibilidade de punir – tentei lhes mostrar isso da última vez – é o interesse subjacente que se pode encontrar no nível do criminoso e da sua conduta. Punir-se-á um crime no mesmo nível do interesse que lhe é subjacente. Está fora de cogitação que uma punição faça expiar um crime, a não ser de maneira metafórica. Está fora de cogitação que uma punição faça que um crime não tenha existido, já que existe. Em compensação, o que poderá ser anulado são todos os mecanismos de interesse que suscitaram, no criminoso, esse crime e que poderão suscitar, nos outros, crimes semelhantes. Por conseguinte, estão vendo que o interesse é ao mesmo tempo uma espécie de racionalidade interna do crime, que o torna inteligível, e é ao mesmo tempo o que vai justificar as ações punitivas que se exercerão sobre ele, o que vai poder se exercer sobre o crime ou sobre todos os crimes semelhantes: o que o torna punível. O interesse de um crime é sua inteligibilidade, que é ao mesmo tempo sua punibilidade. A racionalidade do crime – entendida portanto como mecanismo decifrável dos interesses – é requisitada pela nova economia do poder de punir, o que não acontecia de forma alguma no sistema antigo, em que se prodigalizavam as despesas sempre excessivas, sempre desequilibradas, do suplício.

A mecânica do poder punitivo implica portanto duas coisas. A primeira é uma afirmação explícita de racionalidade. Outrora, todo crime era punível a partir do momento em que não se havia demonstrado a demência do sujeito. Era unicamente a partir do momento em que a questão da demência do sujeito podia ser sustentada que, de forma secundária, surgia a questão de saber se o crime era ou não razoável. Agora, a partir do momento em que só se punirá o crime no nível do interesse que o suscitou, a partir do momento em que o verdadeiro alvo da ação punitiva, em que o exercício do poder de punir terá como objeto a mecânica do interesse próprio do criminoso; em outras palavras, a partir do momento em que se punirá não mais o crime, mas o criminoso, vocês hão de convir que o postulado de racionalidade fica de certo modo fortalecido. Não basta dizer: como a demência não ficou demonstrada, tudo bem, podemos punir. Agora só se pode punir se se postular explicitamente, eu ia dizer positivamente, a racionalidade do ato que é efetivamente punido, portanto afirmação explícita da racionalidade, requisito positivo de racionalidade, em vez de simples suposição, como na precedente economia. Em segundo lugar, não apenas é preciso afirmar explicitamente a racionalidade do sujeito que vai ser punido, mas é igualmente obrigatório, nesse novo sistema, considerar passíveis de superposição duas coisas: de um lado, a mecânica inteligível dos interesses subjacentes ao ato; de outro, a racionalidade do sujeito que o cometeu. As razões de cometer o ato (que, por conseguinte, tornam o ato inteligível) e a razão do sujeito que torna o sujeito punível, esses dois sistemas de razões devem, em princípio, ser superpostos. Vocês estão vendo, por conseguinte, o sistema de hipóteses fortes que o exercício do poder de punir agora requer. No regime antigo, no sistema antigo, o que coincide justamente com o Antigo Regime, só se tinha no fundo necessidade de hipóteses mínimas, no nível da razão do sujeito. Bastava não haver demonstração de demência. Agora é preciso haver um postulado explícito, haver um requisito explícito de racionalidade. E é preciso, além disso, admitir uma justaposição das razões que tornam o crime inteligível e da racionalidade do sujeito que deve ser punido.

Esse corpo pesado de hipóteses está absolutamente no cerne da nova economia punitiva. Ora – e é aí que todo o mecanismo penal vai se ver embaraçado e, com isso, fascinado pelo problema do ato sem razão –, se o próprio exercício do poder de punir requer essas hipóteses pesadas, em compensação, no nível do código, isto é, da lei que define não o exercício efetivo do poder de punir, mas a aplicação do direito de punir, o que encontramos? Simplesmente o célebre artigo 64, que diz: não há crime se o sujeito está em estado de demência, se o réu está em estado de demência no momento do ato. Ou seja, o código, enquanto define a aplicabilidade do direito de punir, sempre se refere unicamente ao velho sistema da demência. Ele só exige uma coisa: que não se tenha demonstrado a demência do sujeito. E com isso a lei é aplicável. Mas na realidade esse código apenas articula em lei os princípios econômicos de um poder de punir, que por sua vez, para se exercer, exige bem mais, já que exige a racionalidade, o estado de razão do sujeito que cometeu o crime e a racionalidade intrínseca do próprio crime. Em outras palavras, vocês têm – e é o que caracteriza toda a mecânica penal do século XIX até hoje – uma inadequação entre a codificação dos castigos, o sistema legal que define a aplicabilidade da lei criminal e o que eu chamaria de tecnologia punitiva ou de exercício do poder de punir. Na medida em que existe essa inadequação, na medida em que o exercício do poder de punir exige uma racionalidade efetiva do ato a ser punido, que o Código e o artigo 64 desconhecem inteiramente, é fácil compreender que, no próprio interior dessa mecânica penal, haverá uma tendência perpétua a derivar do Código e do artigo 64 – em direção ao quê? Em direção a certa forma de saber, a certa forma de análise, que poderão permitir definir, caracterizar a racionalidade de um ato e distinguir entre um ato razoável e inteligível e um ato irrazoável e ininteligível. Mas vocês veem, ao mesmo tempo, que, se há uma deriva perpétua e necessária, devida a essa mecânica no exercício do poder de punir, uma deriva do código e da lei em direção à referência psíquica; em outras palavras, se em vez da referência à lei vai se preferir, e cada vez mais, a referência a um saber, e a um saber psiquiátrico, isso só pode se dever à existência, no próprio interior dessa economia, do equívoco, que vocês puderam notar em todo o discurso que tentei desenvolver, entre a razão do sujeito que comete o crime e a inteligibilidade do ato a punir. A razão do sujeito criminoso é a condição em que a lei se aplicará. Não se pode aplicar a lei se o sujeito não é razoável: é o que diz o artigo 64. Mas o exercício do direito de punir diz: só posso punir se compreendo por que ele cometeu seu ato, como ele cometeu seu ato; ou seja: se posso me ligar à inteligibilidade analisável do ato em questão. Daí a posição radicalmente desconfortável da psiquiatria desde que tem de lidar com um ato sem razão, cometido por um sujeito dotado de razão; ou cada vez que tem de lidar com um ato cujo princípio de inteligibilidade analítica não pode ser encontrado, e isso num sujeito cujo estado de demência não poderá ser demonstrado. Necessariamente, teremos uma situação tal que o exercício do poder de punir não poderá mais se justificar, pois não se encontrará a inteligibilidade intrínseca do ato, que é o ponto de ligação, no crime, do exercício do poder de punir. Mas, inversamente, na medida em que não se pode demonstrar o estado de demência do sujeito, a lei poderá ser aplicada, a lei deverá ser aplicada, já que a lei, nos termos do artigo 64, deve ser sempre aplicada se o estado de demência não é demonstrado. A lei, num caso como esse, em particular no caso de Henriette Cornier, é aplicável, ao passo que o poder de punir não encontra mais justificação para se exercer. Daí o embaraço central; daí essa espécie de desmoronamento, de paralisia, de travamento da mecânica penal. Jogando com a lei que define a aplicabilidade do direito de punir e as modalidades de exercício do poder de punir, o sistema penal se vê preso no travamento desses dois mecanismos, um pelo outro. Com isso, ele não pode mais julgar; com isso, ele é obrigado a se deter; com isso, ele é obrigado a questionar a psiquiatria[6].

Vocês hão de compreender também que esse embaraço vai se traduzir pelo que poderíamos chamar de um efeito de permeabilidade reticente, no sentido de que o aparelho penal não poderá deixar de apelar para uma análise científica, médica, psiquiátrica dos motivos do crime. Mas, por outro lado, embora apele para tal análise, ele não poderá encontrar um meio de reinscrever essas análises – que são análises no nível da inteligibilidade do ato – no próprio interior do código e da letra do código, já que o código só conhece a demência, isto é, a desqualificação do sujeito pela loucura. Por conseguinte, permeabilidade com respeito à psiquiatria, mais que permeabilidade, até mesmo apelo [à psiquiatria] e, de outro lado, incapacidade de poder reinscrever no interior do regime penal o discurso que a psiquiatria terá feito, e terá feito a pedido do próprio aparelho penal. Receptividade inacabada, pedido de discurso e surdez essencial ao discurso uma vez feito, jogo de pedidos e recusas, é isso que vai caracterizar, na minha opinião, o embaraço específico do aparelho penal diante dos casos que podemos chamar de crimes sem razão, com todo o equívoco que o termo comporta. Eis o que eu queria lhes dizer quanto à razão, às razões pelas quais o aparelho penal precipitou-se sobre esses casos e, ao mesmo tempo, viu-se embaraçado por eles.

Gostaria agora de me voltar para o aparelho médico e saber por que outras razões ele próprio ficou fascinado com esses tais crimes sem razão, de que Henriette Cornier dá o exemplo. Creio que há uma coisa que é bom ter sempre presente, sobre a qual eu talvez tenha me equivocado em não insistir o suficiente no ano passado[7]. É que a psiquiatria, tal como se constituiu no fim do século XVIII e início do século XIX principalmente, não se especificou como um ramo da medicina geral. A psiquiatria não funciona – no início do século XIX e até tarde no século XIX, talvez até meados do século XIX – como uma especialização do saber ou da teoria médica, mas antes como um ramo especializado da higiene pública. Antes de ser uma especialidade da medicina, a psiquiatria se institucionalizou como domínio particular da proteção social, contra todos os perigos que o fato da doença, ou de tudo o que se possa assimilar direta ou indiretamente à doença, pode acarretar à sociedade. Foi como precaução social, foi como higiene do corpo social inteiro que a psiquiatria se institucionalizou (nunca esquecer que a primeira revista de certo modo especializada em psiquiatria na França foram os *Annales d'hygiène publique*) [Anais de higiene pública][8]. É um ramo da higiene pública e, por conseguinte, vocês hão de compreender que, para poder existir como instituição de saber, isto é, como saber médico fundado e justificável, a psiquiatria teve de proceder a duas codificações simultâneas. De fato, foi preciso, por um lado, codificar a loucura como doença; foi preciso tornar patológicos os distúrbios, os erros, as ilusões da loucura; foi preciso proceder a análises (sintomatologia, nosografia, prognósticos, observações, fichas clínicas, etc.) que aproximam o mais possível essa higiene pública, ou essa precaução social que ela era encarregada de garantir, do saber médico e que, por conseguinte, permitem fazer esse sistema de proteção funcionar em nome do saber médico. Mas, por outro lado, vocês estão vendo que foi indispensável uma segunda codificação, simultânea à primeira. Foi preciso ao mesmo tempo codificar a loucura como perigo, isto é, foi preciso fazer a loucura aparecer como portadora de certo número de perigos, como essencialmente portadora de perigos e, com isso, a psiquiatria, na medida em que era o saber da doença mental, podia efetivamente funcionar como a higiene pública. Em linhas gerais, a psiquiatria, por um lado, fez funcionar toda uma parte da higiene pública como medicina e, por outro, fez o saber, a prevenção e a eventual cura da doença mental funcionarem como precaução social, absolutamente necessária para se evitar um certo número de perigos fundamentais decorrentes da existência mesma da loucura.

Essa dupla codificação vai ter uma história longuíssima ao longo de todo o século XIX. Podemos dizer que os tempos fortes da história da psiquiatria no século XIX, mas também no século XX, serão precisamente quando as duas codificações se encontrarem efetivamente ajustadas, ou ainda quando se terá um só e mesmo tipo de discurso, um só e mesmo tipo de análise, um só e mesmo corpo de conceitos, que permitirão constituir a loucura como doença e percebê-la como perigo. Assim, no início do século XIX, a noção de monomania vai permitir classificar no interior de uma grande nosografia de tipo perfeitamente médico (em todo caso, totalmente isomorfo em relação a todas as outras nosografias médicas), de codificar portanto no interior de um discurso morfologicamente médico, toda uma série de perigos. Assim, vamos encontrar a descrição clínica de algo que será a monomania homicida ou a monomania suicida. Assim, o perigo social será codificado, no interior da psiquiatria, como doença.

Com isso, a psiquiatria poderá funcionar, de fato, como ciência médica relacionada à higiene pública. Do mesmo modo, na segunda metade do século XIX, vocês vão encontrar uma noção tão densa quanto a de monomania, que em certo sentido tem o mesmo papel com um conteúdo bem diferente: a noção de "degeneração"[9]. Com a degeneração, temos certa maneira de isolar, de percorrer, de recordar uma zona de perigo social e lhe dar, ao mesmo tempo, um estatuto de doença, um estatuto patológico. Podemos nos perguntar também se a noção de esquizofrenia no século XX não desempenha o mesmo papel[10]. A esquizofrenia, na medida em que alguns a entendem como doença que forma um só corpo com nossa sociedade inteira, esse discurso sobre a esquizofrenia é uma maneira de codificar um perigo social como doença. É sempre essa função da higiene pública, assumida pela psiquiatria, que encontramos assim ao longo de todos esses tempos fortes ou, se preferirem, desses conceitos fracos da psiquiatria.

Fora dessas codificações gerais, parece-me que a psiquiatria necessita, e não parou de mostrar o caráter perigoso, especificamente perigoso, do louco como louco. Em outras palavras, a psiquiatria, a partir do momento em que começou a funcionar como saber e poder no interior do domínio geral da higiene pública da proteção do corpo social, sempre procurou encontrar o segredo dos crimes que podem habitar toda loucura, ou então o núcleo de loucura que deve habitar todos os indivíduos que podem ser perigosos para a sociedade. Em suma, foi preciso que a psiquiatria, para funcionar como eu lhes dizia, estabelecesse a pertinência essencial e fundamental da loucura ao crime e do crime à loucura. Essa pertinência é absolutamente necessária, é uma das condições de constituição da psiquiatria como ramo da higiene pública. E foi assim que a psiquiatria procedeu efetivamente a duas grandes operações. Uma dentro do manicômio. Aquela operação de que eu lhes falei ano passado e que consiste em construir uma análise da loucura que se desloque em relação à análise tradicional e na qual a loucura não apareça mais como tendo por núcleo essencial o delírio, mas tendo por forma nuclear a irredutibilidade, a resistência, a desobediência, a insurreição, literalmente o abuso de poder. Lembrem-se do que eu dizia ano passado sobre o fato de que, no fundo, para o psiquiatra do século XIX, o louco é sempre alguém que se acha um rei, isto é, que deseja impor seu poder contra todo e qualquer poder estabelecido e acima de todo e qualquer poder, seja esse o da instituição ou o da verdade[11]. Portanto, no próprio interior do manicômio, a psiquiatria funciona como sendo a detecção, ou antes, a operação pela qual se vincula a qualquer diagnóstico de loucura a percepção de um perigo possível. No entanto, mesmo fora do manicômio, parece-me que temos um processo mais ou menos do mesmo gênero, isto é, fora do manicômio a psiquiatria sempre procurou – em todo caso no século XIX, de maneira mais particularmente intensa e crispada, já que, no fundo, era da sua própria constituição que se tratava – detectar o perigo que a loucura traz consigo, mesmo quando é uma loucura suave, mesmo quando é inofensiva, mesmo quando mal é perceptível. Para se justificar como intervenção científica e autoritária na sociedade, para se justificar como poder e ciência da higiene pública e da proteção social, a medicina mental tem de mostrar que é capaz de perceber, mesmo onde nenhum outro ainda pode ver, um certo perigo; e ela deve mostrar que, se pode percebê-lo, é por ser um conhecimento médico.

Vocês compreendem por que a psiquiatria, nessas condições, bem cedo, desde o início, no momento em que se tratava justamente do processo da sua constituição histórica, se interessou pelo problema da criminalidade e da loucura criminal. Não foi ao cabo desse processo que ela se interessou pela loucura criminal, não foi por ter encontrado essa loucura redundante e excessiva que consiste em matar, depois de percorrer todos os domínios possíveis da loucura. Na verdade, ela se interessou imediatamente pela loucura que mata, porque seu problema era constituir-se e impor seus direitos como poder e saber de proteção no interior da sociedade. Logo, interesse essencial, constitutivo, no sentido forte do termo, pela loucura criminal; atenção particular também a todas as formas de comportamento que são tais que o crime nelas é imprevisível. Ninguém poderia pressagiá-lo, ninguém poderia adivinhá-lo de antemão. Quando o crime faz uma irrupção súbita, sem preparação, sem verossimilhança, sem motivo, sem razão, a psiquiatria intervém e diz: ninguém mais poderia detectar antecipadamente esse crime que se manifestou, mas eu como saber, eu como ciência da doença mental, eu por conhecer a loucura, vou precisamente poder detectar esse perigo, que é opaco e imperceptível a todos os outros. Em outras palavras, com o crime sem razão, com o perigo que de repente irrompe no interior da sociedade e que nenhuma inteligibilidade ilumina, vocês percebem o interesse capital que a psiquiatria não pode deixar de ter por esse gênero de crimes literalmente ininteligíveis, isto é, imprevisíveis, isto é, que não dão margem à ação de nenhum instrumento de detecção, crimes dos quais a psiquiatria poderá dizer que é capaz de reconhecê-los, quando se produzem, e no limite prevê-los, ou permitir prevê-los, reconhecendo a tempo a curiosa doença que consiste em cometê-los. É, de certo modo, a proeza de entronização da psiquiatria. Todos vocês conhecem os relatos do tipo: se você tiver o pé pequeno o bastante para caber no chinelinho de pele, você será rainha; se você tiver o dedo fino o bastante para receber o anel de ouro, você será rainha; se você tiver a pele fina o bastante para que a mais diminuta ervilha posta sob os colchões de plumas empilhados machuque sua pele, a tal ponto que na manhã seguinte você esteja coberta de manchas roxas, se você for capaz disso tudo, você será rainha. A psiquiatria criou para si mesma esta espécie de prova de reconhecimento da sua realeza, prova de reconhecimento da sua soberania, do seu poder e do seu saber: eu sou capaz de identificar como doença, de encontrar sinais do que, no entanto, nunca se assinala. Imaginem um crime imprevisível, mas que poderia ser reconhecido como indício particular de uma loucura diagnosticável ou previsível por um médico, imaginem isso, deem-me isso – diz a psiquiatria –, eu sou capaz de reconhecê-la*; um crime sem razão, um crime que é portanto o perigo absoluto, o perigo denso no corpo da sociedade, eu sou capaz de reconhecê-la. Por conseguinte, se posso analisar um crime sem razão, serei rainha. Prova de entronização, proeza da soberania reconhecida, é assim, na minha opinião, que se deve compreender o interesse literalmente frenético que a psiquiatria, no início do século XIX, demonstrou por esses crimes sem razão.

Vocês estão vendo portanto esboçar-se uma curiosa complementaridade, e uma complementaridade notável, entre os problemas internos do sistema penal e as exigências ou os desejos da psiquiatria. Por um lado, o crime sem razão é o embaraço absoluto para o sistema penal. Não se pode mais, diante de um crime sem razão, exercer o poder de punir. Mas, por outro lado, o lado da psiquiatria, o crime sem razão é objeto de uma imensa cobiça, porque o crime sem razão, se se consegue identificá-lo e analisá-lo, é a prova de força da psiquiatria, é a prova do seu saber, é a justificação do seu poder. E vocês compreendem então como os dois mecanismos se encaixam um no outro. De um lado, o poder penal não vai parar de dizer ao saber médico: "Olhe, estou diante de um ato sem razão. Então, por favor, ou me encontre razões para esse ato, e com isso meu poder de punir poderá se exercer, ou então, se não encontrar, é que o ato será louco. Dê-me uma demonstração da demência e eu não aplicarei meu direito de punir. Em outras palavras, dê-me elementos com os quais eu possa exercer meu poder de punir, ou com os quais deixe de aplicar meu direito de punir." Eis a questão levada pelo aparelho penal ao saber médico. E o saber-poder médico vai responder: "Está vendo como a minha ciência é indispensável, pois sou capaz de farejar o perigo onde nenhuma razão é capaz de fazê-lo aparecer. Mostre-me todos os crimes com que você tem de

* Essa doença. (N. do T.)

lidar e eu sou capaz de lhe mostrar que, por trás de muitos desses crimes, muitos haverá em que eu encontrarei uma ausência de razão. Ou seja, sou capaz de lhe mostrar que, no fundo de toda loucura, há a virtualidade de um crime e, por conseguinte, justificação do meu poder." Eis como engrenam, uma no outro, essa necessidade e esse desejo, ou ainda, esse embaraço e essa cobiça. É por isso que Henriette Cornier foi um caso tão importante para toda essa história, que se desenrola portanto no primeiro terço, na primeira metade, para utilizarmos datas genéricas, do século XIX.

Afinal, o que acontece precisamente no caso de Henriette Cornier? Pois bem, eu acho que vemos perfeitamente esses dois mecanismos em ação. Crime sem razão, sem motivo, sem interesse: tudo isso, e essas mesmas expressões, vocês encontram no auto de acusação redigido pelo tribunal. É tão grande o embaraço dos juízes para exercer seu poder de punir um crime que, no entanto, pertence tão manifestamente ao campo de aplicação da lei, que, quando os defensores de Henriette Cornier pedem um exame psiquiátrico, ele é imediatamente concedido. Esquirol, Adelon e Léveillé é que fazem o exame. E fazem um exame curiosíssimo em que dizem: olhem, examinamos Henriette Cornier vários meses depois do crime; devemos reconhecer que, vários meses depois do crime, ela não dá nenhum sinal manifesto de loucura. Com o que poderíamos dizer: muito bem, os juízes vão julgar. Nada disso. No relatório de Esquirol eles ressaltam uma frase em que Esquirol dizia: nós só a examinamos por alguns dias ou por um período relativamente breve. Se nos derem mais tempo, poderemos dar uma resposta mais clara. E, coisa paradoxal, o tribunal aceita a proposta de Esquirol ou a toma como pretexto para dizer: por favor, continuem, e daqui a três meses façam um segundo relatório. O que prova muito bem essa espécie de pedido, de apelo, de referência fatal à psiquiatria, no momento em que a aplicação da lei deve se tornar exercício de poder. Segundo exame de Esquirol, Adelon e Léveillé, que dizem: a coisa continua; ela continua não apresentando nenhum sinal de loucura. Vocês nos deram um pouco mais de tempo, e não descobrimos nada. Mas, se tivéssemos podido realizar o exame no momento mesmo do ato, então talvez pudéssemos ter descoberto alguma coisa[12]. Era evidentemente mais difícil responder a esse pedido, mas o defensor de Henriette Cornier, nesse momento, fez intervir por conta própria outro psiquiatra, que era Marc, o qual, referindo-se a certo número de casos semelhantes, reconstituiu retrospectivamente o que supunha ter acontecido. E não fez um exame, mas uma consulta para Henriette Cornier, que figura entre as peças da defesa[13]. São esses dois conjuntos que eu gostaria de analisar um pouco agora.

Temos pois um ato sem razão. O que o poder judiciário vai fazer diante de tal ato? O que o auto de acusação e o requisitório vão dizer? E, por outro lado, o que o médico e a defesa vão dizer? A ausência de interesse nesse ato, que a declaração imediata, os depoimentos mais simples manifestam com total evidência, é recodificada pela acusação. De que modo? A acusação vai dizer: sim, de fato, não há interesse; ou melhor, a acusação não dirá isso, ela não levantará a questão do interesse, mas dirá o seguinte: se tomarmos a vida de Henriette Cornier em todo o seu desenrolar, o que vemos? Vemos uma certa maneira de ser, vemos um certo hábito, um modo de vida, que manifestam o quê? Nada de muito bom. Porque, afinal de contas, ela se separou do marido. Ela se entregou à libertinagem. Ela teve dois filhos naturais. Ela abandonou seus filhos à assistência pública, etc. Isso tudo não é nada bonito. Ou seja, se é verdade que não há razão para o seu ato, pelo menos ela se encontra inteira no interior do seu ato, ou ainda: seu ato já está presente, em estado difuso, em toda a sua existência. Sua depravação, seus filhos naturais, o abandono da sua família, tudo isso já constitui as preliminares, o analogado do que vai acontecer quando ela matar de fato uma criança que vivia ao lado dela. Estão vendo como a acusação vai substituir por outra coisa esse problema da razão do ato ou da inteligibilidade do ato: a semelhança do sujeito com seu ato, isto é, mais uma vez a imputabilidade do ato ao sujeito. Já que o sujeito se assemelha tanto a seu ato, seu ato lhe pertence, e teremos o direito de punir o sujeito, quando tivermos de julgar o ato. Estão vendo como nos remeteram sub-repticiamente ao célebre artigo 64, que define em que condições não pode haver imputabilidade, logo como, negativamente, não há imputabilidade de um ato a um sujeito. É a primeira recodificação que encontramos no auto de acusação. Por outro lado, o auto de acusação nota que não existe em Henriette Cornier nenhum dos sinais tradicionais da doença. Não há o que os psiquiatras chamam de melancolia, não há nenhum vestígio de delírio. Ao contrário, não apenas não há vestígio de delírio, mas se verifica uma lucidez perfeita. E essa lucidez perfeita, o auto de acusação e o requisitório a estabelecem a partir de um certo número de elementos. Primeiro, antes mesmo do ato, a lucidez de Henriette Cornier é provada pela premeditação. Ela decide num momento dado – ela própria assim reconhece em seus interrogatórios – que vai matar num momento ou outro a menina da vizinha. E vai à casa da vizinha especialmente para matá-la; decisão tomada antes. Segundo, ela arrumou o quarto para cometer o crime, pois pusera um penico no pé da cama para recolher o sangue que ia correr do corpo da vítima. Enfim, ela se apresentou em casa dos vizinhos com um pretexto falacioso, que inventara de antemão.

Ela insistiu para que lhe dessem a criança em questão. Mentiu mais ou menos. Manifestou falso afeto e falsa ternura pela criança. Portanto, tudo isso era calculado no nível da astúcia. No próprio momento do ato, mesma coisa. Quando ela levava aquela criança que havia resolvido matar, cobria-a de beijos, acariciava-a. Como, ao subir a escada para seu quarto, ela encontrasse a zeladora, acariciou então a criança: "Ela cobriu-a de carícias hipócritas", diz o auto de acusação. Enfim, logo depois do ato, "ela teve plena consciência da gravidade do que fizera", diz o auto de acusação. E a prova disso é que ela afirmou – é uma das poucas frases que pronunciou depois do assassinato: "Isso merece a pena de morte." Ela tinha portanto consciência exata do valor moral do seu ato. E não somente tinha consciência do valor moral do seu ato, mas também tentou lucidamente escapar, primeiro escondendo como podia pelo menos uma parte do corpo da vítima, pois jogou a cabeça pela janela, e depois, quando a mãe quis entrar no quarto, disse a ela: "Vá embora, vá embora depressa, você serviria de testemunha." Portanto ela tentou evitar que houvesse uma testemunha de seu ato. Tudo isso, de acordo com os autos do processo, assinala muito bem o estado de lucidez de Henriette Cornier, da criminosa[14].

Assim, como vocês estão vendo, o sistema da acusação consiste em encobrir, de certa forma tapar, essa perturbadora ausência de razão, que no entanto inclinara o tribunal a apelar para os psiquiatras. No momento do auto de acusação, no momento em que se resolveu pedir a cabeça de Henriette Cornier, a acusação encobriu essa ausência de razão pela presença de quê? Pela presença *da* razão, e da razão entendida como lucidez do sujeito, logo como a imputabilidade do ato do sujeito. Essa presença *da* razão, vindo dobrar, encobrir e mascarar a ausência *de* razão inteligível para o crime – é isso, na minha opinião, a operação própria do auto de acusação. A acusação mascarou a lacuna que impedia o exercício do poder de punir e, por conseguinte, autorizou a aplicação da lei. A questão que se colocava era: o crime não tinha mesmo interesse? A acusação não respondeu a essa pergunta mesma, que no entanto era a pergunta que o tribunal havia formulado. A acusação respondeu: o crime foi cometido em plena lucidez. A pergunta "o crime não tinha interesse?" motivara o pedido de exame, mas, quando o procedimento de acusação pôs-se a funcionar e que foi necessário efetivamente requerer o exercício do poder de punir, então a resposta dos psiquiatras não podia mais ser acolhida. Voltaram-se para o artigo 64, e a peça de acusação disse: os psiquiatras podem dizer o que quiserem, tudo transpira lucidez nesse ato. Por conseguinte, quem diz lucidez diz consciência, diz não demência, diz imputabilidade, diz aplicabilidade da lei. Estão vendo como, de fato, vieram agir nesse processo os mecanismos que eu tentava, há pouco, reproduzir para vocês, de uma forma geral.

Agora, quando olhamos do lado da defesa, o que acontece? A defesa vai retomar exatamente os mesmos elementos, ou antes, a ausência dos mesmos elementos, a ausência de razão inteligível para o crime. Ela vai retomar isso e tentar fazê-los funcionar como elementos patológicos. A defesa e o relatório de exame de Marc vão tentar fazer funcionar a não presença de interesses como uma manifestação da doença: a ausência de razão se torna, assim, presença de loucura. A defesa e o relatório do exame fazem isso da seguinte maneira. Em primeiro lugar, reinscreve-se essa ausência de razão numa espécie de sintomatologia geral: em vez de mostrar que Henriette Cornier é uma doente mental, mostrar antes e acima de tudo que ela é simplesmente doente. Toda doença tem um começo. Todos os sinais de depravação, todos os elementos de depravação, de vida libertina, etc., que tinham sido utilizados pela acusação para fazer a acusada se parecer com seu crime, vão ser retomados pela defesa e pelo exame de Marc para introduzir uma diferença entre a vida anterior da acusada e sua vida no momento em que ela cometeu o crime. Acabara a libertinagem, acabara a depravação, acabara aquele humor alegre e divertido; ela ficou triste, ela ficou quase melancólica, ela fica com frequência em estado de estupor, ela não responde às perguntas. Produziu-se um corte, não há semelhança entre o ato e a pessoa. Melhor ainda: não há semelhança entre pessoa e pessoa, entre vida e vida, entre uma fase e outra da sua existência. Ruptura: é o começo da doença. Em segundo lugar, é sempre na mesma tentativa de inscrever o que aconteceu no interior da sintomatologia – eu ia dizendo decente – de toda doença: encontrar uma correlação somática. De fato, Henriette Cornier estava menstruada no momento do crime, e como todo o mundo sabe...[15] Só que, para que essa recodificação do que era a imoralidade para a acusação num campo nosológico, patológico, possa se realizar, para que haja saturação médica dessa conduta criminosa e para eliminar toda e qualquer possibilidade de relação suspeita e ambígua entre o doentio e o condenável, é preciso – e é essa a segunda grande tarefa da defesa e da consulta de Marc – realizar uma espécie de requalificação moral do sujeito. Em outras palavras, é preciso apresentar Henriette Cornier como uma consciência moral inteiramente diferente do ato que ela cometeu, e a doença precisa se desenvolver, ou melhor, precisa atravessar como um meteoro essa consciência moral, manifesta e permanente de Henriette Cornier. É aí que, retomando sempre os mesmos elementos e os mesmos sinais, a defesa e a consulta vão dizer o seguinte. Quando Henriette Cornier disse, depois do seu ato, "merece a morte", o que isso provava? Provava na verdade que sua consciência moral, o que ela era como sujeito moral em geral, permanecera absolutamente impecável. Ela tinha uma consciência perfeitamente clara do que era a lei e de qual era o valor do seu ato. Como consciência moral, ela continuou a ser o que era, e seu ato não pode portanto ser imputado a ela mesma, como consciência moral, ou como sujeito jurídico, como sujeito a que podem ser imputados atos culposos. Do mesmo modo, retomando as célebres palavras "você serviria de testemunha", a defesa e Marc, principalmente a defesa aliás, retomando os diferentes depoimentos da mãe da criança, a senhora Belon, observa que, na verdade, a senhora Belon não ouviu Henriette Cornier dizer: "Vá embora, você *serviria* de testemunha." Ela ouviu Henriette Cornier dizer: "Vá embora, você *servirá* de testemunha." E, se Henriette Cornier de fato disse "você servirá de testemunha", isso não quer mais dizer: "Vá embora, porque não quero testemunhas desse ato", mas: "Vá embora, vá correndo chamar a polícia e testemunhe à polícia que um crime pavoroso foi cometido."[16] Com o que, a ausência desse "i" em "servirá" é a prova de que a consciência moral de Henriette Cornier estava perfeitamente intacta. Uns veem no "você serviria de testemunha" o sinal da sua lucidez cínica, outros veem no "você servirá de testemunha" o sinal da manutenção de uma consciência moral, que ficou de certo modo intacta – pelo próprio crime.

Temos portanto, na análise da defesa e na consulta de Marc, um estado de doença, uma consciência moral que permanece intacta, um campo de moralidade não perturbado, uma espécie de lucidez ética. Só que, a partir do momento em que Marc e a defesa valem-se dessa lucidez como elemento fundamental da inocência e da não imputabilidade do ato a Henriette Cornier, então, como vocês percebem, tem-se de inverter o mecanismo próprio ao ato sem interesse ou inverter o sentido da noção de ato sem interesse. Porque esse ato sem interesse, isto é, sem razão de ser, teve de ser tal que conseguiu ultrapassar as barreiras representadas pela consciência moral intacta de Henriette Cornier. Assim sendo, não é mais de um ato sem razão que se trata, ou antes, é um ato que, em certo nível, não tem razão; mas em outro nível cumpre reconhecer nesse ato, que conseguiu sacudir, ultrapassar, percorrer, derrubando-as, todas as barreiras da moral, algo que é uma energia, uma energia intrínseca a seu absurdo, uma dinâmica de que ele é portador e que o porta. Cumpre reconhecer uma força que é uma força intrínseca. Em outras palavras, a análise da defesa e a análise de Marc implicam que o ato em questão, se escapa efetivamente à mecânica dos interesses, só escapa dessa mecânica dos interesses na medida em que pertence a uma dinâmica particular, capaz de abalar toda essa mecânica. Quando retomamos a célebre frase de Henriette Cornier: "Eu sei que isso merece a morte", percebemos, nesse momento, tudo o que estava em jogo. Porque, se Henriette Cornier pôde dizer, no momento mesmo em que ela acabava de cometer o ato, "sei que isso merece a morte", por acaso isso não prova que o interesse que ela tinha, que todo indivíduo tem, de viver não foi forte o bastante para servir de princípio de bloqueio dessa necessidade de matar, dessa pulsão de matar, da dinâmica intrínseca do gesto que fez que ela tenha matado? Vocês estão vendo que tudo o que era economia do sistema penal se acha embaraçado, quase comprometido, por um gesto assim, já que os princípios fundamentais do direito penal, de Beccaria ao Código de 1810, eram: seja como for, qualquer um, entre a morte de um indivíduo e a sua, sempre preferirá renunciar à morte de seu inimigo para poder conservar sua vida. Mas se se trata de alguém que tem diante de si uma pessoa que nem sua inimiga é e que aceita matá-la, sabendo que sua vida se acha com isso condenada, não estaremos porventura diante de uma dinâmica absolutamente específica, que a mecânica beccariana, a mecânica ideológica, condillaciana, a mecânica dos interesses do século XVIII, não é capaz de compreender? Entramos assim num campo absolutamente novo. Os princípios fundamentais que haviam organizado o exercício do poder de punir se veem interrogados, contestados, incomodados, questionados, abalados, minados, pela existência dessa coisa, apesar de tudo paradoxal, que é a dinâmica de um ato sem interesse, que consegue abalar os interesses mais fundamentais de qualquer indivíduo.

Assim, vocês veem aparecer, no arrazoado do advogado Fournier, no exame de Marc, toda uma espécie, ainda nem chega a ser um campo de noções – um domínio ainda flutuante. Marc, o médico, vai dizer em sua consulta "direção irresistível", "afeição irresistível", "desejo quase irresistível", "atroz inclinação cuja origem não podemos garantir"; ou ainda, diz que ela é levada de forma irresistível a "ações sanguinárias". Eis como Marc caracteriza o que aconteceu. Vocês estão vendo como nós já estamos infinitamente longe da mecânica dos interesses tal como era subjacente ao sistema penal. Fournier, o advogado, vai falar de "um ascendente que a própria Henriette Cornier deplora"; ele fala da "energia de uma paixão violenta"; fala da "presença de um agente extraordinário, alheio às leis regulares da organização humana"; fala de "uma determinação fixa, invariável, que ruma para a sua meta sem se deter"; fala do "ascendente que havia encadeado todas as faculdades de Henriette Cornier e que dirige imperiosamente, de um modo geral, todos os monômanos"[17]. Vocês estão vendo que aquilo em torno do que giram essas designações, toda essa série de nomes, de termos, de adjetivos, etc., que designam essa dinâmica do irresistível é algo aliás nomeado no texto: o instinto. Nomeado no texto: Fournier fala de um "instinto bárbaro", Marc fala de um "ato instintivo" ou ainda de uma "propensão instintiva". É nomeado na consulta, é nomeado no arrazoado da defesa, mas eu diria que não é concebido. Ainda não está concebido; não pode sê-lo e não podia sê-lo, porque não havia nada nas regras de formação do discurso psiquiátrico da época que permitisse nomear esse objeto absolutamente novo. Enquanto a loucura era essencialmente ordenada – e ela ainda o era no início do século XIX – ao erro, à ilusão, ao delírio, à falsa crença, à não obediência à verdade, é fácil compreender que o instinto como elemento dinâmico bruto não podia ter lugar no interior desse discurso. Ele podia ser nomeado, mas não era nem construído nem concebido. É por isso que o tempo todo, em Fournier e em Marc, no momento mesmo em que eles acabam de nomear esse instinto, no momento mesmo em que acabam de designá-lo, eles tentam recuperá-lo, reinvesti-lo, dissolvê-lo, de certo modo, pela presunção de algo como um delírio, porque o delírio ainda é, nessa época, isto é, em 1826, a marca constitutiva, o qualificativo maior, em todo caso, da loucura. Marc chega a dizer o seguinte a propósito desse instinto que ele acaba de nomear e cuja dinâmica intrínseca e cega ele detectou em Henriette Cornier. Ele chama de "ato de delírio", o que não quer dizer nada, porque ou se trata de um ato que seria produzido por um delírio, mas não é o caso (ele não é capaz de dizer que delírio há em Henriette Cornier), ou então ato de delírio quer dizer um ato de tal modo absurdo que é como que o equivalente de um delírio, mas não é um delírio. E então o que é esse ato? Marc não pode nomeá-lo, não pode dizê-lo, não pode concebê-lo. Falará então de "ato de delírio". Quanto a Fournier, o advogado, ele vai apresentar uma analogia que é muito interessante, mas à qual não se deve atribuir um sentido histórico maior do que o que ela tem. Fournier vai dizer a propósito de Henriette Cornier: no fundo, ela agiu como num sonho, e só acordou do seu sonho depois de ter cometido seu ato. Essa metáfora talvez já existisse entre os psiquiatras; em todo caso, com toda certeza, ela será reutilizada. Ora, não se deve ver nessa referência ao sonho, nessa comparação com o sonho, uma espécie de premonição das relações entre sonho e desejo que serão definidas no fim do século XIX. Na verdade, quando Fournier diz "ela está como num estado de sonho", é no fundo para reintroduzir sub-repticiamente a velha noção de loucura-demência, isto é, uma loucura em que o sujeito não tem consciência da verdade, na qual o acesso à verdade lhe é vedado. Se ela está como num sonho, então sua consciência não é a verdadeira consciência da verdade. Assim sendo, ela pode ser atribuída a alguém em estado de demência.

Retranscrita nessas formas, por Fournier no sonho, por Marc nessa noção bizarra de ato de delírio, mesmo retranscrita nessas formas, eu creio que presenciamos aqui – e é por isso que me detive talvez um pouco mais que o devido – à irrupção de um objeto, ou antes, de todo um domínio de objetos novos, de toda uma série de elementos que aliás vão ser nomeados, descritos, analisados e, pouco a pouco, integrados, ou antes, desenvolvidos no interior do discurso psiquiátrico do século XIX. São os impulsos, as pulsões, as tendências, as propensões, os automatismos; em suma, todas essas noções, todos esses elementos que, ao contrário das paixões da Idade Clássica, não são ordenados a uma representação primeira, mas se ordenam, ao contrário, a uma dinâmica específica, em relação à qual as representações, as paixões, os afetos estarão numa posição secundária, derivada ou subordinada. Com Henriette Cornier, vemos o mecanismo pelo qual se processa a inversão de um ato, cujo escândalo jurídico, médico e moral estava em que não havia razão, num ato que coloca para a medicina e o direito questões específicas, na medida em que pertenceria a uma dinâmica do instinto. Do ato sem razão, passamos ao ato instintivo.

Ora, isso acontece (assinalo isso simplesmente para as correspondências históricas) na época em que Geoffroy Saint-Hilaire mostrava que as formas monstruosas de certos indivíduos nunca passavam do produto de um jogo perturbado das leis naturais[18]. Nessa mesma época, a psiquiatria legal, a propósito de um certo número de casos – dentre os quais o caso Cornier é certamente o mais puro e interessante –, estava descobrindo que os atos monstruosos, isto é, sem razão, de certos criminosos na realidade não eram produzidos simplesmente a partir dessa lacuna que a ausência de razão assinala, mas por uma certa dinâmica móbil dos instintos. Temos aí, creio eu, o ponto de descoberta dos instintos. Quando digo "descoberta", sei que não é a palavra adequada, mas não é pela descoberta que me interesso, e sim pelas condições de possibilidade do aparecimento, da construção, do uso regrado de um conceito no interior de uma formação discursiva. Importância dessa engrenagem a partir da qual a noção de instinto vai poder aparecer e se formar; porque o instinto será, é claro, o grande vetor do problema da anomalia, ou ainda o operador pelo qual a monstruosidade criminal e a simples loucura patológica vão encontrar seu princípio de coordenação. É a partir do instinto que toda a psiquiatria do século XIX vai poder trazer às paragens da doença e da medicina mental todos os distúrbios, todas as irregularidades, todos os grandes distúrbios e todas as pequenas irregularidades de conduta que não pertencem à loucura propriamente dita. É a partir da noção de instinto que vai poder se organizar, em torno do que era outrora o problema da loucura, toda a problemática do anormal, do anormal no nível das condutas mais elementares e mais cotidianas. Essa passagem ao minúsculo, a grande deriva que faz que o monstro, o grande monstro antropófago do início do século XIX, se veja no fim das contas trocado pelos monstrinhos perversos que não cessaram de pulular desde o fim do século XIX, essa passagem do grande monstro ao pequeno perverso só pôde ser realizada por essa noção de instinto, e pela utilização e pelo funcionamento do instinto no saber, mas também no funcionamento do poder psiquiátrico.

Reside aí, na minha opinião, o interesse dessa noção de instinto e seu caráter capital. É que, com o instinto, temos toda uma nova problemática, toda uma nova maneira de colocar o problema do que é patológico na ordem da loucura. É assim que vamos ver surgir, nos anos que se seguem ao caso Henriette Cornier, toda uma série de questões cuja admissibilidade jurídica era impossível ainda no século XVIII. É patológico ter instintos? Dar livre curso a seus instintos, deixar agir o mecanismo dos instintos, é uma doença ou não é uma doença? Ou ainda, existirá certa economia ou mecânica dos instintos que seria patológica, que seria uma doença, que seria anormal? Existem instintos que são, em si, portadores de algo como uma doença, ou como uma enfermidade, ou como uma monstruosidade? Existem instintos que seriam instintos anormais? É possível agir sobre os instintos? É possível corrigir os instintos? Existe uma tecnologia para curar os instintos? É assim, vocês estão vendo, que o instinto vai se tornar, no fundo, o grande tema da psiquiatria, tema que vai ocupar um espaço cada vez mais considerável, coincidindo com o antigo domínio do delírio e da demência, que havia sido o núcleo central do saber da loucura e da prática da loucura até o início do século XIX. As pulsões, os impulsos, as obsessões, a emergência da histeria – loucura absolutamente sem delírio, loucura absolutamente sem erro –, a utilização do modelo da epilepsia como pura e simples libertação dos automatismos, a questão geral dos automatismos motores ou mentais, tudo isso vai ocupar um lugar cada vez maior, cada vez mais central, no interior mesmo da psiquiatria. Com a noção de instinto, não é somente todo esse campo de novos problemas que vai aflorar, mas também a possibilidade de reinscrever a psiquiatria não apenas num modelo médico que ela havia utilizado desde havia muito, mas de reinscrevê-la também numa problemática biológica. O instinto do homem é o instinto do animal? O instinto mórbido do homem é a repetição do instinto animal? O instinto anormal do homem é a ressurreição de instintos arcaicos do homem?

Toda a inscrição da psiquiatria na patologia evolucionista, toda a injeção da ideologia evolucionista na psiquiatria vai poder se fazer, não a partir da velha noção de delírio, mas sim a partir dessa noção de instinto. É a partir do momento em que o instinto se torna o grande problema da psiquiatria que tudo isso será possível. E, finalmente, a psiquiatria do século XIX vai se encontrar, nos últimos anos desse século, emoldurada por duas grandes tecnologias, vocês sabem, que vão bloqueá-la de um lado e dar-lhe novo impulso de outro. De um lado a tecnologia eugênica, com o problema da hereditariedade, da purificação da raça e da correção do sistema instintivo dos homens por uma depuração da raça. Tecnologia do instinto: eis o que foi o eugenismo, desde seus fundadores até Hitler. De outro lado, tivemos, em face da eugenia, a outra grande tecnologia dos instintos, o outro grande meio que foi proposto simultaneamente, numa sincronia notável, a outra grande tecnologia da correção e da normalização da economia dos instintos, que é a psicanálise. A eugenia e a psicanálise são essas duas grandes tecnologias que se ergueram, no fim do século XIX, para permitir que a psiquiatria agisse no mundo dos instintos.

Desculpem-me, eu me estendi demais, como sempre. Se insisti nesse caso Henriette Cornier e nessa emergência do instinto, foi por uma razão de método. É que tentei lhes mostrar como se produziu nesse momento – e através das histórias dentre as quais a de Henriette Cornier é simplesmente exemplar – certa transformação. Essa transformação permitiu, no fundo, um imenso processo que não está concluído em nossos dias, o processo que fez que o poder psiquiátrico intramanicomial, centrado na doença, pudesse se tornar uma jurisdição geral intra e extramanicomial, não da loucura, mas do anormal e de toda conduta anormal. Essa transformação tem seu ponto de origem, sua condição de possibilidade histórica, nessa emergência do instinto. Essa transformação tem por eixo, tem por mecanismo de engrenagem, essa problemática, essa tecnologia dos instintos. Ora – é isso que eu queria lhes mostrar –, isso não se deve, de maneira nenhuma, a uma descoberta interna ao saber psiquiátrico, nem tampouco a um efeito ideológico. Se minha demonstração for exata (porque isso pretendia ser uma demonstração), vocês estão vendo que tudo isso, todos esses efeitos epistemológicos – e tecnológicos também, aliás – apareceram a partir de quê? De um certo jogo, de certa distribuição e de certa engrenagem dos mecanismos de poder, uns característicos da instituição judiciária, outros característicos da instituição, ou antes, do poder e do saber médicos. Foi nesse jogo entre os dois poderes, é em sua diferença e em sua engrenagem, nas necessidades que tinham um do outro, nos apoios que tomavam uns nos outros, foi aí que se deu o princípio da transformação. Que se tenha passado de uma psiquiatria do delírio a uma psiquiatria do instinto, com todas as consequências que isso ia ter para a generalização da psiquiatria como poder social, é algo que se explica, na minha opinião, por esse encadeamento do poder.

Minha aula da semana que vem vai se realizar apesar das férias, e tentarei lhes mostrar a trajetória do instinto no século XIX, de Henriette Cornier ao nascimento da eugenia, pela organização da noção de degeneração.

*

NOTAS

1. Referência ao *Pequeno Polegar* dos *Contos da mamãe ganso* de Charles Perrault.

2. Cf. *supra*, aula de 29 de janeiro.

3. Sobre o caso de L.-A. Papavoine, ver as três caixas conservadas nos *Factums* da Bibliothèque Nationale de France (8 Fm 2282-2288), que contêm as seguintes brochuras: *Affaire Papavoine. Nº 1*, Paris, 1825; *Plaidoyer pour Auguste Papavoine accusé d'assassinat. [Nº 2]*, Paris, 1825; *Affaire Papavoine. Suite des débats. Plaidoyer de l'avocat général. Nº 3*, Paris, 1825; *Papavoine (Louis-Auguste), accusé d'avoir, le 10 octobre 1824, assassiné deux jeunes enfants de l'âge de 5 à 6 ans, dans le bois de Vincennes*, Paris [1825]; *Procès et interrogatoires de Louis-Auguste Papavoine, accusé et convaincu d'avoir, le 10 octobre 1824, assassiné deux enfants, âgés l'un de 5 ans et l'autre de 6, dans le bois de Vincennes*, Paris, 1825; *Procédure de Louis-Auguste Papavoine*, Paris [s.d.]. *Procès criminel de Louis-Auguste Papavoine. Jugement de la cour d'assises*, Paris [s.d.]. O material será estudado pela primeira vez por E.-J. Georget, *Examen médical...*, *op. cit.*, pp. 39-65.

4. O caso de Henriette Cornier foi apresentado por Ch.-Ch.-H. Marc, *Consultation médico-légale pour Henriette Cornier, femme Berton, accusée d'homicide commis volontairement et avec préméditation. Précédée de l'acte d'accusation*, Paris, 1826, texto citado em *De la folie...*, *op. cit.*, II, pp. 71-116; E.-J. Georget, *Discussion médico-légale sur la folie ou aliénation mentale, suivie de l'examen du procès criminel d'Henriette Cornier, et des plusieurs autres procès dans lesquels cette maladie a été alléguée comme moyen de défense*, Paris, 1826, pp. 71-130; N. Grand, *Réfutation de la discussion médico-légale du Dr Michu sur la monomanie homicide à propos du meurtre commis par H. Cornier*, Paris, 1826. Extratos dos relatórios médico-legais podem ser encontrados na série de artigos que a *Gazette des tribunaux* consagrou ao processo em 1826 (dias 21 e 28 de fevereiro; dias 18, 23 e 25 de junho).

5. Ch.-Ch.-H. Marc, *De la folie...*, *op. cit.*, II, pp. 84, 114.

6. Cf. a análise do artigo 64 do Código Penal proposta por Ch.-Ch.-H. Marc, *loc. cit.*, pp. 425-33.

7. Cf. o resumo do curso *Le pouvoir psychiatrique*, já citado.

8. Os *Annales d'hygiène publique et de médecine légale* foram publicados de 1829 a 1922.

9. Sobre a teoria da "degeneração" ver, em particular, B.-A. Morel, *Traité des dégénérescences physiques, intellectuelles et morales de l'espèce humaine et des causes qui produisent ces variétés maladives*, Paris, 1857; id., *Traité des maladies mentales*, Paris, 1860; V. Magnan, *Leçons cliniques sur les maladies mentales*, Paris, 1891; V. Magnan & P.-M. Legrain, *Les dégénérés. État mental et syndromes épisodiques*, Paris, 1895.

10. A noção foi introduzida por E. Bleuler, *Dementia praecox oder Gruppe der Schizophrenien*, Leipzig-Viena, 1911.

11. M. Foucault faz referência aqui, em particular, ao curso já citado *Le Pouvoir psychiatrique*. Alusão a E. Georget, *De la folie*, Paris, 1820, p. 282, que escrevia: "Diga [...] a um pretenso rei que ele não é rei, e ele lhe responderá com invectivas."

12. O primeiro relatório de J.-E.-D. Esquirol, N.-Ph. Adelon e J.-B. F. Léveillé foi publicado quase integralmente por E.-J. Georget, *Discussion médico-légale sur la folie*..., *op. cit.*, pp. 85-6. O segundo relatório, redigido após três meses de observação, foi impresso textualmente *ibid.*, pp. 86-9.

13. Ch.-Ch.-H. Marc, *De la folie*..., *op. cit.*, II, pp. 88-115.

14. Cf. *ibid.*, pp. 71-87.

15. *Ibid.*, pp. 110-1, em que é feita referência a Ch.-Ch.-H. Marc, "Aliéné", em *Dictionnaire des sciences médicales*, I, Paris, 1812, p. 328.

16. Ch.-Ch.-H. Marc, *De la folie*..., *op. cit.*, II, p. 82.

17. O arrazoado de Louis-Pierre-Narcisse Fournier é resumido por E.-J. Georget, *Discussion médico-légale sur la folie*..., *op. cit.*, pp. 97-9. Ver *in extenso*, nos *Factums* da Bibliothèque Nationale de France (8 Fm 719), o *Plaidoyer pour Henriette Cornier, femme Berton, accusée d'assassinat, prononcé à l'audience de la cour d'assises de Paris, le 24 juin 1826, par N. Fournier, avocat stagiaire près la Cour Royale de Paris*, Paris, 1826.

18. E. Geoffroy Saint-Hilaire, *Histoire générale et particulière des anomalies de l'organisation chez l'homme et les animaux*, Paris, 1832-1837, 4 vol.; cf. II, 1832, pp. 174-566. O tratado tem como título: *Ouvrage comprenant des recherches sur les caractères, la classification, l'influence physiologique et pathologique, les rapports généraux, les lois et les causes des monstruosités, des variétés et vices de conformation, ou Traité de tératologie*. Notem-se também os trabalhos preparatórios de E. Geoffroy Saint-Hilaire, *Philosophie anatomique*, Paris, 1822 (cap. III: "Des monstruosités humaines"); id., *Considérations générales sur les monstres, comprenant une théorie des phénomènes de la monstruosité*, Paris, 1826 (extraído do volume XI do *Dictionnaire classique d'histoire naturelle*).

AULA DE 12 DE FEVEREIRO DE 1975

O instinto como gabarito de inteligibilidade do crime sem interesse e não punível. – Extensão do saber e do poder psiquiátricos a partir da problematização do instinto. – A lei de 1838 e o papel reclamado pela psiquiatria na segurança pública. – Psiquiatria e regulação administrativa, demanda familiar de psiquiatria, constituição de um discriminante psiquiátrico-político entre os indivíduos. – O eixo do voluntário e do involuntário, do instintivo e do automático. – A fragmentação do campo sintomatológico. – A psiquiatria se torna ciência e técnica dos anormais. – O anormal: um grande domínio de ingerência.

Fiquei com um medo que talvez seja meio obsessivo: tive a impressão, uns dias atrás – lembrando-me do que lhes disse da última vez a propósito da mulher de Sélestat, sabem, a que tinha matado a filha, cortado e comido a perna dela com repolho –, de lhes ter dito que ela havia sido condenada. Lembram-se? Não? Eu disse que ela tinha sido absolvida? Também não? Não disse nada? Pelo menos, disse alguma coisa a seu respeito? Bem, se eu tivesse dito que ela tinha sido condenada, teria sido um erro: ela foi absolvida. Isso muda muito o destino dela (apesar de não mudar em nada o da sua filhinha), mas no fundo não altera o que eu queria dizer a vocês a propósito desse caso, no qual o que me pareceu importante foi a obstinação com que haviam tentado descobrir o sistema dos interesses que permitiria compreender o crime e, eventualmente, torná-lo punível.

Eu achei que tinha lhes dito (o que teria sido um erro) que ela havia sido condenada por ser um período de fome e porque ela era miserável; nessa medida, ela tinha interesse em comer a filha, porque não tinha mais nada para pôr na boca. Esse argumento foi de fato empregado e quase influiu na decisão, mas ela acabou sendo absolvida. E foi absolvida em função do seguinte fato, que foi sustentado pelos advogados: que ainda havia mantimentos no seu armário e que, por conseguinte, ela não tinha tanto interesse assim em comer a filha; que ela teria podido comer toucinho antes de comer a filha, que o sistema de interesses não agia. Em todo caso, a partir disso, ela foi <absolvida>. Se cometi um erro, desculpem-me. A verdade ficou estabelecida, ou restabelecida.

Voltemos agora ao ponto em que eu havia mais ou menos chegado da última vez, a propósito do caso Henriette Cornier. Com Henriette Cornier, temos essa espécie de monstro discreto, pálido, puro, mudo, cujo caso me parece delinear – pela primeira vez de uma maneira mais ou menos clara e explícita – essa noção, ou antes, esse elemento, que é o instinto. A psiquiatria descobre o instinto, mas a jurisprudência e a prática penal também o descobrem. O que é o instinto? É esse elemento misto que pode funcionar em dois registros ou, se quiserem, é essa espécie de engrenagem que permite que dois mecanismos de poder engrenem um no outro: o mecanismo penal e o mecanismo psiquiátrico; ou, mais precisamente ainda, esse mecanismo de poder, que é o sistema penal e que tem seus requisitos de saber, consegue engatar no mecanismo de saber que é a psiquiatria e que tem, de seu lado, seus requisitos de poder. Essas duas maquinarias conseguiram engatar uma na outra, pela primeira vez, de uma maneira eficaz e que vai ser produtiva tanto na ordem da penalidade como na ordem da psiquiatria, por meio desse elemento do instinto, que é constituído nesse momento. De fato, o instinto permite reduzir a termos inteligíveis essa espécie de escândalo jurídico que seria um crime sem interesse, sem motivo e, por conseguinte, não punível; e, de outro, transformar cientificamente a ausência de razão de um ato num mecanismo patológico positivo. É esse, pois, na minha opinião, o papel do instinto, peça nesse jogo do saber-poder.

Mas o caso Henriette Cornier é, certamente, um caso-limite. A medicina mental, durante os trinta e quatro primeiros anos do século XIX, só toca o instinto quando não pode fazer de outro modo. Em outras palavras, na falta do delírio, na falta da demência, na falta da alienação – é na falta disso que, em caso extremo, ela recorre ao instinto. Basta, aliás, considerar em que momento o instinto intervém na grande arquitetura taxionômica da psiquiatria do início do século XIX, para ver o lugar extraordinariamente limitado que ele ocupa. O instinto é fortemente regionalizado nesse edifício, em que temos toda uma série de loucuras – loucura contínua, loucura intermitente, loucura total, loucura parcial (isto é, que só atinge uma região do comportamento). Nessas loucuras parciais, há as que atingem a inteligência mas não o resto do comportamento, ou as loucuras que, ao contrário, atingem o resto do comportamento mas não a inteligência. E é simplesmente no interior dessa última categoria que encontramos uma certa loucura que não afeta o comportamento em geral mas apenas certo tipo de comportamento. Por exemplo, o comportamento do assassinato. É nesse momento, nessa região bem precisa, que vemos emergir a loucura instintiva que é, de certo modo, a última pedra no edifício piramidal da taxionomia. Logo, o instinto tem um lugar que é, na minha opinião, politicamente importantíssimo (quero dizer que, nos conflitos, reivindicações, distribuições e redistribuições do poder no início do século XIX, o problema do instinto, da loucura instintiva, é importantíssimo); mas, epistemologicamente, é uma peça muito confusa e menor.

O problema que eu gostaria de tentar resolver hoje é o seguinte: como essa peça epistemologicamente regional e menor pôde se tornar uma peça absolutamente fundamental, que chegou a definir mais ou menos, a abranger mais ou menos a totalidade do campo da atividade psiquiátrica? Mais ainda, não apenas a abranger ou percorrer, em todo caso, a totalidade desse domínio, mas a constituir um elemento tal que a extensão do poder e do saber psiquiátrico, sua multiplicação, o avanço perpétuo das suas fronteiras, a extensão quase indefinida de seu domínio de ingerência, teve por princípio esse elemento, que é o elemento instintivo. É isso, é essa generalização do poder e do saber psiquiátrico a partir da problematização do instinto que eu gostaria de estudar hoje.

Eu gostaria de situar essa transformação no que, a meu ver, pode ser considerado como suas razões, os elementos que a determinaram. Podemos dizer esquematicamente o seguinte. É sob a pressão de três processos, que concernem, todos eles, à inserção da psiquiatria nos mecanismos de poder (mecanismos de poder que lhe são externos), é sob a pressão desses três processos que a transformação se deu. Primeiro processo, que evocarei rapidamente, é o fato de que, pelo menos na França (nos outros países, o processo foi mais ou menos o mesmo, mas defasado cronologicamente, ou com processos legislativos um pouco diferentes), por volta dos anos 1840 mais ou menos, a psiquiatria se inscreveu no interior de uma nova regulamentação administrativa. Dessa nova regulamentação administrativa eu lhes disse algumas palavras no ano passado, a propósito da constituição do poder psiquiátrico, de certo modo intramanicomial[1]. E este ano eu gostaria de lhes falar do ponto de vista extramanicomial. Essa nova regulamentação administrativa cristalizou-se essencialmente na célebre lei de 1838[2]. Vocês sabem que a lei de 1838, eu lhes falei algumas palavras a esse respeito ano passado, define entre outras coisas a chamada internação *ex officio*, isto é, a internação de um alienado num hospital psiquiátrico a pedido, ou antes, por ordem da administração, mais precisamente da administração prefeitoral[3]. Como a lei de 1838 regulamenta essa internação *ex officio*? Por um lado, a internação *ex officio* deve ser feita num estabelecimento especializado, isto é, destinado primeiro a receber, depois a curar os doentes. O caráter médico da internação, pois se trata de curar, o caráter médico e especializado, pois se trata de um estabelecimento destinado a receber doentes mentais, é portanto precisamente dado na lei de 1838. A psiquiatria recebe com a lei de 1838 sua consagração, ao mesmo tempo como disciplina médica e como disciplina especializada no interior do campo da prática médica. Por outro lado, a internação *ex officio* que deve ser feita nessas instituições, por que procedimento é obtida? Por uma decisão prefeitoral, que é acompanhada (mas sem ser de forma alguma, com isso, condicionada) de atestados médicos que precedem a decisão. Porque um atestado médico pode ser, se quiserem, uma apresentação à administração prefeitoral pedindo efetivamente uma internação. Mas não é necessário, e, uma vez que a internação foi decidida pela administração prefeitoral, o estabelecimento especializado e seus médicos devem fazer um relatório médico sobre o estado do sujeito assim internado, sem que as conclusões desse relatório médico condicionem como quer que seja a administração prefeitoral. Portanto pode-se perfeitamente admitir que uma pessoa seja internada por ordem da administração prefeitoral. Os médicos concluirão pela não alienação, mas a internação será mantida. Terceira característica dada à internação *ex officio* pela lei de 1838 é que a internação deve ser, diz o texto, uma internação motivada pelo estado de alienação de um indivíduo, mas deve ser uma alienação capaz de comprometer a ordem e a segurança públicas. Vocês estão vendo que o papel do médico, ou antes, o encadeamento da função médica ao aparelho administrativo é definido ao mesmo tempo de forma clara e, apesar disso, ambígua. De fato, a lei de 1838 sanciona o papel de uma psiquiatria que seria uma certa técnica científica e especializada da higiene pública; mas vocês estão vendo que ela põe a psiquiatria e o psiquiatra na obrigação de levantar para eles próprios um problema totalmente novo em relação à economia científica, tradicional até então, da psiquiatria.

Outrora, por exemplo na época em que a interdição era o grande procedimento judiciário para a loucura, o problema era sempre o de saber se o sujeito em questão não ocultava em si certo estado, aparente ou inaparente, de demência, estado de demência que o tornaria incapaz como sujeito jurídico, que o desqualificaria como sujeito de direito[4]. Não haverá nele certo estado de consciência ou de inconsciência, de alienação de consciência, que o impeça de continuar a exercer seus direitos fundamentais? Mas, a partir do momento em que a lei de 1838 entra em vigor, a pergunta feita ao psiquiatra, como vocês podem perceber, será a seguinte: "temos diante de nós um indivíduo que é capaz de perturbar a ordem ou ameaçar a segurança pública. O que o psiquiatra tem a dizer sobre essa eventualidade de distúrbio ou perigo?" É a questão do distúrbio, é a questão da desordem, é a questão do perigo, que a decisão administrativa coloca ao psiquiatra. Quando o psiquiatra recebe um doente internado *ex officio*, ele precisa responder, ao mesmo tempo, em termos de psiquiatria e em termos de desordem e de perigo; ele tem de comentar sem que, de resto, suas conclusões condicionem a administração prefeitoral, as possíveis relações entre a loucura, a doença, de um lado, e o distúrbio, a desordem, o perigo, de outro. Não se trata mais, portanto, dos estigmas da incapacidade no nível da consciência, mas dos focos de perigo no nível do comportamento. Vocês estão vendo, por conseguinte, como todo um novo tipo de objetos vai aparecer necessariamente em função desse novo papel administrativo ou desse novo vínculo administrativo, que confina a atividade psiquiátrica. A análise, a investigação, o controle psiquiátrico vão tender a se deslocar do que pensa o doente para o que ele faz, do que ele é capaz de compreender para o que ele é capaz de cometer, do que ele pode conscientemente querer para o que poderia acontecer de involuntário em seu comportamento. Com isso, vocês estão vendo que vai se produzir toda uma inversão de importância. Com a monomania, com essa espécie de caso singular, extremo, monstruoso, tínhamos o caso de uma loucura que, em sua singularidade, podia ser terrivelmente perigosa. E, se os psiquiatras davam tanta importância à monomania, é porque a exibiam como a prova de que, afinal de contas, bem podia se dar o caso em que a loucura ficava perigosa. Ora, os psiquiatras necessitavam disso para definir e firmar seu poder no interior dos sistemas de regulação da higiene pública. Mas, agora, esse vínculo entre o perigo e a loucura os psiquiatras não precisam mais dá-lo, demonstrá-lo, exibi-lo, nesses casos monstruosos. O vínculo loucura-perigo é a própria administração que estabelece, já que é a administração que só manda um sujeito para uma internação *ex officio* se ele é efetivamente perigoso, se sua alienação-estado de doença é ligada a um perigo para o homem ou para a segurança pública. Não se precisa mais de monomaníacos. A demonstração política que se buscava na constituição epistemológica da monomania, essa necessidade política é agora, pela administração, satisfeita e mais do que satisfeita. Os internados *ex officio* são automaticamente indicados como perigosos. Com a internação *ex officio*, no fundo, a própria administração efetuou, e de fato, essa síntese entre perigo e loucura que a monomania, outrora, devia demonstrar teoricamente. Ela efetua essa síntese entre perigo e loucura não simplesmente a propósito de alguns casos, de alguns sujeitos excepcionais e monstruosos; ela a efetua para todos os indivíduos que são enviados em internação. Assim sendo, a monomania homicida deixará de ser essa espécie de grande problema político-jurídico-científico que era no início do século, na medida mesma em que o desejo de assassinato ou, em todo caso, a possibilidade do perigo, da desordem e da morte, se tornará coextensiva a toda a população manicomial. Todos os que estão no manicômio são virtuais portadores desse perigo de morte. Assim é que, ao grande monstro excepcional que matou, como a mulher de Sélestat ou como Henriette Cornier, ou como Léger, ou como Papavoine, vai suceder agora como figura típica, como figura de referência, não o grande monômano que matou, mas o pequeno obcecado: o obcecado meigo, dócil, ansioso, bonzinho, aquele, é claro, que queria matar; mas aquele que sabe igualmente que vai matar, que poderia matar e que pede educadamente à família, à administração, ao psiquiatra que o internem para que ele tenha finalmente a felicidade de não matar.

É assim que podemos opor a Henriette Cornier, de que lhes falei da última vez, um caso que foi comentado por Baillarger em 1847 (o caso mesmo datava de 1840 [*rectius*: 1839], isto é, dos anos que seguem imediatamente a promulgação da lei de 1838). É um caso que lhe fora relatado por Gratiolet e que é o seguinte[5]. Um agricultor do Lot, que se chamava Glenadel, desde a juventude (por volta dos 15 anos, nessa época já estava com 40, logo desde havia uns 26 anos), sentira vontade de matar a mãe. Depois, tendo a mãe morrido de morte natural, seu desejo de matar voltou-se para a cunhada. Para fugir desses dois perigos, para escapar de seu desejo de matar, ele entrou para o exército, o que lhe evitava pelo menos matar a mãe. Deram-lhe licença várias vezes. Ele não as tirou, para não matar a mãe. Acabou sendo dispensado. Tentou não voltar para casa e quando, por fim, soube que a cunhada tinha morrido depois da mãe, voltou. Mas, que azar, a cunhada estava viva, fora uma notícia falsa, e ei-lo instalado ao lado dela. E, cada vez que o desejo de matar ficava demasiado premente ou violento demais, ele mandava que o prendessem na cama, com um monte de correntes e cadeados. É nesse momento que, finalmente, ao cabo de certo tempo, por volta de 1840, ele próprio com a concordância da família, ou a família com a concordância dele, chama um oficial de justiça, que vem acompanhado, se não me engano, de um médico para constatar seu estado, ver o que se pode fazer e se, efetivamente, podem interná-lo. Temos o protocolo dessa visita do oficial de justiça[6], que lhe pede para lhe contar a vida e lhe pergunta, por exemplo, como ele quer matar a cunhada. Ele está preso à cama com cadeados, correntes, etc., toda a família está reunida em torno da cama, a cunhada também, e o oficial de justiça[7]. Então perguntam ao sujeito: "Como o senhor quer matar sua cunhada?" Nesse momento, seus olhos se enchem de lágrimas, ele olha para a cunhada e responde: com "o instrumento mais suave". Perguntam-lhe se a dor que seu irmão e seu sobrinho sentiriam não o conteriam, apesar de tudo. Ele responde que, claro, ele ficaria arrasado com a dor do irmão e do sobrinho, mas como quer que seja ele não veria essa dor. Porque logo depois do assassinato, se ele o cometesse, ele seria preso e executado, o que é a coisa que ele mais deseja no mundo, porque por trás do seu desejo de matar está seu desejo de morrer. Nesse momento, perguntam-lhe se, diante desse duplo desejo de matar e de morrer, ele não gostaria de cadeados mais fortes e correntes mais pesadas, e ele responde reconhecido: "Com muito prazer!"[8]

Acho esse caso bem interessante. Não que seja a primeira vez que vemos na literatura psiquiátrica o que eu chamaria de monômano respeitoso[9]. Esquirol já citara certo número[10]. Mas esta observação tem um valor particular. De um lado, por causa das consequências teóricas, psiquiátricas, que Baillarger tirará delas, sobre as quais voltarei daqui a pouco; mas também porque se trata de um caso que é científica, moral e juridicamente perfeito. De fato, nenhum crime real veio perturbá-lo. O doente tem perfeita consciência do seu estado; ele sabe exatamente o que aconteceu; ele avalia a intensidade do seu desejo, da sua pulsão, do seu instinto; sabe quanto é irresistível; pede ele próprio as correntes e talvez a internação. Ou seja, ele representa perfeitamente seu papel de doente que tem consciência da sua doença e que aceita o controle jurídico-administrativo-psiquiátrico sobre ele. Depois disso, temos uma família que, também ela, é boa, pura. Diante do desejo do doente, ela reconheceu a irresistibilidade dessa pulsão; ela acorrentou-o. E então, como boa família, dócil às recomendações da administração, sentindo que existe um perigo, chama um oficial de justiça para constatar, em devida forma, o estado do doente. Quanto ao oficial de justiça, eu acho, mais uma vez sem ter plena certeza, que ele também é um bom oficial de justiça e que vem acompanhado por um bom médico, para instruir um bom processo de internação *ex officio* ou de internação voluntária (nesse caso, será sem dúvida uma internação voluntária), no asilo psiquiátrico mais próximo. Temos pois uma colaboração perfeita medicina-justiça-família-doente. Um doente que dá seu consentimento, uma família preocupada, um oficial de justiça vigilante, um médico entendido – tudo isso rodeando, envolvendo, encadeando, captando o tal desejo de matar e ser morto, que aparece aqui a nu, como vontade ambígua de morte ou dupla vontade de morte. Perigo para ele próprio, o doente é perigo para os outros, e é em torno desse pequeno fragmento negro, absoluto, puro, mas perfeitamente visível de perigo, que todo esse mundo é reunido. Estamos, se quiserem, no elemento da santidade psiquiátrica. No centro, o instinto de morte aparece a nu, acaba de nascer. Ao lado dele, o doente, que é seu portador, seu gerador. Do outro lado, a mulher proibida, que é o objeto desse instinto; e, por trás deles, o boi judiciário e o asno psiquiátrico. É a natividade, a natividade do menino divino, o instinto de morte que está se tornando o objeto primeiro e fundamental da religião psiquiátrica. Quando digo "instinto de morte", fique entendido que não pretendo designar aqui algo como a premonição de uma noção freudiana[11]. Quero dizer simplesmente que o que aparece aqui, com toda clareza, é o objeto doravante privilegiado da psiquiatria, a saber: o instinto, e esse instinto na medida em que é portador da forma mais pura e mais absoluta de perigo, a morte – a morte do doente e a morte dos que o rodeiam –, morte que requer a dupla intervenção, da administração e da psiquiatria. É aí, nessa espécie de figura do instinto portador de morte que, na minha opinião, se ata um episódio importantíssimo na história da psiquiatria. Tentarei lhes explicar por que, como, a meu ver, é o segundo nascimento da psiquiatria, ou o verdadeiro nascimento da psiquiatria, depois desse episódio de protopsiquiatria que era, no fundo, a teoria ou a medicina da alienação mental. Eis pois o que eu queria lhes dizer sobre esse primeiro processo, que vai levar à generalização desse elemento do instinto e à generalização do poder e do saber psiquiátricos: a inscrição da psiquiatria num novo regime administrativo.

Em segundo lugar, o outro processo que explica essa generalização é a reorganização do requerimento familiar. Aqui também precisamos nos referir à lei de 1838. Com a lei de 1838 a relação da família com as autoridades psiquiátricas e judiciárias muda de natureza e de regras. Não é mais necessária a família para obter uma internação; não se têm mais os dois meios que ela tinha outrora; em todo caso, não se dispõe mais dele do mesmo modo. Antigamente [tinham-se] dois meios: um, breve, fulgurante, mais juridicamente duvidoso, era a internação pura e simples em nome do poder paterno; de outro lado, o procedimento pesado e complexo da interdição, que requeria a reunião de um conselho de família e, depois, o lento procedimento judiciário, ao cabo do qual o sujeito podia ser internado por um tribunal destinado a tanto. Agora, com a lei de 1838, o círculo imediato do doente pode requerer o que é chamado de internação voluntária (uma internação voluntária, está claro, não é a internação que o próprio doente deseja, mas a internação que seu círculo familiar quer para ele). Portanto, possibilidade de seu círculo imediato, isto é, essencialmente a família próxima, pedir a internação, e necessidade, para obter essa internação voluntária, de obter antes da internação, como peça justificativa, um atestado médico (enquanto o prefeito não necessita de atestado, a família só pode obter a internação voluntária com um atestado médico). Após a internação, necessidade de o médico da instituição obter o aval do prefeito e, por outro lado, formular uma confirmação do atestado que havia sido fornecido no momento da internação. A família se acha portanto, e com um mínimo de recursos à administração judiciária e até mesmo à administração pública pura e simples, diretamente ligada ao saber e ao poder médico. Ela precisa pedir ao médico tanto os documentos necessários para motivar a internação como a posterior confirmação da validade dessa internação. Com isso, a demanda familiar em relação à psiquiatria vai mudar. Vai mudar de forma. Doravante não é mais a família no sentido amplo (grupo constituído em conselho de família), mas o círculo próximo, que vai diretamente ao médico requerer, não que ele defina a incapacidade jurídica do doente, mas que caracterize seu perigo para ela, família. Em segundo lugar, essa demanda, que muda em sua forma, também vai ser nova em seu conteúdo. Porque doravante será justamente o perigo constituído pelo louco no interior da sua família, isto é, as relações intrafamiliares, que vão ser o ponto a que o saber, o diagnóstico, o prognóstico psiquiátricos vão se prender. A psiquiatria não terá mais de definir o estado de consciência, de vontade livre do doente, como era o caso na interdição. A psiquiatria terá de tornar psiquiátrica toda uma série de condutas, de perturbações, de desordens, de ameaças, de perigos, que são da ordem do comportamento, não mais da ordem do delírio, da demência ou da alienação mental. Doravante as relações pais-filhos, as relações irmão-irmã, as relações marido-mulher vão se tornar, em suas perturbações internas, o domínio de investigação, o ponto de decisão, o lugar de intervenção da psiquiatria. O psiquiatra se torna então agente dos perigos intrafamiliares no que eles podem ter de mais cotidiano. O psiquiatra se torna médico de família em ambos os sentidos do termo: ele é o médico que é pedido pela família, que é constituído como médico pela vontade da família, mas é também o médico que tem de tratar de algo que ocorre no interior da família. É um médico que tem de tratar, do ponto de vista médico, desses distúrbios, dessas dificuldades, etc., que podem se desenrolar na própria cena da família. A psiquiatria se inscreve pois como técnica de correção, mas também de restituição, do que poderíamos chamar de justiça imanente nas famílias.

Creio que o texto que melhor caracteriza essa importantíssima mutação na relação psiquiatria-família é o de Ulysse Trélat, de 1861, intitulado *La folie lucide*[12]. O livro praticamente começa com as linhas que vou ler para vocês. Vê-se que o ponto que o psiquiatra toma a seu cuidado não é o doente como tal, também não é, de modo nenhum, a família, mas são todos os efeitos de perturbação que o doente pode induzir na família. É como médico das relações doente-família que o psiquiatra intervém. De fato, ao estudar os alienados, diz Ulysse Trélat, o que descobrimos? Ao estudar os alienados, não se procura saber em que consiste a alienação, nem mesmo quais são os sintomas dela. Descobre-se o quê? Descobrem-se "as torturas infinitas que são impostas por seres acometidos por um mal às vezes incurável [*rectius*: indestrutível], a naturezas excelentes, vivas, produtivas". As "naturezas excelentes, vivas, produtivas" são o resto da família, que tem pois diante dela os "seres acometidos por um mal às vezes incurável [*rectius*: indestrutível]". Com efeito, o doente mental – diz Trélat – é "violento, destruidor, injurioso, agressor". O doente mental "mata tudo o que há de bom"[13]. E, terminando o prefácio do livro, Trélat escreve o seguinte: "Não o escrevi por ódio aos alienados, mas no interesse das famílias."[14]

Aqui também, a partir do momento em que se produz essa mutação das relações psiquiatria-família, todo um domínio de objetos novos vai aparecer, e, se diante do monômano homicida vemos o obcecado de Baillarger de que eu lhes falava há pouco, podemos colocar também, como novo personagem e novo domínio de objetos encarnados por esse personagem, alguém que seria, *grosso modo*, o perverso. O obcecado e o perverso são os dois novos personagens. Eis uma descrição que data de 1864. Ela é de Legrand du Saulle, num livro intitulado *La folie devant les tribunaux*. Não digo que seja o primeiro personagem desse tipo na psiquiatria, de jeito nenhum, mas é típico desse novo personagem psiquiatrizado de meados do século XVIII [*rectius*: XIX]. Trata-se de um sujeito chamado Claude C., que "nasceu de pais honestos" mas que denota, desde cedo, uma "extraordinária indocilidade": "Ele quebrava e destruía com uma espécie de prazer tudo o que lhe caía nas mãos; batia nas crianças da idade dele, quando achava ser mais forte; se tinha à sua disposição um gatinho, um passarinho, parecia gostar de fazê-los sofrer, torturá-los. Crescendo, ficou cada vez mais malvado; não temia nem o pai nem a mãe, e sentia principalmente pela última uma aversão das mais acentuadas, muito embora ela fosse boníssima com ele; xingava-a e batia nela quando ela não fazia o que ele queria. Também não gostava de um irmão que era mais velho do que ele, o qual era tão bom quanto ele era mau. Quando o deixavam sozinho, só pensava em fazer coisas ruins, quebrar um móvel útil, roubar o que imaginava ter valor; tentou atear fogo várias vezes. Aos cinco anos, tinha se tornado o terror das crianças da vizinhança, que ele maltratava o mais que podia, quando achava que ninguém podia ver [...]. Ante as queixas feitas contra ele [estava com cinco anos, não é? – M.F.], o senhor prefeito mandou levá-lo para o asilo de alienados, onde pudemos, diz o sr. Bottex, observá-lo por mais de cinco anos. Lá, por ser muito bem vigiado e contido pelo temor, raramente teve a facilidade de fazer o mal, mas nada pôde modificar sua natureza hipócrita e perversa. Carícias, incentivos, ameaças, punições, tudo foi empregado sem sucesso: ele mal memorizou algumas preces. Não foi capaz de aprender a ler, apesar de ter recebido lições por vários anos. Tendo saído do manicômio faz um ano [está com doze anos então – M.F.], sabemos que ficou mais malvado ainda e mais perigoso, porque está mais forte e não teme mais ninguém. Assim, a cada instante, ele bate na mãe e ameaça matá-la. Um irmão mais moço do que ele é continuamente sua vítima. Recentemente, um pobre perneta que pedia esmolas, arrastando-se num carrinho, chegou à porta da casa dos pais dele, que estavam ausentes: Claude C. derrubou o pobre coitado no chão, bateu nele e fugiu, depois de ter quebrado seu carro! [...] Será preciso mandá-lo para uma casa de correção; mais tarde, seus malefícios provavelmente farão que passe a vida na prisão, se não acabarem por levá-lo [...] ao cadafalso!"[15]

Esse caso me parece interessante, ao mesmo tempo em si e, se quiserem, pela maneira como é analisado e descrito. Evidentemente, podemos compará-lo a outras observações do mesmo tipo ou mais ou menos semelhantes. Penso, é claro, nas observações e relatórios que puderam ser feitos sobre Pierre Rivière[16]. No caso de Pierre Rivière, vocês vão encontrar muitos elementos que estão neste relatório: a morte de passarinhos, a maldade com os irmãos e irmãs, a ausência de amor pela mãe, etc. Mas, em Pierre Rivière, todos esses elementos funcionavam também como indícios perfeitamente ambíguos, já que os víamos funcionar para assinalar a maldade inextirpável do seu caráter (e, por conseguinte, a culpa de Rivière ou a imputabilidade a Rivière do seu crime) ou então, ao contrário, sem que nada se alterasse, víamos esses sinais figurarem em alguns dos relatórios médicos como preâmbulo da loucura e, por conseguinte, como prova de que não se podia imputar a Rivière seu crime. Como quer que seja, esses elementos estavam ligados a outra coisa: ou eram os elementos anunciadores do crime, ou eram preâmbulos da loucura. Em todo caso, em si mesmos, não significavam nada. Ora, vocês estão vendo que se trata aqui do caso de um garoto que a [partir da] idade de cinco anos passou outros cinco (logo entre 5 e 10 anos) num asilo psiquiátrico. E por que isso? Precisamente por esses elementos mesmos, esses elementos que agora são destacados de uma referência a uma grande loucura demencial, ou de uma referência a um grande crime. Em si mesmos, como maldade, como perversidade, como distúrbios diversos, como desordem no interior da família, eles funcionam por esse fato mesmo como sintoma de um estado patológico que requer internação. Em si mesmos, são uma razão para intervir. Ei-los, todos esses elementos que outrora eram ou criminalizados, ou patologizados, mas por intermédio de uma loucura interior, ei-los agora medicalizados de pleno direito, de uma maneira autóctone, desde a sua origem. A partir do momento em que uma pessoa é malvada, ela passa a pertencer virtualmente ao domínio médico. É o primeiro interesse, a meu ver, dessa observação.

O segundo é que o psiquiatra intervém numa espécie de posição subordinada em relação a outras instâncias de controle: em relação à família, em relação à vizinhança, em relação à casa de correção. A psiquiatria vem se insinuar, de certa forma, entre esses diferentes elementos disciplinares. Sem dúvida, a intervenção do médico e as medidas que ele vai tomar são bem específicas. Mas, no fundo, o que ele trata, o que se torna o alvo da sua intervenção, todos esses elementos que são agora medicalizados de pleno direito e desde a origem, o que os define, o que os delineia? É o campo disciplinar definido pela família, pela escola, pela vizinhança, pela casa de correção. É tudo isso que passa a ser o objeto da intervenção médica. Portanto a psiquiatria reitera essas instâncias, as atravessa, as transpõe, as patologiza; em todo caso ela patologiza o que poderíamos chamar de restos das instâncias disciplinares.

O terceiro interesse, a meu ver, desse texto que li para vocês é que as relações intrafamiliares, essencialmente as relações de amor, ou antes, suas lacunas, constituem a nervura essencial da observação. Se vocês se lembram de algumas das grandes observações dos alienistas da época precedente, as observações de Esquirol e de seus contemporâneos, nelas se fala com frequência das relações entre um doente e sua família. Fala-se aliás com muita frequência das relações entre um doente criminoso e sua família. Mas as relações são sempre invocadas para provar, quando são boas, que o doente é louco. A melhor prova de que Henriette Cornier é louca é que ela mantinha com sua família boas relações. O que faz, para um doente de Esquirol, que a obsessão de matar a esposa seja uma doença é que, precisamente, o sujeito que tem essa obsessão é ao mesmo tempo um bom marido. Portanto, a presença dos sentimentos intrafamiliares remete à loucura na medida em que são positivos. Ora, aqui vocês têm uma patologização que se faz a partir de quê? Precisamente a partir da ausência desses bons sentimentos. Não amar a mãe, judiar do irmãozinho, bater no irmão mais velho, é tudo isso que passa a constituir, em si, os elementos patológicos. Portanto, as relações intrafamiliares, em vez de remeter à loucura pelo caráter positivo que elas têm, constituem agora elementos patológicos por causa das suas lacunas.

Já lhes citei esse caso. Há no entanto em Esquirol uma observação que poderia remeter a ele, mas não desejo agora datar exatamente a formação desse novo campo de intervenção psiquiátrica. Quero simplesmente caracterizá-lo na espécie de nuvem de observações que podemos definir nessa época. Em outras palavras, o que se descobre é uma patologia dos maus sentimentos familiares se constituindo. Vou lhes dar outro exemplo desse problema dos maus sentimentos. No livro de Trélat de que lhes falava faz pouco, *La folie lucide*, temos um belíssimo exemplo do aparecimento, à vista de um psiquiatra, do mau sentimento familiar que, de certo modo, vem rasgar a trama normalmente, normativamente boa, dos sentimentos familiares e emergir como irrupção patológica. Ei-lo, é exatamente a troca dos sinais do amor pelo ignóbil. Temos um exemplo "em que a virtude da jovem mulher sacrificada seria digna de um objetivo mais elevado [...]. Como acontece com tanta frequência, a noiva não viu mais que a pose elegante daquele de quem iria adotar o nome, mas tinham deixado que ela ignorasse a enfermidade do espírito e a vileza dos costumes dele. Nem haviam decorrido [inteiramente] oito dias [a contar do casamento – M.F.], quando a recém-casada, tão bonita, tão fresca, tão espiritual quanto jovem, descobriu que o senhor conde [seu jovem marido – M.F.] passava as manhãs e se dedicava com todo o zelo a fazer bolinhas com seus excrementos e alinhá-las por ordem de tamanho no mármore da chaminé, diante do relógio. A pobre menina viu seus sonhos se dissiparem"[17]. Claro, isso nos faz rir, mas considero que se trata de um desses inúmeros exemplos em que a lacuna do sentimento intrafamiliar, a troca do bom pelo mau procedimento, emerge como portadora, em si, de valores patológicos, sem a menor referência a um quadro nosográfico das grandes loucuras repertoriadas pelos nosógrafos da época precedente.

Terceiro processo de generalização – o primeiro era o encadeamento psiquiatria-regulação administrativa; o segundo, a nova forma da demanda familiar de psiquiatria (a família como consumo de psiquiatria); o terceiro é o aparecimento de uma demanda política de psiquiatria. No fundo, as outras demandas (ou os outros processos que tentei identificar, o que se situa do lado da administração e o que se situa do lado da família) constituíam muito mais deslocamentos, transformações de relações já existentes. Creio que a demanda política que foi formulada com respeito à psiquiatria é nova e se situa cronologicamente um pouco mais tarde. As duas primeiras [demandas] podem ser identificadas em torno dos anos 1840-1850. É, ao contrário, entre 1850 e 1870-1875 que a demanda política da psiquiatria vai se produzir. Em que consiste essa demanda? Creio que podemos dizer o seguinte: começou-se a pedir à psiquiatria que fornecesse algo que poderíamos chamar de discriminante, um discriminante psiquiátrico-político entre os indivíduos ou um discriminante psiquiátrico com efeito político entre os indivíduos, entre os grupos, entre as ideologias, entre os próprios processos históricos.

A título de hipótese, gostaria de dizer o seguinte. Depois da Revolução inglesa do século XVII, não foi à edificação inteira que assistimos, mas antes à retomada e à reformulação de toda uma teoria jurídico-política da soberania, do contrato que funda a soberania, das relações entre a vontade geral e suas instâncias representativas. Seja Hobbes, Locke ou, posteriormente, todos os teóricos franceses, podemos dizer que houve aí um tipo de discurso jurídico-político, um dos papéis do qual (mas não o único, é claro) foi justamente constituir o que eu chamaria de discriminante formal e teórico que permitisse distinguir os bons dos maus regimes políticos. Essas teorias jurídico-políticas da soberania não foram edificadas precisamente com tal fim, mas foram efetivamente utilizadas para isso ao longo do século XVIII, ao mesmo tempo como princípio de decifração dos regimes passados e distantes: quais são os bons regimes? quais são os regimes válidos? quais são os que, na história, podemos reconhecer, nos quais podemos nos reconhecer? Ao mesmo tempo, princípio de crítica, de qualificação ou desqualificação dos regimes atuais. Foi assim que a teoria do contrato, ou a teoria da soberania, pôde, ao longo de todo o século XVIII francês, servir de fio condutor a uma crítica real do regime político para os contemporâneos. Aí está, depois da Revolução inglesa do século XVII[18].

Depois da Revolução francesa do fim do século XVIII, parece-me que o discriminante político do passado e da atualidade foi menos a análise jurídico-política dos regimes e dos Estados do que a própria história. Isto é, à pergunta: que parte da Revolução devemos salvar? Ou ainda: o que, no Antigo Regime, poderia ser requalificado? Ou ainda: como reconhecer, no que acontece, o que devemos validar e o que, ao contrário, devemos repelir? Para responder a todas essas perguntas, o que foi proposto, pelo menos teoricamente, a título de elemento discriminante foi a história. Quando Edgar Quinet faz a história do terceiro estado e quando Michelet faz a história do povo, eles tentam encontrar, através da história do terceiro estado ou do povo, uma espécie de fio condutor que permita decifrar tanto o passado como o presente, fio condutor que permitiria desqualificar, repelir, tornar politicamente desejáveis ou historicamente inválidos certo número de acontecimentos, de personagens, de processos e, ao contrário, requalificar outros[19]. Portanto a história como discriminante político do passado e do presente[20].

Depois da terceira grande vaga de revoluções que sacudiu a Europa entre 1848 e 1870-1871 – isto é, essa vaga de revoluções republicanas, democráticas, nacionalistas e às vezes socialistas –, creio que o discriminante que se tentou utilizar e aplicar foi a psiquiatria e, de um modo geral, a psicologia; discriminante que é evidentemente – em relação aos dois outros, o jurídico-político e o histórico – de longe o mais fraco teoricamente, mas que tem pelo menos a vantagem de ser dobrado por um instrumento efetivo de sanção e de exclusão, já que a medicina como poder, o hospital psiquiátrico como instituição, estão aí para sancionar efetivamente essa operação de discriminação. Que a psiquiatria tenha sido chamada a desempenhar esse papel, é evidente na França a partir de 1870, e na Itália já um pouco antes[21]. O problema de Lombroso era simplesmente o seguinte: sejam esses movimentos, que haviam começado na Itália na primeira metade do século XIX, que foram continuados por Garibaldi e que agora Lombroso vê se desenvolver, ou desviar, no sentido do socialismo ou do anarquismo. Nesses movimentos, como distinguir entre os que podem ser validados e os que, ao contrário, devem ser criticados, excluídos e punidos? Será que os primeiros movimentos de independência da Itália, será que os primeiros movimentos no sentido da reunificação da Itália, será que os primeiros movimentos anticlericais da Itália legitimam os movimentos socialistas e já anarquistas que vemos despontar na época de Lombroso ou será que, ao contrário, esses movimentos mais recentes comprometem os mais antigos? Como se orientar em todo esse emaranhado de agitações e de processos políticos? Lombroso, que era republicano, anticlerical, positivista, nacionalista, procurava evidentemente estabelecer a descontinuidade entre os movimentos que ele identificava e com os quais se identificava, e que, segundo ele, haviam sido validados efetivamente no curso da história, e aqueles de que ele era contemporâneo e inimigo, e que se tratava de desqualificar. Se for possível provar que os movimentos atuais são obra de homens pertencentes a uma classe biologicamente, anatomicamente, psicologicamente, psiquiatricamente desviante, então ter-se-á o princípio de discriminação. E a ciência biológica, anatômica, psicológica, psiquiátrica, permitirá que logo se reconheça, num movimento político, o que pode ser efetivamente validado e o que deve ser desqualificado. Era o que Lombroso dizia em suas aplicações da antropologia. Dizia ele: a antropologia parece nos dar os meios de diferenciar a verdadeira revolução, sempre fecunda e útil, da sublevação, da rebelião, que é sempre estéril. Os grandes revolucionários – continuava ele –, a saber, Paoli, Mazzini, Garibaldi, Gambetta, Charlotte Corday e Karl Marx eram quase todos santos e gênios, e aliás tinham uma fisionomia maravilhosamente harmoniosa[22]. Em compensação, tomando-se as fotos de 41 anarquistas de Paris, percebe-se que 31% desses 41 tinham estigmas físicos graves. Em cem anarquistas detidos em Turim, 34% não tinham a fisionomia maravilhosamente harmoniosa de Charlotte Corday e de Karl Marx (o que é um sinal de que o movimento político que eles representam é um movimento que merece ser histórica e politicamente desqualificado, pois que já é fisiológica e psiquiatricamente desqualificado)[23]. É do mesmo modo que, na França, depois de 1871 até o fim do século, a psiquiatria vai ser utilizada com base nesse modelo do princípio da discriminação política.

Aqui também eu gostaria de citar para vocês uma observação que me parece a contrapartida e a continuação do obcecado de Baillarger e do pequeno perverso de Legrand du Saulle de que eu lhes falava. Desta vez é uma observação de Laborde sobre um ex-militante da Comuna de Paris, executado em 1871. Eis o retrato psiquiátrico que Laborde faz dele: "R. era uma *fruta seca*, em toda a acepção da palavra, não porque carecesse de inteligência, longe disso, mas suas tendências sempre o levaram a fazer uma aplicação abortada, nula ou malsã das suas aptidões. Assim, depois de ter tentado sem sucesso entrar para a Politécnica depois para a École Centrale, voltou-se por fim para os estudos médicos, mas terminará como um amador, um desorientado que necessita cobrir-se com as aparências de um objetivo sério. Se revelou na realidade alguma aplicação nesse estudo, foi exclusivamente para dele extrair certos ensinamentos a seu gosto, favoráveis às doutrinas ateias e materialistas que apregoava descarada e cinicamente e que acoplava na política ao sistema socialista e revolucionário mais excessivo. Tramar complôs, formar sociedades secretas ou afiliar-se a elas, frequentar reuniões públicas e clubes, e aí expor numa linguagem apropriada por sua violência e seu cinismo suas teorias subversivas e negativas de tudo o que há de respeitável na família e na sociedade, frcquentar assiduamente com acólitos escolhidos certos estabelecimentos mal afamados, onde se politicava *inter pocula** [deve haver aqui pessoas que sabem latim, não sei o que quer dizer *inter pocula* – M.F.] e na orgia, espécies de sórdidas academias de ateísmo, de socialismo de baixo quilate, de revolucionismo excessivo, numa palavra, da depravação mais profunda dos sentidos e da inteligência, colaborar enfim para a vulgarização de suas doutrinas descaradas em algumas gazetas malsãs de um dia, designadas, mal aparecem, à vindita e aos estigmas da justiça – eram essas as preocupações e, pode-se dizer, a existência inteira

* Entre um copo e outro. (N. do T.)

de R. Compreende-se que, nessas condições, deve ter se visto com frequência às voltas com a polícia. Ele fazia mais, expunha-se a esta [...]. Um dia, numa reunião privada composta das pessoas mais honradas e respeitáveis, notadamente senhoritas com suas mães [...], ele gritou ante a estupefação geral: 'Viva a revolução, abaixo os padres!' Essa característica num homem como este não é privada de importância [...]. Essas tendências impulsivas encontraram nos acontecimentos recentes [isto é, a Comuna de Paris – M.F.] uma oportunidade das mais favoráveis para sua realização e seu livre desenvolvimento. Chegou enfim o dia tão desejado em que lhe foi dado pôr em obra o objeto favorito de suas sinistras aspirações: ter nas mãos o poder absoluto, discricionário, de detenção, requisição, de vida sobre as pessoas. Usou largamente dele, seu apetite era violento, a satisfação deve ter sido proporcional [...]. Entregue pelo acaso, dizem que diante da morte teve a coragem de afirmar suas opiniões. Não seria porque não podia fazer de outro modo? R., eu [já] disse, tinha apenas 26 anos, mas seus traços cansados, pálidos e já profundamente vincados traziam a marca de uma velhice antecipada, seu olhar carecia de franqueza, o que talvez se devesse em parte a uma forte miopia. Na realidade, a expressão geral e habitual da fisionomia tinha certa dureza, algo de feroz e uma extrema arrogância, as narinas achatadas e largamente abertas exalavam sensualidade, assim como seus lábios um pouco carnudos e cobertos em parte por uma barba longa e densa, negra com reflexos ruivos. Seu riso era sarcástico, a palavra breve e imperativa, sua mania de aterrorizar levava-o a carregar no timbre da voz para torná-la mais terrivelmente sonora."[24]

Creio que com um texto como esse já chegamos (o texto tem mais de cem anos) a um nível discursivo que é o dos exames psiquiátricos que eu li para vocês no início, na primeira aula do curso. Foi esse tipo de descrição, esse tipo de análise, esse tipo de desqualificação que a psiquiatria, como vocês estão vendo, assumiu. Em todo caso, parece-me que, entre 1840 e 1870-1875, vemos constituírem-se três novos referenciais para a psiquiatria: um referencial administrativo, que não faz a loucura aparecer mais sobre um fundo de verdade comum, mas sobre um fundo de ordem coerciva; um referencial familiar, que recorta a loucura sobre um fundo de sentimentos, de afetos e de relações obrigatórias; um referencial político, que isola a loucura sobre um fundo de estabilidade e de imobilidade social. Daí um certo número de consequências, precisamente essas generalizações de que eu lhes falava ao começar há pouco.

Primeiro toda uma nova economia das relações loucura-instinto. Com Henriette Cornier, com a monomania homicida de Esquirol e dos alienistas, estávamos numa espécie de região-fronteira constituída pelo paradoxo de uma espécie de "delírio do instinto", como eles diziam, de "instinto irresistível". Ora, é essa região-fronteira que – correlativamente a esses três processos que eu lhes assinalei – vai ganhar pouco a pouco, cancerizar pouco a pouco todo o domínio da patologia mental. É, primeiro, a noção de "loucura moral" que encontramos em Prichard, a "loucura lúcida" em Trélat[25]. Mas, por enquanto, não são mais que ganhos de território, que não resolvem de forma alguma os problemas causados pela loucura <sanguinária>. A partir de 1845-1850, veremos produzir-se na teoria psiquiátrica uma mudança, ou uma dupla mudança, que registra, a seu modo, os novos funcionamentos do poder psiquiátrico que tentei situar.

Em primeiro lugar, vai ser abandonada essa noção curiosa, mas de que os alienistas haviam feito tanto uso, de "loucura parcial", essa espécie de loucura que só atingiria como que um setor da personalidade, que só habitaria um canto da consciência, que não tocaria mais que um pequeno elemento do comportamento, que não teria nenhuma comunicação com o resto do edifício psicológico ou da personalidade do indivíduo. A partir de então, vamos ter na teoria psiquiátrica um grande esforço para reunificar a loucura e para mostrar que, mesmo quando a loucura só se manifesta num sintoma muito raro, muito particular, muito descontínuo, muito esquisito até, por mais localizado que o sintoma seja, a doença mental sempre se produz num indivíduo que é, como indivíduo, profunda e globalmente louco. O próprio sujeito tem de ser louco para que o sintoma, mesmo o mais singular e o mais raro, possa aparecer. Não há loucura parcial, mas sintomas regionais de uma loucura que é sempre fundamental, muitas vezes inaparente, mas que sempre afeta o sujeito inteiro.

Com essa reunificação, essa espécie de arraigamento unitário da loucura, vemos aparecer uma segunda mudança: a reunificação não se dá mais no nível dessa consciência, ou ainda dessa apreensão da verdade, que era o nó principal da loucura entre os alienistas. Daí em diante, a reunificação da loucura através dos seus sintomas, mesmo os mais particulares e regionais, vai se dar no nível de certo jogo entre o voluntário e o involuntário. O louco é aquele em que a delimitação, o jogo, a hierarquia do voluntário e do involuntário se encontram perturbados. Assim, o eixo da interrogação da psiquiatria não vai mais ser definido pelas formas lógicas do pensamento mas pelos modos específicos da espontaneidade do comportamento, ou, em todo caso, é esse eixo, o da espontaneidade do comportamento, o eixo do voluntário e do involuntário no comportamento, que vai se tornar primeiro. E dessa inversão completa da organização epistemológica da psiquiatria temos a formulação mais clara, a meu ver, em

Baillarger, num artigo de 1845 e em outro de 1847, nos quais ele diz que o que caracteriza um louco é algo como um estado de sonho. Mas, para ele, o sonho não é um estado no qual você se engana de verdade, e sim um estado no qual você não é dono da sua vontade; é um estado no qual você é atravessado por processos involuntários. É como foco dos processos involuntários que o sonho é como que o modelo de toda doença mental. Segunda ideia fundamental em Baillarger: é a partir dessa perturbação na ordem e na organização do voluntário e do involuntário que todos os outros fenômenos da loucura vão se desenvolver. Em particular as alucinações, os delírios agudos, as falsas crenças, tudo o que antes era, para a psiquiatria do século XVIII, mas ainda para os alienistas do início do século XIX, o elemento essencial, fundamental da loucura, isso agora vai passar para uma ordem secundária, um nível secundário. As alucinações, os delírios agudos, a mania, a ideia fixa, o desejo maníaco, tudo isso é resultado do exercício involuntário das faculdades, predominando sobre o exercício voluntário em consequência de um acidente mórbido do cérebro. É o que se chama "princípio de Baillarger"[26]. E basta lembrar o que havia sido a grande preocupação e o grande mal-estar dos alienistas do período precedente: como é que se pode falar de loucura, que se tenha de falar de loucura, mesmo quando não se encontra um só pingo de delírio no fundo disso tudo? Estão vendo que daí em diante tudo fica invertido. O que vai se pedir não é encontrar, sob o instintivo, o pequeno elemento de delírio que permitirá inscrevê-lo na loucura. O que vai se pedir é qual é, por trás de todo e qualquer delírio, a pequena perturbação do voluntário e do involuntário capaz de possibilitar a formação do delírio. O princípio de Baillarger – com o primado da questão do voluntário, do espontâneo, do automático, com a afirmação de que os sintomas da doença mental, mesmo quando localizados, afetam todo o sujeito – é fundador da segunda psiquiatria. É o momento – esses anos 1845-1847 – em que os psiquiatras tomam o lugar dos alienistas. Esquirol é o último dos alienistas, porque é o último a formular a questão da loucura, isto é, da relação com a verdade. Baillarger é o primeiro psiquiatra da França (na Alemanha é Griesinger, mais ou menos na mesma época)[27], porque é ele o primeiro a levantar a questão do voluntário e do involuntário, do instintivo e do automático, no âmago dos processos da doença mental.

Assim, com essa nova organização nuclear da psiquiatria, com esse novo núcleo da psiquiatria, podemos assistir a uma espécie de grande afrouxamento epistemológico da psiquiatria, que vai se dar em duas direções. De um lado, a abertura de um novo campo sintomatológico: a psiquiatria vai poder sintomatologizar, ou fazer valer como sintoma de doença, todo um conjunto de fenômenos que até então não tinham estatuto na ordem da doença mental. O que fazia outrora, na medicina dos alienistas, que uma conduta pudesse figurar como sintoma de doença mental não era nem sua raridade nem seu absurdo, mas o pequeno fragmento de delírio que ela ocultava. Daí em diante, o funcionamento sintomatológico de uma conduta, o que vai permitir que um elemento de conduta, uma forma de conduta, figure como sintoma de uma doença possível, vai ser, por um lado, a discrepância que essa conduta tem em relação às regras de ordem, de conformidade, definidas seja sobre um fundo de regularidade administrativa, seja sobre um fundo de obrigações familiares, seja sobre um fundo de normatividade política e social. São portanto essas discrepâncias que vão definir uma conduta como podendo ser eventualmente sintoma de doença. Por outro lado, será também a maneira como essas discrepâncias vão se situar no eixo do voluntário e do involuntário. A discrepância em relação à norma de conduta e ao grau de afundamento no automático são as duas variáveis que, *grosso modo* a partir dos anos 1850, vão permitir que se inscreva uma conduta seja no registro da saúde mental, seja, ao contrário, no registro da doença mental. Quando a discrepância e o automatismo são mínimos, isto é, quando se tem uma conduta conforme e voluntária, tem-se, *grosso modo*, uma conduta sadia. Quando, ao contrário, a discrepância e o automatismo crescem (e não necessariamente, aliás, na mesma velocidade e com o mesmo grau), tem-se um estado de doença que é necessário situar precisamente, tanto em função dessa discrepância, como em função desse automatismo crescente. Se é isso o que vai qualificar uma conduta como patológica, se é de fato isso, então compreende-se que a psiquiatria possa recuperar agora, trazendo para o seu campo de análise, toda uma massa enorme de dados, de fatos, de comportamentos, que ela poderá descrever e cujo valor sintomatológico ela interrogará, a partir dessas discrepâncias em relação à norma e em função desse eixo voluntário-involuntário. Em suma, o conjunto das condutas pode agora ser interrogado sem que seja necessário referir-se, para patologizá-las, a uma alienação do pensamento. Toda conduta deve poder ser situada nesse eixo, cujo percurso é inteiramente controlado pela psiquiatria, que é o eixo do voluntário e do involuntário. Toda conduta deve poder ser situada igualmente em relação a e em função de uma norma que também é controlada, ou pelo menos percebida como tal, pela psiquiatria. A psiquiatria não necessita mais da loucura, não necessita mais da demência, não necessita mais do delírio, não necessita mais da alienação, para funcionar. A psiquiatria pode tornar psiquiátrica toda conduta sem se referir à alienação. A psiquiatria se desalienaliza. É nesse sentido que podemos dizer que Esquirol ainda era um alienista; que Baillarger e seus sucessores não são mais alienistas, são psiquiatras, na mesma medida em que não são mais alienistas. E vocês estão vendo que, com isso mesmo, com essa desalienalização da prática psiquiátrica, pelo fato de não haver mais essa referência obrigatória ao núcleo delirante, ao núcleo demencial, ao núcleo de loucura, a partir do momento em que não há mais essa referência à relação com a verdade, a psiquiatria vê finalmente se abrir diante de si, como domínio de sua ingerência possível, como domínio de suas valorizações sintomatológicas, o domínio inteiro de todas as condutas possíveis. Não há nada, finalmente, nas condutas do homem que não possa, de uma maneira ou de outra, ser interrogado psiquiatricamente graças a essa supressão do privilégio da loucura – essa ilusão do privilégio da loucura, demência, delírio, etc. –, graças a essa desalienação.

Mas, ao mesmo tempo que temos essa abertura quase indefinida, que permite que a psiquiatria se torne a jurisdição médica de qualquer conduta, a referência a esse eixo voluntário-involuntário vai possibilitar um novo tipo de congeminação com a medicina orgânica. Entre os alienistas, o que assinalava que a psiquiatria era uma ciência médica é que ela obedecia aos mesmos critérios formais: nosografia, sintomatologia, classificação, taxionomia. Todo esse grande edifício das classificações psiquiátricas com que se encantou era necessário a Esquirol para que seu discurso, suas análises e seus objetos mesmos fossem o discurso da psiquiatria e dos objetos de uma psiquiatria médica. A medicalização do discurso, da prática dos alienistas, passava por essa espécie de estruturação formal isomorfa ao discurso médico, se não da época, pelo menos da época precedente (mas essa é outra história). Com a nova problemática psiquiátrica – isto é, uma investigação psiquiátrica que vai ter por objeto as discrepâncias em relação à norma ao longo do eixo voluntário e involuntário –, as doenças mentais, os distúrbios mentais, os distúrbios de que a psiquiatria se ocupa, vão poder ser relacionados diretamente, de certo modo, no próprio nível do conteúdo, e mais simplesmente no nível da forma discursiva da psiquiatria, com todos os distúrbios orgânicos ou funcionais que perturbam o desenrolar das condutas voluntárias, essencialmente com os distúrbios neurológicos. Daí em diante, portanto, a psiquiatria e a medicina vão poder se comunicar não mais por intermédio da organização formal do saber e do discurso psiquiátrico; elas vão poder se comunicar, no nível do conteúdo, por intermédio dessa disciplina intersticial ou dessa disciplina articulatória que é a neurologia. Por intermédio de todo esse domínio, que diz respeito ao deslocamento do controle voluntário do comportamento, medicina e psiquiatria vão se comunicar. Vai se constituir uma neuropsiquiatria que será sancionada pelas instituições um pouco mais tarde. Porém, no centro desse novo campo, que vai continuamente da medicina e do distúrbio funcional ou orgânico até a perturbação das condutas, vamos ter portanto uma trama contínua, no centro da qual, é claro, vamos encontrar a epilepsia (ou a histeroepilepsia, já que a distinção não era feita na época) como distúrbio neurológico, distúrbio funcional que se manifesta pela liberação involuntária dos automatismos, suscetível de inúmeras gradações. A epilepsia, nessa nova organização do campo psiquiátrico, vai servir de ponte. Assim como os alienistas procuravam em toda parte o delírio sob qualquer sintoma, os psiquiatras vão procurar por muito tempo a pequena epilepsia, o equivalente epiléptico, em todo caso o pequeno automatismo que deve servir de suporte a todos os sintomas psiquiátricos. É assim que chegaremos, no fim do século XIX-início do século XX, a essa teoria, que é o inverso exato da perspectiva de Esquirol[28], em que veremos as alucinações serem definidas como epilepsias sensoriais[29].

Temos portanto, de um lado, uma espécie de explosão do campo sintomatológico que a psiquiatria se atribui como tarefa percorrer na direção de todas as desordens possíveis da conduta: invasão da psiquiatria, pois, por toda uma massa de condutas que, até então, só haviam obtido um estatuto moral, disciplinar ou judiciário. Tudo o que é desordem, indisciplina, agitação, indocilidade, caráter recalcitrante, falta de afeto, etc., tudo isso pode ser psiquiatrizado agora. Ao mesmo tempo que vocês têm essa explosão do campo sintomatológico, vocês têm uma ancoragem profunda da psiquiatria na medicina do corpo, possibilidade de uma somatização não simplesmente formal no nível do discurso, mas de uma somatização essencial da doença mental. Vamos ter portanto uma verdadeira ciência médica, mas que terá por objeto todas as condutas: verdadeira ciência médica, já que vocês têm essa ancoragem pela neurologia, na medicina, de todas as condutas, por causa da explosão sintomatológica. Organizando esse campo fenomenologicamente aberto, mas cientificamente modelado, a psiquiatria vai pôr em contato duas coisas. De um lado, ela vai introduzir efetivamente, em toda a superfície do campo que ela percorre, essa coisa que lhe era até então parcialmente alheia, a norma, entendida como regra de conduta, como lei informal, como princípio de conformidade; a norma a que se opõem a irregularidade, a desordem, a esquisitice, a excentricidade, o desnivelamento, a discrepância. É isso que ela introduz pela explosão do campo sintomatológico. Mas sua ancoragem na medicina orgânica ou funcional, por intermédio da neurologia, permite-lhe chamar também a ela a norma entendida num outro sentido: a norma como regularidade funcional, como princípio de funcionamento adaptado e ajustado; o "normal" a que se oporá o patológico, o mórbido, o desorganizado, a disfunção. Temos então junção – no interior desse campo organizado pela nova psiquiatria, ou pela psiquiatria nova que toma o lugar da medicina dos alienistas –, temos ajuste e coincidência parcial, teoricamente ainda difícil de pensar (mas esse é outro problema), de dois usos da norma, de duas realidades da norma: a norma como regra de conduta e a norma como regularidade funcional; a norma que se opõe à irregularidade e à desordem, e a norma que se opõe ao patológico e ao mórbido. De modo que vocês estão vendo como pôde se dar essa inversão de que eu lhes falava. Em vez de encontrar em seu limite extremo, no recôndito raríssimo, excepcionalíssimo, monstruosíssimo da monomania, em vez de encontrar aí apenas o choque entre a desordem da natureza e a ordem da lei, a psiquiatria vai passar a ser, em seus embasamentos, inteiramente tramada por esse jogo entre as duas normas. Não será mais simplesmente nessa figura excepcional do monstro que o distúrbio da natureza vai perturbar e questionar o jogo da lei. Será em toda parte, o tempo todo, até nas condutas mais ínfimas, mais comuns, mais cotidianas, no objeto mais familiar da psiquiatria, que esta encarará algo que terá, de um lado, estatuto de irregularidade em relação a uma norma e que deverá ter, ao mesmo tempo, estatuto de disfunção patológica em relação ao normal. Um campo misto se constitui, no qual se enredam, numa trama que é absolutamente densa, as perturbações da ordem e os distúrbios do funcionamento. A psiquiatria se torna nesse momento – não mais em seus limites extremos e em seus casos excepcionais, mas o tempo todo, em sua cotidianidade, no pormenor do seu trabalho – médico-judiciária. Entre a descrição das normas e das regras sociais e a análise médica das anomalias, a psiquiatria será essencialmente a ciência e a técnica dos anormais, dos indivíduos anormais e das condutas anormais. O que acarreta evidentemente, como primeira consequência, que o encontro crime-loucura não será mais, para a psiquiatria, um caso-limite, mas o caso regular. Pequenos crimes, claro, e pequenas doenças mentais, minúsculas delinquências e anomalias quase imperceptíveis do comportamento – mas é esse finalmente que será o campo organizador e fundamental da psiquiatria. A psiquiatria funciona, desde 1850, desde em todo caso esses três grandes processos que tentei descrever para vocês, num espaço que é, de fio a pavio, mesmo que no senso lato, médico-judiciário, patológico-normativo. Do fundo da sua atividade, o que a psiquiatria questiona é a imoralidade mórbida, ou ainda, uma doença da desordem. Assim, compreende-se como o grande monstro, esse caso extremo e último, dissolveu-se efetivamente num formigamento de anomalias primeiras, quero dizer num formigamento de anomalias que constitui o domínio primeiro da psiquiatria. E é assim que a peça é pregada. O grande bicho-papão do fim da história tornou-se o Pequeno Polegar, a multidão de Pequenos Polegares anormais pelos quais a história vai agora começar. É aí, nesse período que cobre os anos 1840-1860-1875, que se organiza uma psiquiatria que podemos definir como tecnologia da anomalia.

Então, problema agora. Como essa tecnologia da anomalia encontrou toda uma série de outros processos de normalização que não diziam respeito ao crime, à criminalidade, à grande monstruosidade, mas a outra coisa, à sexualidade cotidiana? Tentarei reatar o fio retomando a história da sexualidade, do controle da sexualidade, desde o século XVIII até o ponto em que estamos agora, isto é, *grosso modo* em 1875.

*

NOTAS

1. Cf. em particular o curso de M. Foucault já citado, *Le pouvoir psychiatrique* (5 de dezembro de 1973).

2. Um "exame médico-legal da lei de 30 de junho de 1838 sobre os alienados", com um parágrafo sobre as "internações *ex officio*" (redigido com base na circular ministerial de 14 de agosto de 1840), pode ser encontrado em H. Legrand du Saulle, *Traité de médecine légale et de jurisprudence médicale*, Paris, 1874, pp. 556-727. Cf. H. Legrand du Saulle, G. Berryer & G. Ponchet, *Traité de médecine légale, de jurisprudence médicale et de toxicologie*, Paris, 1862², pp. 596-786.

3. Cf. Ch. Vallette, *Attributions du préfet d'après la loi du 30 juin 1838 sur les aliénés. Dépenses de ce service*, Paris, 1896. [O prefeito (*préfet*) na França é o representante e agente do governo central no departamento, livremente designado pelo presidente da República. (N. do T.)

4. Ver A. Laingui, *La responsabilité pénale dans l'ancien droit (XVIe-XVIIIe siècle)*, Paris, 1970, pp. 173-294 (vol. II, cap. I: "La démence et les états voisins de la démence"), que também faz referência à documentação apresentada por M. Foucault, *Folie et déraison. Histoire de la folie à l'âge classique*, Paris, 1961, pp. 166-72, para demonstrar a indiferença dos juristas em relação às notas de internação que contêm classificações das doenças mentais.

5. O caso de Jean Glenadel é relatado por Pierre-Louis Gratiolet a Jules-Gabriel-François Baillarger, que o retoma em suas *Recherches sur l'anatomie, la physiologie et la pathologie du système nerveux*, Paris, 1847, pp. 394-9.

6. Cf. o relatório detalhado da conversa entre o agricultor e o oficial de saúde, *ibid.*, pp. 394-6.

7. "Encontrei Glenadel sentado na cama, com uma corda no pescoço, e a outra ponta amarrada na cabeceira da cama; tinha os braços presos nos pulsos com outra corda" (*ibid.*, p. 394).

8. "Mas como eu o via em grande exaltação, perguntei-lhe se a corda que atava seus braços era bastante forte e se ele não sentia força para se soltar. Ele fez um esforço e me disse: – Acho que sim. – Mas, se eu lhe arranjasse alguma coisa que pudesse manter seus braços mais forte-

mente presos, o senhor aceitaria? – Com reconhecimento, senhor. – Nesse caso, vou pedir ao brigadeiro da gendarmaria que me empreste o que ele usa para prender as mãos dos prisioneiros e lhe mandarei. – Com muito prazer" (*ibid.*, p. 398).

9. Na realidade, o oficial de justiça escreveu: "Estou convencido de que Jean Glenadel está afetado por uma mitomania delirante, nele caracterizada por uma propensão irresistível ao assassinato" (*ibid.*, pp. 398-9).

10. J.-.E.-D. Esquirol, *Des maladies mentales considérées sous les rapports médical, hygiénique et médico-légal*, I, Paris, 1838, pp. 376-93.

11. Ver a noção de "Todestriebe" em S. Freud, *Jenseits des Lustprinzips*, Leipzig-Viena-Zurique, 1920 (trad. fr.: "Au-delà du principe de plaisir", em *Essais de psychanalyse*, Paris, 1981, pp. 41-115) [trad. bras. *Além do princípio do prazer*. Rio de Janeiro: Imago, 2008]. Para compreender a diferença ressaltada por M. Foucault, cf. o verbete "Instinct", redigido por J.-J. Virey, em *Dictionnaire des sciences médicales*, XXV, Paris, 1818, pp. 367-413, assim como os verbetes "Instinct" redigidos por J. Laplanche e J.-B. Pontalis em *Vocabulaire de la psychanalyse*, Paris, 1990[10], p. 208 (1ª ed. Paris, 1967), e por Ch. Rycroft, em *A Critical Dictionary of Psychoanalysis*, Londres, 1968 [trad. fr.: *Dictionnaire de psychanalyse*, Paris, 1972, pp. 130-3 [trad. bras. *Dicionário crítico da psicanálise*. Rio de Janeiro: Imago, 1975]).

12. U. Trélat, *La folie lucide étudiée et considérée au point de vue de la famille et de la société*, Paris, 1861.

13. *Ibid.*, pp. VIII-IX.

14. *Ibid.*, p. IX: "É esta a origem deste livro, que foi escrito não por ódio aos alienados, mas menos no interesse deles do que no de seus aliados, e positivamente tendo em vista iluminar um terreno perigoso e diminuir, se possível, o número das uniões infelizes."

15. H. Legrand du Saulle, *La folie devant les tribunaux*, Paris, 1864, pp. 431-3, que toma esse caso do estudo de A. Bottex, *De la médicine légale des aliénés, dans ses rapports avec la législation criminelle*, Lyon, 1838, pp. 5-8.

16. Cf. *supra*, aula de 8 de janeiro.

17. U. Trélat, *La folie lucide*..., *op. cit.*, p. 36.

18. Cf. M. Foucault, "*Il faut défendre la société*", *op. cit.*, pp. 79-86 (aula de 4 de fevereiro de 1976).

19. J. Michelet, *Le Peuple*, Paris, 1846 [trad. bras. *O povo*. São Paulo: Martins Fontes, 1988]; E. Quinet, *La révolution*, I-II, Paris, 1865; id., *Critique de la révolution*, Paris, 1867.

20. Cf. M. Foucault, "*Il faut défendre la société*", *op. cit.*, pp. 193-212 (aula de 10 de março de 1976).

21. M. Foucault talvez se referisse aqui aos trabalhos de A. Verga e ao manual de C. Livi, *Frenologia forense*, Milão, 1868, que precedem em alguns anos as primeiras pesquisas sobre a psicologia mórbida da Comuna (por exemplo, H. Legrand du Saulle, *Le délire de persécution*, Paris, 1871, pp. 482-516). Mais tardio, o estudo de C. Lombroso & R. Laschi, *Il delitto politico e le rivoluzioni in rapporto al diritto, all'antropologia criminale ed alla scienza di governo*, Turim, 1890.

22. M. Foucault resume aqui algumas teses de C. Lombroso & R. Laschi, *Le crime politique et les révolutions, par rapport au droit, à l'anthropologie criminelle et à la science du gouvernement*, II, Paris, 1892, pp. 168-88 (cap. XV: "Facteurs individuels. Criminels politiques par passion"), 189-202 (cap. XVI: "Influence des génies dans les révolutions"), 203-7 (cap. XVII: "Rébellions et révolutions. Différences et analogies").

23. *Ibid.*, II, p. 44: "De 41 anarquistas de Paris, examinados por nós na Prefeitura de Polícia de Paris, foram encontrados: tipos de louco, 1 – tipos criminosos, 13 (31%) – semicriminosos, 8 – normais, 19. De 100 indivíduos detidos em Turim por causa das greves de 1º de maio

de 1890, encontrei uma proporção análoga: 34% de tipos fisionômicos criminosos; 30% de reincidentes de crimes ordinários. Já de 100 criminosos não políticos de Turim, o tipo [criminoso] se encontrava na proporção de 43%; a reincidência, de 50%."

24. J.-B.-V. Laborde, *Les hommes et les actes de l'insurrection de Paris devant la psychologie morbide*, Paris, 1872, pp. 30-6.

25. Ver o livro já citado de U. Trélat e os dois ensaios de J. C. Prichard, *A Treatise on Insanity and Other Disorders Affecting the Mind*, Londres, 1835; *On the Different Forms of Insanity in Relation to Jurisprudence*, Londres, 1842.

26. M. Foucault se refere essencialmente a "L'application de la physiologie des hallucinations à la physiologie du délire considéré d'une manière générale" (1845). Pode-se ler esse artigo, assim como a "Physiologie des hallucinations" e "La théorie de l'automatisme", em J.-G.-F. Baillarger, *Recherches sur les maladies mentales*, I, Paris, 1890, pp. 269-500.

27. Cf. W. Griesinger, *Die Pathologie und Therapie der psychischen Krankheiten für Aerzte und Studierende*, Stuttgart, 1845 (trad. fr. da edição alemã de 1861: *Traité des maladies mentales. Pathologie et thérapeutique*, Paris, 1865).

28. A definição de Esquirol, proposta pela primeira vez em *Des hallucinations chez les aliénés* (1817), se encontra em *Des maladies mentales..., op. cit.*, I, p. 188. Ver também o capítulo "Des hallucinations" e a memória "Des illusions chez les aliénés" (1832), *ibid.*, pp. 80-100, 202-24.

29. J. Falret, *De l'état mental des épileptiques*, Paris, 1861; E. Garimond, *Contribution à l'histoire de l'épilepsie dans ses rapports avec l'aliénation mentale*, Paris, 1877; E. Defossez, *Essai sur les troubles des sens et de l'intelligence causés par l'épilepsie*, Paris, 1878; A. Tamburini, *Sulla genesi delle allucinazioni*, Reggio Emilia, 1880; id., "La théorie des hallucinations", *Revue scientifique*, I, 1881, pp. 138-142; J. Seglas, *Leçons cliniques sur les maladies mentales et nerveuses*, Paris, 1895.

AULA DE 19 DE FEVEREIRO DE 1975

O campo da anomalia é atravessado pelo problema da sexualidade. – Os antigos rituais cristãos da revelação. – Da confissão tarifada ao sacramento da penitência. – Desenvolvimento da pastoral. – A "Prática do sacramento de penitência" de Louis Habert e as "Instruções aos confessores" de Carlos Borromeu. – Da confissão à direção de consciência. – O duplo filtro discursivo da vida na confissão. – A confissão depois do concílio de Trento. – O sexto mandamento: os modelos de interrogatório de Pierre Milhard e de Louis Habert. – Aparecimento do corpo de prazer e de desejo no âmago das práticas penitenciais e espirituais.

Vou retomar um pouco o fio das coisas que dissemos até agora. Da última vez eu havia tentado lhes mostrar como tinha se aberto diante da psiquiatria uma espécie de grande domínio de ingerência, que é o que podemos chamar de o anormal. A partir do problema localizado, jurídico-médico do monstro, uma espécie de explosão se dá em torno, a partir da noção de instinto e, mais tarde, por volta dos anos 1845-1850, abre-se à psiquiatria esse domínio de controle, análise, intervenção que podemos chamar de o anormal.

Ora, e é aqui que quero começar agora a outra parte da minha exposição, esse campo da anomalia vai se encontrar, desde bem cedo, quase de saída, atravessado pelo problema da sexualidade. E isso de duas maneiras. De um lado, porque esse campo geral da anomalia vai ser codificado, policiado, vão lhe aplicar logo, como gabarito geral de análise, o problema ou, em todo caso, a identificação dos fenômenos da herança e da degeneração[1]. Nessa medida, qualquer análise médica e psiquiátrica das funções de reprodução vai se ver implicada nos métodos de análise da anomalia. Em segundo lugar, no interior do domínio constituído por essa anomalia, vão ser identificados, é evidente, os distúrbios característicos da anomalia sexual – anomalia sexual que vai se apresentar primeiro como uma série de casos particulares de anomalia e, finalmente, bem depressa, por volta dos anos 1880-1890, vai aparecer como a raiz, o fundamento, o princípio etiológico geral da maioria das outras formas de anomalia. Assim, tudo isso começa bem cedo, na época em que eu tratava de identificar da última vez, isto é, por volta desses anos 1845-1850, que são caracterizados pela psiquiatria de Griesinger na Alemanha e de Baillarger na França. Em 1843, encontramos nos *Annales médico-psychologiques* (não é por certo o primeiro caso, mas parece-me um dos mais claros e mais significativos) um relatório psiquiátrico num caso penal. É um relatório feito por Brierre de Boismont, Ferrus e Foville, sobre um mestre-escola pederasta que se chamava Ferré e a propósito do qual fazem uma análise relativa, precisamente, à sua anomalia sexual[2]. Em 1849, vocês têm no *L'union médicale* um artigo de Michéa, que se chama "Déviations maladives de l'appétit génésique"[3]. Em 1857, esse célebre Baillarger, de que eu lhes falava, escreve um artigo sobre "imbecilidade e perversão do senso genésico"[4]. Moreau de Tours, em 1860-1861, acho, escreve "Aberrations du sens génésique"[5]. E temos a grande série dos alemães, com Krafft-Ebing,[6] e, em 1870, o primeiro artigo especulativo, teórico se vocês quiserem, sobre a homossexualidade, escrito por Westphal[7]. Estão vendo, pois, que a data de nascimento, em todo caso a data de eclosão, de abertura, dos campos da anomalia e, depois, sua travessia, se não seu policiamento, pelo problema da sexualidade são mais ou menos contemporâneos[8].

Então, eu queria tentar analisar o que é essa súbita ligação do problema da sexualidade à psiquiatria. Porque, se é verdade que o campo da anomalia é imediatamente conotado pelo menos de certo número de elementos concernentes à sexualidade, em compensação a parte da sexualidade na medicina da alienação mental era, se não nula, em todo caso extraordinariamente reduzida. O que aconteceu, portanto? De que se trata nesses anos 1845-1850? Como pôde acontecer que, bruscamente, no momento mesmo em que a anomalia se torna domínio de ingerência legítima da psiquiatria, a sexualidade passa a ser problema na psiquiatria? Eu gostaria de tentar lhes mostrar que não se trata, com efeito, do que poderíamos chamar de eliminação de uma censura, de fim de uma interdição de expressão. Não se trata de um avanço, primeiro timidamente técnico e médico, da sexualidade no interior de um tabu de discurso, de um tabu de palavra, de um tabu de enunciação, que teria pesado nessa sexualidade, desde o fundo das idades talvez, em todo caso certamente desde os séculos XVII ou XVIII. Creio que o que acontece por volta de 1850, e que tentarei analisar um pouco mais tarde, é na realidade um avatar, o avatar de um procedimento que não é, em absoluto, de censura, repressão ou hipocrisia, mas o avatar de um procedimento muito positivo, que é o da revelação forçada e obrigatória. De uma forma geral, eu direi o seguinte: a sexualidade, no Ocidente, não é o que se cala, não é o que se é obrigado a calar, mas é o que se é obrigado a revelar. Se houve efetivamente períodos durante os quais o silêncio sobre a sexualidade foi a regra, esse silêncio – que é sempre perfeitamente relativo, que nunca é total e absoluto – nunca passa de uma das funções do procedimento positivo da revelação. Foi sempre em correlação com esta ou aquela técnica da revelação obrigatória que foram impostas certas regiões de silêncio, certas condições e certas prescrições de silêncio. O que, a meu ver, é primeiro, o que é fundamental é esse procedimento de poder, que é a revelação forçada. É em torno desse procedimento que é necessário identificar, cuja economia é necessário ver, que a regra de silêncio pode atuar. Em outras palavras, não é a censura que é o processo primário e fundamental. Quer se entenda a censura como um recalque, quer simplesmente como uma hipocrisia, trata-se em todo caso de um processo negativo ordenado a uma mecânica positiva, que tentarei analisar. E direi inclusive o seguinte: se é verdade que, em certos períodos, o silêncio ou certas regiões de silêncio, ou certas modalidades de funcionamento do silêncio, foram de fato requeridos pela maneira mesma como a confissão era requerida, em compensação podemos perfeitamente encontrar épocas nas quais se acham justapostas tanto a obrigação da revelação estatutária, regulamentar, institucional da sexualidade, como uma enorme liberdade no nível das outras formas de enunciação da sexualidade[9].

Podemos imaginar – eu não sei, mas podemos imaginar, pois creio que agradaria a muita gente – que a regra de silêncio sobre a sexualidade só começou mesmo a pesar no século XVII (digamos, na época da formação das sociedades capitalistas), mas que antes todo o mundo podia dizer o que bem entendesse sobre a sexualidade[10]. Pode ser! Pode ser que fosse assim na Idade Média, pode ser que a liberdade de enunciação da sexualidade fosse muito maior na Idade Média do que nos séculos XVIII ou XIX. Mas o fato é que, no interior dessa espécie de campo de liberdade, você tinha um procedimento perfeitamente codificado, perfeitamente exigente, altamente institucionalizado, da revelação da sexualidade, que era a confissão sacramental. Mas devo lhes dizer que não creio que o exemplo da Idade Média esteja suficientemente elaborado pelos historiadores para que possamos ter fé nele. Olhem o que acontece agora. De um lado, vocês têm, atualmente, toda uma série de procedimentos institucionalizados de revelação da sexualidade: a psiquiatria, a psicanálise, a sexologia. Ora, todas essas formas de revelação, científica e economicamente codificadas, da sexualidade são correlatas do que podemos chamar de uma relativa libertação ou liberdade no nível dos enunciados possíveis sobre a sexualidade. A revelação não é, aí, uma espécie de maneira de atravessar, a despeito das regras, dos hábitos ou das morais, a regra de silêncio. A revelação e a liberdade de enunciação se defrontam, são complementares uma da outra. Se as pessoas vão tanto ao psiquiatra, ao psicanalista, ao sexólogo, para enunciar a questão da sua sexualidade, revelar o que é sua sexualidade, é porque há em toda parte, na propaganda, nos livros, nos romances, no cinema, na pornografia ambiente, todos os mecanismos de apelo que remetem o indivíduo, desse enunciado cotidiano da sexualidade, à revelação institucional e custosa da sua sexualidade ao psiquiatra, ao psicanalista e ao sexólogo. Temos então aí, atualmente, uma figura na qual a ritualização da revelação tem por *vis-à-vis* e por correlativo a existência de um discurso proliferante sobre a sexualidade.

O que eu gostaria de tentar fazer esboçando assim, muito vagamente, essa espécie de pequena história do discurso da sexualidade não é, portanto, de modo algum, colocar o problema em termos de censura da sexualidade. Quando houve censura da sexualidade? Desde quando se é obrigado a calar a sexualidade? A partir de que momento e em que condições pôde-se começar a falar da sexualidade? Eu gostaria de tentar inverter um pouco o problema e fazer a história da revelação da sexualidade. Isto é, em que condições e segundo que ritual foi organizada, no meio dos outros discursos sobre a sexualidade, certa forma de discurso obrigatório e forçado, que é a revelação da sexualidade? E, está claro, um panorama do ritual da penitência é que vai me servir de fio condutor.

Então, desculpando-me pelo caráter esquemático do que vou dizer, dessa espécie de panorama que vou tentar [esboçar], gostaria que vocês tivessem sempre em mente certo número de coisas que acho importantes[11]. Em primeiro lugar, a revelação não pertencia, originalmente, ao ritual da penitência. Foi tardiamente que, no ritual cristão da penitência, a revelação tornou-se necessária e obrigatória. Em segundo lugar, o que se deve reter é que a eficácia dessa revelação, o papel da revelação no procedimento da penitência mudou consideravelmente desde a Idade Média até o século XVII. São coisas, creio, a que eu já havia feito alusão, faz dois ou três anos, e sobre as quais vou voltar portanto bem rapidamente[12].

Primeiramente, o ritual da penitência não comportava, originalmente, a revelação obrigatória. O que era a penitência no cristianismo primitivo? A penitência era um estatuto que as pessoas adotavam de forma deliberada e voluntária, num momento dado da sua existência, por certo número de razões que podiam ser ligadas a um pecado enorme, considerável e escandaloso, mas que podia perfeitamente ser motivado por uma razão bem diferente. Em todo caso, era um estatuto que se adotava, e que se adotava de uma vez por todas, de um modo que era na maioria das vezes definitivo:

só se podia ser penitente uma vez na vida. Era o bispo, e somente o bispo, que tinha o direito de conferir, a quem o pedia, o estatuto de penitente. E isso numa cerimônia pública, durante a qual o penitente era ao mesmo tempo repreendido e exortado. Depois dessa cerimônia, o penitente entrava nessa ordem da penitência, que implicava o uso do cilício, de hábitos especiais, a interdição dos cuidados de limpeza, a exclusão solene da Igreja, a não participação nos sacramentos, em todo caso na comunhão, a imposição de jejuns rigorosos, a interrupção de toda relação sexual e a obrigação de sepultar os mortos. Quando o penitente saía do estado de penitência (às vezes, ele não saía e permanecia penitente até o fim da vida), era em consequência de um ato solene de reconciliação, que suprimia seu estatuto de penitente, não sem deixar certo número de vestígios, como a obrigação de castidade, que em geral durava até o fim da vida.

Vocês estão vendo que, nesse ritual, a revelação pública dos erros não era absolutamente exigida, a revelação privada nem mesmo o era, se bem que, quando o penitente ia ter com o bispo para lhe pedir que este lhe conferisse o estatuto de penitente, em geral expunha seus motivos e suas justificações. Mas a ideia de uma confissão geral de todos os pecados da sua vida, a ideia de que essa revelação poderia ser de uma eficácia qualquer na remissão do pecado estava absolutamente excluída pelo sistema. Se podia haver remissão dos pecados, era unicamente em função da severidade das penas que o indivíduo se aplicava, ou aceitava se aplicar, adotando o estatuto de penitente. Nesse antigo sistema, em seus desdobramentos, ou antes, com esse antigo sistema, enredou-se a partir de certo momento (isto é, a partir do século VI, mais ou menos) o que se chamava penitência "tarifada", que tem um modelo totalmente diferente. O sistema de que eu estava lhes falando era manifestamente comandado pelo modelo da ordenação. Já a penitência tarifada tem um modelo essencialmente laico, judiciário e penal. Foi com base na penalidade germânica que a penitência tarifada se instaurou. A penitência tarifada consistia no seguinte. Quando um fiel havia cometido um pecado, ele podia, ou antes, devia (e nesse momento, como estão vendo, começa-se a passar da livre possibilidade, da livre decisão, à obrigação) ver um padre, contar-lhe o erro cometido e, a esse erro, que devia sempre ser um erro grave, o padre respondia propondo ou impondo uma penitência – que se chamava uma "satisfação". A cada pecado devia corresponder uma satisfação. A consumação dessa satisfação, e somente ela, podia acarretar, sem nenhuma cerimônia suplementar, a remissão do pecado. Portanto estamos ainda num tipo de sistema em que apenas a satisfação – isto é, como diríamos, a penitência, no sentido estrito, consumada – era a consumação dessa satisfação que possibilitava ao cristão ter seu pecado remido. Quanto às penitências, eram tarifadas no sentido de que existia, para cada tipo de pecado, um catálogo de penitências obrigatórias, exatamente do mesmo modo que, no sistema da penalidade laica, para cada um dos crimes e delitos havia uma reparação institucional concedida à vítima para que o crime fosse extinto. Com esse sistema da penitência tarifada, que é de origem irlandesa, logo não latina, o enunciado do erro começa a ter um papel necessário. De fato, a partir do momento em que é preciso, após cada falta, cada falta grave em todo caso, dar certa satisfação, e a partir do momento em que a tarifa dessa satisfação é indicada, prescrita, imposta por um padre, o enunciado da falta, após cada uma das faltas, se torna indispensável. Além disso, para que o padre possa aplicar a penitência adequada, a satisfação adequada, para que possa igualmente distinguir as faltas graves das que não o são, não apenas é preciso dizer a falta, é preciso enunciar a falta, mas também contá-la, relatar as circunstâncias, explicar como foi feita. É assim que, pouco a pouco, através dessa penitência cuja origem é manifestamente judiciária e leiga, começa a se formar essa espécie de pequeno núcleo ainda limitadíssimo e sem nenhuma outra eficiência além da utilitária: o núcleo da revelação.

Um dos teólogos da época, Alcuíno, dizia: "O que o poder sacerdotal pode absolver em termos de falta, se ele não conhece os laços que amarram o pecador? Os médicos não poderão fazer mais nada no dia em que os doentes se recusarem a mostrar suas feridas. O pecador deve pois ir ver um padre, como o doente deve ir ver o médico, explicando-lhe de que sofre e qual a sua doença."[13] Mas, fora dessa espécie de implicação necessária, a revelação, em si, não tem valor, não tem eficácia. Ela permite simplesmente que o padre determine a pena. Não é a revelação que, de uma maneira ou de outra, vai provocar a remissão dos pecados. No máximo, encontramos o seguinte nos textos da época (isto é, entre os séculos VIII e X da era cristã): a revelação, a revelação feita ao padre, é uma coisa penosa, que acarreta um sentimento de vergonha. Nessa medida, a revelação mesma já é uma espécie de pena, é como um início de expiação. Alcuíno diz dessa confissão, que se tornou necessária para que o padre desempenhe seu papel de quase médico, que ela é um sacrifício, porque provoca a humilhação e faz enrubescer. Ela provoca a *erubescentia*. O penitente enrubesce quando fala e, por causa disso, "dá a Deus – diz Alcuíno – uma justa razão para perdoá-lo"[14]. Ora, a partir desse início de importância, de eficácia, que é atribuída ao fato mesmo de confessar seus pecados, certo número de deslizamentos vão se produzir. Porque, se é verdade que o fato de revelar já é um início de expiação, será que não se poderá chegar, no limite, ao seguinte: que uma revelação suficientemente custosa, suficientemente humilhante, fosse por si só a penitência? Não se poderia, por conseguinte, substituir as grandes satisfações que são, por exemplo, o jejum, o uso do cilício, a peregrinação, etc., por uma pena que seria simplesmente o enunciado da falta mesma? A *erubescentia*, a humilhação constituiria o próprio âmago, a parte essencial da pena. Assim, vemos difundir-se, por volta dos séculos IX, X, XI, a confissão entre os leigos[15]. Afinal de contas, quando se comete um pecado, não havendo um padre ao alcance, pode-se simplesmente enunciar seu pecado a alguém (ou a várias pessoas) junto de quem o pecador se encontra, que de certo modo está a seu alcance, e envergonhar-se contando a essa pessoa seus pecados. Com isso, a confissão ocorrerá, a expiação terá funcionado e a remissão dos pecados será concedida por Deus.

Vocês estão vendo que pouco a pouco o ritual da penitência, ou antes, essa tarifação quase jurídica da penitência, tende a se deslocar para formas simbólicas. Ao mesmo tempo, o mecanismo da remissão dos pecados, essa espécie de elemento operador que garante que os pecados vão ser remidos, se estreita cada vez mais em torno da revelação mesma. E, à medida que o mecanismo de remissão dos pecados se estreita em torno da revelação, o poder do padre e, com maior razão, o poder do bispo é relaxado outro tanto. Ora, o que vai acontecer na segunda parte da Idade Média (do século XII ao início do Renascimento) é que a Igreja vai recuperar de certa forma, no interior do poder eclesiástico, esse mecanismo da revelação que até certo ponto a tinha despojado de seu poder na operação penitencial. Essa reinserção da revelação no interior de um poder eclesiástico fortalecido é o que vai caracterizar a grande doutrina da penitência que vemos se formar na época dos escolásticos. E isso por vários procedimentos. Primeiramente, vemos aparecer no século XII [*rectius*: século XIII] a obrigação de se confessar regularmente, pelo menos uma vez por ano para os leigos, uma vez por mês ou mesmo por semana para os clérigos[16]. Logo, os fiéis não se confessam mais quando cometem uma falta. Eles podem, e até devem se confessar assim que cometem uma falta grave, mas, como quer que seja, vão ter de se confessar regularmente, pelo menos de ano em ano. Em segundo lugar, a obrigação da continuidade. Isso quer dizer que todos os pecados deverão ser ditos, desde pelo menos a confissão precedente. Aqui também, a vez por vez desaparece e a totalização, pelo menos a totalização parcial, desde a confissão precedente, é exigida. Enfim, e sobretudo, obrigação de exaustividade. Não bastará dizer o pecado no momento em que foi cometido, e por achá-lo particularmente grave. Vai ser preciso enunciar todos os pecados, não apenas os graves, mas também os que são menos graves. Porque será papel do padre distinguir o que é venial do que é mortal; cabe ao padre manipular essa sutilíssima distinção que os teólogos fazem entre pecado venial e pecado mortal, que, como vocês sabem, podem se transformar um no outro, conforme as circunstâncias, conforme o tempo da ação, conforme as pessoas, etc. Portanto, existe a obrigação de regularidade, de continuidade, de exaustividade. Com isso, temos uma formidável extensão da obrigação da penitência, logo da confissão sacramental, logo da própria revelação das faltas.

Ora, a essa extensão considerável vai corresponder um poder do padre que é ampliado nas mesmas proporções. De fato, o que vai garantir a regularidade da confissão é que não apenas os fiéis serão obrigados a se confessar anualmente, mas que deverão se confessar a um padre em particular, o mesmo, aquele que é seu padre pessoal, como se diz, aquele a que estão subordinados, o vigário da paróquia, em geral. Em segundo lugar, o que vai garantir a continuidade da confissão, o que vai garantir que o fiel não vai se esquecer de nada desde a última confissão, é que ele deverá, ao ritmo habitual das confissões, acrescentar o ritmo, de certo modo de ciclo mais amplo, da confissão geral. É recomendado, é prescrito aos fiéis fazer várias vezes na vida uma confissão geral, que retomará todos os seus pecados desde o início da sua existência. Enfim, o que vai garantir a exaustividade é que o padre não vai mais se contentar com a revelação espontânea do fiel, que vem vê-lo depois de ter cometido uma falta e por ter cometido uma falta. O que vai garantir a exaustividade é que o padre vai controlar pessoalmente o que o fiel diz: ele vai pressioná-lo, vai questioná-lo, vai precisar sua revelação, por toda uma técnica de exame de consciência. Vemos formar-se nessa época (séculos XII-XIII) um sistema de interrogação codificado segundo os mandamentos de Deus, segundo os sete pecados capitais, segundo, eventualmente, pouco mais tarde, os mandamentos da Igreja, a lista das virtudes, etc. De sorte que a revelação total vai estar, na penitência do século XII, totalmente policiada pelo poder do padre. Mas não é tudo. Há mais para reinserir fortemente a revelação das faltas nessa mecânica do poder eclesiástico. É que, doravante, sempre a partir dos séculos XII-XIII, o padre não vai mais ser condicionado pela tarifa das satisfações. Doravante, ele próprio vai estipular as penas que deseja, em função dos pecados, em função das circunstâncias, em função das pessoas. Não há mais nenhuma tarifa obrigatória. O decreto de Graciano diz: “As penas são arbitrárias.”[17] Em segundo lugar, e sobretudo, o padre é agora o único a deter o “poder das chaves do reino dos céus”. Não se trata mais, a pretexto de fazer enrubescer, de contar seus pecados; não se trata mais de se confessar a qualquer um, mas somente a um padre. Só há penitência se houver confissão, mas só pode haver confissão se a confissão for feita a um padre. Esse poder das chaves do reino dos céus, que somente o padre detém, lhe dá, nesse momento, a possibilidade de remir ele próprio os pecados, ou antes, praticar esse ritual da absolvição que é tal que, através dele, isto é, através dos gestos e das palavras do padre, é Deus mesmo que redime dos pecados. A penitência se torna, nesse momento, em sentido estrito, um sacramento. É somente no século XII-XIII que se forma essa teologia sacramental da penitência. Até então a penitência era um ato pelo qual o pecador pedia a Deus que o redimisse de seus pecados. A partir do século XII-XIII é o próprio padre que, dando livremente sua absolvição, vai provocar essa operação de natureza divina, mas com mediação humana, que será a absolvição. Daí em diante, podemos dizer que o poder do padre é firmemente ancorado, e definitivamente ancorado, no interior do procedimento da revelação das faltas.

Toda a economia sacramental da penitência, tal como vamos conhecê-la não apenas por volta do fim da Idade Média mas até nossos dias, está mais ou menos estabelecida. Ela se caracteriza por dois ou três grandes atributos. Em primeiro lugar, posição central da revelação no mecanismo de remissão dos pecados. É absolutamente necessário revelar. Tem de se revelar tudo. Não se deve omitir nada. Em segundo lugar, extensão considerável desse domínio da revelação, já que não se trata mais de simplesmente revelar os pecados graves, mas sim de revelar tudo. E, por fim, crescimento correlativo do poder do padre, que agora dá a absolvição, e de seu saber, pois agora, no interior do sacramento da penitência, ele tem de controlar o que se diz, tem de interrogar, tem de impor os marcos do seu saber, da sua experiência e dos seus conhecimentos, tanto morais como teológicos. Forma-se assim, em torno da revelação, como peça central da penitência, todo um mecanismo em que o poder e o saber do padre e da Igreja estão implicados. É essa a economia central e geral da penitência, tal como é estabelecida em meados da Idade Média e tal como funciona ainda hoje.

Ora, o que eu queria lhes mostrar agora, para nos aproximarmos enfim do nosso tema, é o que aconteceu a partir do século XVI, isto é, desse período que se caracteriza não tanto pelo começo de uma descristianização, mas antes, como certo número de historiadores mostraram, por uma fase de cristianização em profundidade[18]. Da Reforma à caça às bruxas, passando pelo concílio de Trento, temos toda uma época que é aquela em que começam a se formar, de um lado, os Estados modernos e em que, ao mesmo tempo, comprimem-se os marcos cristãos sobre a existência individual. No que concerne à penitência e à confissão, pelo menos

nos países católicos (deixo de lado os problemas protestantes, que logo vamos encontrar sob outro prisma), creio que podemos caracterizar o que aconteceu da seguinte maneira. De um lado, manutenção e renovação explícita, pelo concílio de Trento, da armadura sacramental da penitência, de que acabo de falar, e emprego extensivo de todo um imenso dispositivo de discurso e exame, de análise e controle, no interior e em torno da penitência propriamente dita. Esse emprego assume dois aspectos. De um lado, extensão do domínio da confissão, tendência a uma generalização da revelação. Tudo ou quase tudo da vida, da ação, dos pensamentos de um indivíduo deve poder passar pelo filtro da revelação, se não, é claro, a título de pecado, em todo caso a título de elemento pertinente para um exame, para uma análise, que a confissão doravante requer. Correlativamente a essa formidável extensão do domínio da confissão sacramental e da revelação das faltas, temos a acentuação ainda mais acentuada do poder do confessor; ou antes, seu poder como senhor da absolvição, esse poder que ele adquiriu a partir do momento em que a penitência se tornou um sacramento vai se ver flanqueado de todo um conjunto de poderes adjacentes, que ao mesmo tempo o apoiam e lhe dão uma extensão. Em torno do privilégio da absolvição começa a proliferar o que poderíamos chamar de direito de exame. Para sustentar o poder sacramental das chaves do reino dos céus forma-se o poder empírico do olho, do olhar, do ouvido, da audição do padre. Donde esse formidável desenvolvimento da pastoral, isto é, dessa técnica que é proposta ao padre para o governo das almas. No momento em que os Estados estavam se colocando o problema técnico do poder a exercer sobre os corpos e dos meios pelos quais seria efetivamente possível pôr em prática o poder sobre os corpos, a Igreja, de seu lado, elaborava uma técnica de governo das almas, que é a pastoral, a pastoral definida pelo concílio de Trento[19] e retomada, desenvolvida em seguida por Carlos Borromeu[20].

No interior dessa pastoral como técnica do governo das almas, a penitência, é claro, tem uma importância maior, eu ia dizendo quase exclusiva[21]. Em todo caso, vemos desenvolver-se, a partir desse momento, toda uma literatura que poderíamos chamar de literatura de partidas dobradas: literatura destinada aos confessores e literatura destinada aos penitentes. Mas a literatura destinada aos penitentes, esses pequenos manuais de confissão que lhes põem nas mãos, não passa no fundo do reverso da outra, a literatura para os confessores, os grandes tratados, seja de casos de consciência, seja de confissão, que os padres devem possuir, devem conhecer, devem consultar eventualmente, se necessário. E parece-me que a peça essencial é precisamente essa literatura para os confessores, que constitui o elemento dominante. É nela que encontramos a análise do procedimento de exame, que a partir de então é da alçada e iniciativa do padre e que vai, pouco a pouco, ocupar todo o espaço da penitência e mesmo se estender muito além da penitência.

Essa técnica da penitência que o padre deve agora conhecer e possuir, que deve impor aos penitentes, em que consiste? Primeiro, é necessária toda uma qualificação do próprio confessor. O confessor deve possuir certo número de virtudes que lhe são próprias, em primeiro lugar o poder: ele deve ter o caráter sacerdotal, de um lado, e, de outro, o bispo deve ter lhe dado uma autorização para confessar. Em segundo lugar, o padre deve possuir outra virtude, que é o zelo. (Sigo um tratado de prática penitencial que foi escrito no fim do século XVII por Habert e que representa, sem dúvida, uma tendência rigorista, mas que é, ao mesmo tempo, uma das elaborações sem dúvida mais pormenorizadas dessa técnica da penitência)[22]. O padre deve possuir, além do poder, o zelo, isto é, certo "amor" ou "desejo". Mas esse amor ou desejo que caracteriza o padre, enquanto confessa, não é um "amor de concupiscência", é um "amor de benevolência": um amor que "prende o confessor aos interesses dos outros". É um amor que combate os que, dentre os cristãos e não cristãos, "resistem" a Deus. É enfim um amor que "inflama", ao contrário, os que estão dispostos a servir a Deus. É portanto esse amor, é portanto esse desejo, é portanto esse zelo que devem estar efetivamente presentes, em ação, na confissão, enfim, no sacramento da penitência[23]. Em terceiro lugar, o padre deve ser santo, isto é, não deve estar em estado de "pecado mortal", se bem que, no limite, este não seja um interdito canônico[24]. A partir do momento em que um padre é ordenado, mesmo que esteja em estado de pecado mortal, a absolvição que ele der continuará sendo válida[25]. Mas o que se entende por santidade do padre é que ele deve "estar consolidado na prática da virtude", precisamente por causa de todas as "tentações" a que o ministério da penitência vai expô-lo. O confessionário – diz Habert – é como o "quarto de um doente", isto é, reina ali certo "ar nocivo", um "ar nocivo" que ameaça contaminar o próprio padre, a partir dos pecados do penitente[26]. É necessária portanto, como uma espécie de couraça e de proteção, como garantia de não comunicação do pecado no momento mesmo da enunciação desse pecado, a santidade do confessor. Comunicação verbal, mas não comunicação real; comunicação no nível do enunciado, que não deve ser uma comunicação no nível da culpa. O que o penitente mostrará do seu desejo não deve se transformar em desejo do confessor, donde o princípio da santidade[27]. É necessário enfim que o padre que confessa tenha um santo horror dos pecados veniais. E isso não apenas no que concerne aos pecados dos outros, mas aos seus próprios. Porque se o padre não possui, se não é animado pelo horror aos pecados veniais no que concerne a si mesmo, sua caridade vai se apagar como o fogo é apagado pela cinza. De fato, os pecados veniais cegam o espírito, grudam na carne[28]. Assim sendo, esse amor de zelo e benevolência que o confessor tem pelo penitente, mas que é corrigido pela santidade, que anula o mal do pecado no momento mesmo em que é comunicado, esse duplo processo não poderá funcionar se o confessor estiver demasiado ligado a seus pecados, e mesmo a seus pecados veniais[29].

O confessor deve ser zeloso, o confessor deve ser santo, o confessor deve ser sábio. Deve ser sábio a três títulos (continuo seguindo o tratado de Habert): deve ser sábio "como juiz", porque "deve saber o que é permitido e o que é proibido"; deve conhecer a lei, tanto as "leis divinas" como as "leis humanas", tanto as leis "eclesiásticas" como as leis "civis"; deve ser sábio "como médico", porque deve reconhecer nos pecados não apenas o ato de infração que foi cometido, mas a espécie de doença que existe sob o pecado e que é a razão de ser do pecado. Deve conhecer as "doenças espirituais", deve conhecer as "causas" delas, deve conhecer "remédios" para elas. Ele deve reconhecer essas doenças segundo sua "natureza", deve reconhecê-las segundo seu "número". Deve distinguir o que é verdadeira doença espiritual do [que é] simples "imperfeição". Deve enfim ser capaz de reconhecer as doenças que induzem ao "pecado venial" e as que induzem ao "pecado mortal". Sábio portanto como juiz[30], sábio como médico[31], também deve ser sábio "como guia"[32]. Porque ele deve "regrar a consciência de seus penitentes". Deve "lembrá-los de seus erros e descaminhos". Deve "fazer que evitem os escolhos" que se apresentam diante deles[33]. Enfim, ele não é apenas zeloso, santo e sábio, mas deve também ser prudente. A prudência é a arte, que o confessor deve possuir, de ajustar essa ciência, esse zelo, essa santidade às circunstâncias particulares. "Observar todas as circunstâncias, compará-las umas com as outras, descobrir o que está escondido sob o que aparece, prever o que pode acontecer", eis, de acordo com Habert, em que deve consistir a prudência necessária do confessor[34].

Dessa qualificação, que, como vocês estão vendo, é bem diferente da que era requerida na Idade Média, decorrem certo número de coisas. Na Idade Média, o que é essencial e suficiente para o padre, afinal de contas, é em primeiro lugar ter sido ordenado, em segundo ouvir o pecado, em terceiro decidir, a partir daí, qual a penitência a aplicar, quer aplique a velha tarifa obrigatória, quer escolha arbitrariamente a pena. A partir de então, a esses simples requisitos se soma toda uma série de condições suplementares que vão qualificar o padre como pessoa que intervém como tal, não tanto no sacramento como na operação geral de exame, análise, correção e orientação do penitente. É que, de fato, as tarefas que o padre terá de cumprir, a partir daí, são numerosíssimas. Não se tratará apenas de dar uma absolvição; ele deverá primeiro favorecer e suscitar as boas disposições do penitente. Isso significa que, no momento em que o penitente chega para fazer sua confissão, ele deverá lhe mostrar certa qualidade de acolhida, mostrar que está disponível, que está aberto à confissão que vai ouvir. De acordo com são Carlos Borromeu, o padre deve receber com "prontidão e facilidade" "os que se apresentam": nunca deve "mandá-los embora abominando esse trabalho". Segunda regra, regra da atenção benevolente, ou antes, da não manifestação da ausência de espera benevolente: nunca "atestar aos penitentes", "nem mesmo por sinal ou palavra", que eles não são ouvidos "de boa vontade". Regra, enfim, do que poderíamos chamar de duplo consolo na dor. Os pecadores que se apresentam diante do confessor têm de se consolar constatando que o próprio confessor recebe "um consolo sensível e um prazer singular nas dores que assumem para o bem e para o alívio das almas deles, pecadores". Há toda uma economia da dor e do prazer: dor do penitente que não gosta de vir confessar suas faltas, consolo que sente ao ver que o confessor, diante do qual ele se apresenta, se condói ao ouvir seus pecados, mas se consola da dor que assim sente garantindo pela confissão o alívio da alma do penitente[35]. É esse duplo investimento da dor, do prazer, do alívio – duplo investimento vindo da parte do confessor e da parte do penitente – que vai garantir a boa confissão.

Tudo isso pode parecer teórico e sutil para vocês. Na verdade, tudo isso se cristalizou no interior de uma instituição, ou antes, de um pequeno objeto, de um pequeno móvel, que vocês conhecem bem e que é o confessionário: o confessionário como lugar aberto, anônimo, público, presente dentro da igreja, aonde um fiel pode vir se apresentar e onde encontrará sempre à sua disposição um padre que o ouvirá, ao lado do qual ele se vê imediatamente situado, mas do qual, apesar disso, é separado por uma cortininha ou uma pequena grade[36]. Tudo isso é, de certo modo, a cristalização material de todas essas regras que caracterizam ao mesmo tempo a qualificação e o poder do confessor. O primeiro confessionário é mencionado, parece, no ano de 1516, isto é, um ano depois da batalha de Marignan[37]. Antes do século XVI, não havia confessionários[38].

Após essa acolhida assim caracterizada, o padre deverá procurar os sinais da contrição. Ele precisará saber se o penitente que se apresenta está de fato nesse estado de contrição que possibilitará efetivamente a remissão dos pecados[39]. Deverá então submetê-lo a certo exame, que é em parte verbal, em parte mudo[40]. Deverá lhe fazer perguntas sobre a preparação da sua confissão, sobre o momento em que se confessou pela última vez[41]. Deverá perguntar também, se o penitente mudou de confessor, por que o fez. Por acaso veio procurar um confessor mais indulgente, caso em que sua contrição não seria real e profunda?[42] Ele precisa também, sem dizer nada, observar seu comportamento, suas roupas, seus gestos, suas atitudes, o som da sua voz, mandar embora é claro as mulheres que viessem "frisadas, maquiadas [e empoadas]"[43].

Depois dessa avaliação da contrição do penitente, deverá proceder ao exame de consciência propriamente dito. Se for uma confissão geral, deverá (cito certo número de regulamentos que foram publicados nas dioceses após o concílio de Trento e em função das regras pastorais estabelecidas por Carlos Borromeu em Milão)[44] exortar o penitente a "representar dentro de si mesmo toda a sua vida" e representar toda a sua vida de acordo com certo gabarito. Primeiro, repassar as épocas importantes da existência; depois, acompanhar os diferentes estados por que passou: solteiro, casado, profissão que exerceu; retomar em seguida os diferentes exames das fortunas e infortúnios que teve; enumerar e examinar os diferentes países, lugares e casas que frequentou[45]. Deverá interrogar o penitente sobre as confissões anteriores[46]. Depois interrogar por ordem, seguindo primeiramente a lista dos "mandamentos de Deus"; depois a lista dos "sete pecados capitais"; depois os "cinco sentidos do homem"; depois os "mandamentos da Igreja"; depois a lista das "obras de misericórdia"[47]; depois as três virtudes cardeais; depois as três virtudes ordinais[48]. Enfim, só depois desse exame é que o confessor poderá impor a "satisfação"[49]. E aí, na satisfação, o confessor deverá levar em conta dois aspectos da penitência propriamente dita, da pena: o aspecto penal, a punição em sentido estrito, e o aspecto que, a partir do concílio de Trento, é chamado de aspecto "medicinal" da satisfação, o aspecto medicinal ou corretivo, isto é, o que deve possibilitar que, no futuro, o penitente seja preservado de uma recaída[50]. Essa busca da satisfação com uma dupla face, penal e medicinal, também deverá obedecer a um certo número de regras. O penitente terá de aceitar a pena, e não apenas aceitar, mas reconhecer sua utilidade e até mesmo sua necessidade. É nesse espírito, por exemplo, que Habert recomenda ao confessor que peça para o próprio penitente determinar sua penitência, depois convencê-lo de que sua penitência não é suficiente, se ele escolher uma demasiado leve. O confessor também deverá impor certo número de remédios, de certo modo segundo as regras médicas: curar os contrários pelos contrários, a avareza pelas esmolas, a concupiscência pelas mortificações[51]. Será enfim necessário encontrar penas que levem em conta tanto a gravidade das faltas como as disposições próprias do penitente[52].

Não acabaríamos mais de enumerar o enorme arsenal de regras que cercam essa nova prática da penitência, ou antes, essa nova e formidável extensão dos mecanismos de discurso, dos mecanismos de exame e de análise que se investem no próprio interior do sacramento da penitência. Não tanto uma fragmentação da penitência quanto uma formidável hipertrofia do sacramento da penitência, que introduz a vida inteira dos indivíduos muito mais no procedimento do exame geral do que da absolvição. Ora, a isso devemos acrescentar que, a partir da pastoral borromiana, portanto a partir da segunda metade do século XVI, vai se desenvolver a prática, não exatamente da confissão, mas da direção de consciência. Nos meios mais cristianizados, mais urbanizados também, nos seminários e também, até certo ponto, nos colégios, vamos encontrar justapostas a regra da penitência e da confissão, e a regra ou, em todo caso, a viva recomendação da direção de consciência. O que é o diretor de consciência? Cito-lhes a definição e as obrigações de acordo com o regulamento do seminário de Châlons (é um regulamento que data do século XVII), em que está dito: "No desejo que cada um deve ter de seu progresso na perfeição, os seminaristas terão o cuidado de ver de quando em quando seu diretor fora da confissão." E o que vão dizer a esse diretor? O que vão fazer desse diretor? "Tratarão com ele do que diz respeito a seus progressos na virtude, da maneira como se comportam com o próximo e em suas ações exteriores. Tratarão também com eles do que diz respeito à sua pessoa e a seu interior."[53] (A definição que Olier dava do diretor de consciência era a seguinte: "aquele a quem um comunica seu interior)"[54]. Deve-se tratar portanto com o diretor do que diz respeito à pessoa e ao interior: as pequenas penas do espírito, as tentações e os maus hábitos, a repugnância ao bem, até as faltas mais comuns, com as fontes de que procedem e os meios que devem ser utilizados para corrigi-las. E Beuvelet, em suas *Meditações*, dizia: "Se, para o aprendizado do mais humilde ofício, é preciso passar pelas mãos dos mestres; se, para a saúde do corpo, consultamos os médicos [...], quão mais devemos consultar as pessoas peritas no assunto da nossa salvação." Os seminaristas devem, portanto, nessas condições, considerar seu diretor como um "anjo tutelar". Devem falar com ele "de coração aberto, com toda sinceridade e fidelidade", sem "simulação", nem "dissimulação"[55]. Estão vendo que, além dessa espécie de investimento geral do relato e do exame da vida inteira na confissão, há um segundo investimento dessa mesma vida inteira, até em seus mais ínfimos detalhes, na direção de consciência. Duplo fechamento, duplo filtro discursivo, no interior do qual todos os comportamentos, todas as condutas, todas as relações com o outro, todos os pensamentos também, todos os prazeres, todas as paixões (voltarei a isso em seguida) devem ser filtrados.

Em suma, desde a penitência tarifada da Idade Média até o século XVII-XVIII, vê-se essa espécie de imensa evolução que tende a dobrar uma operação, que não era nem sequer sacramental no início, com toda uma técnica concertada de análises, opções refletidas, gestão contínua das almas, condutas e, finalmente, corpos; uma evolução que reinsere as formas jurídicas da lei, da infração e da pena, que no início haviam modelado a penitência – reinserção dessas formas jurídicas em todo um campo de procedimentos que são, como vocês estão vendo, da ordem da correção, da orientação e da medicina. Enfim, é uma evolução que tende a substituir ou, em todo caso, a sustentar a confissão pontual da falta por todo um imenso percurso discursivo que é o percurso contínuo da vida diante de uma testemunha, o confessor ou o diretor, que deve ser ao mesmo tempo juiz e médico, que define em todo caso as punições e as prescrições. Essa evolução, bem entendido, tal como a esbocei muito apressadamente, é própria da Igreja católica. Através de instituições extraordinariamente diferentes, e com uma fragmentação fundamental tanto da teoria como das formas religiosas, veríamos uma evolução mais ou menos do mesmo tipo nos países protestantes. Em todo caso, na mesma época em que se constitui essa grande prática da confissão-exame de consciência e da direção de consciência como filtro discursivo perpétuo da existência, vemos surgir, por exemplo nos meios puritanos ingleses, o procedimento da autobiografia permanente, em que cada um conta a si mesmo e aos outros, a seu *entourage*, às pessoas da sua comunidade, sua vida, para que se possa detectar nela os sinais da eleição divina. É a instauração no interior dos mecanismos religiosos desse imenso relato total da existência que constitui, a meu ver, de certo modo, o pano de fundo de todas as técnicas tanto de exame como de medicalização, a que vamos assistir em seguida.

Estabelecido esse pano de fundo, eu gostaria de dizer algumas palavras sobre o sexto mandamento, isto é, sobre o pecado da luxúria e a posição que a luxúria e a concupiscência ocupam nesse estabelecimento dos procedimentos gerais do exame. Antes do concílio de Trento, isto é, no período da penitência "escolástica", entre os séculos XII e XVI, como era definida a confissão da sexualidade? Ela era comandada essencialmente pelas formas jurídicas: o que se pedia ao penitente quando o interrogavam ou o que ele tinha a dizer se falava espontaneamente, eram as faltas contra certo número de regras sexuais. Essas faltas eram essencialmente a fornicação: o ato entre pessoas que não são ligadas nem por voto, nem por casamento; em segundo lugar, o adultério: o ato entre pessoas casadas, ou o ato entre uma pessoa não casada e uma pessoa casada; o estupro: o ato que se comete com uma virgem que consentiu, mas que não é necessário tomar como esposa ou dotar; o rapto: a captura por meio de violência com ofensa carnal. Havia a moleza: as carícias que não induzem a um ato sexual legítimo; havia a sodomia: a consumação sexual num vaso não natural; havia o incesto: conhecer um parente de consanguinidade ou de afinidade, até o quarto grau; e havia enfim a bestialidade: o ato cometido com um animal. Ora, essa filtragem das obrigações ou das infrações sexuais concerne quase inteiramente, quase exclusivamente, ao que poderíamos chamar de aspecto relacional da sexualidade. Os principais pecados contra o sexto mandamento se referem aos vínculos jurídicos entre as pessoas: o adultério, o incesto, o rapto. Eles se referem ao estatuto das pessoas, conforme sejam clérigos ou religiosos. Também se referem à forma do ato sexual entre elas: a sodomia. Eles se referem, é claro, a essas tais carícias que não levam ao ato sexual legítimo (*grosso modo*, a masturbação), mas que figuram no interior desses pecados como um deles, como sendo certa maneira de não consumar o ato sexual na sua forma legítima, isto é, na forma requerida no nível das relações com o parceiro.

A partir do século XVI, essa espécie de contexto – que não vai desaparecer dos textos, que ainda vamos encontrar por muito tempo – vai ser pouco a pouco extrapolada e submersa por uma tríplice transformação. Em primeiro lugar, no próprio nível da técnica da confissão, a interrogação sobre o sexto mandamento vai colocar certo número de problemas particulares, tanto para o confessor, que não deve se macular, como para o penitente, que nunca deve confessar menos do que fez, mas que nunca deve, no curso da confissão, aprender mais do que sabe. A revelação das faltas de luxúria vai, portanto, ser feita de tal sorte que mantenha a pureza sacramental do padre e a ignorância natural do penitente. O que implica certo número de regras. Passo rápido por elas: o confessor deve saber apenas do que "for necessário"; deve esquecer tudo o que lhe foi dito no exato momento em que a confissão terminar; deve primeiro interrogar sobre os "pensamentos", para não ter de interrogar sobre atos, caso estes não tenham sido cometidos (e, por conseguinte, para evitar revelar algo que o outro, o penitente, não sabe); nunca deve nomear as espécies de pecados (por exemplo, não deve nomear a sodomia, a moleza, o adultério, o incesto, etc.). Ele interrogará perguntando ao penitente que tipo de pensamentos teve, que tipo de atos cometeu, "com quem", e com essas perguntas "tirará", diz Habert, "da boca do penitente todas as espécies de luxúrias, sem se pôr no perigo de ensinar alguma a este"[56].

A partir dessa técnica, o ponto de contato do exame vai se encontrar, na minha opinião, consideravelmente modificado. Parece-me que o que se modifica fundamentalmente nessa prática da confissão do pecado de luxúria, a partir do século XVI, é que finalmente não é o aspecto relacional da sexualidade que vai se tornar o elemento importante, primeiro, fundamental, da revelação penitencial. Não é mais o aspecto relacional, mas o próprio corpo do penitente, são seus gestos, seus sentidos, seus prazeres, seus pensamentos, seus desejos, a intensidade e a natureza do que ele próprio sente, é isso que vai estar agora no foco mesmo desse interrogatório sobre o sexto mandamento. O antigo exame era, no fundo, o inventário das relações permitidas e proibidas. O novo exame vai ser um percurso meticuloso do corpo, uma espécie de anatomia da volúpia. É o corpo com suas diferentes partes, o corpo com suas diferentes sensações, e não mais, ou em todo caso muito menos, as leis da união legítima, que vai constituir o princípio de articulação dos pecados de luxúria. O corpo e seus prazeres é que se tornam, de certo modo, o código do carnal, muito mais que a forma requerida para a união legítima.

Eu gostaria de tomar dois exemplos. De um lado, um modelo de interrogatório sobre o sexto mandamento que encontramos ainda no início do século XVII, mas num livro – o de Milhard – que é, de certo modo, a prática média comum, não elaborada, ainda bastante arcaica, da penitência[57]. Milhard, em seu *Grande guide des curés*, diz que o interrogatório deve seguir estas questões: simples fornicação, defloração de uma virgem, incesto, rapto, adultério, polução voluntária, sodomia e bestialidade; depois, olhares e toques impudicos; depois, o problema da dança, dos livros, das canções; depois, o uso de afrodisíacos; depois, deve-se perguntar se o fiel se excitou e se deliciou ouvindo canções; e, enfim, se usou roupas e se se maquiou com ostentação[58]. Vocês estão vendo que a organização, grosseira aliás, desse interrogatório mostra que o que está em primeira linha, o essencial do interrogatório são as grandes faltas, mas as grandes faltas no nível mesmo da relação com outrem: fornicação, defloração de uma virgem, incesto, rapto, etc. Ao contrário, num tratado pouco mais tardio, do fim do século XVII, sempre o de Habert, a ordem segundo a qual as perguntas são feitas, ou antes, o ponto a partir do qual as perguntas são feitas, vai ser bem diferente. Habert parte do seguinte: os pecados de concupiscência são tão numerosos, são na prática tão infinitos, que se apresenta o problema de saber de acordo com que item, como, em que ordem, se deve organizá-los e fazer as perguntas. E Habert responde: "Como o pecado de impureza se comete numa infinidade de maneiras, por todos os sentidos do corpo e por todas as potências da alma, o confessor [...] percorrerá todos os sentidos, um depois do outro. Em seguida, examinará os desejos. E por fim examinará os pensamentos."[59] Como estão vendo, o corpo é que é como o princípio de análise do infinito do pecado de concupiscência. Portanto a confissão não se desenrolará mais de acordo com essa ordem de importância, na infração das leis da relação, mas deverá seguir uma espécie de cartografia pecaminosa do corpo[60].

Primeiro, o toque: "Não fez toques desonestos? Quais? Em quê?" E, se o penitente "disser que foi nele mesmo", deve-se perguntar: "Por que motivo?" "Ah! Foi só por curiosidade (o que é raríssimo), ou por sensualidade, ou para excitar movimentos desonestos? Quantas vezes? Esses movimentos chegaram *usque ad seminis effusionem*?"[61] Como vocês estão vendo, a luxúria não começa mais com a célebre fornicação, relação não legítima. A luxúria começa pelo contato consigo mesmo. Na ordem do pecado, o que será mais tarde a estátua de Condillac (a estátua sexual de Condillac, se quiserem) não aparece aqui com cheiro de rosa, mas tomando contato com seu próprio corpo[62]. A forma primeira do pecado contra a carne não é ter tido relação com aquele ou aquela com quem não se tem direito. A forma primeira do pecado contra a carne é ter tido contato consigo mesmo: é ter se tocado, é a masturbação. Em segundo lugar, depois do toque, a vista. É necessário analisar os olhares: "Você olhou para objetos desonestos? Que objetos? Com que fim? Esses olhares eram acompanhados de prazeres sensuais? Esses prazeres o levaram a seus desejos? Quais?"[63] E é no olhar, no capítulo da vista e do olhar, que a leitura é analisada. A leitura, como vocês estão vendo, pode se tornar pecado não diretamente pelo pensamento, mas primeiro pela relação com o corpo. É como prazer da vista, é como concupiscência do olhar, que a leitura pode se tornar pecado[64]. Em terceiro lugar, a língua. Os prazeres da língua são os dos discursos desonestos e das palavras sujas. As palavras sujas dão prazer ao corpo; os discursos feios provocam a concupiscência ou são provocados pela concupiscência no corpo. O fiel pronunciou essas "palavras sujas", esses "discursos desonestos" sem querer? "E sem [ter] nenhum sentimento desonesto"? "Eles eram, ao contrário, acompanhados de maus pensamentos? Esses pensamentos eram acompanhados de desejos ruins?"[65] E é nesse capítulo da língua que a lascívia das canções é condenada[66]. Quarto momento, o ouvido. Problema do prazer de ouvir palavras desonestas, discursos indecentes[67]. De um modo geral, deve-se interrogar e analisar todo o exterior do corpo. Teve "gestos lascivos"? Esses gestos lascivos, você os teve sozinho ou com outras pessoas? Com

* Até a efusão de sêmen. (N. do R.T.)

quem?[68] Você se vestiu de maneira decente? Sentiu prazer ao vestir-se?[69] Fez "jogos" desonestos?[70] Durante a dança, você fez "movimentos sensuais ao pegar na mão de uma pessoa[71], ou vendo posturas ou atitudes afeminadas?" Sentiu prazer "ao ouvir a voz, o canto, as melodias"?[72]

Podemos dizer, *grosso modo*, que assistimos aí a um recentramento geral do pecado da carne no corpo. Não é mais a relação ilegítima, é o próprio corpo que deve estabelecer a diferença. É a partir dele que a questão se coloca. Digamos numa palavra: assistimos ao aprisionamento da carne no corpo. A carne, o pecado da carne, era antes de mais nada a infração à regra da união. Agora o pecado da carne mora no interior do próprio corpo. É interrogando o corpo, é interrogando as diferentes partes do corpo, é interrogando as diferentes instâncias sensíveis do corpo que vamos poder acuar o pecado da carne. É o corpo e todos os efeitos do prazer que nele têm sua morada, é isso que deve ser agora o ponto de focalização do exame de consciência quanto ao sexto mandamento. As diferentes infrações às leis relacionais no que concerne aos parceiros, a forma do ato, enfim todas essas coisas que vão da fornicação à bestialidade, tudo isso não será mais que o desenvolvimento, de certo modo exagerado, desse primeiro e fundamental grau do pecado que a relação consigo e a própria sensualidade do corpo constituem. Compreende-se então, a partir daí, como se dá outro deslocamento importantíssimo. É que, agora, o problema essencial não vai ser mais a distinção que já preocupava os escolásticos: ato real e pensamento. Vai ser o problema: desejo e prazer.

Na tradição escolástica – já que a confissão não era como o foro exterior, o exame dos atos, era um foro interior que devia julgar o próprio indivíduo –, sabia-se que era necessário julgar não apenas os atos, mas também as intenções, os pensamentos. No entanto esse problema da relação ato-pensamento, no fundo, nada mais era que o problema da intenção e da realização. Ao contrário, a partir do momento em que o que vai ser posto em questão no exame do sexto mandamento é o próprio corpo e seus prazeres, então a distinção entre o que é simplesmente pecado querido, pecado consentido e pecado executado é totalmente insuficiente para cobrir o campo que doravante era dado. Todo um imenso domínio acompanha essa colocação do corpo na primeira linha, e constitui-se o que poderíamos chamar de uma espécie de fisiologia moral da carne, de que eu gostaria de lhes dar certo número de breves apanhados.

Num manual de confissão da diocese de Estrasburgo, em 1722, pede-se que o exame de consciência (era uma recomendação que se encontrava em Habert, que se encontrava em Carlos Borromeu) não comece nos atos, mas nos pensamentos. E aí segue-se uma ordem que é a seguinte: "Deve-se ir dos pensamentos simples aos pensamentos morosos, isto é, aos pensamentos nos quais um se demora; depois dos pensamentos morosos aos desejos; depois dos desejos ligeiros ao consentimento; depois do consentimento aos atos mais ou menos pecaminosos, para chegar por fim aos atos mais criminosos."[73] Habert, em seu tratado de que lhes falei várias vezes, explica da seguinte maneira o mecanismo da concupiscência e, por conseguinte, qual fio diretor deve ser utilizado para analisar a gravidade de um pecado. Para ele, a concupiscência começa com certa emoção no corpo, emoção puramente mecânica que é produzida por Satanás. Essa emoção no corpo provoca o que ele chama de uma "tentação sensual". Essa tentação induz uma sensação de doçura, que é localizada na carne mesma, sentimento de doçura e deleitação sensível, ou ainda excitação e inflamação. Essa excitação e inflamação desperta a raciocinação sobre os prazeres que o sujeito se põe a examinar, a comparar uns com os outros, a avaliar, etc. Essa raciocinação sobre os prazeres pode provocar um novo prazer, que é o prazer do pensamento mesmo. É a deleitação de pensamento. Essa deleitação de pensamento vai então apresentar à vontade as diferentes deleitações sensuais, que são suscitadas pela emoção primeira do corpo, não como coisas pecaminosas, mas ao contrário aceitáveis e dignas de serem abraçadas. E como a vontade é, por si, uma faculdade cega, como a vontade em si não pode saber o que é bom e o que é ruim, ela se deixa persuadir. Com isso, o consentimento é dado, o consentimento que é a forma primeira do pecado, que ainda não é a intenção, que ainda não é nem mesmo o desejo, mas que, na maioria dos casos, constitui a base venial sobre a qual o pecado vai se desenvolver em seguida. E depois segue-se uma imensa dedução do pecado mesmo, que deixo de lado.

Vocês estão vendo que todas essas sutilezas vão constituir agora o espaço no interior do qual o exame da consciência vai se desenrolar. Não é mais a lei e a infração à lei, não é mais o velho modelo jurídico proposto pela penitência tarifada de outrora que vai servir de fio condutor, mas toda essa dialética da deleitação, da morosidade, do prazer, do desejo, que será simplificada posteriormente, no fim do século XVIII, por Afonso de Ligório, que dá a formulação geral e relativamente simples que toda a pastoral do século XIX seguirá[74]. Em Afonso de Ligório não há mais que quatro momentos: o impulso, que é o primeiro pensamento no sentido de executar o mal, depois o consentimento (cuja gênese, segundo Habert, acabo de lhes dar), que é seguido da deleitação, deleitação que é seguida seja pelo prazer, seja pela complacência[75]. A deleitação é, de fato, o prazer do presente; o desejo é a deleitação quando ela olha para o futuro; a complacência é a deleitação quando ela olha para o passado. Em todo caso, a paisagem na qual vai se desenrolar agora a operação do exame de consciência e, por conseguinte, a operação da revelação das faltas e da confissão inerente à penitência, essa paisagem é inteiramente nova. Claro, a lei está presente; claro, a proibição ligada à lei está presente; claro, trata-se de detectar as infrações – mas toda a operação de exame refere-se agora a essa espécie de corpo de prazer e de desejo que constitui doravante o verdadeiro parceiro da operação e do sacramento da penitência. A inversão é total ou, se quiserem, é radical: passou-se da lei ao próprio corpo.

É evidente que esse dispositivo complexo não é representativo do que foi a prática real, ao mesmo tempo maciça e difusa, da confissão desde o século XVI ou XVII. É sabido que, na prática, a confissão era essa espécie de ato ritual, feito mais ou menos anualmente pela grande maioria das populações católicas no século XVII e na primeira metade do século XVIII, e que já começa a se esboroar na segunda metade do século XVIII. Essas confissões anuais, maciças, assumidas seja pelas ordens mendicantes ou pregadoras, seja pelos padres locais, em sua rusticidade e em sua rapidez, evidentemente não tinham nada a ver com esse arcabouço complexo de que acabo de lhes falar. Mas acho que seria um erro ver nesse arcabouço um simples edifício teórico. As receitas da confissão complexa e completa, de que eu lhes falava, eram de fato aplicadas em certo nível, e essencialmente no segundo grau. Assim, essas receitas foram efetivamente aplicadas, não quando se tratava de formar o fiel médio e popular, mas os próprios confessores. Em outras palavras, houve toda uma didática da penitência, e as regras, que detalhei para vocês agora mesmo, concernem justamente à didática penitencial. Foi nos seminários (essas instituições que foram impostas, ao mesmo tempo inventadas, definidas e instituídas, pelo concílio de Trento e que foram como que as escolas normais do clero) que essa prática da penitência, tal como lhes expus, se desenvolveu. Ora, podemos dizer o seguinte. Que os seminários foram o ponto de partida, e muitas vezes o modelo, dos grandes estabelecimentos escolares destinados ao ensino que chamamos secundário. Os grandes colégios de jesuítas e oratorianos eram, seja o prolongamento, seja a imitação desses seminários. De sorte que a tecnologia sutil da confissão não foi, é claro, uma prática de massa, mas tampouco foi um puro devaneio, uma pura utopia. Ela formou efetivamente elites. Basta ver de que maneira maciça todos os tratados, por exemplo das paixões, publicados nos séculos XVII e XVIII, tomaram empréstimos de toda essa paisagem da pastoral cristã, para compreender que, afinal de contas, a extrema maioria das elites dos séculos XVII e XVIII tinha uma consciência em profundidade desses conceitos, noções, métodos de análise, gabaritos de exame próprios da confissão.

Costuma-se geralmente centrar a história da penitência durante a Contrarreforma – isto é, do século XVII ao século XVIII – no problema da casuística[76]. Ora, não creio que seja esse o ponto verdadeiramente novo. A casuística sem dúvida foi importante como objeto da luta entre as diferentes ordens, os diferentes grupos sociais e religiosos. Mas, em si, a casuística não era uma novidade. A casuística se insere numa velhíssima tradição, que é a do velho jurisdicismo da penitência: a penitência como sanção das infrações, a penitência como análise das circunstâncias particulares nas quais uma infração foi cometida. No fundo, a casuística já se arraiga na penitência tarifada. O que há de novo, ao contrário, a partir da pastoral tridentina e do século XVI, é essa tecnologia da alma e do corpo, da alma no corpo, do corpo portador de prazer e de desejo. É essa técnica, com todos os seus procedimentos para analisar, reconhecer, guiar e transformar, é isso que constitui, na minha opinião, o essencial da novidade dessa pastoral. Houve, a partir desse momento, formação ou elaboração de toda uma série de novos objetos, que são ao mesmo tempo da ordem da alma e do corpo, formas de prazer, modalidades de prazer. Assim é que se passa do velho tema de que o corpo estava na origem de todos os pecados para a ideia de que há concupiscência em todas as faltas. E essa afirmação não é simplesmente uma afirmação abstrata, não é simplesmente um postulado teórico: é a exigência necessária a essa técnica de intervenção e a esse novo modo de exercício do poder. Houve, a partir do século XVI, em torno desses procedimentos da revelação penitencial, uma identificação do corpo com a carne, se vocês preferirem, uma encarnação do corpo e uma incorporação da carne, que fazem surgir, no ponto de junção da alma com o corpo, o jogo primeiro do desejo e do prazer no espaço do corpo e na raiz mesma da consciência. O que quer dizer, concretamente, que a masturbação vai ser a forma primeira da sexualidade revelável, quero dizer, da sexualidade a revelar. O discurso de revelação, o discurso de vergonha, de controle, de correção da sexualidade, começa essencialmente na masturbação. Mais concretamente ainda, esse imenso aparelho técnico da penitência quase só teve efeito, é verdade, nos seminários e nos colégios, isto é, nesses lugares em que a única forma de sexualidade a controlar era, evidentemente, a masturbação.

Temos um processo circular, que é bem típico dessas tecnologias de saber e de poder. Os policiamentos mais detalhados da nova cristianização, a que começa no século XVI, trouxeram instituições de poder e especializações de saber que tomaram forma nos seminários, nos colégios; em suma, em instituições em que se destaca, de uma maneira privilegiada, não mais a relação sexual entre os indivíduos, não as relações sexuais legítimas e ilegítimas, mas o corpo solitário e desejante. O adolescente masturbador: é ele que vai ser a figura não ainda escandalosa, mas já inquietante, que obceca e vai obcecar cada vez mais, via esses seminários e colégios que se expandem e se multiplicam, a direção de consciência e a revelação do pecado. Todos os novos procedimentos e regras da confissão desenvolvidos desde o concílio de Trento – essa espécie de gigantesca interiorização, no discurso penitencial, da vida inteira dos indivíduos – na verdade são secretamente focados no corpo e na masturbação.

Termino dizendo o seguinte. Na mesma época, isto é, nos séculos XVI-XVII, vemos crescer no exército, nos colégios, nas oficinas, nas escolas, todo um disciplinamento do corpo, que é o disciplinamento do corpo útil. Aperfeiçoam-se novos procedimentos de vigilância, de controle, de distribuição no espaço, de anotação, etc. Temos todo um investimento do corpo por mecânicas de poder que procuram torná-lo ao mesmo tempo dócil e útil. Temos uma nova anatomia política do corpo. Pois bem, se em vez do exército, das oficinas, das escolas primárias, etc., examinarmos essas técnicas da penitência, o que se praticava nos seminários e nos colégios que se formavam a partir deles, veremos surgir um investimento do corpo que não é o investimento do corpo útil, que não é um investimento que se faria no registro das aptidões, mas que se faz no nível do desejo e da decência. Temos, diante da anatomia política do corpo, uma fisiologia moral da carne[77].

Da próxima vez eu gostaria de mostrar a vocês duas coisas: como essa fisiologia moral da carne, ou do corpo encarnado, ou da carne incorporada, veio se somar aos problemas da disciplina do corpo útil no fim do século XVIII; como se constituiu o que poderíamos chamar de uma medicina pedagógica da masturbação e como essa medicina pedagógica da masturbação levou esse problema do desejo de volta ao problema do instinto, esse problema do instinto que é precisamente a peça central da organização da anomalia. Portanto é essa masturbação assim recortada na revelação penitencial no século XVII, essa masturbação que se torna problema pedagógico e médico, que vai trazer a sexualidade para o campo da anomalia.

*

NOTAS

1. Sobre a teoria da hereditariedade, cf. P. Lucas, *Traité philosophique et physiologique de l'hérédité naturelle dans les états de santé et de maladie du système nerveux, avec l'application méthodique de lois de la procréation au traitement général des affections dont elle est le principe*, I-II, Paris, 1847-1850; sobre a teoria da "degeneração", cf. *supra*, aula de 5 de fevereiro.

2. O caso de Roch-François Ferré, com os exames de A. Brierre de Boismont, G.-M.-A. Ferrus e A.-L. Foville, está exposto nos *Annales médico-psychologiques*, 1843, I, pp. 289-99.

3. C.-F. Michéa, "Des déviations maladives de l'appétit vénérien", *L'union médicale*, III/85, 17 de julho de 1849, pp. 338c-9c.

4. J.-G.-F. Baillarger, "Cas remarquable de maladie mentale. Observation recueillie au dépôt provisoire des aliénés de l'Hôtel-Dieu de Troyes, par le docteur Bédor", *Annales médico-psychologiques*, 1858, IV, pp. 132-7.

5. A versão definitiva de "Aberrations du sens génésique" pode ser lida em P. Moreau de Tours, *Des aberrations du sens génésique*, Paris, 1883[3] (1.ª ed. 1880).

6. R. Krafft-Ebing, *Psychopathia sexualis. Eine klinische-forensische Studie*, Stuttgart, 1886. É na segunda edição (*Psychopathia sexualis, mit besonderer Berücksichtigung der conträren Sexualempfindung*, Stuttgart, 1887) que se encontra desenvolvido o estudo da "sensibilidade sexual contrária". A primeira tradução francesa é conforme à oitava edição alemã: *Étude médico-légale. Psychopathia sexualis, avec recherches spéciales sur l'inversion sexuelle*, Paris, 1895 [trad. bras. *Psychopatia sexualis*. São Paulo: Martins Fontes, 2001]. A edição francesa atualmente disponível reproduz o remanejamento de A. Moll (1923): *Psychopathia sexualis. Étude médico-légale à l'usage des médecins et des juristes*, Paris, 1950.

7. J. C. Westphal, "Die conträre Sexualempfindung, Symptome eines nevropathischen (psychopathischen) Zustand", *Archiv für Psychiatrie und Nervenkrankheiten*, II, 1870, pp. 73-108. Cf. V. Magnan, *Des anomalies, des aberrations et des perversions sexuelles*, Paris, 1885, p. 14: "A inclinação pode [...] se prender a uma profunda anomalia e ter por objetivo o mesmo sexo. É o que Westphal chama de *sentido sexual contrário* e o que, com Charcot, designamos pelo nome de *inversão do sentido genital*" [grifado no texto]. Sobre o debate na França, ver J.-M. Charcot & V. Magnan, "Inversion du sens génital", *Archives de neurologie*, III, 1882, pp. 53-60; IV, 1882, pp. 296-322; V. Magnan, "Des anomalies, des aberrations et des perversions sexuelles", *Annales médico-psychologiques*, 1885, I, pp. 447-72.

8. O debate na França pode ser acompanhado a partir da coletânea de P. Garnier, *Les fétichistes: pervertis et invertis sexuels. Observations médico-légales*, Paris, 1896. Trata-se de uma espécie de resposta à publicação de A. Moll, *La Perversion de l'instinct génital*, Paris, 1893 (ed. original: *Die conträre Sexualempfindung*, Berlim, 1891).

9. M. Foucault desenvolve essa tese em *La volonté de savoir*, *op. cit.*, pp. 25-49 (cap. II: "L'incitation aux discours", § 1: "L'hypothèse répressive").

10. Cf. *ibid.*, p. 9.

11. M. Foucault se apoia essencialmente, nesta aula, na obra em três volumes de H. Ch. Lea, *A History of Auricular Confession and Indulgences in the Latin Church*, Filadélfia, 1896.

12. Ver o curso já citado no Collège de France, *Théories et institutions pénales*.

13. F. Albinus seu Alcuinus, *Opera omnia*, I (*Patrologiae cursus completus*, series secunda, tomus 100), Lutetiae Parisiorum, 1851, col. 337.

14. *Ibid.*, col. 338-339: "Erubescis homini in salutem tuam ostendere, quod non erubescis cum homine in perditionem tuam perpetrare? [...] Quae sunt nostrae victimae pro peccatis, a nobis commissis, nisi confessio peccatorum nostrorum? Quam pure deo per sacerdotem offerre debemus; quatenus orationibus illius, nostrae confessionis oblatio deo acceptabilis fiat, et remissionem ad eo accipiamus, cui est sacrificium spiritus contribulatus, et cor contritum et humiliatum non spernit."

15. *Ibid.*, col. 337: "Dicitur vero neminem vero ex laicis suam velle confessionem sacerdotibus dare, quos a deo Christo cum sanctis apostolis ligandi solvendique potestatem accepisse credimus. Quid solvit sacerdotalis potestas, si vincula non considerat ligati? Cessabunt ope-

ra medici, si vulnera non ostendunt aegroti. Si vulnera corporis carnalis medici manus expectant, quanto magis vulnera animae spiritualis medici solatia deposcunt?"

16. Sobre a legislação canônica de 1215, cf. R. Foreville, *Latran I, II, III et Latran IV*, Paris, 1965, pp. 287-306 (volume VI da série *Histoire des conciles oecuméniques*, publicada sob a direção de G. Dumeige), onde também se pode encontrar, em extrato, a tradução francesa do decreto conciliar de 30 de novembro de 1215, *De la confession, du secret de la confession, de l'obligation de la communion pascale*, pp. 357-8 (ver em particular: "Todo fiel de um ou outro sexo que chegou à idade da discrição deve confessar lealmente todos os seus pecados pelo menos uma vez por ano ao seu padre, fazer com cuidado, na medida dos seus meios, a penitência que lhe é imposta, receber com respeito, pelo menos na Páscoa, o sacramento da eucaristia, salvo se, a conselho do seu padre, por motivo válido, ele julgar dever abster-se temporariamente dela. Senão, seja proibido *ab ingressu ecclesiae* em vida e privado da sepultura cristã depois da morte. Esse decreto salutar deve ser frequentemente publicado nas igrejas; de sorte que ninguém possa cobrir sua cegueira com o véu da ignorância"). Cf. o original latino em *Conciliorum oecumenicorum decreta*, Friburgo na Brisgóvia, 1962, pp. 206-43.

17. Gratianus, *Decretum, emendatum et variis electionibus simul et notationibus illustratum, Gregorii XIII pontificis maximi iussu editum*, Paris, 1855, pp. 1519-1656 (*Patrologia latina*, tomus 187). O decreto foi promulgado em 1130.

18. Ver em particular J. Delumeau, *Le catholicisme entre Luther et Voltaire*, Paris, 1971, pp. 256-92 ("Christianisation"), 293-330 ("Déchristianisation?").

19. A pastoral da confissão foi estabelecida durante a seção XIV (25 de novembro de 1551), cujas atas estão publicadas em *Canones et decreta concilii tridentini*, edidit Æ. L. Richter, Lipsiae, 1853, pp. 75-81 (*repetitio* da edição publicada em Roma em 1834).

20. C. Borromeus, *Pastorum instructiones ad concionandum, confessionisque et eucharistiae sacramenta ministrandum utilissimae*, Antverpiae, 1586.

21. Uma grande atenção na preparação do clero para o sacramento da penitência é requerida pela seção XXIII (*De reformatione*) do concílio de Trento: "Sacramentorum tradendorum, maxime quae ad confessiones audiendas videbuntur opportuna, et rituum ac caeremoniarum formas ediscent" (*Canones et decreta..., op. cit.*, p. 209).

22. L. Habert, *Pratique du sacrement de pénitence ou méthode pour l'administrer utilement*, Paris, 1748, em particular, para a descrição das virtudes do confessor, pp. 2-9, 40-87 (mas todo o tratado original é consagrado às suas qualidades: pp. 1-184). Sobre o rigorismo de Habert e suas consequências sobre a história religiosa francesa entre o fim do século XVII e o início do século XVIII, ver a nota biográfica de A. Humbert, em *Dictionnaire de théologie catholique*, VI, Paris, 1920, col. 2013-2016.

23. L. Habert, *Pratique du sacrement de pénitence..., op. cit.*, pp. 40-1.

24. *Ibid.*, p. 12.

25. A restrição não é de Habert, que escreve (*loc. cit.*): "Se bem que o efeito dos sacramentos não dependa da santidade do ministro, mas sim dos méritos de Jesus Cristo, ainda assim é uma grande indignidade e um horrível sacrilégio que quem rejeitou a graça empreenda dá-la aos outros."

26. *Ibid.*, p. 13: "Deve estar consolidado na prática da virtude, por causa das grandes tentações a que esse ministério o expõe. Porque o mau ar do quarto de um doente não causa maior impressão no corpo do que o relato de certos pecados causa no espírito. Portanto, do mesmo modo que apenas quem tem boa constituição pode tratar dos doentes, pensar suas chagas e ficar ao lado deles, sem que sua saúde seja prejudicada com isso, é necessário reconhecer que somente podem, sem risco para sua salvação, governar as consciências gangrenadas os que tiveram o cuidado de se fortalecer na virtude por uma longa prática das boas obras."

27. *Ibid.*, p. 14: "Mas, de todos os pecados, não há mais contagioso, nem que se comunique mais facilmente, do que o que é contrário à castidade."

28. *Loc. cit.*: "A santidade necessária a um confessor deve lhe proporcionar um horror santo a todos os pecados veniais [...]. E, muito embora elas [as faltas veniais] não extingam a caridade habitual, agem no entanto como a cinza que cobre o fogo e o impede de iluminar e aquecer o cômodo em que é conservado."

29. *Ibid.*, pp. 16-40. A segunda parte do capítulo II desenvolve os três pontos seguintes, sintetizados por M. Foucault: (1) "a cegueira de um homem que não toma cuidado para evitar os pecados veniais"; (2) "sua insensibilidade em relação aos que são acostumados a tanto"; (3) "a inutilidade dos cuidados que poderia tomar para livrá-los deles".

30. *Ibid.*, p. 88: "Como juiz, ele deve saber o que é permitido e o que é proibido aos que se apresentam em seu tribunal. Mas como poderá conhecer, senão pela lei? Mas que pessoas e que matérias deve julgar? Toda sorte de pessoas e toda sorte de matérias, pois que todos os fiéis, qualquer que seja a sua condição, são obrigados a se confessar. Ele tem de saber portanto qual é o dever de cada um, as leis divinas e humanas, eclesiásticas e civis, o que elas permitem e o que proíbem em cada profissão. Porque um juiz sentenciaria ao acaso e se exporia a grandes injustiças se, sem saber a lei, condenasse uns e justificasse outros. A lei é a balança necessária em que o confessor tem de examinar as ações e as omissões de seus penitentes: a regra e a medida sem a qual ele não pode julgar se eles cumpriram com seus deveres ou os negligenciaram. Quantas luzes lhe são necessárias, pois, na qualidade de juiz!"

31. *Ibid.*, pp. 88-9: "Como médico, ele deve conhecer as doenças espirituais, suas causas e seus remédios. Essas doenças são os pecados, de que ele deve saber: a natureza [...], o número [...], a diferença..." Conhecer a natureza do pecado significa distinguir "as circunstâncias que mudam a espécie; as que, sem mudar a espécie, diminuem ou aumentam notavelmente a natureza do pecado". Conhecer o número significa saber "quando várias ações ou palavras ou pensamentos reiterados são moralmente um só pecado, ou quando eles o multiplicam e quando seu número tem de ser expresso na confissão". Conhecer a diferença permite separar um pecado da imperfeição: "Porque somente o pecado é matéria do sacramento da penitência e não se pode dar a absolvição aos que se acusam apenas de simples imperfeições, como às vezes acontece com as pessoas devotas."

32. *Ibid.*, p. 89: "O confessor é o juiz, o médico e o guia dos penitentes."

33. *Loc. cit.*: "O confessor é obrigado, como guia, a regrar a consciência de seus penitentes, a lembrá-los de seus erros e desvios; e a fazer que evitem os escolhos que se encontram em toda profissão, que é como o caminho pelo qual ele deve conduzi-los à beatitude eterna."

34. *Ibid.*, p. 101: "A prudência não exclui a ciência, mas a supõe necessariamente; ela não supre a falta de estudo, mas requer além dele uma grande pureza de coração e retidão de intenção; muita força e largueza de espírito para observar todas as circunstâncias, compará-las umas com as outras; descobrir, pelo que aparece, o que está oculto; e prever o que pode acontecer pelo que já está presente."

35. Ch. Boromée, *Instructions aux confesseurs de sa ville et de son diocèse. Ensemble: la manière d'administrer le sacrement de pénitence, avec les canons pénitentiaux, suivant l'ordre du Décalogue. Et l'ordonnance du même saint sur l'obligation des paroissieurs d'assister à leurs paroisses*, Paris, 1665[4], pp. 8-9 (1ª ed. Paris, 1648). As instruções foram "impressas por ordem da assembleia do clero da França em Vitré".

36. *Ibid.*, p. 12: "Os confessionários devem ser colocados num lugar da igreja tão evidente que possa ser visto de todos os pontos, e seria bom também que ficassem num lugar em que pudessem ter alguma defesa que impedisse que, enquanto alguém se confessasse, outros chegassem perto demais."

37. Não conseguimos encontrar essa informação dada por M. Foucault.

38. H. Ch. Lea, *A History of Auricular Confession*..., *op. cit.*, I, p. 395: "The first allusion I have met to this contrivance is in the council of Valencia in 1565, where it is ordered to be erected in churches for the hearing of confession, especially of women." Nesse mesmo ano, C. Borromeu prescreve "to use of a rudimentary form of confessional – a set with a partition (*tabella*) to separate the priest from the penitent".

39. Ch. Boromée, *Instructions aux confesseurs*..., *op. cit.*, pp. 21-2.

40. *Ibid.*, p. 24: "No início [...] o confessor deve fazer algumas perguntas para saber se conduzir melhor na continuação da confissão."

41. *Ibid.*, pp. 21-2, 24-5.

42. *Ibid.*, pp. 24-5 ("Perguntas que se devem fazer no início da confissão").

43. *Ibid.*, p. 19. Mas "a mesma coisa deve ser observada com relação aos homens" (p. 20).

44. C. Borromeus, *Acta ecclesiae mediolanensis*, Mediolani, 1583 (o *in-folio* em latim para a França foi publicado em Paris em 1643). Cf. Ch. Boromée, *Instructions aux confesseurs*..., *op. cit.*; *Règlements pour l'instruction du clergé, tirés des constitutions et décrets synodaux de saint Charles Boromée*, Paris, 1663.

45. Ch. Boromée, *Instructions aux confesseurs*..., *op. cit.*, pp. 25-6.

46. *Ibid.*, p. 30.

47. *Ibid.*, pp. 32-3: "Ele deve proceder nessas interrogações com ordem, começando pelos mandamentos de Deus, muito embora todos os itens sobre os quais se deva interrogar a eles se possam reduzir; no entanto, tratando-se de pessoas que frequentam raramente esse sacramento, será bom percorrer os sete pecados capitais, os cinco sentidos do homem, os mandamentos da Igreja e as obras de misericórdia."

48. A lista das virtudes está faltando na edição que utilizamos.

49. Ch. Boromée, *Instructions aux confesseurs*..., *op. cit.*, pp. 56-7.

50. *Ibid.*, pp. 52-62, 65-71; L. Habert, *Pratique du sacrement de pénitence*..., *op. cit.*, p. 403 (terceira regra). Cf. *Canones et decreta*..., *op. cit.*, pp. 80-1 (seção XIV, cap. VIII: "De satisfationis necessitate et fructu").

51. L. Habert, *op. cit.*, p. 401 (segunda regra).

52. *Ibid.*, p. 411 (quarta regra).

53. M. Foucault resume aqui o que diz F. Vialart, *Règlements faits pour la direction spirituelle du séminaire [...] établi dans la ville de Châlons afin d'éprouver et de préparer ceux de son diocèse qui se présentent pour être admis aux saints ordres*, Châlons, 1664[2], p. 133: "Eles devem ter uma grande abertura de coração ao tratar com seu confessor e depositar nele plena confiança, se quiserem aproveitar a sua conduta. É por isso que não se contentarão com se abrir francamente a ele na confissão, mas o verão e o consultarão em todas as suas dificuldades, penas e tentações"; pp. 140-1: "Para que tirem o máximo proveito, depositarão plena confiança no diretor e lhe prestarão conta de seus exercícios, com simplicidade e docilidade de espírito. O meio de fazer ambas as coisas é considerar o diretor como um anjo visível, que Deus lhes manda para levá-los ao céu, se ouvirem sua voz e seguirem seus conselhos; e persuadir-se de que, sem essa confiança e essa abertura de coração, o retiro é muito mais um divertimento do espírito para enganar a si mesmo, um exercício de piedade e de devoção para trabalhar solidamente para a sua salvação e para se entregar a Deus, e progredir na virtude e na perfeição do seu estado. Se sentirem repugnância a se comunicar com ele, serão tanto mais corajosos e mais fiéis ao combaterem essa tentação, quanto maior for seu mérito para vencê-la, e quanto mais ela seria capaz de impedir todo o fruto do seu retiro, se eles viessem a ouvi-la."

54. M. Foucault se refere em geral a J.-J. Olier, *L'esprit d'un directeur des âmes*, em *Oeuvres complètes*, Paris, 1856, col. 1183-1240.

55. M. Beuvelet, *Méditations sur les principales vérités chrétiennes et ecclésiastiques pour tous les dimanches, fêtes et autres jours de l'année*, I, Paris, 1664, p. 209. A passagem ci-

tada por M. Foucault está na LXXI meditação, que tem como título: "Quarto meio para progredir na virtude. Da necessidade de um diretor".

56. L. Habert, *Pratique du sacrement de pénitence..., op. cit.*, pp. 288-90.

57. P. Milhard, *La grande guide des curés, vicaires et confesseurs*, Lyon, 1617. A primeira edição, conhecida pelo título de *Le vrai guide des curés*, é de 1604. Tornada obrigatória pelo bispo de Bordeaux em sua jurisdição, ela foi retirada de circulação em 1619, após a condenação pela Sorbonne.

58. P. Milhard, *La grande guide..., op. cit.*, pp. 366-73.

59. L. Habert, *Pratique du sacrement de pénitence..., op. cit.*, pp. 293-4.

60. *Ibid.*, pp. 294-300.

61. *Ibid.*, p. 294.

62. E. B. de Condillac, *Traité des sensations*, Paris, 1754, I, 1, 2 [trad. bras. Tratado das sensações, em "Os Pensadores". São Paulo: Abril, 1974]: "Se lhe apresentarmos uma rosa, ela será em relação a nós uma estátua que recende a rosa; mas em relação a ela não será mais que o próprio cheiro dessa flor. Será portanto um cheiro de rosa, de cravo, de jasmim, de violeta, conforme os objetos que agirem sobre seu órgão."

63. L. Habert, *Pratique du sacrement de pénitence..., op. cit.*, p. 295.

64. *Ibid.*, p. 296.

65. *Loc. cit.*

66. *Ibid.*, p. 297.

67. *Loc. cit.*: "Além das conversações, em que são ditas e ouvidas palavras desonestas, também se pode pecar ouvindo discursos a que [o fiel] não contribui. É para explicar esses tipos de pecados que se fazem as perguntas seguintes, porque, no que concerne aos primeiros, foram suficientemente esclarecidos no artigo precedente."

68. *Ibid.*, pp. 297-8: "Não fez gestos lascivos? Com que fim? Quantas vezes? Havia pessoas presentes? Quais? E quantas pessoas? Quantas vezes?"

69. *Ibid.*, p. 298: "Não se vestiu para agradar? A quem? Com que fim? Quantas vezes? Havia algo lascivo em suas roupas, tendo, por exemplo, o seio descoberto?"

70. *Loc. cit.* (M. Foucault eliminou, no fim da frase, "com pessoas de sexo diferente").

71. *Ibid.*, p. 297 (M. Foucault eliminou "de sexo diferente").

72. *Ibid.*, pp. 297-8.

73. Não pudemos consultar o capítulo II, § 3, das *Monita generalia de officiis confessarii olim ad usum diocesis argentinensis*, Argentinae, 1722. A passagem citada por M. Foucault ("sensim a cogitationibus simplicibus ad morosas, a morosis ad desideria, a desideriis levibus ad consensum, a consensu ad actus minus peccaminosos, et si illos fatentur ad magis criminosos ascendendo") é extraída de H. Ch. Lea, *A History of Auricular Confession..., op. cit.*, I, p. 377.

74. A. de Liguori, *Praxis confessarii ou Conduite du confesseur*, Lyon, 1854; A.-M. de Liguory, *Le Conservateur des jeunes gens ou Remède contre les tentations déshonnêtes*, Clermont-Ferrand, 1835.

75. A. de Ligorius, *Homo apostolicus instructus in sua vocatione ad audiendas confessiones sive praxis et instructio confessariorum*, I, Bassani, 1782[5], pp. 41-3 (tratado 3, cap. II, § 2: "De peccatis in particulari, de desiderio, compiacentia et delectatione morosa"). Cf. A. de Liguori, *Praxis confessarii..., op. cit.*, pp. 72-3 (art. 39); A.-M. de Liguory, *Le conservateur des jeunes gens..., op. cit.*, pp. 5-14.

76. M. Foucault se refere sem dúvida aqui às explanações do capítulo II ("Probabilism and casuistry") de H. Ch. Lea, *A History of Auricular Confession..., op. cit.*, II, pp. 284-411.

77. Ver o curso, já citado, *La société punitive* (14 e 21 de março de 1973), e M. Foucault, *Surveiller et punir, op. cit.*, pp. 137-71.

AULA DE 26 DE FEVEREIRO DE 1975

Um novo procedimento de exame: desqualificação do corpo como carne e culpabilização do corpo pela carne. – A direção de consciência, o desenvolvimento do misticismo católico e o fenômeno da possessão. – Distinção entre possessão e feitiçaria. – A possessão de Loudun. – A convulsão como forma plástica e visível do combate no corpo da possessa. – O problema do(a)s possesso(a)s e de suas convulsões não está inscrito na história da doença. – Os anticonvulsivos: modulação estilística da confissão e da direção de consciência; apelo à medicina; recurso aos sistemas disciplinares e educativos do século XVII. – A convulsão como modelo neurológico da doença mental.

Da última vez, tentei mostrar a vocês como – no bojo das práticas penitenciais e no bojo dessa técnica da direção de consciência que vemos, se não se formar, pelo menos se desenvolver a partir do século XVI – aparece o corpo de desejo e de prazer. Resumindo, podemos dizer o seguinte: à direção espiritual vai corresponder o distúrbio carnal como domínio discursivo, como campo de intervenção, como objeto de conhecimento para essa direção. Do corpo dessa materialidade corporal à qual a teologia e a prática penitencial da Idade Média referiam simplesmente a origem do pecado, começa a se destacar esse domínio ao mesmo tempo complexo e flutuante da carne, um domínio ao mesmo tempo de exercício do poder e de objetivação. Trata-se de um corpo que é atravessado por toda uma série de mecanismos chamados "atrações", "titilações", etc.; um corpo que é a sede das intensidades múltiplas de prazer e deleitação; um corpo que é animado, sustentado, eventualmente contido por uma vontade que consente ou não consente, que se compraz ou se recusa a se comprazer. Em suma: o corpo sensível e complexo da concupiscência. É isso, creio eu, que é o correlativo dessa nova técnica de poder. E, justamente, o que eu queria lhes mostrar era que essa qualificação do corpo como carne, que é ao mesmo tempo uma desqualificação do critério como carne; essa culpabilização do corpo pela carne, que é ao mesmo tempo uma possibilidade de discurso e de investigação analítica do corpo; essa consignação, ao mesmo tempo, da falta no corpo e da possibilidade de objetivar esse corpo como carne – tudo isso é correlativo do que podemos chamar de um novo procedimento de exame.

Tentei lhes mostrar que esse exame obedecia a duas regras. Por um lado, deve ser na medida do possível extensivo à totalidade da existência: seja o exame a que se procede no confessionário, [seja] aquele a que se procede com o diretor de consciência – trata-se em todo caso de fazer a totalidade da existência passar pelo filtro do exame, da análise e do discurso. Tudo o que um disse, tudo o que um fez tem de passar por esse controle discursivo. Por outro lado, esse exame é colhido numa relação de autoridade, numa relação de poder que é ao mesmo tempo muito estrita e exclusiva. Deve-se contar tudo ao diretor, é verdade, ou contar tudo ao confessor, mas só a ele. O exame que caracteriza essas novas técnicas da direção espiritual obedece, portanto, às regras da exaustividade, de um lado, e da exclusividade, de outro. De forma que chegamos ao seguinte. Desde seu aparecimento como objeto de um discurso analítico infinito e de uma vigilância constante, a carne está ligada, ao mesmo tempo, à instauração de um procedimento de exame completo e à instauração de uma regra de silêncio conexa. Deve-se contar tudo, mas somente aqui e a ele. Só se deve contar no confessionário, no âmbito do ato da penitência ou do procedimento de direção de consciência. Portanto, só falar aqui e a ele não é, evidentemente, uma regra fundamental e originária de silêncio à qual viria se superpor, em certos casos, a título de corretivo, a necessidade de uma confissão. Fez-se disso essa peça complexa (de que lhes falei da última vez), em que o silêncio, a regra do silêncio, a regra do não dizer, é correlativa de outro mecanismo, que é o mecanismo da enunciação: você tem de enunciar tudo, mas só deve enunciar em certas condições, no âmbito de certo ritual e a certa pessoa bem determinada. Em outras palavras, não se entra numa idade em que a carne deve ser enfim reduzida ao silêncio, mas numa idade em que a carne aparece como correlativa de um sistema, de um mecanismo de poder que comporta uma discursividade exaustiva e um silêncio ambiente criado em torno dessa confissão obrigatória e permanente. O poder que se exerce na direção espiritual não estabelece portanto o silêncio, o não dizer, como regra fundamental; ele o estabelece simplesmente como adjutório necessário ou condição de funcionamento da regra, totalmente positiva, da enunciação. A carne é o que se nomeia, a carne é aquilo de que se fala, a carne é o que se diz. A sexualidade é, essencialmente, no século XVII (e ainda será nos séculos XVIII e XIX), o que se confessa, não o que se faz: é para poder confessá-la em boas condições que se deve, além do mais, calá-la em todas as outras.

Foi dessa espécie de aparelho da confissão-silêncio que eu tentei, da última vez, reconstituir a história para vocês. Está claro que esse aparelho, essa técnica da direção espiritual que faz a carne aparecer como seu objeto, ou como objeto de um discurso exclusivo, não dizia respeito à totalidade da população cristã. Esse aparelho de controle difícil e sutil, esse corpo de desejo e de prazer que nasce em correlação com ele, tudo isso evidentemente só diz respeito a uma pequena camada da população, a que podia ser alcançada por essas formas complexas e sutis de cristianização: as camadas mais altas da população, os seminários, os conventos. É evidente que, nesse imenso cadinho da penitência anual que a maior parte das populações urbanas ou rurais praticava nos séculos XVII e XVIII (a confissão para a comunhão pascoal), não encontramos quase nada desses mecanismos relativamente sutis. No entanto creio que eles têm uma importância, por pelo menos duas razões. Passarei rapidamente pela primeira; mas vou me retardar na segunda.

A primeira: foi sem dúvida a partir dessa técnica que se desenvolveu (da segunda metade do século XVI em diante e, na França, principalmente a partir do século XVII) o misticismo católico, no qual o tema da carne tem tanta importância. Tomem, na França, tudo o que aconteceu, tudo o que foi dito entre o padre Surin e madame Guyon[1]. É certo que esses temas, esses novos objetos, essa nova forma de discurso estavam ligados às novas técnicas de direção espiritual. Mas creio que, de modo mais amplo – se não mais amplo, pelo menos mais profundo –, esse corpo de desejo, esse corpo da concupiscência, nós o vemos surgir em certas camadas da população, que seriam mais extensas ou, em todo caso, que poriam em prática certo número de processos mais profundos do que o discurso do misticismo um tanto quanto sofisticado de madame Guyon. Estou falando do que se poderia designar como a frente da cristianização em profundidade.

No topo, o aparelho de direção de consciência faz surgir, portanto, essas formas de misticismo de que acabo de lhes falar. E, na base, faz surgir outro fenômeno, que está ligado ao primeiro, que corresponde a ele, que encontra nele toda uma série de mecanismos de apoio, mas que vai acabar tendo outro destino: esse fenômeno é a possessão. Creio que a possessão, como fenômeno típico dessa instauração de um novo aparelho de controle e de poder na Igreja, deve ser confrontada com a feitiçaria, de que se distingue radicalmente. Claro, a feitiçaria dos séculos XV e XVI e a possessão dos séculos XVI e XVII aparecem numa espécie de continuidade histórica. Podemos dizer que a feitiçaria, ou as grandes epidemias de feitiçaria que vemos se desenvolver desde o século XV até o início do século XVII, e as grandes vagas de possessão que se desenvolvem do fim do século XVI ao início do século XVIII, devem ser, ambas, postas entre os efeitos gerais dessa grande cristianização de que eu lhes falava. Mas são duas séries de efeitos totalmente diferentes, repousando em mecanismos bem distintos.

A feitiçaria (em todo caso é o que dizem os historiadores que atualmente tratam do problema) traduziria a luta que a nova vaga de cristianização, inaugurada em fins do século XV-início do século XVI, organizou em torno de e contra certo número de formas cultuais que as primeiras e lentíssimas vagas de cristianização da Idade Média haviam deixado, se não totalmente intactas, pelo menos ainda vivazes, e isso desde a Antiguidade. A feitiçaria seria, ao que tudo indica, uma espécie de fenômeno periférico. Onde a cristianização ainda não pegara, onde as formas de culto haviam persistido desde havia séculos, milênios talvez, a cristianização dos séculos XV-XVI encontra um obstáculo, tenta atacar esses obstáculos, atribui a esses obstáculos uma forma ao mesmo tempo de manifestação e de resistência. É a feitiçaria que vai ser então codificada, retomada, julgada, reprimida, queimada, destruída, pelos mecanismos da Inquisição. A feitiçaria, portanto, está presa no interior desse processo de cristianização, mas é um fenômeno que se situa nas fronteiras externas da cristianização. Fenômeno periférico, por conseguinte mais rural que urbano; fenômeno que também encontramos nas regiões montanhesas, precisamente onde os grandes focos tradicionais da cristianização – ou seja, desde a Idade Média, as cidades – não haviam penetrado.

Quanto à possessão, se ela também se inscreve nessa cristianização que volta a se ativar a partir do fim do século XVI, seria muito mais um efeito interior do que exterior. Seria muito mais o contragolpe de um investimento, não de novas regiões, de novos domínios geográficos ou sociais, mas de um investimento religioso e detalhado do corpo e, pelo duplo mecanismo de que eu lhes falava faz pouco, de um discurso exaustivo e de uma autoridade exclusiva. Aliás, isso se nota imediatamente pelo fato de que, no fim das contas, a feiticeira é essencialmente aquela mulher que é denunciada, que é denunciada do exterior, pelas autoridades, pelos notáveis. A feiticeira é a mulher da periferia da aldeia ou do limite da floresta. A feiticeira é a má cristã. E o que é a possuída (a do século XVI e, sobretudo, do século XVII e início do século XVIII)? Não é, em absoluto, a que é denunciada por outrem, é a que confessa, é a que se confessa, que se confessa espontaneamente. Aliás, não é a mulher do campo, é a mulher da cidade. De Loudun ao cemitério de Saint-Médard, em Paris, a cidade pequena ou a cidade grande é que são o teatro da possessão[2]. Melhor ainda, não é nem mesmo qualquer cidade, é a cidade religiosa. Melhor ainda, no interior do convento, será mais a superiora ou a prioresa do que a irmã conversa. É no bojo da instituição cristã mesma, é no bojo mesmo desses mecanismos da direção espiritual e da nova penitência de que eu lhes falava, é aí que aparece esse personagem não mais marginal, mas ao contrário absolutamente central na nova tecnologia do catolicismo. A feitiçaria aparece nos limites exteriores do catolicismo. A possessão aparece no foco interno, onde o catolicismo tenta introduzir seus mecanismos de poder e de controle, onde ele tenta introduzir suas obrigações discursivas: no próprio corpo dos indivíduos. É aí, no momento em que ele tenta fazer funcionar mecanismos de controle e de discursos individualizantes e obrigatórios, que aparece a possessão.

Isso se traduz pelo fato de que a cena da possessão, com seus elementos principais, é perfeitamente diferente e distinta da cena da feitiçaria. O personagem central, nos fenômenos da possessão, vai ser o confessor, o diretor, o guia. É aí, nos grandes casos de possessão do século XVII, que vocês vão encontrá-lo: é Gaufridi em Aix[3], é Grandier em Loudun[4]. Será, no caso de Saint-Médard, no início do século XVIII, um personagem real, mesmo que este já houvesse morrido no momento em que a possessão se desenvolve: o diácono Pâris[5]. É o personagem sagrado portanto, é o personagem na medida em que detém os poderes do padre (logo os poderes da direção, esses poderes de autoridade e de coação discursiva), ele é que vai estar no centro da cena de possessão e dos mecanismos de possessão. Enquanto, na feitiçaria, tínhamos simplesmente uma espécie de forma dual, com o diabo de um lado e a feiticeira do outro, na possessão vamos ter um sistema de relação triangular, e até um pouco mais complexo do que triangular. Haverá uma matriz em três termos: o diabo, claro; a religiosa possuída, na outra ponta; mas, entre os dois, triangulando a relação, vamos ter o confessor. Ora, o confessor, ou o diretor, é uma figura já bastante complexa e que se desdobra imediatamente. Porque haverá o confessor, que no início será o bom confessor, o bom diretor, e que, a certa altura, se torna ruim, passa para o outro lado; ou então haverá dois grupos de confessores ou de diretores que se enfrentarão. Isso fica bem claro, por exemplo, no caso de Loudun, em que vocês têm um representante do clero secular (o padre Grandier) e, diante dele, outros diretores ou confessores, que vão intervir, representando o clero regular – primeira dualidade. E, depois, no interior desse clero regular, novo conflito, novo desdobramento entre os que serão os exorcistas patenteados e os que vão representar o papel, ao mesmo tempo, de diretores e de curandeiros. Conflito, rivalidade, disputa, concorrência, entre os capuchinhos, de um lado, os jesuítas, do outro, etc. Em todo caso, esse personagem central do diretor, ou do confessor, vai se multiplicar, se desdobrar, segundo os conflitos que são próprios da instituição eclesiástica mesma[6]. Quanto à possuída, terceiro termo do triângulo, ela também vai se desdobrar, no sentido de que não será, como a feiticeira, cúmplice do diabo, sua serva dócil. Será mais complicado do que isso. A possuída será, é claro, a mulher que está sob o poder do diabo. Mas esse poder, mal se arraiga, mal se introduz, mal penetra no corpo da possuída, vai encontrar uma resistência. A possuída é aquela que resiste ao diabo, no mesmo momento em que é o receptáculo do diabo. De modo que, nela, vai logo aparecer uma dualidade: o que pertencerá ao diabo e que não será mais ela, reduzida simplesmente a uma maquinaria diabólica; e outra instância, que será ela mesma, receptáculo resistente que vai, contra o diabo, impor suas forças ou buscar o apoio do diretor, do confessor, da Igreja. Nela vão se cruzar então os efeitos maléficos do demônio e os efeitos benéficos das proteções divinas ou sacerdotais a que ela vai recorrer. Podemos dizer que a possuída fragmenta e vai fragmentar ao infinito o corpo da feiticeira, que era até então (tomando o esquema da feitiçaria em sua forma simples) uma singularidade somática para a qual o problema da divisão nem se colocava. O corpo da feiticeira estava simplesmente a serviço do diabo, ou estava envolto em certo número de poderes. O corpo da possuída, por sua vez, é um corpo múltiplo, é um corpo que, de certa forma, se volatiliza, se pulveriza numa multiplicidade de poderes que se enfrentam uns aos outros, de forças, de sensações que a assaltam e a atravessam. Mais que o grande duelo entre o bem e o mal, é essa multiplicidade indefinida que vai caracterizar, de um modo geral, o fenômeno da possessão.

Poderíamos dizer ainda o seguinte. O corpo da feiticeira, nos grandes processos de feitiçaria que a Inquisição instaurou, é um corpo único que está simplesmente a serviço ou, se for o caso, penetrado pelos inúmeros exércitos de Satã, Asmodeu, Belzebu, Mefistófeles, etc. Sprenger contara aliás esses milhares e milhares de diabos que corriam o mundo (não me lembro mais se eram 300.000, não importa)[7]. Agora teremos, com o corpo da possuída, outra coisa: o corpo da possuída mesma é que é a sede de uma multiplicidade indefinida de movimentos, de abalos, de sensações, de tremores, de dores e de prazeres. A partir daí, vocês podem compreender como e por que desaparece, com a possessão, um dos elementos que haviam sido fundamentais na feitiçaria: o pacto. A feitiçaria tinha regularmente a forma de uma troca: "Tu me dás tua alma – dizia Satã à feiticeira –, e eu te darei uma parte do meu poder." Ou ainda, dizia

Satã: "Eu te possuo carnalmente, e te possuirei carnalmente cada vez que eu quiser. Em recompensa e em troca, poderás apelar para a minha presença sobrenatural sempre que necessitares"; "Eu te dou prazer – dizia Satã –, mas tu poderás fazer tanto mal quanto quiseres. Eu te transporto ao sabá, mas tu poderás me chamar quando quiseres, e eu estarei onde quiseres." Princípio da troca, que é assinalado precisamente pelo pacto, um pacto que sanciona um ato sexual transgressivo. É a visita do íncubo, é o beijo do traseiro do bode no sabá[8].

Na possessão, ao contrário, não há pacto selado num ato, mas uma invasão, uma insidiosa e irresistível penetração do diabo no corpo. O vínculo da possuída com o diabo não é da ordem do contrato; esse vínculo é da ordem do hábitat, da residência, da impregnação. Transformação do que era outrora o grande diabo negro, apresentando-se ao pé da cama da feiticeira e lhe mostrando orgulhosamente seu sexo brandido – essa figura vai ser substituída por outra coisa bem diferente. Essa cena, por exemplo, que inaugurou, ou quase, as possessões de Loudun: "A prioresa estava deitada, sua vela acesa, [...] ela sentiu sem nada ver [logo, desaparecimento da imagem, desaparecimento dessa grande forma negra – M.F.] uma mão que se fechava sobre a dela, e lhe pôs na mão três espinhos de pilriteiro. [...] A dita prioresa, e outras religiosas, desde a recepção dos ditos espinhos, tinham sentido estranhas mudanças em seu corpo [...], de tal sorte que às vezes elas perdiam todo juízo e eram agitadas por grandes convulsões que pareciam proceder de causas extraordinárias."[9] A forma do diabo desapareceu, sua imagem, presente e bem delineada, se apagou. Há sensações, transmissão de um objeto, diversas e estranhas mudanças no corpo. Não há possessão sexual: simplesmente essa insidiosa penetração no corpo de sensações estranhas. Ou ainda o seguinte, que também está no protocolo do caso de Loudun, tal como vocês podem encontrar no livro de Michel de Certeau que se chama *La possession de Loudun*: "No mesmo dia em que fez profissão, a irmã Agnès, noviça ursulina, foi possuída pelo diabo." Eis como se deu a possessão: "O encanto foi um ramalhete de rosas-musquetas que estava no degrau do dormitório. A madre prioresa pegou-o, cheirou-o, o que algumas outras fizeram depois dela, e todas foram incontinenti possuídas. Elas começaram a gritar e a chamar Grandier, por quem estavam tão enamoradas que nem as outras religiosas, nem todas as outras pessoas eram capazes de contê-las [voltarei sobre isso tudo daqui a pouco – M.F.]. Elas queriam ir encontrá-lo e, para tanto, subiam e corriam nos telhados do convento, nas árvores, de camisola, e se penduravam na ponta dos galhos. Aí, depois de soltarem gritos pavorosos, suportavam o granizo, a geada e a chuva, ficando quatro a cinco dias sem comer."[10]

Logo, um sistema de possessão bem diferente, uma iniciação diabólica bem diferente. Não é o ato sexual, não é a grande visão sulfurosa, é a lenta penetração no corpo. E também o desaparecimento do sistema de troca. Em vez do sistema de troca, temos jogos infinitos de substituição: o corpo do diabo vai substituir o da religiosa. No momento em que a religiosa, buscando um apoio no exterior, abre a boca para receber a hóstia, bruscamente o diabo toma seu lugar, ou um dos diabos: é Belzebu. E Belzebu cospe a hóstia da boca da religiosa, que no entanto havia aberto a boca para recebê-la. Do mesmo modo que o discurso do diabo vem substituir as palavras da prece e da oração. No momento em que a religiosa quer recitar o *Pater*, o diabo responde em seu lugar, com sua própria língua: "Eu o amaldiçoo."[11] Mas essas substituições não são substituições sem batalha, sem conflito, sem interferências, sem resistências. No momento em que ela vai receber a hóstia, essa hóstia que ela vai cuspir em seguida, a religiosa leva a mão à garganta, para tentar expulsar da sua garganta o diabo, que está a ponto de cuspir a hóstia que ela está absorvendo. Ou ainda, quando o exorcista quer fazer o demônio confessar seu nome, isto é, identificá-lo, o demônio responde: "Esqueci meu nome, [...] Perdi-o lavando a roupa."[12] É todo esse jogo de substituições, de desaparecimentos, de combates, que vai caracterizar a cena, a própria plástica da possessão, bem diferente por conseguinte de todos os jogos de ilusão próprios da feitiçaria. E vocês veem que, no âmago disso tudo, o jogo do consentimento, do consentimento do sujeito possuído, é muito mais complexo do que o jogo do consentimento na feitiçaria.

Na feitiçaria, a vontade da feiticeira envolvida é uma vontade, no fundo, de tipo jurídico. A feiticeira subscreve a troca proposta: você me proporciona prazer e poder, eu lhe dou meu corpo, minha alma. A feiticeira subscreve a troca, firma o pacto – no fundo, ela é um sujeito jurídico. É a esse título que poderá ser punida. Na possessão (como vocês podem pressentir por todos esses elementos, esses detalhes, que acabo de citar), a vontade é carregada de todos os equívocos do desejo. A vontade quer e não quer. É assim que, no relato da madre Joana dos Anjos, sempre a propósito do caso de Loudun, vê-se nitidamente o sutilíssimo jogo da vontade sobre si mesma, a vontade que se afirma e logo se esquiva[13]. Os exorcistas tinham dito à madre Joana dos Anjos que o demônio induzia nela sensações tais, que ela não podia reconhecer que se tratava de um jogo do demônio[14]. Mas madre Joana dos Anjos sabe perfeitamente que os exorcistas, quando lhe dizem isso, não dizem a verdade, e não sondaram o fundo do seu coração. Ela reconhece que não é tão simples assim e que, se o demônio pôde inserir nela esses tipos de sensações por trás das quais ele se esconde, é que na verdade ela permitiu essa inserção. Essa inserção se realizou por um jogo de pequenos prazeres, de imperceptíveis sensações, de minúsculos consentimentos, de uma espécie de pequena complacência permanente, em que a vontade e o prazer se enroscam um no outro e produzem um engano. Engano para madre Joana dos Anjos, que vê apenas o prazer e não enxerga o mal; engano para os exorcistas também, pois eles acreditam que é o diabo. Como ela própria diz em sua confissão: "O diabo me enganava frequentemente com um pequeno deleite que eu tinha com as agitações e outras coisas extraordinárias que ele fazia em meu corpo."[15] Ou ainda: "Aconteceu, para grande confusão minha, que, nos primeiros dias em que o padre Lactance me foi dado como diretor e exorcista, eu desaprovava sua maneira de agir em muitas pequenas coisas, muito embora ela fosse ótima, mas é que eu era má."[16] Assim, o padre Lactance propõe dar a comunhão às religiosas somente através da grade. Então madre Joana dos Anjos fica zangada, começa a murmurar em seu coração: "Eu pensava dentro de mim mesma que seria [bem] melhor ele fazer como os outros padres. Detendo-me com negligência nesse pensamento, veio-me ao espírito que, para humilhar esse padre, o demônio teria feito alguma irreverência ao Santíssimo Sacramento. Fui tão miserável que não resisti com força suficiente a tal pensamento. Ao me apresentar à [grade da – M.F.] comunhão, o diabo se apossou da minha cabeça e, depois que eu já havia recebido a santa hóstia e começado a umectá-la, o diabo jogou-a na cara do padre. Sei que não fiz essa ação com liberdade, tenho plena certeza de que, para minha grande confusão, dei azo a que o diabo o fizesse e de que ele não teria tido tal poder, se eu não me houvesse ligado a ele."[17] Encontramos aí o tema do vínculo que estava na própria base da operação de feitiçaria, o vínculo com o diabo. Mas vocês estão vendo que, nesse jogo do prazer, do consentimento, da não recusa, da pequena complacência, estamos longe da grande massa jurídica do consentimento dado de uma vez por todas e autenticado pela feiticeira, quando firma o pacto feito com o diabo.

Dois tipos de consentimento, mas também dois tipos de corpo. O corpo enfeitiçado, como vocês sabem, se caracterizava essencialmente por duas características. Por um lado, o corpo das feiticeiras era um corpo todo rodeado ou, de certo modo, beneficiário de toda uma série de prestígios, que uns consideram reais e outros, ilusórios, mas pouco importa. O corpo da feiticeira é capaz de se transportar ou de ser transportado; é capaz de aparecer e desaparecer; fica invisível também, em certos casos. Em suma, é afetado por uma espécie de transmaterialidade. Também é caracterizado pelo fato de que é sempre portador de marcas, que são manchas, zonas de insensibilidade, e que constituem, todas elas, como que assinaturas do demônio. É o método pelo qual o demônio pode reconhecer os seus; é também, inversamente, o meio pelo qual os inquisidores, a gente da Igreja, os juízes podem reconhecer que se trata de uma feiticeira. Em linhas gerais, o corpo da feiticeira, de um lado, goza de prestígios que lhe permitem participar da potência diabólica, que lhe permitem por conseguinte escapar dos que a perseguem, mas, por outro lado, o corpo da feiticeira é marcado, e essa marca liga a feiticeira tanto ao demônio como ao juiz ou ao padre que perseguem o demônio. Ela é ligada por suas marcas no mesmo momento em que é exaltada por seus prestígios.

O corpo da possuída é bem diferente. Não está envolto em prestígios; é o lugar de um teatro. É nele, nesse corpo, no interior desse corpo, que se manifestam os diferentes poderes, seus enfrentamentos. Não é um corpo transportado: é um corpo atravessado em sua espessura. É um corpo dos investimentos e contrainvestimentos. No fundo, é um corpo fortaleza: fortaleza investida e sitiada. Corpo-cidadela, corpo-batalha: batalha entre o demônio e a possuída que resiste; batalha entre o que, na possuída, resiste e essa parte dela mesma, ao contrário, que consente e se trai; batalha entre os demônios, os exorcistas, os diretores e a possuída, que ora os ajuda, ora os trai, ficando ora do lado do demônio pelo jogo dos prazeres, ora do lado dos diretores e dos exorcistas por meio de suas resistências. É tudo isso que constitui o teatro somático da possessão. Exemplo: "O que era sensivelmente admirável é que [o diabo – M.F.], recebendo a ordem em latim de deixar [Joana dos Anjos – M.F.] unir as mãos, notava-se uma obediência forçada, e as mãos se uniam sempre tremendo. E, recebido o santo Sacramento na boca, ele queria, soprando e rugindo como um leão, repeli-lo. Recebendo a ordem de não cometer nenhuma irreverência, via-se [o demônio – M.F.] parar e o santo Sacramento descer ao estômago. Viam-se ânsias de vômito e, proibindo-lhe que assim fizesse, ele cedia."[18] Como vocês veem, o corpo da feiticeira, que podia ser transportado e tornado invisível, é agora substituído por (ou aparece tomando o lugar desse corpo) um novo corpo detalhado, um novo corpo em perpétua agitação e tremor, um corpo através do qual é possível acompanhar os diferentes episódios da batalha, um corpo que digere e que cospe, um corpo que absorve e um corpo que rejeita, nessa espécie de teatro fisiológico-teológico que o corpo da possuída constitui: é isso, creio eu, que o opõe, muito claramente, ao corpo da feiticeira. Além do mais, esse combate tem sem dúvida sua assinatura, mas sua assinatura não é de modo algum a marca que encontramos nas feiticeiras. A marca ou a assinatura da possessão não é, por exemplo, a mancha que encontrávamos no corpo das feiticeiras.

É algo bem diferente, é um elemento que vai ter, na história médica e religiosa do Ocidente, uma importância capital: a convulsão.

O que é a convulsão? A convulsão é a forma plástica e visível do combate no corpo da possuída. A onipotência do demônio, sua *performance* física, pode ser encontrada em aspectos dos fenômenos de convulsão como a rigidez, o arco de círculo, a insensibilidade às pancadas. Sempre nesse fenômeno da convulsão, também encontramos – como efeito puramente mecânico do combate, de certo modo como o abalo dessas forças que se enfrentam mutuamente – as agitações, os tremores, etc. Também encontramos toda a série dos gestos involuntários, mas significantes: debater-se, cuspir, tomar atitudes de denegação, dizer palavras obscenas, irreligiosas, blasfematórias, mas sempre automáticas. Tudo isso constitui os episódios sucessivos da batalha, os ataques e contra-ataques, a vitória de um ou outro. E, enfim, as sufocações, os engasgos, os desmaios assinalam o momento, o ponto em que o corpo vai ser destruído nesse combate, pelos próprios excessos das forças em presença. É a primeira vez que aparece de maneira tão nítida a supervalorização do elemento convulsivo. A convulsão é essa imensa noção-aranha que estende seus fios tanto do lado da religião e do misticismo, como do lado da medicina e da psiquiatria. É essa convulsão que, durante dois séculos e meio, vai ser o móbil de uma batalha importante entre a medicina e o catolicismo.

Mas, antes de voltar a falar um pouco dessa batalha, gostaria de lhes mostrar que, no fundo, a carne que a prática espiritual dos séculos XVI-XVII faz surgir, essa carne, levada até certo ponto, se torna a carne convulsiva. Ela aparece, no campo dessa nova prática que era a direção de consciência, como o termo, o limitador, desse novo investimento do corpo que, a partir do concílio de Trento, o governo das almas constituía. A carne convulsiva é o corpo atravessado pelo direito de exame, o corpo submetido à obrigação da confissão exaustiva e o corpo eriçado contra esse direito de exame, eriçado contra essa obrigação da confissão exaustiva. É o corpo que opõe, à regra do discurso completo, seja o mutismo, seja o grito. É o corpo que opõe à regra da direção obediente os grandes abalos da revolta involuntária, ou também as pequenas traições das complacências secretas. A carne convulsiva é ao mesmo tempo o efeito último e o ponto de retorno desses mecanismos de investimento corporal que a nova vaga de cristianização havia organizado no século XVI. A carne convulsiva é o efeito da resistência dessa cristianização no nível dos corpos individuais.

Em linhas gerais podemos dizer o seguinte: do mesmo modo que a feitiçaria foi sem dúvida, ao mesmo tempo, o efeito, o ponto de inversão e o foco de resistência a essa vaga de cristianização e a esses instrumentos que foram a Inquisição e os tribunais da Inquisição, assim também a possessão foi o efeito e o ponto de inversão dessa outra técnica de cristianização que foram o confessionário e a direção de consciência. O que a feitiçaria foi no tribunal da Inquisição, a possessão foi no confessionário. Assim, na minha opinião, não é na história das doenças que devemos inscrever o problema do(a)s possuído(a)s e de suas convulsões. Não é fazendo uma história das doenças psíquicas ou mentais do Ocidente que se poderá entender por que o(a)s possuído(a)s, por que o(a)s convulsionário(a)s [apareceram]. Não creio que seja tampouco fazendo a história das superstições ou das mentalidades: não foi porque se acreditava no diabo que os convulsionários ou os possuídos apareceram. Creio que é fazendo a história das relações entre o corpo e os mecanismos de poder que o investem que podemos chegar a compreender como e por que, nessa época, esses novos fenômenos da possessão apareceram, tomando o lugar dos fenômenos um pouco anteriores da feitiçaria. A possessão faz parte, em seu aparecimento, em seu desenvolvimento e nos mecanismos que a suportam, da história política do corpo.

Dirão vocês que, estabelecendo (como tentei estabelecer agora mesmo) uma diferença tão marcante entre a feitiçaria e a possessão, corro o risco de deixar passar certo número de fenômenos evidentes, como a interpenetração de ambas – feitiçaria e possessão – no fim do século XVI e início do século XVII. Em todo caso, a feitiçaria, desde que a vemos desenvolver-se no fim do século XV, sempre comportava em suas margens certo número de elementos que pertenciam à possessão. Inversamente, nos principais casos de possessão que vemos surgir sobretudo no início do século XVII, a ação, a presença do feiticeiro é, apesar de tudo, bastante explícita e marcante. O caso de Loudun, que se situa a partir do ano de 1632, é um exemplo dessa interpenetração. Muitos elementos de feitiçaria: temos o tribunal da Inquisição, temos as torturas, temos por fim a sanção da fogueira para quem foi designado como o feiticeiro do caso, isto é, Urbain Grandier. Logo, toda uma paisagem de feitiçaria. E ao lado disso, misturado com isso, temos também toda uma paisagem que é a da possessão. Não mais o tribunal da Inquisição, com as torturas e a fogueira, mas a capela, o locutório, o confessionário, a grade do convento, etc. O duplo aparelho, o da possessão e o da feitiçaria, fica bem evidente nesse caso de 1632.

Mas acho que podemos dizer o seguinte: até o século XVI, a possessão sem dúvida nada mais era que um aspecto da feitiçaria; depois, a partir do século XVII (ao que tudo indica a partir dos anos 1630-1640), há, pelo menos na França, uma tendência à relação inversa, isto é, de que a feitiçaria vá tender a não passar de uma dimensão, e nem sempre presente, da possessão. Se o caso de Loudun foi tão escandaloso, se fez época e ainda marca a memória de toda essa história, é que ele representou o esforço mais sistemático e, ao mesmo tempo, mais desesperado, mais fadado ao fracasso, de transcrever o fenômeno da possessão, absolutamente típico desses novos mecanismos de poder da Igreja, na velha liturgia da caça às bruxas. Parece-me que o caso de Loudun é um típico caso de possessão, pelo menos no início. De fato, todos os personagens que figuram no caso de 1632 são personagens internos da Igreja: religiosas, padres, religiosos, carmelitas, jesuítas, etc. É só secundariamente que vão se juntar personagens externos: juízes ou representantes do poder central. Mas, em sua origem, é um caso interno da Igreja. Não há personagens marginais, não há esses mal cristianizados, que encontramos nos casos de feitiçaria; a própria paisagem do caso é inteiramente definida no interior não apenas da Igreja, mas de um convento preciso e determinado. A paisagem é a dos dormitórios, dos oratórios, dos conventos. Quanto aos elementos em jogo, são, como eu lhes lembrava há pouco, as sensações, um cheiro quase condillaciano de rosa, que invade as narinas das religiosas[19]. São as convulsões, as contraturas. Em suma, é o distúrbio carnal.

Mas creio que o que aconteceu foi que a Igreja – quando se confrontou, nesse caso (poderíamos sem dúvida encontrar o mesmo mecanismo nos casos de Aix e nos outros), com todos esses fenômenos que estavam tão em linha com a sua nova técnica de poder e que eram ao mesmo tempo o momento, o ponto, em que essas técnicas de poder encontravam seus limites e seu ponto de inversão – tratou de controlá-los. Ela tratou de liquidar esses conflitos, que haviam nascido da própria técnica que ela empregava para exercer o poder. E então, como não tinha meios para controlar esses efeitos do novo mecanismo de poder instituído, ela reinscreveu nos velhos procedimentos de controle, característicos da caça às bruxas, o fenômeno que ela devia constatar, e só o pôde dominar transcrevendo-o em termos de feitiçaria. É por isso que, diante desses fenômenos de possessão que se difundiam no convento das ursulinas de Loudun, foi necessário encontrar a qualquer preço o feiticeiro. Ora, deu-se que o único que podia representar o papel de feiticeiro era precisamente alguém que pertencia à Igreja, já que todos os personagens implicados de início eram personagens eclesiásticos. De sorte que a Igreja foi obrigada a amputar um de seus membros e designar como feiticeiro alguém que era padre. Urbain Grandier, vigário de Loudun, foi obrigado a fazer o papel de feiticeiro; atribuíram-lhe à força esse papel num caso que era um caso típico de possessão. Com isso, reativou-se ou deu-se continuidade a procedimentos que já começavam a desaparecer e que eram os dos processos de feitiçaria e dos processos de Inquisição. Eles foram remanejados e reutilizados nesse caso, mas para chegar a controlar e dominar fenômenos que na verdade pertenciam a outra ordem de coisas. A Igreja tentou, no caso de Loudun, referir todos os distúrbios carnais da possessão à forma tradicional, juridicamente conhecida, do pacto diabólico de feitiçaria. Assim, Grandier foi, ao mesmo tempo, sagrado feiticeiro e sacrificado como tal.

Ora, bem entendido, uma operação como esta era muito onerosa. De um lado, por causa dessa automutilação a que a Igreja se viu forçada, e certamente seria de novo forçada, em todos os casos desse tipo, se fossem aplicados os velhos procedimentos da caça às bruxas. Era uma operação onerosa igualmente por causa da reativação de formas de intervenção que eram totalmente arcaicas, em relação às novas formas do poder eclesiástico. Na época da direção espiritual, como era possível fazer funcionar, de forma coerente, um tribunal como o da Inquisição? E, enfim, era uma operação muito onerosa porque foi necessário apelar para um tipo de jurisdição que o poder civil da monarquia administrativa suportava cada vez pior. De sorte que vemos, em Loudun, a Igreja tropeçar nos efeitos paroxísticos de sua nova tecnologia individualizante de poder; e a vemos fracassar em seu recurso regressivo e arcaizante aos procedimentos inquisitoriais de controle. Creio que, nesse caso de Loudun, vê-se pela primeira vez formular-se claramente o que será um dos grandes problemas da Igreja católica a partir de meados do século XVII. Esse problema pode ser assim caracterizado: como é possível manter e desenvolver as tecnologias de governo das almas e dos corpos criadas pelo concílio de Trento? Como levar adiante esse grande policiamento discursivo e esse grande exame da carne, evitando as consequências que deles são os contragolpes: esses efeitos-resistências de que as convulsões do(a)s possuído(a)s são as formas paroxísticas e teatrais mais visíveis? Em outras palavras, como é possível governar as almas de acordo com a fórmula tridentina, sem se chocar, num momento dado, com a convulsão dos corpos? Governar a carne sem cair na cilada das convulsões: foi esse, na minha opinião, o grande problema e o grande debate da Igreja com ela mesma a propósito da sexualidade, do corpo e da carne, desde o século XVII. Penetrar a carne, fazê-la passar pelo filtro do discurso exaustivo e do exame permanente; submetê-la, por conseguinte, em detalhe, a um poder exclusivo; logo, manter sempre a exata direção da carne, possuí-la no nível da direção, mas evitando a qualquer preço essa subtração, essa esquiva, essa fuga, esse contrapoder, que é a possessão. Possuir a direção da carne, sem que o corpo oponha a essa direção esse fenômeno de resistência que a possessão constitui.

Foi para resolver esse problema que, a meu ver, a Igreja criou certo número de mecanismos que chamarei de grandes anticonvulsivos. Vou classificar os anticonvulsivos em três itens. Primeiramente, um moderador interno. No interior das práticas de confissão, no interior das práticas de direção de consciência, vai-se impor agora uma regra aditiva, que é a regra de discrição. Ou seja, vai ser necessário continuar a dizer tudo, na direção de consciência, vai ser necessário continuar a confessar tudo, na prática penitencial, mas não se poderá dizer de qualquer maneira. Uma regra de estilo, ou imperativos de retórica, vai se impor no interior mesmo da regra geral da confissão exaustiva. Eis o que quero dizer. Num manual de confissão da primeira metade do século XVII, que foi redigido por Tamburini e que se chama *Methodus expeditae confessionis* (quer dizer, se não me equivoco, um método para confissão rápida, expressa), encontramos o detalhe do que podia ser, do que devia ser uma boa confissão quanto ao sexto mandamento (ou seja, quanto ao pecado de luxúria), antes da introdução desse moderador estilístico[20]. Eis alguns exemplos do que devia ser dito ou das perguntas que deviam ser feitas pelo confessor, no curso de uma penitência desse gênero. A propósito do pecado de *mollities*, isto é, dessa polução voluntária sem conjunção dos corpos[21], o penitente tinha de dizer – caso tivesse cometido tal pecado – em que precisamente pensara enquanto praticava essa polução. Porque, conforme tivesse pensado nisso ou naquilo, a espécie do pecado devia mudar. Pensar num incesto era evidentemente um pecado mais grave do que pensar numa fornicação pura e simples, mesmo que isso sempre levasse a uma polução voluntária sem conjunção dos corpos[22]. Era preciso perguntar, ou em todo caso saber da boca do penitente, se ele tinha se valido de um instrumento[23], ou se ele tinha se valido da mão de outrem[24], ou ainda se ele havia se valido de uma parte do corpo de alguém. Ele tinha de dizer qual era essa parte do corpo de alguém de que se servira[25]. Tinha de dizer se havia se valido da parte do corpo unicamente por um motivo utilitário, ou se havia sido levado a ela por um *affectus particularis*, por um desejo particular[26]. Quando se abordava o pecado de sodomia, era necessário também fazer certo número de perguntas e era preciso que certo número de coisas fossem ditas[27]. Se se tratava de dois homens que chegavam ao gozo, era preciso lhes perguntar se fora misturando seus corpos e agitando-os, o que constitui a sodomia perfeita[28]. No caso de duas mulheres, ao contrário, se a polução se devia à simples necessidade de descarregar a libido (*explenda libido*, diz o texto), não era um pecado muito grave, não passava de *mollities*[29]. Mas, se essa polução se devia a uma afeição pelo mesmo sexo (que é o sexo indevido, pois se trata de uma mulher), então estamos diante de uma sodomia imperfeita[30]. Quanto à sodomia entre homem e mulher, se ela se deve a um desejo pelo sexo feminino em geral, não passa de uma *copulatio fornicaria*[31]. Mas se, ao contrário, a sodomia de um homem com uma mulher se deve a um gosto particular pelas partes posteriores, então é uma sodomia imperfeita, porque a parte desejada é não natural: a categoria é, por certo, a da sodomia, mas como o sexo não é o sexo indevido – pois se trata de uma mulher com um homem –, sendo então o sexo o devido, a sodomia não será perfeita, mas simplesmente imperfeita[32].

Era esse o tipo de informação que devia ser estatutariamente recolhida numa confissão (que era no entanto uma *expedita confessio*, uma confissão rápida). Foi para contrabalançar os efeitos indutores dessa regra do discurso exaustivo que certo número de princípios de atenuação foram formulados. Atenuações que concernem, umas, à própria encenação material da confissão: a necessidade da sombra; o aparecimento da grade no pequeno móvel do confessionário; a regra segundo a qual o confessor não deve olhar para o penitente nos olhos, se o penitente for uma mulher ou um rapaz (regra formulada por Angiolo di Chivasso)[33]. Outras regras que se referem ao discurso, uma, por exemplo, que consiste num conselho dado ao confessor: "Só fazer confessar em detalhe os pecados no decorrer da primeira confissão e, depois, nas confissões seguintes, referir-se (mas sem descrevê-los nem detalhá-los) aos pecados que foram nomeados na primeira confissão. Você fez mesmo o que fez durante sua primeira confissão, ou fez o que não fez no curso da primeira confissão?"[34] Assim, evita-se ter de utilizar efetivamente, diretamente, o discurso de confissão propriamente dito. Porém, mais sério, ou mais importante: toda uma retórica, que havia sido aperfeiçoada pelos jesuítas e que é o método da insinuação.

A insinuação faz parte desse famoso laxismo que foi imputado aos jesuítas e que, não se deve esquecer, tem sempre dois aspectos: laxismo sem dúvida no nível da penitência, isto é, leve satisfação para os pecados, pelo menos a partir do momento em que é possível encontrar certo número de circunstâncias que permitem atenuá-los; mas laxismo também no nível da enunciação. O laxismo dos jesuítas permite que o penitente não diga tudo, em todo caso que não precise tudo. O princípio laxista é o seguinte: é melhor para o confessor absolver um pecado que ele acredita ser venial, quando é mortal, do que induzir pela confissão mesma desse pecado novas tentações no espírito, no corpo, na carne do seu penitente. Assim é que o concílio de Roma, em 1725[35], deu conselhos explícitos de prudência aos confessores para seus penitentes, principalmente quando estes são gente jovem e, mais ainda, crianças. De tal sorte que chegamos a esta situação paradoxal na qual duas regras vão agir no interior dessa estrutura de confissão, que tento analisar faz duas sessões: uma é a da discursividade exaustiva e exclusiva, a outra, a que é agora a nova regra da enunciação contida. É preciso dizer tudo e é preciso dizer o menos possível; ou ainda, dizer o menos possível é o princípio tático numa estratégia geral que manda dizer tudo. É assim que Afonso de Ligório, no fim do século XVIII-início do século XIX, vai elaborar toda uma série de regras, que vão caracterizar a confissão moderna e as formas da confissão na penitência moderna e contemporânea[36]. Afonso de Ligório, que sempre sustenta o princípio da confissão exaustiva, em sua instrução sobre o sexto preceito, traduzida em francês com o título de *Le Conservateur des jeunes gens*, diz: "É necessário descobrir na confissão não apenas [todos] os atos consumados, mas também [todos] os toques sensuais, todos os olhares impuros, todas as palavras obscenas, principalmente se houve prazer. [...] Levar-se-ão assim em conta todos os pensamentos desonestos."[37] Mas, em outro texto, que é *A prática do confessor*, ele diz que, quando se aborda o sexto mandamento, é preciso – principalmente quando se confessam crianças – observar a maior reserva. Primeiro, começar "por questões indiretas e um tanto vagas"; perguntar simplesmente "se disseram palavras feias, se brincaram com outros meninos ou meninas, se era escondido". Em seguida perguntar "se fizeram coisas feias ou erradas. Acontece com frequência que as crianças respondem negativamente. É útil então fazer perguntas que as levem a responder, por exemplo: 'Quantas vezes você fez isso? Dez vezes, quinze vezes?'" Deve-se perguntar "com quem dormem, se, na cama, se divertiram com as mãos. Às meninas deve-se perguntar se tiveram amizade por alguém, se tiveram maus pensamentos, palavras, diversões. E, conforme a resposta, ir mais longe." Mas evitar sempre "perguntar", tanto para as meninas "como para os meninos *an adfuerit seminis effusio* [nem preciso traduzir – M.F.]. Com crianças, é bem melhor faltar com a integridade material da confissão do que ser a causa de aprenderem o mal que não conhecem ou inspirar-lhes o desejo de conhecê-lo". Deve-se perguntar simplesmente "se levaram presentes, prestaram serviços a homens ou mulheres. Às meninas, perguntar se ganharam presentes de pessoas suspeitas", em particular de eclesiásticos ou religiosos![38] Como vocês veem, é um mecanismo totalmente diferente da confissão que é instituído, com base numa regra que permanece a mesma: a necessidade de introduzir toda uma série de procedimentos estilísticos e retóricos que permitem dizer as coisas sem nunca as nomear. É aí que a codificação pudibunda da sexualidade vai se introduzir numa prática da confissão, de que o texto de Tamburini, que lhes citei faz pouco, ainda não trazia nenhum vestígio, em meados do século XVII. Aí está o primeiro anticonvulsivo utilizado pela Igreja: a modulação estilística da confissão e da direção de consciência.

Segundo método, segundo procedimento, empregado pela Igreja, é a transferência externa, e não mais o moderador interno: é a expulsão do próprio convulsivo. Acho que o que a Igreja buscou (e relativamente cedo, desde a segunda metade do século XVII) foi estabelecer uma linha divisória entre essa carne incerta, pecaminosa, que a direção de consciência deve controlar e percorrer com seu discurso infinito e meticuloso, e a tal convulsão com que ela se choca e que é, ao mesmo tempo, o efeito último e a resistência mais visível; essa convulsão de que a Igreja vai tentar se livrar, se desobrigar, para que não capture em sua armadilha todo o mecanismo da direção. É preciso fazer o convulsivo, isto é, os próprios paroxismos da possessão, passar para um novo registro de discurso, que não será mais o da penitência e da direção de consciência, e, ao mesmo tempo, para outro mecanismo de controle. É aí que começa a se produzir a grande e célebre passagem de poder à medicina.

Esquematicamente, podemos dizer o seguinte. Tinha-se apelado para a medicina e para os médicos no momento dos grandes episódios dos processos de feitiçaria, mas precisamente contra o poder eclesiástico, contra os abusos da Inquisição[39]. Foi em geral o poder civil, ou a organização da magistratura, que tentou inserir a questão médica no caso da feitiçaria, mas como moderação externa do poder da Igreja[40]. Agora é o próprio poder eclesiástico que vai apelar para a medicina para poder se libertar desse problema, dessa questão, dessa cilada, que a possessão arma para a direção de consciência tal como foi estabelecida no século XVI[41]. Apelo tímido, é claro, contraditório, reticente, já que, introduzindo o médico nos casos de possessão, vai-se introduzir a medicina na teologia, os médicos nos conventos, mais geralmente a jurisdição do saber médico nessa ordem da carne que a nova pastoral eclesiástica havia constituído em domínio. Essa carne, pela qual a Igreja assegurava seu controle sobre os corpos, corre de fato o risco de ser, agora, por esse outro modo de análise e de gestão do corpo, confiscada por outro poder, que será o poder laico da medicina. Donde, é claro, a desconfiança para com a medicina; donde a reticência que a própria Igreja oporá à sua necessidade de recorrer à medicina. Porque esse recurso não pode ser anulado. Tornou-se necessário que a convulsão deixe de ser, nos termos da direção de consciência, aquilo por meio de que os dirigidos vão se insurgir corporal e carnalmente contra seus diretores, a ponto de enredá-los e, de certo modo, contrapossuí-los. É preciso romper esse mecanismo no qual a direção se inverte e se compromete. Nessa medida, é necessário um corte radical que torne a convulsão como que um fenômeno autônomo, estranho, inteiramente diferente em sua natureza do que pode acontecer no interior do mecanismo da direção de consciência. E essa necessidade, é claro, se tornará tanto mais urgente quanto mais as convulsões vão se articular diretamente sobre uma resistência religiosa ou política. Quando as convulsões não se encontrarem mais apenas nos conventos das ursulinas, mas, por exemplo, entre os convulsionários de Saint-Médard (isto é, numa camada da população relativamente baixa da sociedade), ou entre os protestantes de Cévennes, então a codificação médica passará a ser um imperativo absoluto. De sorte que, entre Loudun (1632), os convulsionários de Saint-Médard ou de Cévennes (início do século XVIII), entre essas duas séries de fenômenos, começa, se arma toda uma história: a história da convulsão como instrumento e objeto de uma liça da religião consigo mesma, e da religião com a medicina[42]. A partir daí, vamos ter duas séries de fenômenos.

De um lado, a convulsão vai se tornar, desde o século XVIII, um objeto médico privilegiado. De fato, a partir do século XVIII, vemos a convulsão (ou todos os fenômenos aparentados à convulsão) constituir essa espécie de grande domínio que vai ser tão fecundo, tão importante, para os médicos: as doenças dos nervos, os vapores, as crises. O que a pastoral cristã organizou como carne está se tornando, no século XVIII, um objeto médico. É por aí, anexando essa carne que lhe é, no fundo, proposta pela própria Igreja a partir desse fenômeno da convulsão, que a medicina vai se firmar, e pela primeira vez, na ordem da sexualidade. Em outras palavras, não foi por uma extensão das condições tradicionais da medicina grega ou medieval sobre o útero ou sobre os humores, que a medicina descobriu esse domínio das doenças de conotação, origem ou suporte sexual. Foi na medida em que herdou esse domínio da carne, recortado e organizado pelo poder eclesiástico, foi na medida em que se tornou, a pedido da própria Igreja, herdeira ou herdeira parcial, que a medicina pôde começar a se tornar um controle higiênico e com pretensões científicas da sexualidade. A importância do que se chamava na época, na patologia do século XVIII, de "sistema nervoso" vem de que ele serviu precisamente de primeira grande codificação anatômica e médica para esse domínio da carne que a arte cristã da penitência havia até então percorrido simplesmente com a ajuda de noções como os "movimentos", as "atrações", as "titilações", etc. O sistema nervoso, a análise do sistema nervoso, a própria mecânica fantástica que será atribuída ao sistema nervoso no correr do século XVIII, tudo isso é uma maneira de recodificar em termos médicos esse domínio de objetos que a prática da penitência, desde o século XVI, havia isolado e constituído. A concupiscência era a alma pecadora da carne. Pois bem, o gênero nervoso é, desde o século XVIII, o corpo racional e científico dessa mesma carne. O sistema nervoso assume, de pleno direito, o lugar da concupiscência. É a versão material e anatômica da velha concupiscência.

Por conseguinte, compreende-se por que o estudo da convulsão, como forma paroxística da ação do sistema nervoso, vai ser a primeira grande forma da neuropatologia. Acho que não podemos subestimar a importância histórica dessa convulsão na história das doenças mentais, porque, lembrem-se do que eu lhes dizia em nossos últimos encontros, por volta de 1850 a psiquiatria finalmente se desalienou. Ela deixou de ser a análise do erro, do delírio, da ilusão, para se tornar análise de todas as perturbações do instinto. A psiquiatria atribui-se o instinto, seus distúrbios, toda a confusão entre o voluntário e o involuntário, como seu domínio próprio. Pois bem, essa convulsão (isto é, essa agitação paroxística do sistema nervoso que foi, para a medicina do século XVIII, a maneira de recodificar a velha convulsão e todo o efeito de concupiscência da herança cristã) vai surgir agora como a libertação involuntária dos automatismos. Com isso, ela constituirá naturalmente o modelo neurológico da doença mental. A psiquiatria, tal como a descrevi para vocês, passou, de uma análise da doença mental como delírio, à análise da anomalia como distúrbio do instinto. Enquanto isso, ou já bem antes, desde o século XVIII, outra variante estava se preparando, uma variante que tem uma origem totalmente diferente, pois se tratava dessa célebre carne cristã. Essa carne de concupiscência, recodificada por intermédio da convulsão no sistema nervoso, vai proporcionar – no momento em que será necessário pensar e analisar o distúrbio do instinto – um modelo. O modelo será a convulsão, a convulsão como libertação automática e violenta dos mecanismos fundamentais e instintivos do organismo humano: a convulsão vai ser o protótipo da loucura. Compreende-se como pôde se edificar, no meio da psiquiatria do século XIX, esse monumento para nós heterogêneo e heteróclito que é a célebre histeroepilepsia. No centro mesmo do século XIX, a histeroepilepsia (que reinou desde os anos 1850 até sua demolição por Charcot em 1875-1880, mais ou menos) foi a maneira de analisar, sob a forma da convulsão nervosa, a perturbação do instinto tal como havia surgido da análise das doenças mentais, em particular das monstruosidades[43]. Vê-se confluir assim toda essa longa história da confissão cristã e do crime monstruoso (de que lhes falei da outra vez), que agora converge nessa análise e nessa noção, tão característica da psiquiatria da época, que é a histeroepilepsia.

Temos com ela a penetração, cada vez maior, cada vez mais marcante, da convulsão no discurso e na prática médica. Expulsa do campo da direção espiritual, a convulsão, que a medicina herdou, vai lhe servir de modelo para os fenômenos da loucura. Mas, enquanto a convulsão penetrava cada vez mais na medicina, a Igreja católica, de seu lado, tendeu cada vez mais a se desembaraçar dessa convulsão que a embaraçava, a livrar do perigo da convulsão essa carne que ela controlava, e isso tanto mais que a convulsão servia ao mesmo tempo à medicina em sua luta contra a Igreja. Porque, cada vez que os médicos faziam uma análise da convulsão, era ao mesmo tempo para tentar mostrar quanto os fenômenos de feitiçaria, ou de possessão, na verdade não passavam de fenômenos patológicos. Nessa medida, quanto mais a medicina confiscava para si a convulsão, mais tentava opor a convulsão a toda uma série de crenças ou de rituais eclesiásticos, [e mais] a Igreja tentava se desembaraçar cada vez mais depressa e de uma maneira cada vez mais radical dessas tais de convulsões. De modo que, na nova grande vaga de cristianização que vai se deflagrar no século XIX, vemos a convulsão tornar-se um objeto cada vez mais desqualificado na piedade cristã, católica e, aliás, também protestante. Vemos a convulsão cada vez mais desqualificada, e outra coisa vai a ela: a aparição. A Igreja desqualifica a convulsão ou deixa a medicina desqualificá-la. Ela não quer mais ouvir falar do que quer que pudesse lembrar essa invasão insidiosa do corpo do diretor na carne da freira. Em compensação, ela vai valorizar a aparição, isto é, não mais a aparição do diabo, nem mesmo aquela insidiosa sensação que as religiosas experimentavam no século XVII. A aparição é a aparição da Virgem: é uma aparição a distância, ao mesmo tempo tão próxima e tão distante, ao alcance da mão em certo sentido e, no entanto, inacessível. Mas, como quer que seja, as aparições do século XIX (a de La Salette e a de Lourdes são características) excluem absolutamente o corpo a corpo. A regra do não contato, do não corpo a corpo, da não mistura do corpo espiritual da Virgem com o corpo material do miraculado, é uma das regras fundamentais do sistema de aparição que se instaura no século XIX. Portanto, aparição a distância, sem corpo a corpo, da própria Virgem; aparição cujo sujeito não são mais aquelas freiras enclausuradas e excitadas, que constituíam tamanha armadilha para a direção de consciência. O sujeito vai ser agora a criança, a criança inocente, a criança que mal abordou a prática perigosa da direção de consciência. É nesse olhar angélico da criança, é diante do seu olhar, diante do seu rosto, que vai aparecer a face daquela que chora em La Salette, ou o cochicho daquela que cura em

Lourdes. Lourdes responde a Loudun, em todo caso constitui outro episódio bastante marcante nessa longa história que é a da carne.

Poderíamos dizer em linhas gerais o seguinte. Que, por volta dos anos 1870-1890, constitui-se uma espécie de face a face com Lourdes-La Salette de um lado e La Salpêtrière* do outro, tendo por trás disso tudo o ponto focal e histórico de Loudun, tudo isso constituindo um triângulo. Temos, de um lado, Lourdes que diz: "As diabruras de Loudun talvez fossem, de fato, histerias à moda da Salpêtrière. Deixemos à Salpêtrière as diabruras de Loudun. Mas isso não nos afeta nem um pouco, porque agora só cuidamos das aparições e das criancinhas." Ao que a Salpêtrière responde: "O que Loudun e Lourdes fizeram, também podemos fazer. Cuidamos de convulsões, também podemos cuidar de aparições." Ao que Lourdes retorque: "Curem tanto quanto quiserem. Há certo número de curas que vocês não poderão fazer e que nós faremos." É assim que, como vocês estão vendo, se constitui, sempre na grande dinastia dessa história das convulsões, esse entrelaçamento e essa batalha entre o poder eclesiástico e o poder médico. De Loudun a Lourdes, a La Salette ou a Lisieux[44], houve todo um deslocamento, toda uma redistribuição dos investimentos médicos e religiosos do corpo, toda uma espécie de translação da carne, todo um deslocamento recíproco das convulsões e das aparições. Eu acho que todos esses fenômenos, que são importantíssimos para a emergência da sexualidade no campo da medicina, não podem ser compreendidos em termos de ciência ou de ideologia, em termos de história das mentalidades, em termos de história sociológica das doenças, mas somente num estudo histórico das tecnologias de poder.

Restaria enfim um terceiro anticonvulsivo. O primeiro era a passagem da regra do discurso exaustivo a uma estilística do discurso reservado; o segundo era a transmissão da convulsão mesma ao poder médico. O terceiro anticonvulsivo, de que lhes falarei da próxima vez, é o seguinte: o apoio que o poder eclesiástico procurou nos sistemas disciplinares e educacionais. Para controlar, para bloquear, para apagar definitivamente esses fenômenos de possessão que minavam a nova mecânica do poder eclesiástico, tentou-se fazer funcionar a direção de consciência e a confissão, todas essas novas formas de experiência religiosa, no interior dos mecanismos disciplinares instaurados na mesma época, nos quartéis, nas escolas, nos hospitais, etc. Dessa instauração ou, se vocês preferirem, dessa inserção das novas técnicas espirituais próprias do catolicismo do

* Hospital parisiense, onde, com Pinel e Esquirol, o tratamento da loucura foi humanizado. É também o hospital em que Charcot exerceu. (N. do T.)

concílio de Trento nos novos aparelhos disciplinares que se esboçam e se edificam no século XVII, tomarei um só exemplo, a partir do qual vou começar da próxima vez. É o exemplo de Olier: quando fundou o seminário de Saint-Sulpice, resolveu construir um edifício adequado à tarefa que se dava. O seminário de Saint-Sulpice planejado por Olier devia precisamente pôr em prática, e em todos os seus detalhes, essas técnicas de controle espiritual, de exame de si, de confissão, características da piedade tridentina. Era necessário um edifício adequado. Olier não sabia como construir esse seminário. Vai então a Notre-Dame e pede à Virgem que lhe diga como deve construir seu seminário. A Virgem de fato lhe aparece, traz na mão um projeto, que é o projeto do seminário de Saint-Sulpice. Mas o que logo impressiona Olier é o seguinte: não há dormitórios, mas quartos separados. É essa, e não a localização da capela, a dimensão do oratório, etc., a principal característica desse projeto de construção apresentado pela Virgem. Porque a Virgem não se enganava. Ela sabia perfeitamente que as ciladas eram armadas ao cabo, no fim, no limite dessas técnicas da direção espiritual, eram fomentadas precisamente na noite e na cama. Ou seja, é a cama, a noite, os corpos considerados em seus detalhes e no mesmo desenrolar das suas eventuais atividades sexuais, é esse o princípio de todas essas ciladas nas quais caíram, alguns anos antes, diretores de consciência insuficientemente avisados do que era verdadeiramente a carne. Dessa carne, ao mesmo tempo rica, complexa, atravessada por sensações, abalada por convulsões, com que os diretores de consciência tinham de se haver, era preciso estabelecer de modo exato o processo de constituição, a origem, e até quais eram exatamente seus mecanismos de funcionamento. Os aparelhos disciplinares (colégios, seminários, etc.), policiando os corpos, substituindo-os num espaço meticulosamente analítico, vão permitir que se substitua essa espécie de teologia complexa e um tanto irreal da carne pela observação precisa da sexualidade em seu desenrolar pontual e real. É o corpo portanto, é a noite portanto, é a higiene corporal portanto, é a roupa de dormir portanto, é a cama portanto: é portanto entre os lençóis que vai ser necessário encontrar os mecanismos originários de todos esses distúrbios da carne que a pastoral tridentina havia feito surgir, que ela havia querido controlar e pelos quais, por fim, ela se deixara enganar[45].

Assim, no âmago, no núcleo, no centro de todos esses distúrbios carnais ligados às novas direções espirituais, o que vamos encontrar vai ser o corpo, o corpo vigiado do adolescente, o corpo do masturbador. É disso que lhes falarei da próxima vez.

*

NOTAS

1. Para saber "tudo o que foi dito no lapso de tempo entre" J.-J. Surin (1600-1665) e Madame Guyon (1648-1717), cf. H. Bremond, *Histoire littéraire du sentiment religieux en France depuis la fin des guerres de religion*, Paris, 1915-1933, vol. I-XI.

2. A documentação relativa aos episódios de possessão assinalados por M. Foucault é vastíssima. Sobre o primeiro caso, limitamo-nos a assinalar *La possession de Loudun*, apresentado por M. de Certeau, Paris, 1980 (1ª ed. 1970), que faz referência a M. Foucault, *Folie et déraison. Histoire de la folie à l'âge classique*, *op. cit.*, como "fundamental para compreender o problema epistemológico que está no centro do caso de Loudun" (p. 330). Sobre o segundo caso, ver P.-F. Mathieu, *Histoire des miraculés et des convulsionnaires de Saint-Médard*, Paris, 1864.

3. Sobre L. Gaufridi, cf. J. Fontaine, *Des marques des sorciers et de la réelle possession que le diable prend sur le corps des hommes. Sur le sujet du procès de l'abominable et détestable sorcier Louys Gaufridi, prêtre bénéficié en l'église paroissiale des Accoules de Marseille, qui naguère a été exécuté à Aix par l'arrêt de la cour de parlement de Provence*, Paris, 1611 (reimpr. Arras [s.d., 1865]).

4. Sobre U. Grandier, cf. *Arrêt de la condamnation de mort contre Urbain Grandier, prêtre, curé de l'église Saint-Pierre-du-Marché de Loudun, et l'un des chanoines de l'église Sainte-Croix dudit lieu, atteint et convaincu du crime de magie et autres cas mentionnés au procès*, Paris, 1634; M. de Certeau, *La possession de Loudun*, *op. cit.*, pp. 81-96.

5. O diácono jansenista François de Pâris é o primeiro protagonista do fenômeno convulsionário de Saint-Médard. É atribuída a ele *La science du vrai qui contient les principaux mystères de la foi* [s.l.: Paris], 1733. Fonte principal: L.-B. Carré de Montgeron, *La vérité des miracles opérés par l'intercession de M[édard] de Paris et autres appelants*, I-III, Colônia, 1745-1747.

6. Ver a esse respeito J. Viard, "Le procès d'Urbain Grandier. Note critique sur la procédure et sur la culpabilité", em *Quelques procès criminels des XVII*e *et XVIII*e *siècles*, sob a direção de J. Imbert, Paris, 1964, pp. 45-75.

7. H. Institoris & I. Sprengerus, *Malleus maleficarum*, Argentorati, 1488 (trad. fr.: *Le marteau des sorcières*, Paris, 1973).

8. M. Foucault, "Les déviations religieuses et le savoir médical" (1968), em *Dits et écrits*, I, pp. 624-35.

9. Mais exatamente: "Estando a prioresa deitada, com a vela acesa, [...] ela sentiu uma mão, sem nada ver, que, fechando a sua, nela deixou três espinhos de pilriteiro. [...] A dita prioresa, e outras religiosas, desde a recepção dos ditos espinhos haviam sentido estranhas mudanças em seus corpos [...], de tal sorte que às vezes elas perdiam todo juízo e eram agitadas por grandes convulsões que pareciam proceder de causas extraordinárias" (M. de Certeau, *La possession de Loudun*, *op. cit.*, p. 28).

10. *Ibid.*, p. 50.

11. *Ibid.*, p. 157. Na realidade: "E, ao voltar a si, tendo a criatura recebido a ordem de cantar o versículo *Memento salutis* e querendo pronunciar *Maria mater gratiae*, ouviu-se de repente sair da sua boca uma voz horrível dizendo: 'Renego a Deus. Eu a [a Virgem] amaldiçoo."

12. *Ibid.*, p. 68.

13. Jeanne des Anges, *Autobiographie*, prefácio de J.-M. Charcot, Paris, 1886 (esse texto, publicado pela editora Progrès Médical, na coleção "Bibliothèque diabolique" dirigida por D.-M. Bourneville, foi reeditado em Grenoble, 1990, com um ensaio de M. de Certeau já publicado em anexo à *Correspondance de J.-J. Surin*, Paris, 1966, pp. 1721-48).

14. Cf. o relato de J.-J. Surin, *Triomphe de l'amour divin sur les puissances de l'enfer en la possession de la mère prieure des Ursulines de Loudun et Science expérimentale des choses de l'autre vie*, Avignon, 1828 (reimpr. Grenoble, 1990).

15. M. de Certeau, *La possession de Loudun*, *op. cit.*, p. 47. Cf. Jeanne des Anges, *Autobiographie*, *op. cit.*, p. 83.

16. M. de Certeau, *op. cit.*, p. 48. Cf. Jeanne des Anges, *op. cit.*, p. 85.

17. M. de Certeau, *op. cit.*, p. 49. Cf. Jeanne des Anges, *loc. cit.*

18. M. de Certeau, *op. cit.*, p. 70.

19. Cf. *supra*, aula de 19 de fevereiro.

20. Th. Tamburinus, *Methodus expeditae confessionis tum pro confessariis tum pro poenitentibus*, Romae, 1645. Utilizamos: *Methodi expeditae confessionis libri quattuor*, em *Opera omnia*, II: *Expedita moralis explicatio*, Venetiae, 1694, pp. 373-414.

21. *Ibid.*, p. 392: "Mollities est pollutio volontaria sine coniunctione corporum seu [...] est peccatum contra naturam per quod voluntaria pollutio procuratur, extra concubitum, causa explendae delectationis venereae" (art. 62).

22. *Loc. cit.*: "Si quis tamen, dum se polluit, consentiat vel cogitet morose in aliquam aliam speciem – verbi gratia: in adulterium, incestum – contrahit eandem malitiam, quam cogitat, adeoque confitendam" (art. 62).

23. *Ibid.*: "Inanimatum instrumentum quo quis se polluat non facit mutationem speciei" (art. 63).

24. *Ibid.*: "Dixi inanimato [instrumento], nam si animato, ut si manibus alterius fiat, iam nunc subdo" (art. 63).

25. *Ibid.*: "Si quis se pollueret inter brachia, coxendices, os feminae vel viri, cum id regulariter procedat ex affectu personae seu concubitus cum illa, est sine dubio specialiter explicandum, quia non est mera pollutio, sed copula inchoata" (art. 64).

26. *Ibid.*: "Non tamen credo necessarium esse explicandas peculiares partes corporis, nisi sit affectus aliquis particularis – verbis gratia: ad partes praepostera, ob sodomiam [...]. Illa maior delectatio quae in una ex partibus quaeritur non trascendit speciem malitiae quae est in alia" (art. 64).

27. *Ibid.*: "Sodomia – et quidem perfecta – est concubitus ad sexum non debitum, ut vir cum viro, femina cum femina" (art. 67); "Concubitus viri cum femina in vase prepostero ex sodomia imperfecta" (art. 67); "Concubitus est copula carnalis carnalis consummata: naturalis si sit in vase debito; innaturalis si sit in loco seu vase non debito" (art. 67); "Sed hic est quaestio: quando mutua procuratio pollutionis inter mares vel inter feminas debeat dici mollities, quando sodomia" (art. 68); "Respondeo: quando ex affectu ad personam adest concubitus, si sit inter indebitum sexum, hoc est inter virum et virum, feminam et feminam, tunc est sodomia" (art. 68); "Quando vero est mutua pollutio absque concubitu, sed solum ad explendam libidinem est mollities" (art. 68).

28. *Ibid.*: "Hic si duo mares commisceant corpora et moveantur ad procurandam pollutionem, vel quandocunque se tangant impudice, ex affectu indebiti sexus, ita ut effusio seminis vel sit intra vas praeposterum, vel etiam extra, puto esse sodomiam" (art. 69).

29. *Ibid.*: "Sed si ipsae feminae commisceant corpora ex affectu solum se polluendi – id est explendae libidinis – est mollities" (art. 69).

30. *Ibid.*: "Si [ipsae feminae commisceant corpora] ex affectu ad indebitum sexum est sodomia" (art. 69).

31. *Ibid.*: "Sed quid dicendum si quis se polluat inter caeteras partes feminae (coxendices, brachia)? Respondeo: Si primo sit concubitus ex affectu ad personam ipsam, sexumque fe-

mineum, est copula fornicaria, sive adulterina, sive incestuosa, iuxta conditionem personae, atque adeo est aperiendus. Si secundo sit concubitus ex affectu ad praeposteras partes est sodomia imperfecta [...] ac similiter aperiendus. Si tertio denique sit sine concubitu, sed mere ad explendam libidinem, est mollities" (art. 74).

32. Ela é perfeita no primeiro caso ("effusio intra vas praeposterum") e imperfeita no segundo ("effusio extra vas praeposterum"): "Quia, quamvis tunc non sit copula, tamen per illum concubitum est affectus venereus ad indebitum sexum, qui proprie constituit sodomiam. Nam coeterum, sive semen effundatur intra, sive extra, semper aeque in loco non suo dispergitur. Locus enim praeposterus videtur materialiter se habere in sodomia. Sed formaliter eius essentia sumitur ex motivo, scilicet ex concubitu cum affectu ad indebitum sexum. Confirmo [a tese precedente] quia femina cum femina non alio modo commiscetur nisi per dictum concubitum cum effusione seminis et non intra vas praeposterum. Inter illas enim non potest esse copula proprie" (*ibid.*, art. 69); "Sodomiam imperfectam, quam alii vocant innaturalem concumbendi modum, est peccatum contra naturam, per quod vir cum femina concumbit extra vas naturale. Est species distincta a sodomia perfecta. Adeoque speciatim in confessione exprimenda. Perfecta enim procedit ex affectu ad indebitum sexum. Haec vero procedit non ex affectu ad indebitum sexum, sed licet ad indebitum tamen ad partem innaturalem" (*ibid.*, art. 74).

33. Trata-se de uma regra comum a vários canonistas da Idade Média. De acordo com as *Interrogationes in confessione* de A. de Clavasio, *Summa angelica de casibus conscientiae*, cum additionibus I. Ungarelli, Venetiis, 1582, p. 678: "Quod stet [o penitente] facie versa lateri confessoris (si est mulier vel iuvenis) et non permittas quod aspiciat in faciem tuam, quia multi propter hoc corruerunt." Cf. H. Ch. Lea, *A History of Auricular Confession...*, *op. cit.*, I, p. 379.

34. Th. Tamburinus, *Methodi expeditae confessionis...*, *op. cit.*, p. 392, que elabora seu discurso sobre a discrição a partir da noção de *prudentia* de V. Filliucius, *Moralium quaestionum de christianis officiis et casibus conscientiae ad formam cursus qui praelegi solet in collegio romano societatis Iesu tomus primus*, Ludguni, 1626, pp. 221-2.

35. Por *Concilium romanum* ou *Concilium lateranense* de 1725, deve-se entender o sínodo provincial dos bispos da Itália convocado por Bento XIII. Cf. L. von Pastor, *Geschichte der Päpste*, XV, Friburgo na Brisgóvia, 1930, pp. 507-8.

36. Cf. J. Guerber, *Le ralliement du clergé français à la morale liguorienne*, Roma, 1973.

37. A.-M. de Liguory, *Le conservateur des jeunes gens...*, *op. cit.*, p. 5.

38. A. de Liguori, *Praxis confessarii...*, *op. cit.*, pp. 140-1 (art. 89).

39. O esquema utilizado aqui por M. Foucault foi formulado, na dedicatória a seu senhor Guilherme, duque de Jülich-Kleve, pelo arquíatro I. Wierus, *De praestigiis daemonum et incantationibus ac veneficiis libri quinque*, Basileae, 1563. O problema foi abordado por M. Foucault, "Médecins, juges et sorciers au XVIIe siècle" (1969), em *Dits et écrits*, I, pp. 753-67.

40. R. Mandrou, *Magistrats et sorcières en France au XVIIe siècle. Une analyse de psychologie historique*, Paris, 1968 [trad. bras. *Magistrados e feiticeiros na França do século XVII.* São Paulo: Perspectiva, 1979].

41. Cf. P. Zacchia, *Quaestiones medico-legales*, II, Avenione, 1660, pp. 45-8 (em particular o artigo "De daemoniacis", cap. "De dementia et rationis laesione et morbis omnibus qui rationem laedunt").

42. Fonte principal: [M. Misson], *Le théâtre sacré des Cévennes ou Récit des diverses merveilles opérées dans cette partie de la province de Languedoc*, Londres, 1707 (reimpresso com o título: *Les prophètes protestants*, Paris, 1847).

43. Cf. J.-M. Charcot, *Leçons sur les maladies du système nerveux faites à la Salpêtrière*, Paris, 1874. Na seção "clínica nervosa" dos *Archives de neurologie*, III, 1882, pp. 160-75, 281-

-309, Ch. Féré publicou as primeiras *Notes pour servir à l'histoire de l'hystéro-épilepsie*, enquanto a descrição dada por Charcot estava se impondo. Esses pontos foram abordados por Foucault no curso, já citado, *Le pouvoir psychiatrique* (6 de fevereiro de 1974).

44. Ver as seções "Apparitions et pèlerinages" dos verbetes "La Salette" e "Lourdes", em *La Grande Encyclopédie*, Paris [s.d.], XXII, pp. 678-9; XXIX, pp. 345-6. Sobre Lisieux, a referência é ao Carmelo, onde viveu Thérèse Martin (aliás, Teresa do Menino Jesus).

45. M. Foucault se baseia na *Vie*, nas *Mémoires* e em *L'esprit d'un directeur des âmes*, publicados em J.-J. Olier, *Oeuvres complètes*, Paris, 1865, col. 9-59, 1082-1183, 1183-1239. Ver também suas numerosas *Lettres*, Paris, 1885.

AULA DE 5 DE MARÇO DE 1975

O problema da masturbação, entre discurso cristão da carne e psicopatologia sexual. – As três formas de somatização da masturbação. – A infância incriminada de responsabilidade patológica. – A masturbação pré-púbere e a sedução pelo adulto: a culpa vem do exterior. – Uma nova organização do espaço e do controle familiares: eliminação dos intermediários e aplicação direta do corpo dos pais ao corpo dos filhos. – A involução cultural da família. – A medicalização da nova família e a confissão da criança ao médico, herdeiro das técnicas cristãs da confissão. – A perseguição médica da infância pelos meios de contenção da masturbação. – A constituição da família celular, que se encarrega do corpo e da vida da criança. – Educação natural e educação estatal.

Da última vez, tentei lhes mostrar como o corpo de desejo e de prazer apareceu, ao que parece, em correlação com a nova vaga de cristianização, a que se desenvolveu nos séculos XVI-XVII. Em todo caso, é esse corpo que, parece-me, se manifesta com volubilidade, com complacência, em todas as técnicas de governo das almas, de direção espiritual, de confissão detalhada; em suma, do que poderíamos chamar de penitência analítica. É também esse corpo de paixão e de desejo, a propósito do qual procurei lhes mostrar da última vez como ele investia, de volta, esses mecanismos de poder, como – por todo um jogo de resistências, de cumplicidades, de contrapoderes – ele adotava todos esses mecanismos que haviam tentado policiá-lo, para envolvê-los e fazê-los funcionar ao revés. E isso na forma exasperada da convulsão. Tentei por fim mostrar como, no próprio interior da tecnologia cristã de governo dos indivíduos, tinha-se tentado controlar os efeitos dessa carne convulsiva, desse corpo de movimento, de agitação e de prazer, e isso por diferentes meios, tanto nos estabelecimentos de ensino como nos seminários, nos internatos, nas escolas, nos colégios, etc.

Agora gostaria de procurar caracterizar a evolução desse controle da sexualidade no interior dos estabelecimentos de formação escolar cristã, sobretudo católica, nos séculos XVII e XVIII [*rectius*: XVIII e XIX]. De um lado, tendência cada vez mais nítida a atenuar a espécie de indiscrição tagarela, de insistência discursiva sobre o corpo de prazer, que marcava as técnicas do século XVII concernentes à direção das almas. Tenta-se apagar, de certo modo, todos esses incêndios verbais que se acendiam com a própria análise do desejo e do prazer, com a própria análise do corpo. Passa-se a borracha, esconde-se, metaforiza-se, inventa-se toda uma estilística da discrição na confissão e na direção de consciência: é Afonso de Ligório[1]. Mas, ao mesmo tempo que se passa a borracha, que se esconde, que se metaforiza, ao mesmo tempo que se procura introduzir uma regra, se não de silêncio, em todo caso de *discretio maxima*, ao mesmo tempo as arquiteturas, as disposições dos lugares e das coisas, a maneira como se arrumam os dormitórios, cuja vigilância é institucionalizada, a própria maneira como se constroem e se dispõem no interior de uma sala de aula os bancos e as carteiras, todo o espaço de visibilidade organizado com tanto cuidado (a forma, a disposição das latrinas, a altura das portas, a caçada aos cantos escuros), tudo isso, nos estabelecimentos escolares, substitui – para fazê-lo calar – o discurso indiscreto da carne que a direção de consciência implicava. Em outras palavras, os dispositivos materiais devem tornar inútil toda essa conversa incandescente que a técnica cristã pós-tridentina instituíra nos séculos XVI e XVII. A direção das almas poderá se tornar tanto mais alusiva, por conseguinte tanto mais silenciosa, quanto mais vigoroso o policiamento do corpo. Assim, nos colégios, nos seminários, nas escolas – para dizer tudo isso com uma só palavra –, fala-se o mínimo possível, mas tudo, na disposição dos lugares e das coisas, designa os perigos desse corpo de prazer. Dizer dele o menos possível, só que tudo fala dele.

Eis que, bruscamente – no meio desse grande silenciamento, no meio dessa grande transferência às coisas e ao espaço da tarefa de controlar as almas, os corpos e os desejos –, surge um barulho de fanfarra, começa uma súbita e ruidosa tagarelice, que não vai cessar por mais de um século (isto é, até o fim do século XIX) e que, de uma forma modificada, vai sem dúvida continuar até nossos dias. Em 1720-1725 (não lembro mais), aparece na Inglaterra um livro chamado *Onania*, que é atribuído a Bekker[2]; em meados do século XVIII, aparece o famoso livro de Tissot[3]; em 1770-1780, na Alemanha, Basedow[4], Salzmann[5], etc., também retomam esse grande discurso da masturbação. Bekker, na Inglaterra, Tissot, em Genebra, Basedow, na Alemanha: vocês estão vendo que estamos em pleno país protestante. Não é nem um pouco surpreendente que esse discurso da masturbação intervenha nos países em que a direção de consciência na forma tridentina e católica, de um lado, e os grandes estabelecimentos de ensino, do outro, não existiam. O bloqueio do problema pela existência desses estabelecimentos de ensino, pelas técnicas da direção de consciência, explica que, nos países católicos, foi um pouco mais tarde que esse problema se colocou, e com tanto estardalhaço. Mas trata-se apenas de uma defasagem de alguns anos. Rapidamente, depois da publicação na França do livro de Tissot, o problema, o discurso, o imenso falatório sobre a masturbação começa e não para por todo um século[6].

Surge então, bruscamente, em meados do século XVIII, uma floração de textos, de livros, mas também de prospectos, de panfletos, sobre os quais é bom fazer duas observações. Primeiro, que, nesse discurso a propósito da masturbação, temos algo totalmente diferente do que poderíamos chamar de discurso cristão da carne (cuja genealogia já tentei lhes mostrar das últimas vezes); muito diferente também do que será, um século depois (a partir de 1840-1850), a *psychopathia sexualis*, a psicopatologia sexual, cujo primeiro texto é o de Heinrich Kaan, em 1840 [*rectius*: 1844][7]. Entre o discurso cristão da carne e a psicopatologia sexual surge, pois, muito especificamente, certo discurso da masturbação. Não é, de forma alguma, o discurso da carne, de que eu lhes falava da última vez, por um motivo bem simples, que logo se manifesta: é que as próprias palavras, os próprios termos de desejo, paixão, não intervêm nunca. Venho percorrendo com bastante curiosidade, mas também com bastante aborrecimento, essa literatura de um certo número de meses para cá. Encontrei uma única vez esta menção: "Por que os adolescentes se masturbam?" E um médico, por volta de 1830-1840, teve de repente esta ideia: "Ora, deve ser porque lhes dá prazer!"[8]

Por outro lado, o que também é interessante é que ainda não se trata, de forma alguma, do que será a psicologia sexual ou a psicopatologia sexual de Kaan, de Krafft-Ebing[9], de Havelock Ellis[10], na medida em que a sexualidade aí está praticamente ausente. É claro que há referências a ela. Faz-se alusão à teoria geral da sexualidade, tal como era concebida, nessa época, num clima de filosofia da natureza. Mas o que é interessantíssimo notar é que, nesses textos sobre a masturbação, a sexualidade adulta não intervém praticamente nunca. Muito mais: a sexualidade da criança também não. É a masturbação, a própria masturbação, praticamente sem nenhum vínculo nem com os comportamentos normais da sexualidade, nem mesmo com os comportamentos anormais. Só encontrei duas vezes uma discretíssima alusão ao fato de que a masturbação infantil excessiva teria podido acarretar, em certos sujeitos, certas formas de desejo com tendência homossexual[11]. Mas, também, a sanção dessa masturbação exagerada, nesses dois casos, era muito mais a impotência do que a homossexualidade. Portanto, o que é visado nessa literatura é a masturbação mesma, de certo modo destacada, se não totalmente despojada, do seu contexto sexual, é a masturbação em sua especificidade. Aliás, encontramos textos nos quais é dito que, entre a masturbação e a sexualidade normal, relacional, há uma verdadeira diferença de natureza e que não são, em absoluto, os mesmos mecanismos que levam alguém a se masturbar e a desejar outro[12]. Logo o primeiro ponto é este: estamos numa espécie de região, não ouso dizer intermediária, mas perfeitamente diferente do discurso da carne e da psicopatologia sexual.

O segundo ponto sobre o qual eu queria insistir é o fato de que esse discurso sobre a masturbação adquire a forma muito menos de uma análise científica (embora a referência ao discurso científico seja forte nele: voltarei ao assunto), do que a forma de uma verdadeira campanha: trata-se de exortações, trata-se de conselhos, trata-se de injunções. Essa literatura é composta de manuais, alguns deles destinados aos pais. Por exemplo, há mementos do pai de família, que encontramos até por volta de 1860, sobre a maneira de impedir as crianças de se masturbarem[13]. Há tratados que são, ao contrário, destinados às crianças, aos adolescentes. O mais célebre é o famoso *Livre sans titre*, que não tem título mas contém ilustrações, isto é, de um lado, páginas em que são analisadas todas as consequências desastrosas da masturbação e, na página em face, a fisionomia cada vez mais decomposta, devastada, esquelética e diáfana do jovem masturbador que se esgota[14]. Essa campanha comporta igualmente instituições destinadas a curar ou tratar dos masturbadores, prospectos de remédios, anúncios de médicos que prometem às famílias curar seus filhos desse vício. Uma instituição, por exemplo, como a de Salzmann, na Alemanha, afirmava ser a única instituição em toda a Europa em que as crianças nunca se masturbavam[15]. Vocês encontram receitas, prospectos de remédios, de aparelhos, de ataduras, sobre os quais voltaremos. E terminarei esse rápido panorama do caráter de verdadeira campanha, de cruzada, dessa literatura antimasturbatória, com este pequeno fato. Foi organizado, parece, durante o Império (em todo caso, nos últimos anos do século XVIII-primeiros anos do século XIX, na França), um museu de cera a que os pais eram convidados a levar seus filhos, se estes apresentassem sinais de masturbação. Esse museu de cera representava precisamente, em forma de estátuas, todos os acidentes de saúde que podiam acontecer com alguém que se masturbava. Esse museu de cera, ao mesmo tempo museu Grévin e museu Dupuytren* da masturbação, desapareceu de Paris, ao que pare-

* O Museu Grévin mostra, em cera, imagens de personalidades históricas, do passado e de nossos dias; o Museu Dupuytren abriga uma coleção de peças relativas à anatomia patológica. (N. do T.)

ce, por volta dos anos 1820, mas há vestígios dele em Marselha em 1825 (e muitos médicos de Paris se queixam não ter mais à sua disposição esse pequeno teatro)[16]. Não sei se continua existindo em Marselha!

Então, problema. Como é que surgiu de repente essa cruzada em meados do século XVIII, com essa amplitude e essa indiscrição? Esse fenômeno é conhecido, não o invento (em todo caso, não inteiramente!). Ele suscitou certo número de comentários, e um livro relativamente recente de Van Ussel, que se chama *Histoire de la répression sexuelle*, dá bastante destaque, a meu ver com razão, a esse fenômeno do aparecimento da masturbação como problema no âmago do século XVIII. O esquema explicativo de Van Ussel é o seguinte. É apressadamente tirado, em linhas gerais, de Marcuse e consiste em dizer o seguinte[17]. No momento em que se desenvolve a sociedade capitalista, o corpo, que era até então – diz Van Ussel – um "órgão de prazer", se torna e deve se tornar um "instrumento de desempenho", desempenho esse necessário às próprias exigências da produção. Donde uma cisão, uma cesura, no corpo, que é reprimido como órgão de prazer e, ao contrário, codificado, adestrado, como instrumento de produção, como instrumento de desempenho. Uma análise como essa não é equivocada, não pode ser equivocada, tão geral ela é; mas não creio que permita nos fazer avançar muito na explicação dos fenômenos sutis dessa campanha e dessa cruzada. De uma maneira geral, sinto-me um pouco incomodado, numa análise como essa, com o emprego de séries de conceitos que são, ao mesmo tempo, psicológicos e negativos: o fato de colocar no centro da análise uma noção como a de "repressão", por exemplo, ou de "recalque"; a utilização de noções como "órgão de prazer", "instrumento de desempenho". Tudo isso me parece ao mesmo tempo psicológico e negativo: de um lado, certo número de noções que podem talvez valer numa análise psicológica ou psicanalítica, mas que, a meu ver, não podem explicar a mecânica de um processo histórico; de outro, conceitos negativos, no sentido de que não põem em evidência o motivo pelo qual uma campanha como a cruzada antimasturbatória produziu certo número de efeitos positivos e constituintes, no interior mesmo da história da sociedade.

E há também duas coisas que me incomodam nessa história. É que, se é verdade que a campanha antimasturbatória do século XVIII se inscreve no processo de recalque do corpo de prazer e de exaltação do corpo com bom desempenho ou do corpo produtivo, há duas coisas porém que não se percebem direito. A primeira é a seguinte: por que se trata da masturbação precisamente, e não da atividade sexual em geral? Se era o corpo de prazer que se queria de fato reprimir ou recalcar, por que se exaltou e se salientou assim apenas a masturbação, em vez de questionar a sexualidade em sua forma mais geral? Ora, é só a partir dos anos 1850 que a sexualidade, em sua forma geral, vai ser interrogada médica e disciplinarmente. Por outro lado, é igualmente curioso que essa cruzada antimasturbatória se volte de forma privilegiada para as crianças, em todo caso para os adolescentes, e não para as pessoas que trabalham. Melhor ainda, trata-se essencialmente de uma cruzada que diz respeito às crianças e aos adolescentes dos meios burgueses. É sempre no interior desses meios, nos estabelecimentos escolares que lhes são destinados, ou ainda, é sempre a título de orientações dadas às famílias burguesas que a luta antimasturbatória é posta na ordem do dia. Normalmente, em linhas gerais, se se tratasse efetivamente da repressão pura e simples do corpo de prazer e da exaltação do corpo produtivo, teríamos de assistir a uma repressão da sexualidade em geral, mais precisamente da sexualidade do adulto que trabalha ou, se preferirem, da sexualidade operária adulta. Ora, temos algo totalmente diferente; o que vemos não é o questionamento da sexualidade, mas da masturbação, e da masturbação na criança e no adolescente burguês. Na minha opinião, é esse fenômeno que devemos tentar explicar, e por uma análise um pouco mais detalhada que a de Van Ussel.

Para tentar enxergar isso (não garanto de forma alguma que vou lhes oferecer uma solução, posso até lhes dizer que o que vou lhes apresentar como esboço de solução é sem dúvida bem imperfeito, mas precisamos avançar um pouco), seria necessário retomar não exatamente os temas dessa campanha, mas antes a tática, ou os diferentes temas da campanha, da cruzada, como indicadores de tática. A primeira coisa que salta aos olhos, claro, é o que poderíamos chamar (mas em primeira instância e sob reserva de um exame mais preciso) de culpabilização das crianças. De fato, basta olhar para perceber que, nessa cruzada antimasturbatória, não é tanto de culpabilizar as crianças que se trata. Ao contrário, é surpreendente ver que há um mínimo de moralização nesse discurso antimasturbatório. Por exemplo, fala-se pouquíssimo das diferentes formas de vício sexual ou outro que a masturbação poderia acarretar. Não temos uma grande gênese da imoralidade a partir da masturbação. Não é com uma vida adulta perdida de depravação e de vício que se ameaçam as crianças, quando se impede que elas se masturbem, mas com uma vida adulta tolhida pelas doenças. Ou seja, não se trata tanto de uma moralização, mas antes de uma somatização, de uma patologização. E essa somatização se faz de três formas diferentes.

Primeiro, temos o que poderíamos chamar de ficção da doença total. Regularmente, nesses textos da cruzada, vocês vão encontrar a descrição fabulosa de uma espécie de doença polimorfa, absoluta, sem remissão, que cumularia em si todos os sintomas de todas as doenças possíveis ou, em todo caso, uma qualidade considerável de sintomas. Todos os sinas da doença vêm se superpor no corpo descarnado e devastado do jovem masturbador. Exemplo (e não o tomo nos textos mais duvidosos, mais marginais da cruzada, mas no interior de um texto científico): é o verbete de Serrurier no *Dictionnaire des sciences médicales*, dicionário que foi a bíblia do corpo médico sério do início do século XIX. Ei-lo: "Esse rapaz estava no marasmo mais completo, sua vista tinha decaído inteiramente. Ele satisfazia onde quer que estivesse as necessidades da natureza. Seu corpo exalava um odor particularmente nauseabundo. Tinha a pele terrosa, a língua vacilante, os olhos cavos, as gengivas todas retraídas e cobertas de ulcerações que anunciavam uma degeneração escorbútica. Para ele, a morte era o termo feliz de seus longos padecimentos."[18] Vocês reconheceram aí, portanto, o retrato do jovem masturbador, com suas características fundamentais: esgotamento; perda de substância; corpo inerte, diáfano e debilitado; escorrimento perpétuo; jorro imundo do interior para o exterior; aura infecta envolvendo o corpo do doente; por conseguinte, impossibilidade de os outros se aproximarem dele; polimorfismo dos sintomas. O corpo inteiro está coberto e invadido; não resta livre uma só polegada quadrada. E, enfim, a morte está presente, pois o esqueleto já se lê nos dentes com as gengivas retraídas e nos olhos cavos. Estamos, eu quase ia dizendo, em plena ficção científica; mas, para não confundir os gêneros, digamos em plena fabulação científica, construída e transmitida na própria periferia do discurso médico. Digo na periferia, mas olhem que eu lhes citei o *Dictionnaire des sciences médicales*, para não citar, precisamente, um dos numerosos escritos publicados sob o nome de médicos, às vezes até por médicos mesmo, mas sem estatuto científico.

[Segunda forma de somatização:] o que é mais interessante é que essa campanha, que assume portanto a forma de fabulação científica da doença total, também é encontrada (em todo caso vocês podem encontrar seus efeitos e respostas, e certo número de elementos) na melhor literatura médica, a mais conforme às normas de cientificidade do discurso médico da época. Se, então, em vez de pegarem os livros consagrados à masturbação, vocês pegarem os diferentes livros que foram escritos sobre diferentes doenças, pelos médicos mais oficiais da época, não vão encontrar a masturbação na origem dessa espécie de doença fabulosa e total, mas como causa possível de todas as doenças possíveis. Ela figura constantemente no quadro etiológico das diferentes doenças. Ela é causa de meningite – diz Serres em sua *Anatomie comparée du cerveau*[19]. Ela é causa de encefalite e de inflamação das meninges – diz Payen em seu *Essai sur l'encéphalite*[20]. Ela é causa de mielite e de diferentes danos da medula espinhal – é o que diz Dupuytren num artigo para *La lancette française*, em 1833[21]. Ela é causa da doença óssea e de degeneração dos tecidos ósseos – diz Boyer em *Leçons sur les maladies des os*, em 1803[22]. Ela é causa de doença dos olhos, em particular da amaurose – é o que diz Sanson no verbete "Amaurose" do *Dictionnaire des sciences médicales* [*rectius*: *Dictionnaire de médicine et de chirurgie pratiques*][23]; é o que diz Scarpa em seu *Traité de maladies des yeux*[24]. Blaud, num artigo para a *Revue médicale* de 1833, explica que ela intervém frequentemente, se não constantemente, na etiologia de todas as doenças cardíacas[25]. Enfim, vocês também vão encontrá-la, claro, no ponto de origem da tísica e da tuberculose – é o que já afirma Portal em suas *Observations sur la nature et le traitement du rachitisme*, em 1797[26]. E essa tese do vínculo entre a tísica e a masturbação correrá ao longo de todo o século XIX. O caráter ao mesmo tempo fortemente valorizado e perfeitamente ambíguo da jovem tísica, até o fim do século XIX, deve ser explicado em parte pelo fato de que a tísica sempre leva consigo seu hediondo segredo. E, claro, último ponto, vocês a encontram regularmente citada pelos alienistas na origem da loucura[27]. Nessa literatura, ela ora aparece como causa dessa espécie de doença fabulosa e total, ora, ao contrário, ela é cuidadosamente repartida na etiologia das diferentes doenças[28].

Enfim, terceira forma sob a qual vocês vão encontrar o princípio da somatização: os médicos da época apelaram para e provocaram, por motivos que tentarei explicar daqui a pouco, uma espécie de verdadeiro delírio hipocondríaco entre os jovens, entre seus doentes; delírio hipocondríaco pelo qual os médicos tentavam fazer que os doentes relacionassem eles próprios todos os sintomas que podiam sentir a essa falta primeira e maior que seria a masturbação. Encontramos, nos tratados de medicina, em toda essa literatura de panfletos, de prospectos, etc., uma espécie de gênero literário que é a "carta do doente". A carta do doente era escrita ou era inventada pelos médicos? Algumas, as que são publicadas por Tissot, por exemplo, foram certamente compostas por ele próprio; outras são certamente autênticas. É todo um gênero literário, que é a pequena autobiografia do masturbador, autobiografia inteiramente centrada em seu corpo, na história de seu corpo, na história de suas doenças, de suas sensações, de todos os seus diferentes distúrbios, detalhada desde a sua infância, ou pelo menos desde a sua adolescência, até o momento em que ele a confessa[29]. Vou lhes citar apenas um exemplo disso, num livro de Rozier que se chama *Les habitudes secrètes chez les femmes*. Eis o texto (aliás, um texto escrito por um homem, mas não tem importância): "Esse costume me jogou na mais terrível situação. Não tenho a menor esperança de conservar mais alguns anos de vida. Todos os dias me alarmo. Vejo a morte avançar a passos largos [...] Desde essa época [em que comecei meu mau costume – M.F.], fui acometido de uma fraqueza que não parou de aumentar. De manhã, quando me levantava, [...] sentia ofuscações. Meus membros faziam ouvir em todas as suas articulações um barulho igual ao de um esqueleto que alguém agitasse. Meses depois, [...] ao levantar de manhã, eu sempre cuspia e assoava sangue, ora vivo, ora decomposto. Tinha ataques de nervos que não me deixavam mexer os braços. Sentia tonturas, e de tempo em tempo enjoos. A qualidade de sangue que expilo [...] não para de aumentar [e além do mais estou meio resfriado! M.F.]."[30]

Logo, de um lado, a fabulação científica da doença total; em segundo lugar, a codificação etiológica da masturbação nas categorias nosográficas mais bem estabelecidas; enfim, organização, sob o comando e a conduta dos próprios médicos, de uma espécie de temática hipocondríaca, de somatização dos efeitos da masturbação, no discurso, na existência, nas sensações, no próprio corpo do doente[31]. Não direi que houve transferência da masturbação, ou inscrição da masturbação no registro moral da falta. Direi, muito pelo contrário, que assistimos, através dessa campanha, a uma somatização da masturbação, que é fortemente remetida ao corpo, ou cujos efeitos, em todo caso, são fortemente remetidos ao corpo, por ordem dos médicos, até mesmo no discurso e na experiência dos sujeitos. Através de toda essa empresa que, como vocês estão vendo, está fortemente ancorada no interior do discurso e da prática médicos, através de toda essa fabulação científica, se esboça o que poderíamos chamar de potência causal inesgotável da sexualidade infantil, ou pelo menos da masturbação. Parece-me que assistimos em linhas gerais ao seguinte. A masturbação, por obra e injunção dos próprios médicos, está se instalando como uma espécie de etiologia difusa, geral, polimorfa, que permite referir à masturbação, isto é, a certo interdito sexual, todo o campo do patológico, e isso até a morte. Poderíamos encontrar várias confirmações disso no fato de que, nessa literatura, encontramos constantemente, por exemplo, a ideia de que a masturbação se caracteriza por não ter uma sintomatologia própria: qualquer doença pode derivar dela. Encontramos também essa ideia de que seu tempo de efeito é absolutamente aleatório: uma doença de velhice pode perfeitamente ser devida a uma masturbação infantil. No limite, alguém que morre de velhice morre da sua masturbação infantil e de uma espécie de esgotamento precoce do organismo. A masturbação está se tornando a causa, a causalidade universal de todas as doenças[32]. No fundo, ao pôr a mão em seu sexo, a criança compromete de uma vez por todas, e sem poder medir as consequências, mesmo que já tenha certa idade e seja consciente, sua vida inteira. Em outras palavras, na mesma época em que a anatomia patológica estava identificando no corpo uma causalidade lesional que ia fundar a grande medicina clínica e positiva do século XIX, nessa época (isto é, fim do século XVIII-início do século XIX) desenvolvia-se toda uma campanha antimasturbatória que fazia surgir no domínio da sexualidade, mais precisamente no domínio do auto-erotismo e da masturbação, outra causalidade médica, outra causalidade patogênica que – em relação à causalidade orgânica que os grandes clínicos, os grandes anatomopatologistas do século XIX estavam identificando[33] – desempenha um papel ao mesmo tempo supletivo e condicional. A sexualidade vai permitir explicar tudo o que, de outro modo, não é explicável. É também uma causalidade adicional, já que superpõe às causas visíveis, identificáveis no corpo, uma espécie de etiologia histórica, com responsabilidade do próprio doente por sua doença: se você está doente, é porque quis; se seu corpo foi atingido, é porque você o tocou.

Claro, essa espécie de responsabilidade patológica do próprio sujeito por sua doença não é uma descoberta. Mas acho que ela passa, nesse momento, por uma dupla transformação. De fato, na medicina tradicional, na que ainda reina no fim do século XVIII, sabe-se que os médicos sempre procuravam atribuir certa responsabilidade ao doente por seus sintomas e suas doenças, e isso por intermédio do regime. Era o excesso no regime, eram os abusos, eram as imprudências, era isso tudo que tornava o sujeito responsável pela doença que sentia. Agora, essa causalidade geral se concentra de certo modo em torno da sexualidade, ou antes, da própria masturbação. A pergunta: "O que você fez com sua mão?" começa a substituir a velha pergunta: "O que você fez com seu corpo?" Por outro lado – ao mesmo tempo que essa responsabilidade do doente para com sua doença passa do regime em geral à masturbação em particular –, a responsabilidade sexual, que até então, na medicina do século XVIII, era essencialmente reconhecida e atribuída às doenças venéreas, e apenas a estas, é agora estendida a todas as doenças. Assiste-se a uma interpenetração entre a descoberta do autoerotismo e a responsabilização patológica: uma autopatologização. Em suma, a infância é acusada de responsabilidade patológica, o que o século XIX não esquecerá.

E assim, por esta espécie de etiologia geral, de potência causal concedida à masturbação, a criança fica responsável por toda a sua vida, por suas doenças e por sua morte. É responsável, mas será culpada? É o segundo ponto sobre o qual gostaria de insistir. De fato, parece-me que justamente os participantes da cruzada insistiram muito sobre o fato de que a criança não podia ser considerada verdadeiramente culpada por sua masturbação. E por quê? Simplesmente porque não há, de acordo com eles, causalidade endógena da masturbação. Claro, a puberdade, o aquecimento dos humores nessa época, o desenvolvimento dos órgãos sexuais, a acumulação dos líquidos, a tensão das paredes, a irritabilidade geral do sistema nervoso, tudo isso pode explicar muito bem que a criança se masturbe, mas a própria natureza da criança em seu desenvolvimento deve ser desculpada da masturbação. Aliás, Rousseau tinha dito: não se trata de natureza, trata-se de exemplo[34]. É por isso que, quando colocam a questão da masturbação, os médicos da época insistem no fato de que ela não é ligada ao desenvolvimento natural, ao desabrochar natural da puberdade, e a melhor prova disso é que intervém antes. E vocês vão encontrar regularmente, desde o fim do século XVIII, toda uma série de observações sobre a masturbação entre as crianças pré-púberes, até mesmo entre os nenéns. Moreau de la Sarthe faz uma observação sobre duas meninas que se masturbavam aos sete anos[35]. Rozier, em 1812, observa uma pequena idiota de sete anos, no asilo de crianças da Rue de Sèvres, que se masturbava[36]. Sabatier recolheu depoimentos de garotas que confessavam ter se masturbado antes dos seis anos[37]. Cerise, em seu texto de 1836 sobre *Le médecin des salles d'asile*, diz: "Vimos numa sala de asilo [e em outros lugares] crianças de dois anos, de três anos, levadas a atos totalmente automáticos que pareciam anunciar uma sensibilidade especial."[38] E, enfim, em seu *Mémento du père de famille*, de 1860, de Bourge escreve: "É preciso vigiar as crianças desde o berço."[39]

A importância que se dá a essa masturbação pré-púbere decorre precisamente da vontade, de certo modo, de desculpar a criança ou, em todo caso, a natureza da criança desse fenômeno de masturbação que, em certo sentido porém, a torna responsável por tudo o que lhe vai acontecer. Quem é o culpado, então? O culpado são os acidentes externos, isto é, o acaso. O doutor Simon, em 1827, em seu *Traité d'hygiène appliquée à la jeunesse*, diz o seguinte: "Muitas vezes, desde a mais tenra idade, por volta de quatro ou cinco anos, às vezes antes, as crianças entregues a uma vida sedentária são levadas pelo acaso [primeiro], ou atraídas por alguma comichão, a levar a mão às partes sexuais, e a excitação que resulta de uma leve fricção chama o sangue para esse ponto, causa uma emoção nervosa e uma mudança momentânea na forma do órgão, o que excita a curiosidade."[40] Vocês estão vendo: acaso, gesto aleatório, puramente mecânico, em que o prazer não intervém. O único momento em que o psiquismo está presente é a título de curiosidade. Mas, se o acaso é invocado, não é na maioria das vezes. A causa da masturbação mais frequentemente invocada pela cruzada é a sedução, a sedução pelo adulto: a culpa vem do exterior. "Como poderemos nos persuadir – dizia Malo num texto que se chama *Le Tissot moderne* – de que, sem a comunicação de um masturbador, alguém possa se tornar por conta própria criminoso? Não, são os conselhos, as meias-palavras, as confidências, os exemplos, que despertam a ideia desse gênero de libertinagem. É preciso ter um coração muito corrompido para conceber, ao nascer, a ideia de um excesso contra a natureza, cuja monstruosidade plena nós mesmos mal podemos definir."[41] Ou seja, a natureza não tem nada com isso. Mas e os exemplos? Pode ser o exemplo voluntariamente dado por uma criança maior, porém na maior parte dos casos se trata das incitações involuntárias e imprudentes dos pais, dos educadores, durante os cuidados da toalete, essas "mãos imprudentes que fazem cócegas", como diz um texto[42]. Trata-se, ao contrário, de excitações voluntárias e, desta vez, mais perversas do que imprudentes por parte das babás, por exemplo, que querem fazer a criança dormir. Trata-se da sedução pura e simples por parte dos domésticos, dos preceptores, dos professores. Toda a campanha contra a masturbação se orienta, desde cedo, desde o início, podemos dizer, contra a sedução sexual das crianças pelos adultos; mais ainda do que pelos adultos, pelo *entourage* imediato, isto é, por todos os personagens que constituíam, na época, as figuras estatutárias da casa. O criado, a governanta, o preceptor, o tio, a tia, os primos, etc., é tudo isso que vai se interpor entre a virtude dos pais e a inocência natural das crianças, e que vai introduzir a dimensão da perversidade. Deslandes dizia, ainda em 1835: "Desconfiem acima de tudo das criadas; [como] é aos cuidados delas que as criancinhas são confiadas, elas muitas vezes buscam nestas uma compensação pelo celibato forçado que observam."[43] Desejo dos adultos pelas crianças, eis a origem da masturbação. E Andrieux cita um exemplo que foi repetido em toda a literatura da época e, por conseguinte, vocês hão de me permitir que eu o leia. Aqui também, ele faz de uma espécie de relato paroxístico, para não dizer fabuloso, o ponto dessa desconfiança fundamental; ou antes, ele assinala muito bem qual é o objetivo da campanha: é um objetivo contra a criadagem doméstica, no sentido mais amplo da palavra doméstico. Ela visa esses personagens do intermediário familiar. Uma menina estava definhando com sua ama de leite. Os pais se inquietam. Um dia, entram no quarto em que estava a ama e qual não foi a cólera dos pais, "quando encontram essa infeliz [trata-se da ama – M.F.] extenuada, sem movimento, com o bebê que [ainda] buscava, numa sucção pavorosa e inevitavelmente estéril, um alimento que somente os seios poderiam dar!!!"[44] Estamos portanto em plena obsessão doméstica. O diabo está ali, ao lado da criança, sob a forma do adulto, essencialmente sob a forma do adulto intermediário.

Culpabilização, por conseguinte, desse espaço mediano e malsão da casa, muito mais que da criança, mas que remete, em última instância, à culpa dos pais, pois é porque os pais não querem cuidar diretamente dos filhos que esses acidentes podem se produzir. É a ausência de cuidado, é a desatenção, é a preguiça, é o desejo de tranquilidade deles o que finalmente está envolvido na masturbação das crianças. Afinal de contas, era só os pais estarem presentes e abrirem os olhos. Nessa medida, muito naturalmente, o ponto de chegada – e será esse o terceiro ponto importante nessa campanha – é o questionamento dos pais e da relação entre pais e filhos no espaço familiar. Os pais, nessa campanha feita a propósito da masturbação das crianças, são objeto de uma exortação ou, na verdade, de um questionamento mesmo: "Fatos assim – dizia Malo –, que se multiplicam ao infinito, tendem necessariamente a tornar os pais e as mães [mais] circunspectos."[45] Essa culpa dos pais, a cruzada faz que ela seja pronunciada pelas próprias crianças, por esses pequenos masturbadores esgotados que estão com o pé na cova e que, no momento de morrer, se voltam uma derradeira vez para os pais e lhes dizem, como um deles, parece, numa carta reproduzida por Doussin-Dubreuil: "Como são bárbaros [...] os pais, os professores, os amigos que não me avisaram do perigo a que leva esse vício." E Rozier escreve: "Os pais [...] que abandonam, por um descuido condenável, seus filhos num vício que deve perdê-los, expõem-se a ouvir um dia este grito de desespero de uma criança que perecia assim numa derradeira falta: 'Ai de quem me perdeu!'"[46]

O que se requer – é este, na minha opinião, o terceiro ponto importante dessa campanha –, o que se exige é, no fundo, uma nova organização, uma nova física do espaço familiar: eliminação de todos os intermediários, supressão, se possível, da criadagem doméstica, em todo caso vigilância estreita dos empregados domésticos, a solução ideal sendo precisamente a criança sozinha, num espaço familiar sexualmente asséptico. "Se fosse possível dar como única companhia a uma menina sua boneca – diz Deslandes – ou <...> a um menino seus cavalos, seus soldadinhos e seus tambores, far-se-ia muito bem. Esse estado de isolamento não poderia deixar de lhes ser infinitamente vantajoso."[47] Ponto ideal, se vocês quiserem, a criança sozinha com sua boneca e seu tambor. Ponto ideal, ponto irrealizável. Na verdade, o espaço da família deve ser um espaço de vigilância contínua. Na hora do banho, de deitar, de acordar, durante o sono, as crianças devem ser vigiadas. Em torno das crianças, em suas roupas, em seu corpo, os pais devem estar à espreita. O corpo da criança deve ser objeto da sua atenção permanente. É a primeira preocupação do adulto. Esse corpo deve ser lido pelos pais como um brasão ou como o campo dos indícios possíveis da masturbação. Se a criança tem uma tez descorada, se seu rosto está sem viço, se suas pálpebras têm uma cor azulada ou arroxeada, se há nela certo langor no olhar, se ela tem um ar cansado ou relaxado no momento em que levanta da cama – a causa é sabida: é a masturbação. Se é difícil tirá-la da cama na hora: é a masturbação. Necessidade de estar presentes nos momentos importantes e perigosos, quando as crianças se deitam e quando se levantam. Trata-se também, para os pais, de organizar toda uma série de ciladas graças às quais poderão pegar a criança no momento mesmo em que ela estiver cometendo o que não é tanto uma falta como o princípio de todas as suas doenças. Eis o que Deslandes dá como conselho aos pais: "Fiquem atentos à criança que busca a sombra e a solidão, que fica muito tempo sozinha sem poder dar bons motivos para esse isolamento. Que sua vigilância se volte principalmente para os instantes que sucedem o deitar e precedem o levantar; é principalmente então que o masturbador deve ser pego em flagrante. Nunca suas mãos estão fora da cama, e geralmente ele gosta de ficar com a cabeça debaixo do cobertor. Mal deita, parece mergulhado num sono profundo: essa circunstância, de que o homem experiente sempre desconfia, é uma das que mais contribuem para causar ou alimentar a segurança dos pais. [...] Descubram então bruscamente o rapaz, encontrem suas mãos, se ele não teve tempo de mudá-las de lugar, nos órgãos de que ele abusa, ou na vizinhança destes. Também poderão encontrar o pênis em ereção, ou até mesmo vestígios de uma polução recente: esta poderia também ser reconhecida pelo cheiro especial que vem da cama, ou com que os dedos dele estão impregnados. Desconfiem em geral dos jovens que, na cama ou durante o sono, têm as mãos com frequência na atitude que acabo de descrever [...]. Há portanto razões para considerar os vestígios espermáticos como provas certas de onanismo, quando os sujeitos ainda não são púberes, e como sinais mais que prováveis desse hábito quando os jovens são mais velhos."[48]

Desculpem-me se lhes cito todos esses detalhes (e debaixo do retrato de Bergson!)[49], mas é que acho que assistimos à instituição de toda uma dramaturgia familiar que todos conhecemos bem, que é a grande dramaturgia familiar do século XIX e do século XX: esse teatrinho da comédia e da tragédia de família, com suas camas, seus lençóis, com a noite, com os abajures, com as aproximações na ponta do pé, com os cheiros, com as manchas nos lençóis cuidadosamente inspecionados; toda essa dramaturgia que aproxima indefinidamente a curiosidade do adulto do corpo da criança. Sintomatologia miúda do prazer. Nessa aproximação cada vez mais estreita do adulto à criança, no momento em que o corpo da criança está em estado de prazer, vamos encontrar, no limite, a diretriz, simétrica à diretriz de solidão de que lhes falava há pouco, que é a presença física imediata do adulto ao lado, ao longo da criança, quase em cima da criança. Se necessário – dizem os médicos como Deslandes –, deve-se dormir ao lado do jovem masturbador para impedi-lo de se masturbar, dormir no mesmo quarto e, eventualmente, na mesma cama[50].

Há toda uma série de técnicas para melhor ligar de certo modo o corpo de um dos pais ao corpo da criança em estado de prazer. Assim, fazia-se as crianças dormirem de mãos amarradas com cordões e um cordão amarrado às mãos do adulto. De modo que, se a criança agitasse as mãos, o adulto seria acordado. É a história, por exemplo, deste adolescente que pedira ele próprio para ser amarrado numa cadeira, no quarto do irmão mais velho. Havia na cadeira uns sininhos, de modo que ele dormia assim; mas, bastava ele se agitar em seu sono querendo se masturbar, para que os sininhos se agitassem e o irmão acordasse[51]. É também a história, contada por Rozier, dessa jovem interna cuja superiora percebe que ela tinha um "hábito secreto". A superiora logo "treme" ao percebê-lo. "A partir desse instante", ela resolve compartilhar "à noite, sua cama com a jovem enferma; de dia, ela não a deixa escapar um só instante da sua vista". Assim, "alguns meses depois", a superiora (do convento ou do internato) pôde devolver a interna a seus pais, que tiveram o orgulho de poder apresentar então ao mundo uma jovem cheia "de espírito, de saúde, de razão; enfim, uma mulher muito agradável"[52]!

Sob essas puerilidades creio que há um tema importantíssimo, afinal de contas. É a diretriz da aplicação direta, imediata e constante do corpo dos pais ao corpo dos filhos. Desaparecimento dos intermediários – mas isso quer dizer, em termos positivos: doravante, o corpo das crianças deverá ser vigiado, numa espécie de corpo a corpo, pelo corpo dos pais. Proximidade infinita, contato, quase mistura; aplicação imperativa do corpo de uns sobre o corpo dos outros; obrigação premente do olhar, da presença, da contiguidade, do contato. É o que diz Rozier a propósito do exemplo que lhes citei: "A mãe de uma doente como essa será, por assim dizer, como que a roupa, a sombra da filha. Quando algum perigo ameaça os filhotes da sarigueia [uma espécie de canguru, acho eu – M.F.], ela não se limita a temer por eles, mas os coloca dentro de si."[53] Envolvimento do corpo da criança pelo corpo dos pais: estamos agora, a meu ver, no ponto em que se evidencia (e me desculpem pelo longo desvio, pelas marchas e contramarchas) o objetivo central da manobra ou da cruzada. É que se trata de constituir um novo corpo familiar.

A família aristocrática e burguesa (já que a campanha se limita precisamente a essas formas de família), até meados do século XVIII, era afinal essencialmente uma espécie de conjunto relacional, feixe de relações de ascendência, descendência, colateralidade, parentesco, primogenitura, aliança, que correspondiam a esquemas de transmissão de parentesco, de divisão e repartição dos bens e dos estatutos sociais. Era essencialmente às relações que se referiam efetivamente os interditos sexuais. O que está se constituindo é uma espécie de núcleo restrito, duro, substancial, maciço, corporal, afetivo da família: a família-célula no lugar da família relacional, a família-célula com seu espaço corporal, com seu espaço afetivo, seu espaço sexual, que é inteiramente saturado pelas relações diretas pais-filhos. Em outras palavras, não serei tentado a dizer que a sexualidade perseguida e proibida da criança é, de certa forma, a consequência da formação da família restrita, digamos conjugal ou parental, do século XIX. Direi, ao contrário, que ela é um dos seus elementos constituintes. Foi valorizando a sexualidade da criança, mais exatamente a atividade masturbatória da criança, foi valorizando o corpo da criança em perigo sexual que se deu aos pais a diretriz imperativa de reduzir o grande espaço polimorfo e perigoso da gente da casa e constituir com seus filhos, sua progenitura, uma espécie de corpo único, ligado pela preocupação com a sexualidade infantil, pela preocupação com o autoerotismo infantil e com a masturbação: pais, cuidem de suas filhas excitadas e das ereções de seus filhos, e é assim que vocês se tornarão verdadeira e plenamente pais! Não se esqueçam da imagem da sarigueia dada há pouco por Rozier. Trata-se de constituir uma família-canguru: o corpo da criança como elemento nuclear do corpo da família. Em torno da cama quentinha e duvidosa do adolescente, a família se solidifica. O que poderíamos chamar de a grande, ou, se vocês preferirem, a pequena involução cultural da família, em torno da relação pais-filhos, teve como instrumento, elemento, vetor de constituição, o destaque dado ao corpo sexualizado da criança, ao corpo autoerotizado da criança. A sexualidade não relacional, o autoerotismo da criança como ponto de junção, como ponto de ancoragem para os deveres, a culpa, o poder, a preocupação, a presença física dos pais, foi isso um dos fatores dessa constituição de uma família sólida e solidária, de uma família corporal e afetiva, de uma pequena família que se desenvolve no meio, é claro, mas também à custa da família-rede, e que constitui a família-célula, com seu corpo, sua substância físico-afetiva, sua substância físico-sexual. É bem possível (quer dizer, assim suponho) que, historicamente, a grande família relacional, essa grande família feita de relações permitidas e proibidas, tenha se constituído sobre um fundo de interdição do incesto. Mas eu direi, de minha parte, que a pequena família afetiva, sólida, substancial, que caracteriza nossa sociedade, da qual, em todo caso, vemos o nascimento no fim do século XVIII, constituiu-se a partir do incesto bolinante dos olhares e dos gestos em torno do corpo da criança. Foi esse incesto, esse incesto epistemofílico, esse incesto do contato, do olhar, da vigilância, foi ele que constituiu a base da família moderna.

Claro, o contato direto pais-filhos, tão imperativamente prescrito nessa célula familiar, dá absolutamente todo o poder aos pais sobre os filhos. Todo o poder, sim e não. Porque, na verdade, no momento mesmo em que os pais se encontram, graças à cruzada em questão, obrigados, intimados a assumir a vigilância meticulosa, detalhada, quase ignóbil do corpo de seus filhos, nesse mesmo momento e na medida mesma em que se prescreve isso a eles, eles são remetidos a outro tipo de relações e de controle. Eis o que quero dizer. No mesmo momento em que se diz aos pais: "Muito cuidado, vocês não sabem o que acontece no corpo de seus filhos, na cama de seus filhos", no mesmo momento em que se coloca a masturbação na ordem do dia moral, como diretriz quase primeira da nova ética da nova família, nesse mesmo momento, como vocês se lembram, inscreve-se a masturbação no registro não da imoralidade, mas da doença. Faz-se dela uma espécie de prática universal, uma espécie de "x" perigoso, desumano e monstruoso, de que toda doença pode derivar. De sorte que, necessariamente, liga-se esse controle parental e interno, que é imposto aos pais e às mães, a um controle médico externo. Pede-se ao controle parental interno que modele suas formas, seus critérios, suas intervenções, suas decisões, com base em razões e num saber médicos: é porque os filhos vão ficar doentes, é porque vai acontecer, no corpo deles, esta ou aquela perturbação fisiológica, funcional, eventualmente até lesional, que os médicos conhecem bem, é por causa disso – diz-se aos pais – que é preciso vigiá-los. Logo, a relação pais-filhos, que está se solidificando assim numa espécie de unidade sexual-corporal, deve ser homogênea à relação médico-doente; ela deve prolongar a relação médico-doente. É preciso que esse pai ou essa mãe tão próximos do corpo das crianças, esse pai e essa mãe que cobrem literalmente com seu corpo o corpo dos filhos, sejam ao mesmo tempo um pai e uma mãe capazes de diagnosticar, sejam um pai e uma mãe terapeutas, sejam um pai e uma mãe agentes de saúde. Mas isso quer dizer também que o controle deles é subordinado, que ele deve se abrir a uma intervenção médica, higiênica, que deve, desde o primeiro alerta, recorrer à instância externa e científica do médico. Em outras palavras, no momento mesmo em que se encerra a família celular num espaço afetivo denso, investe-se essa família, em nome da doença, de uma racionalidade que a liga a uma tecnologia, a um poder e um saber médicos externos. A nova família, a família substancial, a família afetiva e sexual, é ao mesmo tempo uma família medicalizada.

Desse processo de fechamento da família e de investimento desse novo espaço familiar pela racionalidade médica, apenas dois exemplos. Um é o problema da confissão. Os pais devem, portanto, vigiar, espiar, chegar pé ante pé, levantar cobertas, dormir ao lado [do filho]; mas, descoberto o mal, têm de fazer o médico intervir imediatamente para curá-lo. Ora, essa cura só será verdadeira e efetiva se o doente aceitá-la e participar. O doente tem de reconhecer seu mal; tem de compreender as consequências dele; tem de aceitar o tratamento. Em suma, tem de confessar. Ora, está muito bem dito, em todos os textos dessa cruzada, que a criança não pode e não deve fazer essa revelação aos pais. Só pode fazê-la ao médico: "De todas as provas – diz Deslandes –, a que é a mais importante adquirir é uma confissão." Porque a confissão elimina "toda espécie de dúvida". Ela torna "mais franca" e "mais eficaz a ação do médico". Ela impede que o sujeito recuse o tratamento. Ela coloca o médico e "todas as pessoas que têm autoridade [...] numa posição que lhes permite ir direto ao assunto, e por conseguinte ter êxito"[54]. Do mesmo modo, num autor inglês chamado La'Mert, há uma interessante discussão sobre o fato de saber se a confissão deve ser feita ao médico da família ou a um especialista. E conclui: não, a confissão não deve ser feita ao médico da família, porque ele ainda é demasiado próximo desta[55]. Ele só deve herdar os segredos coletivos, os segredos individuais devem ser contados a um especialista. E temos, em toda essa literatura, uma longa série de exemplos de curas obtidas graças a confissões feitas ao médico. De modo que vamos ter uma sexualidade, uma masturbação da criança que é objeto de vigilância, de reconhecimento, de controle parental contínuo. Ora, essa sexualidade vai se tornar, ao mesmo tempo, objeto de confissão e de discurso, mas no exterior, do lado do médico. Medicalização interna da família e da relação pais-filhos, mas discursividade externa na relação com o médico; silêncio da sexualidade nas fronteiras da família, onde no entanto ela aparece com toda a clareza pelo sistema de vigilância, mas onde ela aparece não deve ser dita. Em compensação, deve ser dita além das fronteiras desse espaço, ao médico. Por conseguinte, estabelecimento da sexualidade infantil no cerne mesmo do vínculo familiar, na mecânica do poder familiar, mas deslocamento da enunciação dessa sexualidade para a instituição e a autoridade médicas. A sexualidade é esse gênero de coisas que só podem ser ditas ao médico. Intensidade física da sexualidade na família, extensão discursiva fora da família e no campo médico. A medicina é que poderá dizer a sexualidade e fazer a sexualidade falar, no mesmo momento em que é a família que a faz aparecer, pois é a família que a vigia[56].

Outro elemento que mostra esse encadeamento do poder familiar ao poder médico é o problema dos instrumentos. Para impedir a masturbação, a família deve ser o agente transmissor do saber médico. Do corpo da criança à técnica do médico, a família deve no fundo servir simplesmente de intermediária e como que de correia de transmissão. Daí essas medicações que os médicos receitam para a criança e que a família deve dar. Temos toda uma série nesses prospectos, nesses textos médicos de que lhes falava. Temos os célebres camisolões, que vocês talvez ainda tenham visto, com cordão para amarrar embaixo; temos os corpetes; temos as ataduras. Temos o célebre cinto de Jalade-Laffont, que foi utilizado décadas a fio e que compreende uma espécie de corpete de metal para ser aplicado no baixo-ventre, tendo, para os meninos, uma espécie de tubo de metal, com certo número de furinhos na ponta para que possam urinar, aveludado no interior, e que é trancado a cadeado uma semana inteira. E uma vez por semana, na presença dos pais, abre-se o cadeado e limpa-se o garoto. Era o cinto mais empregado na França no início do século XIX[57]. Temos os meios mecânicos, como a vareta de Wender, que foi inventada em 1811 e que consiste no seguinte. Você pega uma simples varinha, fende-a até certo ponto, tira seu miolo, coloca-a em torno do pênis do menino e amarra. Como diz Wender, isso basta para afastar qualquer tentação voluptuosa[58]. Um cirurgião como Lallemand propunha colocar uma sonda em permanência na uretra dos meninos. Parece que a acupuntura, em todo caso a colocação de agulhas nas regiões genitais, foi utilizada contra a masturbação por Lallemand, no início do século XIX[59]. Temos os meios químicos, claro, os opiáceos utilizados por Davila, por exemplo, os banhos ou lavagens com diversas soluções[60]. Larrey, cirurgião de Napoleão, também havia inventado um remédio meio drástico. Consistia no seguinte. Injeta-se na uretra do menino uma solução do que ele chama (não sei exatamente o que é) subcarbonato de sódio (será bicarbonato? Não tenho a menor ideia). Mas, antes disso, toma-se a precaução de amarrar solidamente o pênis na base, de maneira que essa solução de bicarbonato de sódio fique em permanência na uretra e não atinja a bexiga; o que, parece, provocava lesões que levavam vários dias ou semanas para sarar e, enquanto isso, o menino não se masturbava[61]. Cauterização da uretra, cauterização e ablação do clitóris, no caso das meninas[62]. Foi Antoine Dubois, parece que no início do século XIX, que retirou o clitóris de uma doente que tinham tentado curar em vão, amarrando-lhe as mãos e as pernas.

Seu clitóris foi tirado "com um só corte de bisturi" – diz Antoine Dubois. Depois, cauterizou-se o coto "com um ferro de cauterizar". O sucesso foi "completo"[63]. Graefe, em 1822, após um fracasso (ele tinha cauterizado a cabeça de uma enferma, isto é, tinha provocado um ferimento, uma cicatriz a fogo na cabeça da doente, e injetado tártaro na ferida para que ela não cicatrizasse, mas apesar de tudo a masturbação continuou), praticou a ablação do clitóris. E a "inteligência" da doente – que se perdera inclusive, creio eu, que nunca tinha se desenvolvido antes (era uma jovem idiota) –, "mantida de certo modo no cativeiro até então, desabrochou"[64].

Por certo, discute-se no século XIX a legitimidade dessas castrações ou quase castrações, mas Deslandes, o grande teórico da masturbação, em 1835, diz que "tal determinação, longe de ofender o senso moral, é conforme às suas exigências mais severas. Faz-se como todos os dias, quando se amputa um membro: sacrifica-se o acessório pelo principal, a parte pelo todo". E, claro, diz ele, mesmo que se tire o clitóris de uma mulher, que inconveniente haveria nisso? "O maior inconveniente" seria colocar a mulher assim amputada "na categoria, já tão numerosa", das mulheres que são "insensíveis" aos prazeres do amor, "o que não as impede de virem a ser boas mães e esposas-modelos [*rectius*: dedicadas]"[65]. Ainda em 1883, um cirurgião como Garnier praticava a ablação do clitóris das meninas que se entregavam à masturbação[66].

Em todo caso – através de tudo isso que não há como não chamar de uma grande perseguição física da infância e da masturbação no século XIX, perseguição que, sem ter as mesmas consequências, tem quase a mesma amplitude das perseguições às bruxas nos séculos XVI-XVII –, constitui-se uma espécie de interferência e de continuidade medicina-doente. A medicina e a sexualidade são postas em contato por intermédio da família: a família – apelando para o médico, recebendo, aceitando e aplicando se necessário as medicações prescritas pelo médico – ligou uma a outra a sexualidade, de um lado, e essa medicina que praticamente, até então, só se ocupara de maneira muito distante e indireta da sexualidade. A própria família se tornou um agente de medicalização da sexualidade em seu próprio espaço. Assim, vemos se esboçarem relações complexas com uma espécie de divisão, já que há, de um lado, a vigilância muda, o investimento não discursivo do corpo da criança pelos pais e, depois, de outro lado, esse discurso extrafamiliar, científico, ou esse discurso de confissão, que é localizado apenas na prática médica, herdeira assim das técnicas da confissão cristã. Ao lado dessa divisão, temos a continuidade, que faz nascer, com a família, na família, um procedimento perpétuo de medicina sexual, uma espécie de medicalização da sexualidade, medicalização cada vez mais acentuada, que introduz no espaço familiar as técnicas, as formas de intervenção da medicina. Em suma, um movimento de intercâmbio que faz a medicina funcionar como meio de controle ético, corporal, sexual, na moral familiar e que faz surgir, por outro lado, como necessidade médica, os distúrbios internos do corpo familiar, centrado no corpo da criança. Os vícios da criança, a culpa dos pais chamam a medicina a medicalizar esse problema da masturbação, da sexualidade da criança, do corpo em geral da criança. Uma engrenagem médico-familiar organiza um campo ao mesmo tempo ético e patológico, em que as condutas sexuais são dadas como objeto de controle, de coerção, de exame, de julgamento, de intervenção. Em suma, a instância da família medicalizada funciona como princípio de normalização. É essa família, à qual foi dado todo poder imediato e sem intermediário sobre o corpo da criança, mas que é controlada de fora pelo saber e pela técnica médicos, que faz surgir, que vai poder fazer surgir agora, a partir das primeiras décadas do século XIX, o normal e o anormal na ordem sexual. A família é que vai ser o princípio de determinação, de discriminação da sexualidade, e também o princípio de correção do anormal.

Claro, haveria uma questão a que seria necessário responder, que é a seguinte: essa campanha de onde vem e que significa? Por que se faz surgir assim a masturbação como problema maior ou, em todo caso, como um dos problemas maiores colocados à relação entre pais e filhos? Creio que é necessário situar essa campanha no seio de um processo geral de constituição dessa família celular, de que lhes falava há pouco, processo que – apesar de seu fechamento aparente – leva de volta à criança, aos indivíduos, aos corpos e aos gestos, um poder que assume a forma do controle médico. No fundo, o que se pediu à família restrita, o que se pediu à família-célula, o que se pediu à família corporal e substancial, foi que se encarregasse do corpo da criança que, no fim do século XVIII, estava se tornando um desafio importante por duas razões. De um lado, pediu-se a essa família restrita que cuidasse do corpo da criança simplesmente porque a criança vivia e não devia morrer. O interesse político e econômico que se começa a descobrir na sobrevivência da criança é certamente um dos motivos pelos quais se quis substituir o aparelho frouxo, polimorfo e complexo da grande família relacional pelo aparelho limitado, intenso e constante da vigilância familiar, da vigilância dos filhos pelos pais. Os pais têm de cuidar dos filhos, os pais têm de tomar conta dos filhos, nos dois sentidos: impedir que morram e, claro, vigiá-los e, ao mesmo tempo, educá-los. A vida futura das crianças está nas mãos dos pais. O que o Estado pede aos pais, o que as novas formas ou as novas relações de produção exigem é que a despesa, que é feita pela própria existência da família, dos pais e dos filhos que acabam de nascer, não seja tornada inútil pela morte precoce dos filhos. A família tem de se encarregar, por conseguinte, do corpo e da vida dos filhos – essa é certamente uma das razões pelas quais se pede que os pais deem uma atenção contínua e intensa ao corpo dos filhos.

Em todo caso, é nesse contexto que, a meu ver, se deve situar a cruzada antimasturbação. No fundo, ela nada mais é que um capítulo de uma espécie de cruzada mais vasta que vocês conhecem muito bem e que é a cruzada pela educação natural das crianças. Ora, o que é essa famosa ideia de uma educação natural, que se desenvolve durante a segunda metade do século XIX [*rectius*: XVIII]? É a ideia de uma educação tal que, em primeiro lugar, seria inteiramente, ou no essencial, confiada aos próprios pais, que são os educadores naturais dos filhos. Tudo o que é criadagem, preceptores, governantas, etc., se necessários, não podem ser mais que um intermediário, e o intermediário mais fiel possível, dessa relação natural entre pais e filhos. Mas o ideal é que todos esses intermediários desapareçam e que os pais sejam efetivamente os encarregados diretos dos filhos. Mas educação natural também quer dizer o seguinte: essa educação deve obedecer a certo esquema de radicalidade, deve obedecer a certo número de regras que, precisamente, devem garantir a sobrevivência das crianças, de um lado, e sua educação e desenvolvimento normalizado, do outro. Ora, essas regras e a racionalidade dessas regras são detidas por instâncias como os educadores, como os médicos, como o saber pedagógico, como o saber médico. Em suma, toda uma série de instâncias técnicas que balizam e sobrepujam a própria família. Quando se reivindica, no fim do século XVIII, a instituição de uma educação natural, trata-se ao mesmo tempo desse contato imediato de pais e filhos, dessa substantivação da pequena família em torno do corpo da criança e, ao mesmo tempo, da racionalização ou da penetrabilidade da relação pais-filhos por uma racionalidade e uma disciplina pedagógica ou médica. Restringindo assim a família, dando-lhe uma aparência tão compacta e estreita, faz-se que ela fique efetivamente penetrável por certo tipo de poder; faz-se que ela fique penetrável por toda uma técnica de poder, de que a medicina e os médicos são os transmissores junto às famílias.

Ora, é aí que vamos encontrar a sexualidade, no mesmo momento em que se pede assim aos pais para, de certo modo, assumirem séria e diretamente o cuidado dos filhos em sua corporeidade mesma, em seu corpo mesmo, isto é, em sua vida, em sua sobrevivência, em sua possibilidade de educação, o que é que acontece pelo menos nas camadas sociais de que falei até agora, isto é, em linhas gerais na aristocracia e na burguesia? Nesse mesmo momento, pede-se aos pais não apenas para educarem as crianças para que elas possam ser úteis ao Estado, mas pede-se a essas mesmas famílias que cedam efetivamente seus filhos ao Estado, que confiem a este se não a educação de base, pelo menos a instrução, pelo menos a formação técnica, a um ensino que será direta ou indiretamente controlado pelo Estado. A grande reivindicação de uma educação estatal, ou controlada pelo Estado, é encontrada exatamente no momento em que começa a campanha da masturbação na França e na Alemanha, por volta de 1760-80. É La Chalotois, com seu *Essai sur l'éducation nationale*; é o tema de que a educação deve ser garantida pelo Estado[67]. Vocês vão encontrar, na mesma época, Basedow com seu *Philantropinum*, isto é, a ideia de uma educação destinada às classes favorecidas da sociedade, mas que não deveria ser feita no espaço duvidoso da família, e sim no espaço, controlado pelo Estado, de instituições especializadas[68]. É, de qualquer modo, a época – fora inclusive desses projetos ou desses lugares exemplares e modelares, como o *Philantropinum* de Basedow – em que se desenvolvem através de toda a Europa os grandes estabelecimentos educacionais, as grandes escolas, etc.: "Nós necessitamos de seus filhos", dizem. "Confiem-nos a nós. E necessitamos, como vocês também necessitam, aliás, que esses filhos sejam normalmente formados. Logo, confiem-nos a nós para que os formemos de acordo com certa normalidade." De sorte que, no momento em que se pede que as famílias assumam o próprio corpo dos filhos, no momento em que se pede que garantam a vida e a sobrevivência dos filhos, também se pede que elas abram mão desses mesmos filhos, abram mão da presença real deles, do poder que podem exercer sobre eles. Claro, não é na mesma idade que se pede aos pais para cuidar dos filhos e abrir mão do corpo dos filhos. Mas pede-se um processo de troca: "Mantenham seus filhos bem vivos e bem fortes, corporalmente sadios, dóceis e aptos, para que possamos fazê-los passar por uma máquina que vocês não controlam, que será o sistema de educação, de instrução, de formação, do Estado." Penso que, nessa espécie de duplo pedido: "Cuidem de seus filhos" e "Abram mão mais tarde desses mesmos filhos", o corpo sexual da criança serve, de certo modo, de moeda de troca. Diz-se aos pais: "Há no corpo da criança algo que, de qualquer modo, pertence imprescritivelmente a vocês, algo que vocês nunca terão de abandonar, porque isso nunca abandonará vocês: a sexualidade de seus filhos. O corpo sexual da criança, é isso que pertence e sempre pertencerá ao espaço familiar, e sobre isso ninguém nunca terá efetivamente poder e relação. Mas, em compensação, no mesmo momento em que nós constituímos para vocês esse campo de poder tão total, tão completo, nós lhes pedimos para nos ceder o corpo, se quiserem, a aptidão de seus filhos. Nós lhes pedimos que nos entreguem esses filhos para que façamos deles aquilo de que necessitamos efetivamente." Nessa troca, vocês percebem onde está o engodo, porque a tarefa atribuída aos pais é precisamente tomar posse do corpo dos filhos, cobri-lo, zelar de maneira tão contínua sobre ele que as crianças não possam nunca se masturbar. Ora, não apenas nunca nenhum pai impediu que seus filhos se masturbassem, mas os médicos da época o dizem crua e cinicamente: como quer que seja, todas as crianças de fato se masturbam. No fundo, atribui-se aos pais essa tarefa infinita da posse e do controle de uma sexualidade infantil que, como quer que seja, lhes escapará. Mas, graças a essa tomada de posse do corpo sexual, os pais entregarão esse outro corpo da criança, que é seu corpo de desempenho ou de aptidão.

A sexualidade da criança é o engodo por meio do qual a família sólida, afetiva, substancial e celular se constituiu e ao abrigo do qual a criança foi subtraída da família. A sexualidade das crianças foi a armadilha na qual os pais caíram. É uma armadilha aparente – quero dizer, uma armadilha real, mas destinada aos pais. Ela foi um dos vetores da constituição dessa família sólida. Ela foi um dos instrumentos de troca que permitiram deslocar a criança do meio da sua família para o espaço institucionalizado e normalizado da educação. Foi essa moeda fictícia, sem valor, essa moeda falsa que ficou nas mãos dos pais; uma moeda falsa que os pais, no entanto, como vocês sabem, têm em grande apreço, pois ainda em 1974, quando se discute sobre dar educação sexual para as crianças na escola, os pais teriam o direito, se conhecessem a história, de dizer: faz dois séculos que nos tapeiam! Faz dois séculos que nos dizem: deem-nos seus filhos, mas nós garantimos a vocês que a sexualidade deles se desenvolverá num espaço familiar controlado por vocês. Deem-nos seus filhos e o poder de vocês sobre o corpo sexual deles, sobre o corpo de prazer, será mantido. E agora os psicanalistas começam a dizer: "A nós, a nós, o corpo de prazer das crianças!"; e o Estado, os psicólogos, os psicopatologistas, etc. dizem: "A nós, a nós, essa educação!" Aí é que está a grande tapeação na qual o poder dos pais caiu. Poder fictício, mas cuja organização fictícia permitiu a constituição real desse espaço de que se fazia tanta questão pelas razões que eu lhes dizia há pouco, esse espaço substancial em torno do qual a grande família relacional se encolheu e se restringiu, e no interior do qual a vida da criança, o corpo da criança foi ao mesmo tempo vigiado, valorizado e sacralizado. A sexualidade das crianças, a meu ver, diz muito menos respeito às crianças do que aos pais. Em todo caso, foi em torno dessa cama duvidosa que nasceu a família moderna, essa família moderna sexualmente irradiada e saturada, e medicalmente inquieta.

É essa sexualidade assim investida, assim constituída no interior da família, que os médicos – que desde fins do século XVIII já têm controle sobre ela – vão retomar em meados do século XIX, para constituir, com o instinto de que lhes falei nas sessões precedentes, o grande domínio das anomalias.

*

NOTAS

1. A. de Liguori, *Praxis confessarii...*, *op. cit.*, pp. 72-3 (art. 39); pp. 140-1 (art. 89); A.-M. de Liguory, *Le conservateur des jeunes gens...*, pp. 5-14.

2. *Onania or the Heinous Sin of Self-Pollution and All its Frightful Consequences in Both Sexes Considered, with spiritual and physical advice to those who have already injured themselves by this abominable practice*, Londres, 1718[4]. Não se conhecem exemplares das três primeiras edições. A atribuição do panfleto a um certo Bekker vem de *L'onanisme* de Tissot (ver nota seguinte e *infra*, nota 6), mas nunca foi confirmada.

3. O livro de S.-A.-A.-D. Tissot, citado por M. Foucault, foi redigido em latim (*Tentamen de morbis ex manu stupratione*), e foi inserido na *Dissertatio de febribus biliosis seu historia epidemiae biliosae lausannensis*, Losannae, 1758, pp. 177-264. Essa edição, embora acolhida com simpatia por alguns especialistas, passou quase despercebida.

4. J. B. Basedow, *Das Methodenbuch für Väter und Mütter der Familien und Völker*, Altona-Bremen, 1770 (trad. fr.: *Nouvelle méthode d'éducation*, Frankfurt-Leipzig, 1772); id., *Das Elementarwerk* [s.l.: Leipzig], 1785[2] (trad. fr.: *Manuel élémentaire d'éducation*, Berlim-Dassau, 1774). Não encontramos o *Petit livre pour les enfants de toutes les classes* (1771), nem o *Petit livre pour les parents et éducateurs de toutes les classes* (1771).

5. C. G. Salzmann, *Ists recht, über die eimichen Sünden der Jugend, öffentlich zu schreiben*, Schnepfenthal, 1785; id., *Carl von Carlsberg oder über das menschliche Elend*, Leipzig, 1783; id. *Über die heimlichen Sünden der Jugend*, Leipzig, 1785 (trad. fr.: *L'ange protecteur de la jeunesse ou Histoires amusantes et instructives destinées à faire connaître aux jeunes gens les dangers que l'étourderie et l'inexpérience leur font courir*, Paris, 1825).

6. A circulação da primeira edição em francês de S.-A.-A.-D. Tissot, *L'onanisme ou Dissertation physique sur les maladies produites par la masturbation*, Lausanne, 1760, não foi além do meio médico. O falatório a que M. Foucault faz referência começa a partir da terceira edição (1764), consideravelmente aumentada e seguida de 62 reproduções (até 1905), inclusive as publicadas com os comentários de outros médicos que se atribuíam certa experiência na luta contra a masturbação (por exemplo, C.-T. Morel em 1830, E. Clément em 1875, X. André em 1886).

7. H. Kaan, *Psychopathia sexualis*, Lipsiae, 1844.

8. Não identificamos a fonte.

9. R. Krafft-Ebing, *Psychopathia sexualis*, *op. cit.*

10. H. Havelock Ellis, *Studies in the Psychology of Sex*, Filadélfia, 1905-1928 (trad. fr. por A. Van Gennep: *Études de psychologie sexuelle*, Paris, 1964-1965).

11. M. Foucault alude sem dúvida aqui a textos como o de J.-L. Alibert, *Nouveaux Éléments de thérapeutique*, II, Paris, 1827, p. 147, ou o de L. Bourgeois, *Les passions dans leurs rapports avec la santé et les maladies*, II, Paris, 1861, p. 131.

12. Passagens não identificadas.

13. Por exemplo: J. B. de Bourge, *Le mémento du père de famille et de l'éducateur de l'enfance, ou les Conseils intimes sur les dangers de la masturbation*, Mirecourt, 1860.

14. A obra foi efetivamente publicada com este título: *Le livre sans titre*, Paris, 1830.

15. No prefácio à obra de C. G. Salzmann já citada, *Über die heimlichen Sünden der Jugend* (que a edição francesa não traduziu), podemos ler: "A Alemanha foi despertada de seu sono, os alemães tiveram a atenção chamada para um mal que corroía as raízes da humanidade. Milhares de jovens alemães, que corriam o perigo de terminar sua vida sem viço no hospital, foram salvos e hoje consagram suas forças salvaguardadas para o bem da humanidade, sobretudo da humanidade alemã. Milhares de outras crianças puderam ser preservadas da cobra venenosa antes de serem picadas por ela."

16. Ver o *Précis historique, physiologique et moral des principaux objets en cire préparée et colorée d'après nature, qui composent le museum de J.-F. Bertrand-Rival*, Paris, 1801. Sobre as visitas ao Museu Dupuytren, cf. J.-L. Doussin-Dubreuil, *Nouveau manuel sur les dangers de l'onanisme, et Conseils relatifs au traitement des maladies qui en résultent. Ouvrage nécessaire aux pères de famille et aux instituteurs*, Paris, 1839, p. 85. Há vestígios de outro museu no fim do século em P. Bonnetain, *Charlot s'amuse*, Bruxelas, 1883², p. 268.

17. A *Histoire de la répression sexuelle* de Jos Van Ussel inspira-se essencialmente em H. Marcuse, *Eros and Civilisation. A Philosophical Inquiry into Freud*, Boston, 1955 (trad. fr.: *Éros et Civilisation*, Paris, 1971 [trad. bras. *Eros e civilização*. Rio de Janeiro: Zahar, 1975]); *One-Dimensional Man. Studies in the Ideology of Advanced Industrial Society*, Boston, 1964 (trad. fr.: *L'homme unidimensionnel*, Paris, 1970 [trad. bras. *A ideologia da sociedade industrial*. Rio de Janeiro: Zahar, 1982]).

18. J.-B.-T. Serrurier, "Pollution", em *Dictionnaire des sciences médicales*, Paris, XLIV, 1820, p. 114. Cf. "Masturbation", *ibid.*, XXXI, 1819, pp. 100-35.

19. E.-R.-A. Serres, *Anatomie comparée du cerveau*, II, Paris, 1826, pp. 601-13 ("De l'action du cervelet sur les organes génitaux").

20. L. Deslandes, *De l'onanisme et des autres abus vénériens considérés dans leurs rapports avec la santé*, Paris, 1835, p. 159, faz referência à tese de J.-L.-N. Payen, *Essai sur l'encéphalite ou inflammation du cerveau, considérée spécialement dans l'enfance*, Paris, 1826, p. 25.

21. G. Dupuytren, "Atrophie des branches antérieures de la moelle épinière; paralysie générale du mouvement, mais non de la sensibilité; traitement; considérations pratiques. Hémiplégie guérie par une forte commotion électrique", *La lancette française*, 114, 14 septembre 1833, pp. 339-40.

22. A. Boyer, *Leçons sur les maladies des os, rédigées en un traité complet de ces maladies*, I, XI [1802-1803], p. 344.

23. L.-J. Sanson, "Amaurose", em *Dictionnaire de médecine et de chirurgie pratiques*, II, Paris, pp. 85-119.

24. A. Scarpa, *Traité pratique de maladies des yeux, ou Expériences et observations sur les maladies qui affectent ces organes*, II, trad. fr. Paris, 1802, pp. 242-3 (ed. orig.: *Saggio di osservazione e di esperienze sulle principali malattie degli occhi*, Pavia, 1801).

25. P. Blaud, "Mémoire sur les concrétions fibrineuses polypiformes dans les cavités du coeur", *Revue médicale française et étrangère. Journal de clinique*, IV, 1833, pp. 175-88, 331-52.

26. A. Portal, *Observations sur la nature et sur le traitement du rachitisme*, Paris, 1797, p. 224.

27. Lisle, "Des pertes séminales et de leur influence sur la production de la folie", *Annales médico-psychologiques*, 1851, III, pp. 333 s.

28. Sobre a literatura citada, ver L. Deslandes, *De l'onanisme..., op. cit.*, pp. 152-3, 159, 162-3, 189, 198, 220, 221, 223, 243-4, 254-5.

29. Podemos acrescentar às cartas de *Onania* e às já publicadas por Tissot a coletânea de J.-L. Doussin-Dubreuil, *Lettres sur les dangers de l'onanisme, et Conseils relatifs au traitement des maladies qui en résultent. Ouvrage utile aux pères de famille et aux instituteurs*, Paris, 1806; id. *Nouveau Manuel sur les dangers de l'onanisme..., op. cit.* (ed. revista, corrigida e aumentada por J. Morin).

30. M. Foucault utiliza a terceira edição: Rozier, *Des habitudes secrètes ou des maladies produites par l'onanisme chez les femmes*, Paris, 1830, pp. 81-2. (As duas edições precedentes trazem títulos diferentes, mas o conteúdo é o mesmo: *Lettres médicales et morales*, Paris, 1822; *Des habitudes secrètes ou de l'onanisme chez les femmes. Lettres médicales, anecdotiques et morales à une jeune malade et à une mère, dédiées aux mères de famille et aux maîtresses de pensions*, Paris, 1825).

31. Rozier, *Des habitudes secrètes..., op. cit.*, p. 82: "Não cresci nem engordei. Sou magro, sem concepções. De manhã, principalmente, parece que saio da terra. Não retiro nenhum suco dos alimentos. Às vezes eu sinto uma pontada na boca do estômago, entre as costas, e começo a respirar com dificuldade. Faz três meses, tenho uma agitação contínua nos membros à medida que a circulação do meu sangue se faz. A menor ladeira, o menor passeio me cansa. Tremo o tempo todo, principalmente de manhã."

32. Cf. H. Fournier & Bégin, "Masturbation", em *Dictionnaire des sciences médicales*, XXXI, Paris, 1819, p. 108.

33. Cf. M. Foucault, *Naissance de la clinique, op. cit.*, pp. 125-76.

34. Ver suas observações em *Confessions* e *Émile* (J.-J. Rousseau, *Oeuvres complètes*, editadas sob a direção de B. Ganebin e M. Raymond, Paris, I, 1959, pp. 66-7; IV, 1969, p. 663) [trad. bras. *Confissões*. São Paulo: Edipro, 2007; *Emílio*. São Paulo: Martins Fontes, 2004].

35. Rozier, *Des habitudes secrètes..., op. cit.*, pp. 192-3: "O professor Moreau de la Sarthe relata que teve a oportunidade de observar duas meninas de sete anos, que uma negligência culpada havia deixado se entregarem a uma excitação cuja frequência e cujo excesso determinaram com o tempo seu esgotamento e consumpção."

36. *Ibid.*, p. 193: "Enfim eu próprio vi no Hospice des Enfants, na Rue de Sèvres, Paris, no ano de 1812, uma pequena pessoa também de sete anos que já estava acometida no mais alto grau por essa propensão. Ela estava privada de quase todas as propriedades intelectuais."

37. A observação de Sabatier é relatada *ibid.*, p. 192: "O que vi de mais terrível e de mais frequente em consequência desse vício foram as nodosidades da espinha. Minha opinião sempre foi vista como desprovida de fundamento, dada a grande juventude dos doentes; mas eu estava instruído por confissões recentes de que vários deles eram culpados desse vício desde antes do sexto ano de vida."

38. L.-A.-Ph. Cerise, *Le médecin des salles d'asile, ou Manuel d'hygiène et d'éducation physique de l'enfance, destiné aux médecins et aux directeurs de ces établissements et pouvant servir aux mères de famille*, Paris, 1836, p. 72.

39. J. B. de Bourge, *Le mémento du père de famille..., op. cit.*, pp. 5-14.

40. [F.] Simon [de Metz], *Traité d'hygiène appliquée à la jeunesse*, Paris, 1827, p. 153.

41. Ch. Malo, *Le Tissot moderne, ou Réflexions morales et nouvelles sur l'onanisme, suivies des moyens de le prévenir chez les deux sexes*, Paris, 1815, pp. 11-2.

42. Poderia tratar-se de E. Jozan, *D'une cause fréquente et peu connue d'épuisement prématuré*, Paris, 1858, p. 22: "As crianças entregues a babás não estão a salvo dos perigos."

43. L. Deslandes, *De l'onanisme...*, *op. cit.*, p. 516. O mesmo autor desenvolve a questão em seu *Manuel d'hygiène publique et privée, ou Précis élémentaire des connaissances relatives à la conservation de la santé et au perfectionnement physique et moral des hommes*, Paris, 1827, pp. 499-503, 513-9.

44. O fato, cuja autenticidade é garantida por J. Andrieux, editor dos *Annales d'obstétrique, des maladies des femmes et des enfants* (1842-1844) e de *Enseignement élémentaire universel, ou Encyclopédie de la jeunesse*, Paris, 1844, é assinalado por L. Deslandes, *De l'onanisme...*, *op. cit.*, pp. 516-7.

45. Ch. Malo, *Le Tissot moderne...*, *op. cit.*, p. 11.

46. A carta é citada por M. Foucault, seguindo Rozier, *Des habitudes secrètes...*, *op. cit.*, pp. 194-5.

47. Não identificamos a fonte.

48. L. Deslandes, *De l'onanisme...*, *op. cit.*, pp. 369-72.

49. As aulas de Michel Foucault eram dadas numa sala em que havia um retrato de Henri Bergson, que também havia sido professor do Collège de France.

50. Cf. L. Deslandes, *De l'onanisme...*, *op. cit.*, p. 533.

51. Não identificamos a fonte.

52. Rozier, *Des habitudes secrètes...*, *op. cit.*, pp. 229-30.

53. *Ibid.*, p. 230. [Sarigueia (*sarigue*, em francês) é na verdade um outro nome do gambá, que de fato é um marsupial, como o canguru. N. do T.]

54. Cf. L. Deslandes, *De l'onanisme...*, *op. cit.*, pp. 375-6.

55. S. La'Mert, *La préservation personnelle. Traité médical sur les maladies des organes de la génération résultant des habitudes cachées, des excès de jeunesse ou de la contagion; avec des observations pratiques sur l'impuissance prématurée*, Paris, 1847, pp. 50-1: "O desejo do autor é que seu livro possa se tornar familiar a todos os que dirigem as escolas e os colégios, ao clero, aos pais e aos bedéis, enfim a todos aqueles a que é confiada a educação da juventude. Vai lhes ser útil, levando-os a descobrir os hábitos ocultos daqueles de que são encarregados de tomar conta e estimulando-os a tomar sábias precauções para preveni-los ou deter suas consequências. Entre os que se consagraram exclusivamente ao tratamento das doenças sexuais, poucos são os que não se acham profundamente convencidos da generalidade do vício da masturbação. Os próprios médicos acaso duvidam disso? Negam isso? Eles, que de todos os homens são os menos capazes de imaginá-lo e que são os últimos a quem se confiaria o segredo de tais costumes. O médico da família pode estar de posse de segredos da família, pode conhecer as inclinações hereditárias de toda uma família, mas isso é muito diferente de conhecer os segredos individuais ou de ouvir a confissão que não seria feita nem a um pai, nem a uma mãe, nem a um irmão, nem a uma irmã. O médico habitual da família, que nunca é consultado em tal caso, e com razão, ignora tanto a extensão desses hábitos perniciosos quanto o modo de tratamento que requerem." Essa obra, ilustrada com estampas anatômicas, é traduzida da vigésima segunda edição inglesa (ed. orig.: *Self Preservation. A popular inquiry into the [...] Causes of Obscure Disorders of the Generative System*, Manchester, 1841).

56. Cf. M. Foucault, *La volonté de savoir*, *op. cit.*, pp. 145-7.

57. G. Jalade-Laffont, *Considérations sur la confection des corsets et des ceintures propres à s'opposer à la pernicieuse habitude de l'onanisme*, Paris, 1819. O texto foi incorporado às *Considérations sur les hernies abdominales, sur les bandages herniaires rénixigrades et sur de nouveaux moyens de s'opposer à l'onanisme*, I, Paris, 1821, pp. 441-54. É aqui que o médico inventor anuncia a descoberta de um corpete para preservar as pessoas do sexo feminino contra os perigos do onanismo (pp. X-XI).

58. L. Deslandes, *De l'onanisme...*, *op. cit.*, p. 546, que cita A. J. Wender, *Essai sur les pollutions nocturnes produites par la masturbation, chez les hommes, et exposition d'un moyen simple et sûr de les guérir radicalement* (1811).

59. Os métodos adotados por Cl.-F. Lallemand são mencionados por L. Deslandes, *op. cit.*, p. 543, que provavelmente utiliza uma pesquisa sobre as *Maladies des organes génito-urinaires*, que não pudemos consultar.

60. Segundo L. Deslandes, *op. cit.*, pp. 543-5, J. de Madrid-Davila, em sua *Dissertation sur les pollutions involontaires*, Paris, 1831, também propõe a introdução de uma sonda na uretra.

61. Trata-se de Dominique-Jean Larrey: ver suas *Mémoires de chirurgie militaire*, I-IV, Paris, 1812-1817; *Recueil de mémoires de chirurgie*, Paris, 1821; *Clinique chirurgicale*, Paris, 1829-1836. Mas não identificamos a fonte.

62. Cf. L. Deslandes, *De l'onanisme...*, *op. cit.*, pp. 429-30.

63. A intervenção efetuada por Antoine Dubois é relatada por L. Deslandes, *ibid.*, p. 422, que remete a A. Richerand, *Nosographie chirurgicale*, IV, Paris, 1808[2], pp. 326-8.

64. L. Deslandes, *op. cit.*, p. 425. Sobre a intervenção de E. A. G. Graefe, ver "Guérison d'une idiotie par l'extirpation du clitoris", *Nouvelle bibliothèque médicale*, IX, 1825, pp. 256-9.

65. L. Deslandes, *op. cit.*, pp. 430-1.

66. P. Garnier, *Onanisme, seul et à deux, sous toutes ses formes et leurs conséquences*, Paris, 1883, pp. 354-5.

67. L.-R. Caradeuc de la Chalotois, *Essai sur l'éducation nationale, ou Plan d'études pour la jeunesse*, Paris, 1763.

68. A. Pinloche, *La réforme de l'éducation en Allemagne au dix-huitième siècle. Basedow et le Philantropinisme*, Paris, 1889. Cf. M. Foucault, *La volonté de savoir*, *op. cit.*, p. 41.

AULA DE 12 DE MARÇO DE 1975

O que torna aceitável à família burguesa a teoria psicanalítica do incesto (o perigo vem do desejo da criança). – A normalização do proletariado urbano e a repartição ótima da família operária (o perigo vem do pai e dos irmãos). – Duas teorias do incesto. – Os antecedentes do anormal: engrenagem psiquiátrico-judiciária e engrenagem psiquiátrico-familiar. – A problemática da sexualidade e a análise de suas irregularidades. – A teoria gêmea do instinto e da sexualidade como tarefa epistemológico-política da psiquiatria. – Nas origens da psicopatologia sexual (Heinrich Kaan). – Etiologia das loucuras a partir da história do instinto e da imaginação sexual. – O caso do soldado Bertrand.

Eu gostaria de voltar a certo número de coisas de que não tive tempo de falar da última vez. Parece-me pois que a sexualidade da criança e do adolescente é posta como problema no decorrer do século XVIII. Essa sexualidade é posta inicialmente sob sua forma não relacional, isto é, é posto em primeiro lugar o problema do autoerotismo e da masturbação; masturbação que é perseguida, masturbação que é valorizada como um perigo maior. A partir desse momento, os corpos, os gestos, as atitudes, as caras, os traços da fisionomia, as camas, os lençóis, as manchas, tudo isso é posto sob vigilância. Os pais são convocados a partir à caça dos cheiros, dos vestígios, dos indícios. Acho que é aí que temos a instauração, o estabelecimento de uma das novas formas de relação entre pais e filhos: começa uma espécie de grande corpo a corpo pais-filhos, que me parece característico da situação não de toda família, mas de certa forma de família na época moderna.

É certo que temos aí a transposição, no elemento da família, da carne cristã. Transposição no sentido estrito do termo, já que temos um deslocamento local e espacial do confessionário: o problema da carne é passado para a cama. Transposição, mas também transformação, sobretudo redução, na medida em que toda essa complexidade estritamente cristã da direção de consciência que eu procurei evocar um pouco e que punha em jogo toda uma série de noções como as incitações, as titilações, os desejos, a complacência, a deleitação, a volúpia vê-se reduzida agora a um só problema, ao problema simplíssimo do gesto, da mão, da relação entre a mão e o corpo, à simples questão: "Será que eles se tocam?" Mas, ao mesmo tempo que assistimos a essa redução da carne cristã a esse problema extraordinariamente simples e como que esquelético, assistimos a três transformações. Por um lado, passagem à somatização: o problema da carne tende a se tornar cada vez mais o problema do corpo, do corpo físico, do corpo doente. Em segundo lugar, infantilização, no sentido de que o problema da carne – que afinal de contas era o problema de todo cristão, mesmo que estivesse centrado, com certa insistência, na adolescência – é agora essencialmente organizado em torno da sexualidade ou do autoerotismo infantil e adolescente. Enfim, em terceiro lugar, medicalização, já que doravante esse problema se refere a uma forma de controle e de racionalidade que é pedida ao saber e ao poder médicos. Todo o discurso ambíguo e proliferante do pecado se reduz à proclamação e ao diagnóstico de um perigo físico e a todas as precauções materiais para conjurá-lo.

O que eu havia procurado mostrar a vocês da última vez é que essa caça à masturbação não me parece ser o resultado da constituição da família estreita, celular, substancial, conjugal. Parece-me que, longe de ser o resultado da constituição dessa família de um tipo novo, a caça à masturbação foi, ao contrário, o instrumento dessa constituição. Foi através dessa caça, através dessa cruzada, que se constituiu, pouco a pouco, essa família restrita e substancial. Essa cruzada, com todas as diretrizes práticas que comportava, foi um meio de estreitar as relações familiares e fechar, como uma unidade substancial, sólida e afetivamente saturada, o retângulo central pais-filhos. Uma das condições para coagular a família conjugal foi tornar os pais responsáveis do corpo dos filhos, da vida e da morte dos filhos, e isso por intermédio de um autoerotismo que tinha sido tornado fabulosamente perigoso no e pelo discurso médico.

Em suma, eu queria rejeitar a série linear: primeiro, constituição, por certo número de razões econômicas, da família conjugal; no interior dessa família conjugal, interdição de sexualidade; a partir dessa interdição, retorno patológico dessa sexualidade, neurose e, a partir daí, simplesmente, problematização da sexualidade da criança. E o esquema ordinariamente admitido. Parece-me que, em vez disso, é necessário admitir toda uma série de elementos, que são circularmente ligados, em que encontramos a valorização do corpo da criança, a valorização econômica e afetiva da sua vida, a instauração de um medo em torno desse corpo e de um medo em torno da sexualidade enquanto detentora dos perigos corridos pela criança e pelo corpo da criança; culpabilização e responsabilização simultâneas dos pais e dos filhos em torno desse corpo mesmo, arranjo de uma proximidade obrigatória, estatutária, dos pais e dos filhos; logo organização de um espaço familiar restrito e denso; infiltração da sexualidade através de todo esse espaço e investimento desse espaço por controles ou, em todo caso, por uma racionalidade médica. Parece-me que é em torno de todos esses processos e a partir do encadeamento circular desses diferentes elementos que se cristaliza finalmente a família conjugal, a família restrita, a família quadrangular pais-filhos, que caracteriza pelo menos uma parte da nossa sociedade.

A partir daí, eu gostaria de acrescentar duas observações.

A primeira é esta. Se admitirmos esse esquema, se admitirmos que a problematização da sexualidade da criança esteve originalmente ligada a essa colocação em contato do corpo dos pais e do corpo dos filhos, a um "rebatimento" do corpo dos pais sobre o corpo dos filhos, vocês percebem a intensidade que pôde adquirir, no fim do século XIX, o tema do incesto, isto é, ao mesmo tempo, a dificuldade e a facilidade com a qual foi aceito. Difícil aceitar esse tema, já que precisamente, desde o fim do século XVIII, vinha se dizendo, explicando, desmedidamente definindo, que a sexualidade da criança era antes de mais nada uma sexualidade autoerótica, por conseguinte não relacional e não superponível a uma relação sexual entre indivíduos. Por outro lado, essa sexualidade assim não relacional e inteiramente bloqueada no corpo da criança era insuperponível a uma sexualidade de tipo adulto. Retomar essa sexualidade da criança e reinseri-la numa relação incestuosa com o adulto, repor em contato ou em continuidade a sexualidade da criança e a sexualidade do adulto por intermédio do incesto ou do desejo incestuoso filhos-pais, constituía evidentemente uma dificuldade considerável. Difícil portanto admitir que os pais eram atingidos, investidos pelo desejo incestuoso de seus filhos, ao passo que já fazia cem anos que eles eram tranquilizados [quanto ao fato de que] a sexualidade de seus filhos era inteiramente localizada, bloqueada, trancafiada no interior desse autoerotismo. Mas, por outro lado, pode-se dizer que toda a cruzada antimasturbação, no interior da qual vai se inscrever esse novo medo do incesto, tornou até certo ponto fácil a aceitação pelos pais deste tema: que seus filhos os desejam, e os desejam incestuosamente.

Essa facilidade, ao lado dessa dificuldade ou entrecruzando-se com ela, se explica e podemos facilmente esclarecê-la. Desde 1750-1760, desde meados do século XVIII, o que vinha sendo dito aos pais? Apliquem seu corpo contra o de seus filhos; olhem seus filhos; aproximem-se de seus filhos; ponham-se eventualmente na cama de seus filhos; metam-se nos lençóis deles; observem, espiem, surpreendam todos os sinais de desejo de seus filhos; cheguem na ponta dos pés, de noite, à beira da cama deles, levantem os lençóis, olhem o que eles fazem, ponham a mão nos lençóis pelo menos para impedir. E eis que, depois de lhes dizer isso cem anos a fio, agora lhes dizem: esse desejo temível que vocês descobrem, no sentido material do termo, é a vocês que é dirigido. O que há de mais temível nesse desejo é precisamente que ele diz respeito a vocês.

Daí certo número de efeitos, três creio eu, que são essenciais. Primeiro, vocês veem que, a partir daí, inverte-se de certo modo, dos pais para os filhos, a relação de indiscrição incestuosa que havia sido organizada durante mais de um século. Durante mais de um século, tinha-se pedido aos pais para se aproximarem de seus filhos; tinha-se ditado a eles uma conduta de indiscrição incestuosa. Eis que, ao cabo de um século, desculpam os pais precisamente da culpa que, no limite, eles teriam podido sentir por descobrir assim o corpo desejante de seus filhos, e lhes dizem: não se incomodem, não são vocês que são incestuosos. O incesto não vai de vocês a eles, da indiscrição de vocês, da curiosidade de vocês pelo corpo deles que vocês desnudaram, é o contrário: é deles a vocês que vai o incesto, pois são eles que começam, desde a origem, a desejar vocês. Por conseguinte, no mesmo momento em que se satura etiologicamente a relação incestuosa filhos-pais, desculpa-se moralmente os pais pela indiscrição, pelo procedimento, pela aproximação incestuosa a que haviam sido obrigados por mais de um século. Logo, primeiro benefício moral, que torna aceitável a teoria psicanalítica do incesto.

Em segundo lugar, vocês estão vendo que, no fundo, dá-se aos pais uma garantia suplementar, já que dizem a eles não apenas que o corpo sexual de seus filhos lhes pertence de direito, que eles têm de zelar por ele, que têm de vigiá-lo, de controlá-lo, de surpreendê-lo, mas também que ele lhes pertence num nível ainda mais profundo, já que o desejo dos filhos é dirigido a eles, pais. Nessa medida, não é apenas, de certa forma, a posse material do corpo da criança, de que eles são senhores, mas, ainda por cima, do próprio desejo de que eles se veem dispor pelo fato de que é a eles que esse desejo é dirigido. Talvez essa nova garantia dada aos pais corresponda a uma nova vaga de desapossamento do corpo da criança no que concerne à família, quando, no fim do século XIX, a extensão da escolarização e dos procedimentos disciplinares separou efetivamente a criança ainda mais do meio familiar no interior do qual estava inscrita. Tudo isso precisaria ser examinado mais detalhadamente. Mas houve uma verdadeira reapropriação da sexualidade da criança pela afirmação de que o desejo da criança é dirigido precisamente aos pais. Assim, pôde afrouxar o controle da masturbação, sem que as crianças [*rectius*: os pais] perdessem a posse da sexualidade das crianças, já que o desejo infantil visava a eles.

Enfim, a terceira razão pela qual essa teoria do incesto pôde, apesar de certo número de dificuldades, acabar sendo aceita, é que, colocando uma infração tão terrível no próprio cerne das relações pais-filhos, fazendo do incesto – crime absoluto – o ponto de origem de todas as pequenas anomalias, reforçava-se a urgência de uma intervenção exterior, de uma espécie de elemento mediador, ao mesmo tempo para analisar, controlar e corrigir. Em suma, reforçava-se a possibilidade de uma influência da tecnologia médica sobre o feixe das relações intrafamiliares; garantia-se, melhor ainda, a ligação da família ao poder médico. Em linhas gerais, trata-se, nessa teoria do incesto que aparece no fim do século XIX, de uma espécie de formidável gratificação para os pais, que doravante se sabem objeto de um desejo louco e que, ao mesmo tempo, descobrem, por essa teoria mesma, que eles podem ser sujeitos de um saber racional sobre suas relações com os filhos: o que a criança deseja, não tenho mais simplesmente de descobrir como um doméstico duvidoso, indo à noite em seu quarto e levantando seus lençóis; o que ela deseja, eu sei de um saber científico autenticado, já que é um saber médico. Sou portanto sujeito do saber e, ao mesmo tempo, objeto desse desejo louco. Compreende-se como, nessas condições – desde a psicanálise, desde o início do século XX –, os pais puderam se tornar (e de muito bom grado!) agentes zelosos, febris e satisfeitos de uma nova vaga de normalização médica da família. Creio, portanto, que é necessário situar o funcionamento do tema incestuoso na prática secular da cruzada contra a masturbação. No limite, isso é um episódio dela, em todo caso um desdobramento.

A segunda observação é que o que acabo de lhes dizer não vale certamente para a sociedade em geral nem para qualquer tipo de família. A cruzada antimasturbação (conforme eu havia indicado, creio, ao começar da última vez) se dirige quase exclusivamente à família burguesa. Ora, na época em que a cruzada antimasturbação estava no auge, desenvolvia-se ao lado dela, mas sem relação direta, outra campanha que se dirigia à família popular ou, mais precisamente, à família do proletariado urbano que se constituía. Essa outra cruzada, que é um pouco defasada no tempo em relação à primeira (a primeira começa por volta de 1760, a segunda se situa na passagem do século, bem no início do século XIX, e se desenvolve plenamente nos anos 1820-1840) e se volta para a família proletária urbana, tem temas bem diferentes. Primeiro este. Não é: "Apliquem diretamente seu corpo contra o de seus filhos" – como se diz à família burguesa.

Não é, por certo: "Suprimam todos esses intermediários domésticos e familiares, que atravancam, perturbam, atrapalham suas relações com seus filhos." A campanha diz simplesmente: "Casem-se, e não façam filhos antes, para abandoná-los depois." É toda uma campanha contra a união livre, contra o concubinato, contra a fluidez extra ou parafamiliar.

Não quero retomar a análise desse ponto, que seria sem dúvida dificílima e longa, mas simplesmente indicar algumas hipóteses, que hoje são, *grosso modo*, admitidas pela maioria dos historiadores. É que, até o século XVIII, no campo e entre as populações urbanas, mesmo entre os pobres, a regra do casamento havia sido finalmente respeitada. A quantidade de uniões livres e até mesmo a quantidade de filhos naturais são espantosamente limitadas. A que se deve tal coisa? Ao controle eclesiástico, sem dúvida, a um controle social e a um controle judiciário também, talvez. Verossimilmente e mais fundamentalmente, ao fato de que o casamento era ligado a todo um sistema de troca de bens, mesmo entre as pessoas relativamente pobres. Era ligado, em todo caso, à manutenção ou à transformação dos estatutos sociais. Era ligado também à pressão das formas de vida comunitária nas aldeias, nas paróquias, etc. Em suma, o casamento não era apenas a sanção religiosa ou jurídica de uma relação sexual. Era, no fim das contas, todo o personagem social, com seus vínculos, que se via comprometido.

Ora, é evidente que – à medida que se constitui, se desenvolve, no início do século XIX, um proletariado urbano – todas essas razões de ser do casamento, todos esses vínculos, todos esses pesos, que davam ao casamento sua solidez e sua necessidade, todos esses suportes do casamento se tornam inúteis. Com isso, desenvolve-se uma espécie de sexualidade extramatrimonial, que talvez seja menos ligada a uma revolta explícita contra a obrigação do casamento do que à constatação pura e simples de que o casamento, com seu sistema de obrigações e todos os seus suportes institucionais e materiais, não tem mais razão de ser a partir do momento em que se trata de uma população flutuante, que espera ou procura trabalho, o qual é de qualquer modo um trabalho precário e transitório num lugar de passagem. Temos portanto o desenvolvimento, nos meios operários, da união livre (temos um certo número de sinais dela; em todo caso, muitos protestos são formulados a esse respeito nos anos 1820-1840).

A burguesia evidentemente encontrava certo número de vantagens nesse caráter frágil, episódico, transitório do casamento, em certas condições e em certos momentos, quando mais não fosse por causa justamente da mobilidade da população operária, da mobilidade da força de trabalho. Mas, de outro lado, logo chegou o momento em que a estabilidade da classe operária tornou-se necessária, por razões econômicas e também por razões de policiamento e de controle político, de não mobilidade, de não agitação, etc. Daí, em todo caso, quaisquer que sejam as razões, toda uma campanha sobre o casamento, que se desenvolveu amplamente nos anos 1820-1840; campanha feita por meios de propaganda pura e simples (publicação de livros, etc.), por pressões econômicas, pela existência de sociedades de socorro (que só davam ajuda às pessoas legitimamente casadas), por mecanismos como as Caixas Econômicas, por uma política habitacional, etc. Ora, esse tema maior, essa campanha pela solidificação matrimonial foi acompanhada, e até certo ponto corrigida, por outra campanha, que era a seguinte: nesse espaço familiar agora sólido, que vocês são chamados a constituir e no interior do qual devem permanecer de maneira estável, nesse espaço social tomem cuidado. Não se misturem, distribuam-se, ocupem o maior espaço possível; que haja entre vocês o mínimo de contato possível, que as relações familiares mantenham, no interior do espaço assim definido, suas especificações e as diferenças entre os indivíduos, entre as idades, entre os sexos. Por conseguinte, campanha contra os quartos comuns, contra as camas comuns de pais e filhos, contra as camas comuns para crianças "de sexo diferente". No limite, o ideal é uma cama por pessoa. O ideal é, nos conjuntos habitacionais operários projetados nessa época, a célebre casinha de três cômodos: um cômodo comum, um cômodo para os pais, um cômodo para os filhos; ou então um cômodo para os pais, um cômodo para os filhos e um cômodo para as filhas[1]. Logo, nada de corpo a corpo, nada de contatos, nada de misturas. Não se trata, de forma alguma, da luta antimasturbação, cujo tema era: "Aproximem-se de seus filhos, entrem em contato com eles, vejam o corpo deles de perto"; trata-se do contrário: "Distribuam seus corpos no máximo de distância possível." Vocês estão vendo que, na linha dessa outra campanha, aparece outra problematização do incesto. Não é mais o perigo do incesto, que viria dos filhos e cujo perigo é formulado pela psicanálise. É o perigo do incesto irmão-irmã; é o perigo do incesto pai-filha. O essencial é evitar que do ascendente ao descendente, ou do mais velho ao mais moço, se estabeleça uma promiscuidade que seria responsável por um possível incesto.

Logo, as duas campanhas, os dois mecanismos, os dois medos de incesto, que vemos se formarem no século XIX, são perfeitamente diferentes. Claro, é certo que a campanha para a constituição dessa família burguesa coagulada, afetivamente intensa, em torno da sexualidade da criança e, depois, a campanha pela distribuição e pela consolidação da família operária vão finalmente chegar, não digo exatamente a um ponto de convergência, mas a certa forma que é, de certo modo, intercambiável ou comum, tanto num caso como no outro. Temos uma espécie de modelo familiar que poderíamos dizer interclasses. É a pequena célula pais-filhos, cujos elementos são diferenciados, mas poderosamente solidários, e que são ao mesmo tempo ligados e ameaçados pelo incesto. Mas, sob essa forma comum, que nada mais é que o invólucro e como que a casca abstrata, creio que encontramos na verdade dois processos perfeitamente diferentes. De um lado, o processo de que lhes falava da última vez: processo de aproximação-coagulação, que permite definir, na larga rede da família detentora de *status* e bens, uma pequena célula intensa que se agrupa em torno do corpo da criança perigosamente socializada. E, de outro lado, temos outro processo. Não é mais o processo da aproximação-coagulação, mas da estabilização-repartição das relações sexuais: instauração de uma distância ótima em torno de uma sexualidade adulta, considerada perigosa. Num caso, é a sexualidade da criança que é perigosa e que pede a coagulação da família; no outro, é a sexualidade do adulto que é considerada perigosa e que pede, ao contrário, a repartição ótima da família.

Dois processos de formação, duas maneiras de organizar a família celular em torno do perigo da sexualidade, duas maneiras de obter a sexualização ao mesmo tempo temível e indispensável do espaço familiar, duas maneiras de marcar nele o ponto de ancoragem de uma intervenção autoritária, ou antes, de uma intervenção autoritária que não é a mesma num caso e no outro. Porque, de um lado, que forma de intervenção exterior, que tipo de racionalidade externa – racionalidade que deve vir penetrar a família, arbitrar, controlar e corrigir suas relações internas – a sexualização perigosa da família a partir da sexualidade da criança requer? Evidentemente, a medicina. Aos perigos da sexualidade infantil, sobre a qual os pais se debruçam, devem responder a intervenção e a racionalidade médicas. Em compensação, no outro caso, a sexualidade, ou antes, a sexualização da família a partir do apetite incestuoso e perigoso dos pais ou dos mais velhos, essa sexualização em torno do incesto possível vindo de cima, vindo dos mais velhos, também chama um poder externo, uma intervenção do exterior, uma arbitragem, ou antes, uma decisão. Mas, desta vez, não é em absoluto uma decisão de tipo médico: é de tipo judiciário. É o juiz, ou o policial, ou todos esses substitutos que hoje, desde o início do século XX, são todas as instâncias ditas de controle social: é a assistente social, é todo esse pessoal que deve intervir na família para conjurar esse perigo de incesto que vem dos pais ou dos mais velhos. Logo, muitas analogias formais, mas na realidade processos que são, em profundidade, diferentes: de um lado, apelo necessário à medicina; de outro, apelo necessário ao tribunal, ao juiz, à polícia, etc.

Em todo caso, não se deve esquecer a simultaneidade, no final do século XIX, desses dois mecanismos ou desses dois corpos institucionais que surgem. De um lado, a psicanálise, que vai aparecer como técnica de gestão do incesto infantil e de todos os seus efeitos perturbadores no espaço familiar. E, simultaneamente à psicanálise – mas, a meu ver, a partir desse segundo processo de que lhes falei –, as instituições de policiamento das famílias populares, que têm, por função essencial, não administrar os desejos incestuosos das crianças, mas, como se dizia, "proteger as crianças em perigo" – isto é, protegê-las do desejo incestuoso do pai e da mãe – e, precisamente, retirá-las do ambiente familiar. Num caso, a psicanálise vai reinserir o desejo na família (vocês sabem quem demonstrou isso melhor do que eu)[2], mas, no outro caso, não se deve esquecer que, simetricamente e de uma maneira absolutamente contemporânea, tivemos esta outra operação, igualmente real, que consistiu em retirar a criança da família em consequência do medo do incesto adulto.

Talvez pudéssemos ir mais longe nessa identificação das duas formas de incesto, dos dois conjuntos institucionais que respondem a essas duas formas de incesto. Talvez pudéssemos dizer que também há duas teorias do incesto, que são radicalmente diferentes. Uma que apresenta o incesto justamente como fatalidade do desejo ligada à formação da criança, essa teoria que diz em surdina aos pais: "Seus filhos, quando se tocam, podem estar certos de que é em vocês que eles estão pensando." E a outra é a teoria sociológica e não mais psicanalítica do incesto, que descreve a interdição do incesto como necessidade social, como condição das trocas e dos bens, e que diz em surdina aos pais: "Não toquem em seus filhos. Vocês não ganhariam nada com isso e, para dizer a verdade, até perderiam muito" – quando mais não fosse a estrutura de intercâmbio que define e estrutura o conjunto do corpo social. Poderíamos nos divertir, assim, identificando o jogo dessas duas formas, a forma de institucionalização do incesto e dos procedimentos para evitá-lo, e a forma de teorização do incesto. Em todo caso, eu gostaria de insistir sobre o caráter no fim das contas abstrato e acadêmico de toda teoria geral do incesto, em particular dessa espécie de tentativa etnopsicanalítica que tentaria articular a interdição do incesto adulto com o desejo incestuoso das crianças. O que eu gostaria de mostrar é o caráter abstrato de toda teoria que consistisse em dizer: é porque as crianças desejam demais os pais que devemos proibir os pais de tocar em seus filhos. Dois tipos de constituição da célula familiar, dois tipos de definição do incesto, duas caracterizações do medo do incesto, dois feixes de instituições em torno desse medo: eu não diria que há duas sexualidades, uma burguesa, a outra proletária (ou popular), mas diria que há dois modos de sexualização da família, ou dois modos de familiarização da sexualidade, dois espaços familiares da sexualidade e do interdito sexual[3]. E essa dualidade, nenhuma teoria pode superar validamente.

Eis aí com o que eu queria prolongar meu discurso da última vez. Agora gostaria de dar marcha a ré e tentar chegar a essas observações sobre a sexualidade e ao que lhes disse sobre o instinto e o personagem do monstro, pois creio que o personagem do anormal – que vai adquirir todo o seu estatuto e a sua amplitude no fim do século XIX – tinha na realidade dois ou três antecedentes. Sua genealogia era o monstro judiciário, de que lhes falei; era o pequeno masturbador, de que lhes falei nas últimas sessões; e o terceiro, de que infelizmente não vou poder lhes falar (mas, como vocês vão ver, não tem muita importância), era o indisciplinado. Em todo caso, gostaria agora de procurar ver como se ajustaram, uma à outra, a problemática do monstro e do instinto, e a problemática do masturbador e da sexualidade infantil.

Vou tentar lhes mostrar a formação de uma engrenagem psiquiátrico-judiciária que se constituiu a partir do monstro ou do problema do criminoso sem razão. Nessa engrenagem e a partir dessa engrenagem, vimos surgir três coisas que me parecem importantes. Primeiro, a definição de um campo comum à criminalidade e à loucura. Campo confuso, complexo, reversível, pois parecia que, por trás de todo crime, poderia muito bem haver algo como uma conduta de loucura, mas que, inversamente, em toda loucura, poderia muito bem haver risco de crime. Campo, por conseguinte, de objetos comuns à loucura e ao crime. Em segundo lugar, vê-se surgir a partir daí a necessidade, se não ainda exatamente de uma instituição, pelo menos já de uma instância médico-judiciária, representada pelo personagem do psiquiatra, que já começa a ser o criminalista; o psiquiatra que é, em princípio, o único detentor da possibilidade de distinguir o crime da loucura e, ao mesmo tempo, de julgar o que pode haver de perigoso no interior de toda loucura. Enfim, em terceiro lugar, vimos surgir, como conceito privilegiado desse campo de objetos assim percorrido pelo poder psiquiátrico, essa noção do instinto como pulsão irresistível, como conduta normalmente integrada ou anormalmente deslocada no eixo do voluntário e do involuntário: era o princípio de Baillarger[4].

Agora, se seguirmos a outra vertente tal como tentei reconstituí-la em seguida, o outro traçado genealógico, o que veremos? A partir do pecado da carne, veremos formar-se no século XVIII uma engrenagem que não é psiquiátrico-judiciária, mas sim psiquiátrico-familiar, e que se estabelece não a partir do grande monstro, mas desse personagem bem cotidiano do adolescente masturbador, tornado fabulosamente monstruoso ou, em todo caso, perigoso, porque assim se fez necessário. Nessa organização e a partir dessa engrenagem, o que vemos surgir? De um lado, como lhes disse da última vez, a pertinência essencial da sexualidade à doença ou, mais exatamente, da masturbação à etiologia geral da doença. No campo da etiologia, no domínio das causas da doença, a sexualidade, pelo menos em sua forma masturbatória, aparece como elemento ao mesmo tempo constante e frequente: constante, na medida em que o encontramos em toda parte, mas, na verdade, aleatório, na medida em que a masturbação pode provocar qualquer doença. Em segundo lugar, essa engrenagem põe à mostra também a necessidade de uma instância médica de recurso, de intervenção e de racionalização interna do espaço familiar. E, enfim, esse domínio comum à doença e à masturbação, referido ao poder-saber médico, é atravessado por um elemento cujo conceito está se elaborando nessa época: trata-se da noção de "inclinação" ou de "instinto" sexual; o instinto sexual que é fadado, por sua fragilidade mesma, a escapar da norma heterossexual e exogâmica. Logo, de um lado, temos uma vinculação da psiquiatria com o poder judiciário. A essa vinculação, a psiquiatria deve a problemática do impulso irresistível e a aparição da esfera dos mecanismos instintivos como domínio privilegiado de objetos. À sua vinculação simétrica ao poder familiar (que se faz de acordo com uma vertente genealógica totalmente diferente), a psiquiatria deve outra problemática: a problemática da sexualidade, e a análise das suas irregularidades.

Daí, a meu ver, duas consequências. A primeira é, por certo, um formidável ganho extensivo no domínio de ingerência possível da psiquiatria. No ano passado, procurei mostrar a vocês como – limitada ao que era tradicionalmente seu domínio específico de intervenção: a alienação mental, a demência, o delírio – a loucura tinha se constituído, no próprio interior dos hospícios, como governo dos loucos, pondo em prática certa tecnologia de poder[5]. Eis que essa psiquiatria vê-se engrenada agora num domínio totalmente diferente, que não é mais o do governo dos loucos, mas o do controle da família e da intervenção necessária no domínio penal. Formidável extensão: de um lado, a psiquiatria se encarrega de todo o campo das infrações e das irregularidades em relação à lei; de outro, a partir da sua tecnologia do governo dos loucos, ela tem de se encarregar das irregularidades intrafamiliares. Da pequena soberania da família à forma geral e solene da lei, a psiquiatria aparece agora, deve aparecer e deve funcionar como uma tecnologia do indivíduo que será indispensável ao funcionamento dos principais mecanismos de poder. Ela vai ser um dos operadores internos que vamos encontrar indiferentemente ou comumente em dispositivos de poder tão diferentes quanto a família e o sistema judiciário, na relação pais-filhos ou ainda na relação Estado-indivíduo, na gestão dos conflitos intrafamiliares assim como no controle ou na análise das infrações às proibições da lei. Tecnologia geral dos indivíduos que vamos encontrar afinal onde quer que haja poder: família, escola, fábrica, tribunal, prisão, etc.

Logo, formidável extensão do campo de ingerência da psiquiatria. Mas, ao mesmo tempo, a psiquiatria vai ter pela frente uma tarefa que é totalmente nova para ela. É que essa função geral, essa onipresença ou essa polivalência, a psiquiatria não poderá evidentemente exercê-la, e exercê-la verdadeiramente, a não ser que seja capaz de organizar um campo unitário do instinto e da sexualidade. Agora, se quiser efetivamente percorrer todo esse domínio cujos limites procurei mostrar, se quiser funcionar efetivamente tanto na engrenagem psiquiátrico-familiar como na engrenagem psiquiátrico-judiciária, ela terá de mostrar o jogo entrecruzado do instinto e da sexualidade, no limite o jogo do instinto sexual como elemento de formação de todas as doenças mentais e, mais geralmente ainda, de todas as desordens de comportamento, quer se trate das grandes infrações que violam as leis mais importantes, quer se trate das minúsculas irregularidades que perturbam a pequena [célula] familiar. Em suma, é necessário constituir não apenas um discurso, mas métodos de análise, conceitos, teorias tais que possamos ir, no interior da psiquiatria e sem dela sair, do autoerotismo infantil ao assassinato, do incesto discreto e bolinante à grande devoração dos antropófagos monstruosos. É essa a tarefa da psiquiatria a partir dos anos 1840-1850 (pois agora vou tomar de novo o bonde de que desci com Baillarger). Em todo esse fim do século XIX, o problema vai ser constituir um par instinto-sexualidade, desejo-loucura, prazer-crime, par que seja tal que, de um lado, os grandes monstros surgidos nos limites do aparelho judiciário poderão ser reduzidos, esmiuçados, analisados, tornados cotidianos e com perfis atenuados no interior das relações familiares, e que seja tal que, por outro lado, os pequenos masturbadores que se acalentavam no seio do ninho familiar poderão, por gêneses, ampliações, desconjuntamentos sucessivos, transformar-se nos grandes criminosos loucos que estupram, esquartejam e devoram. Como se dá essa reunificação? Em outras palavras, como se elabora a teoria gêmea do instinto e da sexualidade como tarefa epistemológico-política da psiquiatria, a partir de 1840-1850? Eis de que eu gostaria de lhes falar agora.

Essa reunificação vai se fazer primeiro por uma descompartimentação, a descompartimentação da masturbação em relação às outras irregularidades sexuais. De fato, como vocês se lembram, insisti nisso da última vez, a condição sob a qual a masturbação tinha podido tornar-se a grande preocupação da célula familiar era, no fundo, que ela havia sido posta à parte, em relação a todas as outras condutas sexuais desqualificadas ou condenadas. Eu havia procurado mostrar como a masturbação era sempre definida como algo muito à parte, muito singular. Tão singular que, de um lado, ela era definida como proveniente de um instinto ou de um mecanismo que não era de modo algum o que encontramos na sexualidade normal, relacional e heterossexual (os teóricos do fim do século XVIII insistiam no fato de que a masturbação infantil tinha mecanismos bem diferentes dos da sexualidade adulta). E, por outro lado, essa sexualidade não era, em seus efeitos, aproximada da imoralidade em geral, nem mesmo da imoralidade ou da irregularidade sexuais: seus efeitos se manifestavam no campo da patologia somática. Era uma sanção corporal, era uma sanção fisiológica, no limite até mesmo anatomopatológica: era o que, no fim das contas, a masturbação portava como princípio de doença. Havia, diria eu, o mínimo de sexualidade possível na masturbação, tal como ela era definida, analisada, perseguida, no século XVIII. E podemos dizer sem dúvida que era esse o ponto alto da cruzada. Dizia-se aos pais: "Cuidem da masturbação de seus filhos; podem estar certos de que não tocarão na sexualidade deles."

Agora, a partir do momento em que a psiquiatria do século XIX tem por tarefa cobrir esse grande domínio que vai da irregularidade familiar à infração legal, a psiquiatria não vai ter por tarefa isolar a masturbação, mas fazer todas as irregularidades intra ou extrafamiliares se comunicar entre si. É preciso que a psiquiatria consiga levantar, desenhar a árvore genealógica de todos os distúrbios sexuais. É aí que encontramos, como primeira realização dessa tarefa, os grandes tratados de psicopatologia sexual do século XIX, o primeiro dos quais, como vocês sabem, é a *Psychopathia sexualis* de Heinrich Kaan, publicado em Leipzig em 1844 (que eu saiba, é o primeiro dos tratados de psiquiatria a só falar de psicopatologia sexual, mas é o último a falar da sexualidade em latim; infelizmente, nunca foi traduzido, apesar de ser um texto que, tanto quanto meu latim ainda dá para entendê-lo, me interessou muitíssimo). Ora, o que encontramos nesse tratado? Nessa *Psychopathia sexualis* de Heinrich Kaan, encontramos primeiramente este tema, que inscreve claramente o livro na teoria da sexualidade da época. É o fato de que a sexualidade humana se insere, por seus mecanismos, por suas formas gerais, na história natural de uma sexualidade que podemos fazer remontar até as plantas. É a afirmação de um instinto sexual – *nisus sexualis*, diz o texto – que é a manifestação, não podemos dizer psíquica, digamos simplesmente dinâmica, a manifestação dinâmica do funcionamento dos órgãos sexuais. Do mesmo modo que existe um sentimento, uma impressão, uma dinâmica da fome, que corresponde aos aparelhos de nutrição, vai haver um instinto sexual, que corresponde ao funcionamento dos órgãos sexuais. É uma naturalização acentuada da sexualidade humana e, ao mesmo tempo, seu princípio de generalização.

Para esse instinto, para esse *nisus sexualis* que Kaan descreve, a copulação (isto é, o ato sexual relacional heterossexual) é ao mesmo tempo natural e normal. Mas – diz H. Kaan – ele não basta para determinar inteiramente, ou antes, para canalizar inteiramente, a força e o dinamismo desse instinto. O instinto sexual extravasa, e extravasa naturalmente, de seu fim natural. Em outras palavras, ele é, em relação à copulação, normalmente excessivo e parcialmente marginal[6]. É assim, diz H. Kaan, que esse extravasamento da força do instinto sexual, em relação à finalidade copulatória, é manifestado, provado empiricamente, por certo número de coisas, essencialmente pela sexualidade das crianças e principalmente pela sexualidade manifesta na brincadeira das crianças. Quando as crianças brincam, percebe-se de fato que – muito embora a determinação de seus órgãos sexuais ainda esteja apenas no início e que o *nisus* sexual ainda não adquiriu sua força – suas brincadeiras são, ao contrário, nitidamente polarizadas do ponto de vista sexual. As brincadeiras das meninas e as brincadeiras dos meninos não são as mesmas, o que prova que o comportamento das crianças, até em suas brincadeiras, é suportado, subtendido por um *nisus* sexual, por um instinto sexual, que já tem sua especificação, muito embora o aparelho orgânico que ele deve animar e atravessar, para levá-lo à copulação, ainda esteja longe de se mostrar apto. Vê-se surgir igualmente a existência desse *nisus* sexual num domínio bem diferente, que não é mais o das brincadeiras, mas o da curiosidade. Assim, diz H. Kaan, as crianças de sete ou oito anos já sentem uma enorme curiosidade, não apenas por seus órgãos sexuais, mas pelo dos seus companheiros do mesmo sexo ou do sexo oposto. Em todo caso, temos – no próprio funcionamento do espírito, nesse desejo de saber que anima as crianças e que, aliás, possibilita a educação – a presença, o trabalho do instinto sexual. O instinto sexual, em sua vivacidade, no que pode haver de mais dinâmico, vai portanto bem além da pura e simples copulação: ele começa antes e extravasa dela[7].

Claro, esse instinto sexual se acha, por natureza, finalizado, focalizado numa copulação[8]. Mas, como essa copulação de certo modo nada mais é que sua finalidade cronologicamente última, vocês compreendem por que ele é, por natureza, frágil: ele é vivo demais, é precoce demais, é amplo demais, atravessa demasiado amplamente todo o organismo e toda a conduta dos indivíduos para poder efetivamente se alojar, se efetivar unicamente na copulação adulta e heterossexual. E, nessa medida – explica H. Kaan –, está exposto a toda uma série de anomalias, está sempre exposto a desviar em relação à norma. É o conjunto dessas aberrações, ao mesmo tempo naturais e anormais, que vai constituir o domínio da *psychopathia sexualis*, e é assim que Heinrich Kaan estabelece a dinastia das diferentes aberrações sexuais, que constituem a seu ver um domínio, e um domínio unitário[9]. Ele as enumera: há a *onania* (o onanismo); há a pederastia como amor pelos impúberes; há o que ele chama de amor lésbico, que é o amor dos indivíduos homens ou mulheres, pouco importa, por seu próprio sexo; a violação dos cadáveres, a bestialidade, e uma sexta aberração[10]. Em geral, em todos os tratados de psicopatologia sexual, sempre há uma coisinha... Acho que era Krafft-Ebing que achava que uma das piores aberrações sexuais era a manifestada por essas pessoas que, na rua, com um par de tesouras, cortavam a trança das menininhas. Isso sim é que é obsessão![11] Alguns anos antes, Heinrich Kaan descobre que há uma aberração sexual, gravíssima e que o perturba muito, que consiste em fazer amor com estátuas. Em todo caso, temos aí a primeira grande dinastia global das aberrações sexuais. Ora, nesse domínio geral da *psychopathia sexualis*, o onanismo – que, como vocês estão vendo, figura como uma dessas aberrações e que, por conseguinte, não é mais que um elemento dessa classe geral – exerce um papel bem particular, tem um lugar bem privilegiado. De fato, as outras perversões, as que não são o onanismo, de onde vêm? Como pode haver tal desvio em relação ao ato natural? Pois bem, o fator do desvio é a imaginação, é o que ele chama de *phantasia*, a imaginação mórbida. É ela que cria prematuramente o desejo ou que, melhor dizendo, animada por desejos prematuros, vai procurar os meios anexos, derivados, substitutivos de se satisfazer. Como ele diz em seu texto, a *phantasia*, a imaginação, prepara o caminho para todas as aberrações sexuais. Os anormais sexuais são recrutados, por conseguinte, sempre entre as crianças ou entre aqueles que, quando crianças, fizeram uso, por meio do onanismo e da masturbação, de uma imaginação sexualmente polarizada[12].

Parece-me que essa análise de Heinrich Kaan, que pode, até certo ponto, parecer um tanto rústica, apresenta apesar de tudo, na história da problematização psiquiátrica da sexualidade, certo número de pontos importantíssimos. Primeiro, este: é natural para o instinto ser anormal. Em segundo lugar, essa defasagem entre a naturalidade e a normalidade do instinto, ou ainda, o vínculo intrínseco e confuso entre naturalidade do instinto e anomalia do instinto, aparece de forma privilegiada e determinante no momento da infância. Terceiro ponto importante: existe um vínculo privilegiado entre o instinto sexual e a *phantasia* ou imaginação. Enquanto, na mesma época, o instinto era invocado, no fundo, para servir de suporte a ações habituais, irresistíveis, automáticas, sem acompanhamento de pensamentos ou representações, o instinto sexual, que é atualmente descrito por Heinrich Kaan, tem a ver com a imaginação. É a imaginação que lhe abre o espaço em que ele vai poder desenvolver sua natureza anormal. É na imaginação que vão se manifestar os efeitos da desvinculação entre natureza e normalidade, e é ela, essa imaginação, que vai, a partir daí, servir de intermediário, de transmissor, a todas as eficiências causais e patológicas do instinto sexual[13].

Em linhas gerais, podemos dizer o seguinte. Na mesma época, a psiquiatria estava descobrindo o instinto, mas (vocês se lembram do que dissemos faz três ou quatro sessões) esse instinto está, no fundo, numa posição alternativa em relação ao delírio. Onde não dá para encontrar o delírio, tem-se de invocar os mecanismos mudos e automáticos do instinto. Mas eis que Heinrich Kaan está descobrindo, através do instinto sexual, um instinto que, claro, não é de modo algum da ordem do delírio, mas traz em si certa relação, intensa, privilegiada e constante, com a imaginação. É esse trabalho recíproco do instinto sobre a imaginação e da imaginação sobre o instinto, é seu acoplamento e seu sistema de interferência que vão permitir, a partir daí, estabelecer uma continuidade que irá da mecânica do instinto à manifestação significante do delírio. Em outras palavras, a inserção da imaginação na economia instintual, por intermédio do instinto sexual, vai ter uma importância capital para a fecundidade analítica das noções psiquiátricas.

Enfim, aquilo sobre o que cumpre insistir a propósito desse livro de Kaan, é que nele também encontramos esta tese que acho fundamental. É que, a partir desse mecanismo do instinto e da imaginação, o instinto sexual vai ser o ponto de origem de distúrbios não apenas somáticos. Heinrich Kaan ainda carrega em seu livro todas as velhas etiologias de que lhes falava da última vez, segundo as quais, por exemplo, a hemiplegia, a paralisia geral, um tumor no cérebro podem resultar de uma masturbação excessiva. Ainda encontramos isso em seu livro, mas encontramos o que não encontrávamos na cruzada antimasturbatória: a masturbação pode, por si, acarretar toda uma série de distúrbios que são precisamente sexuais e psiquiátricos ao mesmo tempo. Organiza-se todo um campo unitário da anomalia sexual no campo da psiquiatria. Esse livro foi escrito em 1844, portanto; vocês veem onde ele se situa. É a época, aproximadamente, em que Prichard escreve seu célebre livro sobre as loucuras morais, que não coloca exatamente um ponto-final, mas que em todo caso assinala uma freada no desenvolvimento da teoria da alienação mental centrada no delírio; toda uma série de distúrbios de comportamento não delirante entra no campo da psiquiatria[14]. 1844 também é quase o mesmo momento em que Griesinger está lançando as bases de uma neuropsiquiatria, em função da regra geral de que os princípios explicativos e analíticos das doenças mentais devem ser os mesmos que os dos distúrbios neurológicos[15]. E, enfim, 1844 também é, com um ou dois anos de diferença, o ano em que Baillarger, de que eu lhes falava, estabeleceu o primado do eixo voluntário-involuntário sobre o velho privilégio outrora concedido ao delírio[16]. 1844-45, *grosso modo*, é o fim dos alienistas; é o início de uma psiquiatria, ou de uma neuropsiquiatria, organizada em torno dos impulsos, dos instintos e dos automatismos. É também a data que assinala o fim da fábula da masturbação ou, em todo caso, a emergência de uma psiquiatria, de uma análise da sexualidade, que se caracteriza pela identificação de um instinto sexual que atravessa todo o comportamento, da masturbação ao comportamento normal. É a época em que se constitui, com Heinrich Kaan, uma genealogia psiquiátrica das aberrações sexuais. É o momento em que, sempre de acordo com esse mesmo livro, se define o papel primordial e etiológico da imaginação, ou antes, da imaginação acoplada ao instinto. E, enfim, é o momento em que as fases infantis da história dos instintos e da imaginação adquirem um valor determinante na etiologia das doenças, especificamente das doenças mentais. Temos, pois, com esse livro de Heinrich Kaan, o que podemos chamar de data de nascimento, em todo caso data de emergência da sexualidade e das aberrações sexuais no campo da psiquiatria.

Mas eu acho que se tratava apenas de um primeiro tempo: descompartimentação, portanto, dessa masturbação que havia sido tão fortemente posta em destaque e, ao mesmo tempo, marginalizada pela cruzada de que eu lhes falava da última vez. Descompartimentação: a masturbação se prende, de um lado, ao instinto sexual em geral, à imaginação e, com isso, a todo o campo das aberrações e, por fim, das doenças. Mas é preciso (e é essa a segunda tarefa ou, em todo caso, a segunda operação efetuada pela psiquiatria de meados do século XIX) definir essa espécie de suplemento de poder, que vai dar ao instinto sexual um papel muito particular na gênese dos distúrbios que não são os distúrbios sexuais: constituição de uma etiologia das loucuras ou das doenças mentais, a partir da história do instinto sexual e da imaginação ligada a ele. É preciso portanto se livrar da velha etiologia de que eu lhes falava da última vez (essa etiologia que passava pelo esgotamento do corpo, pelo ressecamento do sistema nervoso, etc.) e encontrar a mecânica própria ao instinto sexual e a suas anomalias. Dessa valorização etiológica ou desse suplemento de causalidade, que vai ser atribuído de uma maneira cada vez mais acentuada ao instinto sexual, temos um certo número de testemunhos teóricos, afirmações como a de Heinrich Kaan, justamente, dizendo: "O instinto sexual comanda toda a vida psiquiátrica e física." Mas eu gostaria de me deter num caso preciso, que mostra muito bem como se está deslocando a mecânica do instinto sexual em relação à mecânica de todos os outros instintos, para fazê-lo desempenhar esse papel etiológico fundamental.

É uma história que aconteceu entre os anos de 1847 e 1849, é a história do soldado Bertrand[17]. Até estas últimas semanas eu havia classificado essa história na categoria dos casos de monomania, de que Henriette Cornier, por exemplo, Léger, Papavoine, etc., eram os casos notórios. Acho até (se fiz de fato isso, peço que me desculpem) que o situei cronologicamente nos anos 1830[18]. Se cometi esse erro cronológico, desculpem, a história é de 1847-49. Em todo caso, com ou sem erro cronológico, eu cometi, acho eu, um erro histórico, epistemológico, como vocês preferirem. Porque essa história, pelo menos sob muitos dos seus aspectos, tem uma configuração bem diferente do caso Cornier, de que lhes falei faz umas cinco ou seis semanas. O soldado Bertrand é alguém que foi pego um dia, no cemitério de Montparnasse, violando túmulos. De fato, desde 1847 (ele foi descoberto em 1849), ele cometera certo número de profanações nos cemitérios de província ou nos cemitérios da região de Paris. Quando essas profanações se multiplicaram, quando adquiriram um caráter demasiado ostentatório, armaram uma emboscada e, certa noite, de maio de 1849, acho eu, Bertrand foi ferido pelos gendarmes que montavam guarda e se refugiou no hospital do Val de Grâce* (ele era soldado) e, aí, confessou-se espontaneamente aos médicos. Ele confessou que, desde 1847, era, de tempo em tempo, em períodos regulares ou irregulares, mas não de forma contínua, acometido do desejo de revirar túmulos, abrir caixões, tirar fora os cadáveres, esquartejar esses cadáveres com a baioneta, arrancar seus intestinos e seus órgãos, espalhá-los, pendurá-los nas cruzes, nos galhos dos ciprestes, fazendo com eles uma grande guirlanda. Ora, ao contar isso, Bertrand sublinhava que, entre os cadáveres que ele profanava assim, a quantidade de cadáveres femininos superava consideravelmente a de cadáveres masculinos (um ou dois homens apenas, acho, todos os outros, bem uns quinze, eram cadáveres de mulheres,

* Hospital militar, em Paris. (N. do T.)

especialmente cadáveres de mocinhas). Atraídos, inquietados por essa característica, os médicos ou os juízes de instrução mandaram examinar os despojos. Percebeu-se então que havia vestígios de atentados sexuais aos restos desses cadáveres, que aliás eram todos cadáveres em estado de decomposição avançada.

O que acontece nesse momento? O próprio Bertrand e seu primeiro médico (um médico militar, que se chamava Marchal e que fez o exame para o tribunal militar que deveria julgar Bertrand) apresentam a coisa da seguinte maneira[19]. Eles dizem o seguinte (Bertrand falando na primeira pessoa, Marchal em seu vocabulário de alienista): "O que começou, o que veio primeiro foi o desejo de profanar os túmulos; foi o desejo de destruir esses cadáveres, no entanto já destruídos."[20] Como diz Marchal em seu vocabulário, Bertrand sofre de uma "monomania destrutiva". Essa monomania destrutiva era tipicamente uma monomania, pois se tratava de destruir algo que já estava em estado de destruição avançadíssimo. Era, de certo modo, o furor da destruição em estado puro essa dilaceração de corpos já em boa parte decompostos. Uma vez estabelecida essa monomania destrutiva, explica Marchal, o soldado Bertrand foi acometido de uma segunda monomania, que de certo modo conectou-se à primeira e cujo caráter propriamente patológico a primeira garantiu. Essa segunda monomania é a "monomania erótica", que consiste em servir-se desses cadáveres, ou desses restos de cadáveres, para gozar sexualmente[21]. Marchal faz uma comparação interessante com outro caso, que havia sido registrado alguns meses ou alguns anos antes. Era a história de um débil mental internado no hospital de Troyes, que aí trabalhava um pouco como criado e que tinha acesso ao necrotério. E aí, no necrotério, ele satisfazia suas necessidades sexuais com os cadáveres de mulheres que achava[22]. Ora, diz Marchal, num caso como esse, não há monomania erótica, porque estamos diante de alguém que tem necessidades sexuais. Essas necessidades sexuais, ele não pode satisfazer com o pessoal vivo do hospital, ninguém quer lhe dar ajuda e assistência. Só restam os cadáveres; e, por conseguinte, a mecânica natural e, de certo modo, racional dos interesses leva-o naturalmente a violar os cadáveres. Nesse sentido, o débil mental em questão não pode ser considerado acometido de uma monomania erótica. Em compensação, o soldado Bertrand, que começou a manifestar seu estado patológico por uma mania de destruição, faz passar através da monomania destrutiva esse outro sintoma, que é a monomania erótica, quando poderia muito bem satisfazer suas necessidades sexuais normalmente. Ele é jovem, não é deformado, tem dinheiro. Por que não encontra normalmente uma mulher para satisfazer suas necessidades? Com isso, Marchal pode atribuir – em termos que são iguaizinhos aos termos da análise de Esquirol – o comportamento sexual de Bertrand a uma monomania, ou a uma espécie de germinação erótica de uma monomania que é fundamentalmente destrutiva.

De fato, no nível do quadro clínico, é absolutamente certo que a sintomatologia destrutiva prevalece quantitativamente, e muito, sobre a sintomatologia erótica. Ora, em 1849, num jornal chamado *L'union médicale*, um psiquiatra, Michéa, propõe uma análise inversa, na qual procura mostrar que é a "monomania erótica" que está no cerne do estado patológico de Bertrand e que a "monomania destrutiva" nada mais é, no fundo, que um derivado de uma monomania ou, em todo caso, de uma doença, que é essencialmente a do instinto, chamado nesse momento de "genésico"[23]. A análise de Michéa é bem interessante. Ele começa mostrando que não se trata em absoluto de um delírio, e distingue entre o vampirismo e o caso do soldado Bertrand. O que é o vampirismo? O vampirismo, diz ele, é um delírio no qual uma pessoa viva crê, como num pesadelo (ele diz: "é uma variedade diurna de pesadelo"), que os mortos ou certa categoria de mortos saem de seus túmulos e atacam os vivos[24]. Bertrand é o contrário. Em primeiro lugar, ele não delira e, aliás, ele não é em nada o personagem tipo do vampiro. Ele não se absorveu no tema delirante do vampiro, já que é muito mais um vampiro às avessas. Ele é um vivo que atormenta os mortos e, até certo ponto, chupa o sangue dos mortos; por conseguinte, não há nenhum vestígio de crença delirante. Estamos pois na loucura sem delírio. Nisso estamos de acordo. Mas, nessa loucura sem delírio, dois conjuntos sintomáticos: o destrutivo de um lado, o sintomático do outro. Apesar da pouca importância sintomatológica do erotismo, é ele que vai ter, para Michéa, o papel mais importante. Claro, Michéa não traça – e sem dúvida não possuía a armadura conceitual ou analítica que lhe permitiria fazê-lo – uma genealogia dos sintomas a partir do erotismo. Mas estabelece o princípio geral, os marcos gerais de uma genealogia possível[25]. Ele diz o seguinte: o instinto sexual é, de qualquer modo, o mais importante e a "mais imperiosa das necessidades que estimulam o homem e os animais"[26]. De sorte que, em termos puramente quantitativos, em termos de dinâmica ou em termos de economia dos instintos, em presença de um distúrbio dos instintos, é preciso de qualquer modo se referir ao instinto sexual como causa possível, porque ele é, de todos, o mais impetuoso, o mais imperioso, o mais extenso. Ora, diz ele, esse instinto sexual procura satisfazer-se, em todo caso ele é produtor de prazer, de outros modos que não através dos atos que asseguram a propagação da espécie[27]. Ou seja, para Michéa, há uma não adequação entre prazer e ato de fecundação.

E ele vê a prova dessa inadequação na masturbação das crianças antes mesmo da puberdade, no prazer que as mulheres sentem seja quando estão grávidas, seja após a menopausa, isto é, num momento em que não podem ser fecundadas[28].

Portanto, o instinto se desvincula do ato de fecundação pelo fato de que é essencialmente produtor de prazer e de que esse prazer pode se localizar ou se atualizar por uma série incontável de atos. O ato de geração ou de reprodução é tão só uma das formas em que o prazer, que é o princípio da economia intrínseca ao instinto sexual, vai efetivamente ser satisfeito ou se produzir. Nessa medida, como produtor de um prazer não ligado por natureza à geração, o instinto sexual vai poder dar lugar a toda uma série de comportamentos que não são ordenados à geração. E Michéa os enumera: o "amor grego", a "bestialidade", a "atração por um objeto [de natureza] insensível", a "atração pelo cadáver [humano]" (a atração pela destruição, a atração pela morte de alguém, etc.), como produtores de "prazer"[29]. Assim, o instinto sexual é, por sua força, o mais importante e, por conseguinte, o instinto dominador na economia geral dos instintos. Mas, como princípio produtor de prazer (e como princípio produtor de prazer em qualquer lugar, em qualquer momento e em qualquer condição), ele se conecta a todos os outros, e o prazer que se sente ao satisfazer um instinto deve ser referido, de um lado, ao próprio instinto e, de outro, a esse instinto sexual que é, de certo modo, o produtor universal do prazer universal. Com a análise de Michéa, creio que vemos entrar na psiquiatria um objeto ou um conceito novo, que nunca havia tido, até então, seu lugar, salvo talvez que o víamos transparecer, se delinear às vezes (eu lhes falei a esse respeito ano passado) através de algumas análises de Leuret: é o papel do prazer[30]. O prazer vai se tornar agora um objeto psiquiátrico ou psiquiatrizável. A desvinculação do instinto sexual relativamente à reprodução é assegurada pelos mecanismos do prazer, e é essa desvinculação que vai permitir a constituição do campo unitário das aberrações. O prazer não ordenado à sexualidade normal é o suporte de toda a série das condutas instintivas anormais, aberrantes, suscetíveis de psiquiatrização. É assim que se desenham – para substituir, já em via de substituir, a velha teoria da alienação, que era centrada na representação, no interesse e no erro – uma teoria do instinto e uma teoria das suas aberrações, que é ligada à imaginação e ao prazer.

Da próxima vez, gostaria de lhes falar da maneira como a psiquiatria – descobrindo diante de si esse novo campo do instinto ligado à imaginação e ao prazer, essa nova série instinto-imaginação-prazer, que é, para ela, a única maneira de percorrer o domínio inteiro que lhe é politicamente atribuído ou, enfim, que lhe é atribuído pela organização dos mecanismos de poder –, pois bem, a psiquiatria, que tem esse instrumento para percorrer esse domínio, vai ser obrigada agora a elaborá-lo numa teoria e numa armadura conceitual própria. É nisso, a meu ver, que consiste a teoria da degeneração. Com a degeneração, com o personagem do degenerado, teremos a fórmula geral da cobertura, pela psiquiatria, do domínio de ingerência que lhe foi confiado pela mecânica dos poderes.

*

NOTAS

1. Cf. M. Foucault, "La politique de la santé au XVIIIe siècle" (1976), em *Les machines à guérir. Aux origines de l'hôpital moderne. Dossiers et documents*, Paris, 1976, pp. 11-21 (*Dits et écrits*, III, pp. 13-27), que termina assim: "A reforma dos hospitais [deveu] sua importância, no século XVIII, a esse conjunto de problemas que põem em jogo o espaço urbano, a massa da população com suas características biológicas, a célula familiar densa e o corpo dos indivíduos." Ver também *Politique de l'habitat (1800-1850)*, Paris, 1977; estudo realizado por J.-M. Alliaume, B. Barret-Kriegel, F. Béguin, D. Rancière, A. Thalamy.

2. G. Deleuze & F. Guattari, *Capitalisme et schizophrénie. L'Anti-Oedipe*, Paris, 1972. [Trad. bras. *O Anti-Édipo, capitalismo e esquizofrenia*, São Paulo: Ed. 34, 2010].

3. M. Foucault, *La volonté de savoir*, *op. cit.*, pp. 170-3.

4. Cf. *supra*, aula de 12 de fevereiro.

5. Ver o curso, já citado, *Le pouvoir psychiatrique* (em particular, 7 e 14 de novembro, 5, 12 e 19 de dezembro de 1973; 9 de janeiro de 1974).

6. H. Kaan, *Psychopathia sexualis*, *op. cit.*, pp. 34, 36: "Instinctus ille, qui voti vitae psychicae quam physicae imperat omnibusque organis et symptomatibus suam notam imprimit, qui certa aetate (pubertate) incipit certaque silet, est nisus sexualis. Uti enim cuique functioni organismi humani, quae fit ope contactus cum rebus externis, inest sensus internus, qui hominem conscium reddit de statu vitali cuiusvis organi, ut sitis, fames, somnolentia, sic et functio procreationis gaudet peculiari instinctu, sensu interno, qui hominem conscium reddit de statu organorum genitalium et eum ad satisfaciendum huic instinctui incitat. [...] In toto regno animale instinctus sexualis conducit ad copulationem; estque copulatio (coitus) naturalis via, qua ens instinctui sexuali satisfacit et munere vitae fungitur, genus suum conservans."

7. *Ibid.*, p. 37: "Etiamsi in homine nisus sexualis se exolit tempora pubertatis tamen et antea eius vestigia demonstrari possunt; nam aetate infantili pueri amant occupationes virorum, puellae vero feminarum. Et id instinctu naturali ducti faciunt. Ille instinctus sexualis etiam specie curiositatis in investigandis functionibus vitae sexualis apud infantes apparet; infantes octo vel novem annorum saepe sive invicem genitalia examinant et tales investigationes saepe parentum et pedagogorum curam aufugiunt (haec res est summi momenti et curiositas non expleta validum momentum facit in aetiologia morbi quam describo)."

8. *Ibid.*, pp. 38, 40: "Eo tempore prorumpit desiderium obscurum, quod omnibus ingenii facultatibus dominatur, cuique omnes vires corporis obediunt, desiderium amoris, ille animi adfectus et motus, quo quivis homo saltem una vice in vita adficitur et cuius vis certe a nemine denegari potest. [...] Instinctus sexualis invitat hominem ad coitum, quem natura humana exposcit, nec moralitas nec religio contradicunt."

9. *Ibid.*, p. 43: "Nisus sexualis, ut ad quantitatem mutationes numerosas offert, ita et ad qualitatem ab norma aberrat, et diversae rationes extant nisui sexuali satisfaciendi et coitum supplendi."

10. *Ibid.*, pp. 43-4 ("Onania sive masturbatio"); p. 44 ("Puerorum amor"); p. 44 ("Amor lesbicus"); p. 45 ("Violatio cadaverum"); p. 45 ("Concubitus cum animalibus"); p. 43 ("Expletio libidinis cum statuis").

11. Na realidade, deve se tratar de A. Voisin, J. Socquet & A. Motet, "État mental de P., poursuivi pour avoir coupé les nattes de plusieurs jeunes filles", *Annales d'hygiène publique et de médecine-légale*, XXIII, 1890, pp. 331-40. Ver também V. Magnan, "Des exhibitionnistes", *ibid.*, XXIV, 1890, pp. 152-68.

12. H. Kaan, *Psychopathia sexualis*, *op. cit.*, pp. 47-8. A relação entre aberração e fantasia é estabelecida no curto capítulo: "Quid est psychopathia sexualis?"

13. *Ibid.*, p. 47: "In omnibus itaque aberrationibus nisus sexualis phantasia viam parat qua ille contra leges naturae adimpletur."

14. Trata-se do *Treatise on Insanity* de J. C. Prichard.

15. W. Griesinger, *Die Pathologie und Therapie...*, *op. cit.*, p. 12.

16. Cf. *supra*, aula de 12 de fevereiro.

17. As principais fontes desse caso são o artigo já citado de Cl.-F. Michéa, "Des déviations maladives de l'appétit vénérien", e o de L. Lunier, "Examen médico-légal d'un cas de monomanie instinctive. Affaire du sergent Bertrand", *Annales médico-psychologiques*, 1849, I, pp. 351-79. Nos *Factums* da Biblioteca Nacional da França (8 Fm 3159), pode-se encontrar também *Le violateur des tombeaux. Détails exacts et circonstanciés sur le nommé Bertrand qui s'introduisait pendant la nuit dans le cimetière Montparnasse où il y déterrait les cadavres des jeunes filles et des jeunes femmes, sur lesquels il commetait d'odieuses profanations* [s.l.n.d.]. Ver também de Castelnau, "Exemple remarquable de monomanie destructive et érotique ayant pour objet la profanation de cadavres humains", *La lancette française*, 82, 14 juillet 1849, pp. 327-8; A. Brierre de Boismont, "Remarques médico-légales sur la perversion de l'instinct génésique", *Gazette médicale de Paris*, 29, 21 juillet 1849, pp. 555-64; F.-J., "Des aberrations de l'appétit génésique", *ibid.*, 30, 28 juillet 1849, pp. 575-8; o relatório de L. Lumier, em *Annales médico-psychologiques*, 1850, II, pp. 105-9, 115-9; H. Legrand du Saulle, *La folie devant les tribunaux*, *op. cit.*, pp. 524-9; A. Tardieu, *Études médico-légales sur les attentats aux moeurs*, Paris, 1878[7], pp. 114-23.

18. Cf. *supra*, aula de 29 de janeiro.

19. Sobre a intervenção, no processo, do médico militar Marchal (de Calvi), que também apresenta um documento escrito por Bertrand, cf. L. Lunier, "Examen médico-légal d'un cas de monomanie instinctive...", *art. cit.*, pp. 357-63.

20. *Ibid.*, p. 356.

21. *Ibid.*, p. 362: "O fato que temos diante dos olhos é, portanto, um exemplo de monomania destrutiva complicada com monomania erótica, tendo se iniciado por uma monomania triste, o que é muito comum ou mesmo quase geral."

22. O caso de Troyes a que M. Foucault alude não foi divulgado por Marchal. Trata-se do caso – cronologicamente posterior – de certo A. Siméon, relatado por B.-A. Morel na primeira das suas cartas a Bédor: "Considérations médico-légales sur un imbécile érotique convaincu de profanation de cadavres", *Gazette hebdomadaire de médecine et de chirurgie*, 1857, 8, pp. 123-5 (caso Siméon); 11, pp. 185-7 (caso Bertrand); 12, pp. 197-200; 13, pp. 217-8. Cf. J.-G.-F. Baillarger, "Cas remarquable de maladie mentale", *art. cit.*

23. Cl.-F. Michéa, "Des déviations maladives de l'appétit vénérien", *art. cit.*, p. 339a: "Acho que a monomania erótica era o fundo dessa loucura monstruosa; que ela era anterior à monomania destrutiva." Mas B.-A. Morel, *Traité des maladies mentales*, *op. cit.*, p. 413, sob a

rubrica "Perversion des instincts génésiques", explica o caso Bertrand como um efeito de licantropia.

24. Cl.-F. Michéa, *art. cit.*, pp. 338c-339a: "O vampirismo [...] era uma variedade de pesadelo, delírio noturno, prolongado durante o estado de vigília e caracterizado pela crença de que os homens mortos desde há um tempo mais ou menos considerável saíam das suas sepulturas para vir chupar o sangue dos vivos."

25. *Ibid.*, p. 338c: "Por ocasião desse fato tão curioso e tão extraordinário, permitam-me comunicar-lhes algumas reflexões que me são sugeridas pela leitura atenta dos autos do processo, reflexões particulares a que acrescentarei certas considerações gerais de psicologia doentia, estreitamente ligadas a elas, que delas são o complemento lógico, o corolário natural."

26. *Ibid.*, p. 339a.

27. M. Foucault resume o seguinte trecho de Cl.-F. Michéa: "Reabilitando a mulher, o cristianismo procedeu a uma imensa revolução nos costumes. Ele fez do amor físico um meio e não um fim; atribuiu-lhe como finalidade exclusiva a propagação da espécie. Todo ato venéreo consumado fora dessa previsão tornou-se a seus olhos um atentado que, do domínio da moral cristã, passava com frequência ao domínio do direito civil e criminal, a fim de aí receber às vezes um castigo atroz e capital. [...] Certos filósofos modernos, [Julien de] La Mettrie entre outros [*Oeuvres philosophiques*, Paris, 1774, II, p. 209; III, p. 223], também pensavam assim. [...] Se, dizem os fisiologistas da escola de La Mettrie, os órgãos sexuais eram destinados, de acordo com os desígnios da sabedoria divina, exclusivamente à finalidade da propagação da espécie, a sensação do prazer, emanando do exercício desses órgãos, não deveria poder existir quando o homem ainda não se acha, ou não se acha mais, no meio das condições desejadas para que se reproduza."

28. Cl.-F. Michéa, *loc. cit.*

29. Ver a análise desses quatro gêneros, *ibid.*, p. 339a-c.

30. As análises de F. Leuret são esboçadas em *Fragments psychologiques sur la folie*, Paris, 1834, e desenvolvidas *in extenso* em *Du traitement moral de la folie*, Paris, 1840, pp. 418-62. Ver também o fim do curso, já citado, *La société punitive* (19 de dezembro de 1972) e este outro curso, já citado, *Le pouvoir psychiatrique* (19 de dezembro de 1973).

AULA DE 19 DE MARÇO DE 1975

Uma figura mista: o monstro, o masturbador e o inassimilável ao sistema normativo da educação. – O caso Charles Jouy e uma família conectada ao novo sistema de controle e de poder. – A infância como condição histórica da generalização do saber e do poder psiquiátricos. – A psiquiatrização da infantilidade e a constituição de uma ciência das condutas normais e anormais. – As grandes construções teóricas da psiquiatria da segunda metade do século XIX. – Psiquiatria e racismo; psiquiatria e defesa social.

Gostaria de tentar fechar o problema de que tratei este ano, isto é, o aparecimento do personagem do anormal, do domínio das anomalias como objeto privilegiado da psiquiatria. Eu havia começado prometendo a vocês fazer a genealogia do anormal a partir de três personagens: o grande monstro, o pequeno masturbador e a criança indócil. Falta na minha genealogia o terceiro termo, queiram me desculpar. Vocês verão seu perfil aparecer na exposição que vou fazer. Deixemos em branco sua genealogia, que não tive tempo de esboçar.

Gostaria de lhes mostrar hoje, a propósito de um caso preciso, a figura exatamente mista e mesclada do monstro, do pequeno masturbador e, ao mesmo tempo, do indócil ou, em todo caso, do inassimilável ao sistema normativo de educação. É um caso que data de 1867 e que é, vocês vão ver, de uma banalidade extrema, mas graças ao qual, se não podemos assinalar com exatidão a data de nascimento do anormal como indivíduo psiquiatrizável, pelo menos podemos indicar mais ou menos o período durante o qual e a modalidade segundo a qual o personagem do anormal foi psiquiatrizado. É simplesmente o caso de um trabalhador rural da região de Nancy, que, no mês de setembro-outubro de 1867, foi denunciado ao prefeito da sua aldeia pelos pais de uma menina que ele teria em parte, de certo modo, mais ou menos violentado. É incriminado. Passa por um primeiro exame psiquiátrico feito por um médico local, depois é mandado a

Maréville, que era e continua sendo, acho, o grande hospício da região de Nancy. Aí ele passa, durante várias semanas, por um exame psiquiátrico em regra, feito por dois psiquiatras, um dos quais pelo menos era renomado e se chamava Bonnet[1]. O que revela a ficha desse personagem? Ele tem uns quarenta anos no momento dos fatos. É filho natural, sua mãe morreu quando ainda era bem moço. Viveu ao deus-dará, meio à margem da aldeia, pouco escolarizado, meio beberrão, solitário, mal pago. Em suma, é um pouco o idiota da aldeia. E garanto-lhes que não é culpa minha se esse personagem se chama Jouy*. O interrogatório da menina revela que Charles Jouy a teria feito masturbá-lo no mato. Na verdade, a menina, Sophie Adam, e Charles Jouy não estavam sozinhos. Ao lado deles, havia outra menina que olhava, mas que se recusou a tomar o lugar da outra, quando esta lhe pediu. Depois, elas foram contar a coisa a um camponês que passava por ali, voltando da lavoura, gabando-se de ter feito, como elas diziam, um "*maton*" com Jouy, isto é, no dialeto local, uma coalhada[2]. O camponês não pareceu se preocupar muito com a coisa, e foi só um pouco depois, no dia da festa da aldeia, que Jouy arrastou a pequena Sophie Adam (a não ser que tenha sido Sophie Adam a arrastar Charles Jouy, mas não importa) para o fosso que beira a estrada de Nancy. Aí acontece alguma coisa: um quase estupro, talvez. Em todo caso, Jouy dá honestamente uns trocados à menina, que vai correndo comprar amêndoas tostadas com eles. Ela, é claro, não conta nada a seus pais, com medo de levar uns tabefes, conforme relata mais tarde. Foi apenas uns dias depois que sua mãe desconfiou do que tinha acontecido, ao lavar a roupa da menina.

Que a psiquiatria legal tenha se encarregado de um caso como esse, que tenha ido buscar lá num canto perdido um acusado de atentado aos costumes (eu já ia dizendo um acusado bem banal de um atentado bem cotidiano aos costumes bem corriqueiros), que ela tenha pois se encarregado desse personagem, que o tenha feito passar por um primeiro exame psiquiátrico, depois por um segundo exame aprofundado, completo, meticuloso, que o tenha internado num hospício, que tenha pedido e obtido sem dificuldade do juiz de instrução o arquivamento do caso e finalmente obtido a "internação" definitiva (segundo o que o texto diz) desse personagem, eis aí algo que caracteriza não apenas uma mudança de escala no domínio de objetos aos quais a psiquiatria se dirige, mas, na verdade, todo um novo modo de funcionamento. O que é esse novo funcionamento psiquiátrico que vemos em ação num caso como esse?

* Soa como *jouit*, isto é, goza. (N. do T.)

Gostaria de recordar o caso-modelo, o caso *princeps*, que tomei como ponto de partida faz alguns meses. Era o caso de Henriette Cornier[3]. Henriette Cornier, como vocês sabem, era a criada que havia decapitado uma menina, praticamente sem dizer uma palavra, sem uma explicação, sem o menor aparelho discursivo. Henriette Cornier era toda uma paisagem. Também era, é claro, uma camponesa, mas era a camponesa vinda para a cidade. Mulher perdida em vários sentidos da palavra, pois havia vagado daqui para lá; havia sido abandonada pelo marido ou amante; tivera vários filhos que abandonara; tinha mais ou menos se prostituído. Mulher perdida, mas personagem muda que, sem explicações, comete esse gesto monstruoso; gesto monstruoso que irrompe sem mais nem menos no meio urbano em que ela se encontra e que passou diante dos olhos dos espectadores como um meteoro fantástico, negro, enigmático, e sobre o qual ninguém pôde dizer nada. Ninguém teria dito nada, se os psiquiatras, por certo número de razões teóricas e políticas de que lhes falei, não se tivessem interessado por ele.

O caso Charles Jouy é bem próximo, mas a paisagem é, em si, bem diferente. Charles Jouy é, portanto, em certo sentido, o personagem bastante familiar do idiota da aldeia: é o simplório, é o mudo. Não tem origens, é o filho natural, ele também instável. Vaga daqui para lá: "O que você fez desde os 14 anos? – Estive aqui, estive ali", responde. Também é rejeitado pela escola; "Estavam satisfeitos com você [...] na escola? – Não quiseram ficar comigo." Era excluído das brincadeiras: "Costumava se divertir com os outros garotos?" Resposta: "Eles não queriam saber de mim." Também era excluído dos jogos sexuais. O psiquiatra lhe pergunta, com certo bom senso, a propósito dessa masturbação pelas meninas, por que ele não se dirigia às moças grandes, em vez de às garotinhas. E Charles Jouy responde que as grandes zombavam dele. Rejeitado até mesmo em seu hábitat: "Quando você voltava [do trabalho – M.F.] o que fazia? – Ficava no estábulo." Claro, é esse personagem marginal, mas não é, na aldeia em que reside, um estranho – longe disso. Está profundamente inserido na configuração social em que o vemos circular: ele funciona nela. Funciona nela economicamente de uma forma muito precisa, já que é, no sentido estrito, o último dos trabalhadores; isto é, ele faz a última parte do trabalho, a que ninguém quer fazer, e é pago o mínimo: "Quanto você ganha?" Ele responde: "Cem francos, comida e uma camisa." Ora, o preço do trabalhador rural na região, na época, era de quatrocentos francos. É o imigrante *in loco*, ele funciona, reside nessa marginalidade social que constitui os salários baixos[4].

Nessa medida, seu caráter flutuante, instável, tem uma função econômica e social bem precisa, onde ele está. Os próprios jogos sexuais que ele empreende e que são o objeto do caso, pelo que dá para intuir do texto, também me parecem tão fortemente inscritos quanto seu papel econômico. Porque, quando as duas meninas vão masturbar no meio do mato ou à beira de uma estrada o pobre de espírito, elas se gabam sem problemas para um adulto, contam rindo que fizeram coalhada e o adulto responde simplesmente: "Vocês são umas capetinhas!"[5] E a coisa fica nisso. Tudo isso se inscrevia manifestamente numa paisagem e em práticas muito familiares. A menina se deixa mais ou menos levar; ela recebe com a maior naturalidade, ao que parece, uns trocados e corre à festa para comprar amêndoas tostadas. Contenta-se simplesmente em não contar nada aos pais, unicamente para não levar um par de bofetões. Aliás, Jouy, no decorrer do seu interrogatório, contará: o que fez? Só fez duas vezes com Sophie Adam, mas a viu fazer a mesma coisa com outros garotos. Aliás, toda a aldeia sabia. Um dia, ele pegara Sophie Adam masturbando um garoto de treze ou catorze anos à beira da estrada, enquanto outra menina, sentada do lado deles, fazia a mesma coisa com outro menino. Que isso fizesse parte de toda uma paisagem até então perfeitamente familiar e tolerada, parece que os próprios psiquiatras reconheceram, já que Bonnet e Bulard dizem em seu relatório: "Ele agiu [...] como vemos agir com frequência entre si crianças de sexo diferente; consideramos [acrescentam por precaução – M.F.] serem mal-educadas essas crianças em que a vigilância e os bons princípios não temperam [suficientemente – M.F.] as tendências ruins."[6] Temos aí uma sexualidade infantil aldeã, uma sexualidade ao ar livre, de beira de estrada, uma sexualidade do meio do mato, que a medicina legal está psiquiatrizando despreocupadamente. E com uma despreocupação que, temos de dizer, é problemática, se pensarmos com que dificuldade, alguns anos antes, havia sido psiquiatrizada uma coisa tão enigmática e monstruosa como o crime de Henriette Cornier ou o de Pierre Rivière.

Uma primeira coisa deve ser notada. É que se faz a psiquiatrização dessas práticas, desses personagens, que afinal parecem tão bem inseridos na paisagem aldeã da época. A primeira coisa a levar em conta, a meu ver, é que essa psiquiatrização não vem de cima, ou não vem exclusivamente de cima. Não é um fenômeno de supercodificação externa, em que a psiquiatria viria pescar, porque teria havido um problema, um escândalo ou um enigma, esse personagem enigmático que é Jouy. Nada disso: é na própria base que podemos começar a desvendar um verdadeiro mecanismo de apelo à psiquiatria. Não se deve esquecer que foi a família da menina que descobriu os fatos pela tal inspeção da roupa de baixo, de que lhes falei a propósito da masturbação e de que eu lhes disse ter sido uma das diretrizes, ao mesmo tempo higiênicas e morais, propostas às famílias desde o fim do século XVIII[7]. É a família, portanto, que percebe, é a família que denuncia os próprios fatos ao prefeito e pede ao prefeito que tome medidas. A menina esperava um par de bofetões; mas na verdade a família já não tinha esse tipo de reação, já estava conectada a outro sistema de controle e de poder. Até o primeiro perito, que se chama doutor Béchet, tinha hesitado. Ele teria podido muito bem, diante desse personagem tão conhecido, tão familiar, dizer: "Pois é, ele fez isso, ele é responsável." Ora, o doutor Béchet, em seu primeiro relatório, diz: "Claro, ele é juridicamente, judiciariamente responsável." Mas, numa carta anexada ao relatório e dirigida ao juiz de instrução, diz que o "senso moral", no acusado, é "insuficiente para resistir aos instintos animais". Trata-se, na verdade, de "um pobre de espírito desculpável por sua obscuridade"[8]. Frase muito bonita, muito misteriosa no que ela quer dizer, mas que indica muito bem, afinal de contas, que há, nesse médico (que é sem dúvida um médico rural ou um médico de cantão, pouco importa), um apelo manifesto à possibilidade de uma psiquiatrização mais séria e mais completa. Parece aliás que a própria aldeia se encarregou do caso e o fez passar do registro das bofetadas esperadas pela menina a um registro bem diferente. O prefeito é que foi encarregado do caso, o prefeito é que o levou à justiça; e, aliás, toda a população de Lupcourt (é o nome da aldeia), à vista do relatório dos peritos psiquiatras, deseja vivamente que a pequena Sophie Adam seja internada numa casa de correção até sua maioridade[9]. Vemos portanto se esboçar, num nível relativamente profundo, talvez a nova inquietude dos adultos, de uma família, de uma aldeia, diante dessa sexualidade periférica, flutuante, em que as crianças e os adultos marginais se encontravam; e vemos também se esboçar, igualmente num nível relativamente profundo, o recurso a uma instância de controle que eu diria de ramificações múltiplas, já que no fim das contas o que é pedido pela família, pela aldeia, pelo prefeito, até um certo ponto pelo primeiro médico, é uma casa de correção para a menina e, para o adulto, seja o tribunal, seja o asilo psiquiátrico.

Mecanismo de apelo em profundidade, referência a essas instâncias superiores, a essas instâncias de controle técnicas, médicas, judiciárias, de uma forma um tanto confusa, um tanto indiferente e mista: é a tudo isso que a população da aldeia apela diante desse fato que, alguns anos antes, sem dúvida teria parecido perfeitamente cotidiano e sem importância. Pois bem, diante desse apelo, como a psiquiatria reage? Como vai se dar a psiquiatrização, uma psiquiatrização mais pedida do que imposta, portanto? Acho que, para compreender como se deu a psiquiatrização de um personagem como esse, é necessário se referir um pouco a esse modelo de que lhes falava há pouco, isto é, o de Henriette Cornier. Quando se quis psiquiatrizar, demonstrar, em termos mais simples, a loucura, a doença mental de Henriette Cornier, o que se procurou? Primeiro, procurou-se uma correlação corporal, isto é, um elemento físico que teria podido servir pelo menos de causa desencadeadora do crime, que foi facilmente encontrada: a menstruação[10]. Sobretudo, e mais seriamente, mais fundamentalmente, tinha se tentado inscrever o gesto de Henriette Cornier, a decapitação da criança, numa doença – uma doença, claro, dificílima de perceber, mas cujos sintomas um olho bem exercitado teria podido descobrir. Chegou-se assim, não sem dificuldade, não sem muita sutileza, a situar tudo isso primeiro numa certa mudança de humor, que teria afetado Henriette Cornier em certa época da sua vida e que teria assinalado como que a invasão insidiosa dessa doença que devia permanecer praticamente sem outro sintoma além do crime, mas que já se assinala por essa pequena falha no humor; e, no interior dessa mudança, tenta-se atribuir um certo instinto, em si monstruoso, em si doentio e patológico, que atravessa a conduta como um meteoro, instinto homicida que não se parece com nada, instinto homicida que não corresponde a nenhum interesse e que não se inscreve em nenhuma economia do prazer. Temos como que um automatismo, que atravessa como uma flecha a conduta e o comportamento de Henriette Cornier e que nada pode justificar, a não ser, precisamente, um suporte patológico. O caráter repentino, parcial, descontínuo, heterogêneo, estranho, do ato, em relação ao conjunto da personalidade – era isso que permitia a psiquiatrização do gesto de Henriette Cornier.

Ora, no relatório que Bonnet e Bulard fizeram sobre Jouy, a psiquiatrização do gesto, do comportamento de Jouy, é feita de um modo bem diferente. Ela é feita primeiro pela inscrição não no interior de um processo cronologicamente situado, mas pela inscrição numa espécie de constelação física permanente. O que se busca, para demonstrar que se trata de alguém psiquiatrizável, o que fazem os psiquiatras para reivindicar como sendo de sua competência a conduta de Jouy, o que eles necessitam não é um processo, mas estigmas permanentes que marcam estruturalmente o indivíduo. Assim, eles fazem as seguintes observações: "A face não oferece com o crânio a simetria conforme que deveríamos encontrar normalmente. O tronco e os membros carecem de proporções. O crânio é viciosamente desenvolvido; a testa foge para trás, o que, com o achatamento posterior, constitui a cabeça em pão de açúcar; as faces laterais são igualmente achatadas, o que faz que as protuberâncias parietais fiquem um pouco mais acima que de costume."[11] Insisto em todas essas anotações que indicam o que deveria ser normal, a disposição habitualmente encontrada. Submete-se o acusado a toda uma série de medições de diâmetro occipitofrontal, occipitomental, frontomental, biparietal; medições da circunferência fronto-occipital, da semicircunferência ântero-posterior e biparietal, etc. Constata-se assim que a boca é larga demais e que o palato apresenta uma curvatura que é característica da imbecilidade. Vocês estão vendo que nenhum desses elementos, assim trazidos pelo exame, constitui uma causa ou mesmo um simples princípio de desencadeamento da doença – como quando se tratava da observação de Henriette Cornier, da presença da menstruação no momento do ato. Na realidade, todos esses elementos formam, com o próprio ato, uma espécie de constelação polimorfa. O ato e os estigmas se referem – um e outros, e de certo modo no mesmo plano, mesmo se sua natureza é diferente – a um estado permanente, a um estado constitutivo, a um estado congênito. As dimorfias do corpo são, de certo modo, as consequências físicas e estruturais desse estado, e as aberrações de conduta, precisamente as que valeram a Jouy sua inculpação, são suas consequências instintivas e dinâmicas.

Em linhas gerais, podemos dizer o seguinte. Para Henriette Cornier, e na época da medicina mental de monomania, construía-se um processo patológico sob e a partir de um crime que se pretendia erigir em sintoma. Já no caso de Charles Jouy e numa psiquiatria desse tipo, integra-se o delito a um esquema de estigmas permanentes e estáveis. Está-se substituindo uma psiquiatria dos processos patológicos, que são instauradores de descontinuidades, por uma psiquiatria do estado permanente, um estado permanente que garante um estatuto definitivo aberrante. Ora, qual a forma geral desse estado? No caso de Henriette Cornier e do que se chamava "loucura instintiva", que se havia construído mais ou menos em torno de casos como este, o processo patológico, que deveria suportar o ato delituoso, tinha duas características. Por um lado, era como que a dilatação, a turgescência, o surgimento do instinto, a proliferação do seu dinamismo. Em suma, era um excesso que marcava patologicamente o funcionamento do instinto. E a esse excesso era ligada, como consequência mesma desse excesso, uma cegueira que fazia que o doente não fosse capaz nem sequer de conceber as consequências do seu ato; ele não era capaz – a tal ponto a força do instinto era irresistível – de integrar seus mecanismos a um cálculo geral de interesse. Logo, fundamentalmente, surgimento, dilatação, exageração de um instinto que se tornou irresistível, que é o núcleo patológico. Por conseguinte, cegueira, ausência de interesse, ausência de cálculo. É o que se chamava de "delírio instintivo". No caso de Charles Jouy, ao contrário, os sinais que vão ser postos em rede, para constituir esse estado que vai permitir a psiquiatrização do ato, fazem surgir uma configuração muito diferente, na qual o que prima, o que é fundamental, não é (como no caso das monomanias, das loucuras instintivas) o excesso, a exageração do instinto, que bruscamente se intumesce; o que é primeiro, o que é fundamental, o que é o núcleo mesmo do estado em questão, é a insuficiência, é a falta, é a interrupção de desenvolvimento. Isso significa que, na descrição que Bulard e Bonnet fazem de Jouy, o que eles tentam detectar como sendo o princípio da conduta não é um exagero intrínseco, é antes uma espécie de desequilíbrio funcional que faz que – a partir da ausência de uma inibição, ou da ausência de um controle, ou da ausência das instâncias superiores que asseguram a instauração, a dominação e a sujeição das instâncias inferiores – essas instâncias inferiores vão se desenvolver por conta própria. Não que haja nelas mesmas, nessas instâncias inferiores, uma espécie de vibrião patológico que bruscamente as faria entrar em efervescência e multiplicaria ao mesmo tempo sua força, sua dinâmica e seus efeitos. Não é isso, em absoluto, essas instâncias continuam sendo o que são; mas elas só disfuncionam na medida em que o que deveria ao mesmo tempo integrá-las, inibi-las, controlá-las, está fora de jogo[12].

Não há doença intrínseca ao instinto, há antes uma espécie de desequilíbrio funcional do conjunto, uma espécie de dispositivo ruim nas estruturas, que faz que o instinto, ou certo número de instintos, se ponha a funcionar "normalmente", de acordo com seu regime próprio, mas "anormalmente" no sentido de que esse regime próprio não é controlado por instâncias que deveriam precisamente assumi-los, situá-los e delimitar sua ação. Poderíamos encontrar, no relatório de Bonnet e Bulard, toda uma série de exemplos desse novo tipo de análise. Tomarei apenas alguns. Eles são, a meu ver, importantes para compreender direito a nova engrenagem ou o novo filtro funcional de acordo com o qual se tenta analisar os comportamentos patológicos. Trata-se, por exemplo, da maneira como se descrevem os órgãos genitais de um adulto. Bonnet e Bulard examinaram o acusado fisicamente, examinaram seus órgãos genitais. E anotam o seguinte: "Apesar do tamanho reduzido [do acusado – M.F.] e da acentuada interrupção do seu desenvolvimento físico, seus órgãos [genitais – M.F.] são normalmente desenvolvidos, como os de um homem comum. É um fato que se observa nos imbecis."[13] O que se observa nos imbecis não é que o desenvolvimento dos órgãos genitais é anormal, mas que há um contraste entre uma genitalidade que, do ponto de vista anatômico, é normal, precisamente, e certa falta de estrutura envolvente, que deveria situar em seu devido lugar e conforme suas verdadeiras proporções o papel desses órgãos[14]. Toda a descrição clínica é feita no mesmo tom. Realidade, por conseguinte, da falta, que é a espinha dorsal, que é o ponto de partida do comportamento a analisar. A exageração nada mais é que a consequência aparente dessa falta primeira e fundamental, o contrário, no fundo, do que encontrávamos nos alienistas quando eles buscavam na irresistibilidade violenta do instinto o próprio núcleo patológico. Assim, vocês encontram, na análise, toda uma série de textos como este. Ele não é mau, dizem a propósito de Jouy, ele é até "meigo", mas "o senso moral está abortado": "Ele não tem posse mental suficiente para resistir por si mesmo a certas tendências que poderá [...] lastimar posteriormente, sem no entanto que possamos concluir que não vai recomeçar [...]. Esses maus instintos [...] decorrem da sua interrupção de desenvolvimento original, e sabemos que eles às vezes são da maior irresistibilidade nos imbecis e nos degenerados [...]. Primordialmente acometido de aborto mental, não tendo sido submetido a nenhum benefício da educação, [...] ele não tem o que é necessário para contrabalançar a propensão para o mal e para resistir vitoriosamente às tiranias sensoriais. [...] Ele não tem o poder de 'si' que lhe permita atenuar os estímulos de seus pensamentos e de seus ímpetos carnais [...]. A animalidade tão poderosa [...] não tem, para ser dominada, um concurso de faculdades capazes de apreciar sadiamente o valor das coisas."[15]

Vocês estão vendo, por conseguinte, que o que pede a psiquiatrização e que vai caracterizar o estado não é, pois, um excesso em termos de quantidade ou um absurdo em termos de satisfação (como aconteceu, por exemplo, quando se quis psiquiatrizar Henriette Cornier), é uma falta em termos de inibição, é uma espontaneidade dos procedimentos inferiores e instintivos de satisfação. Donde a importância dessa "imbecilidade", que é funcional e primordialmente ligada às aberrações de comportamento. De modo que o que podemos dizer é que o estado que permite psiquiatrizar Jouy é precisamente o que o deteve em seu desenvolvimento: não é um processo que veio se conectar ou se enxertar nele, ou atravessar seu organismo ou seu comportamento; é uma interrupção de desenvolvimento, isto é, simplesmente sua infantilidade. Infância do comportamento e infância da inteligência, os psiquiatras não param de dizer: "A melhor comparação de seu modo de agir é com o de uma criança que fica contente quando a elogiam."[16] Caráter infantil da moral de Jouy: "Como as crianças que fizeram uma coisa errada [...], ele tem medo de ser castigado [...]. Ele compreenderá que fez uma coisa errada porque lhe dizem que fez; ele prometerá não fazer mais, mas não aprecia o valor moral de seus atos [...]. Nós o achamos pueril, sem consistência moral."[17] Caráter igualmente infantil da sua sexualidade. Citei há pouco o texto no qual os psiquiatras diziam: "Ele agiu como uma criança e, no caso, como vemos agir com frequência entre si crianças de sexo diferente", mas "crianças mal-educadas em que a vigilância...", etc.[18] É esse, parece-me, o ponto importante (quer dizer, não sei se é importante, é apenas aonde eu queria chegar): é que vemos se definir aí uma nova posição da criança em relação à prática psiquiátrica. Trata-se de pôr em continuidade, ou antes, de pôr em imobilidade a vida em torno da infância. E é isso, essa imobilização da vida, da conduta, dos desempenhos em torno da infância, é isso que vai permitir fundamentalmente a psiquiatrização.

Na análise que os alienistas faziam (a gente da escola de Esquirol, justamente os que se ocuparam de Henriette Cornier), no fundo, o que permitia dizer que o sujeito estava doente? Era precisamente o fato de que, tendo ficado adulto, ele não se parecia nada com a criança que fora. Para mostrar que Henriette Cornier não era responsável por seu ato, o que se dizia? Dizia-se, lembrem-se: "Quando ela era pequena, era uma criança sorridente, alegre, amável, afetuosa; e eis que de repente, a certa altura, quando se tornou adolescente ou adulta, ficou sombria, melancólica, taciturna, não falava." A infância deve ser posta à parte do processo patológico, para que o processo patológico possa efetivamente funcionar e desempenhar um papel na irresponsabilização do sujeito. Vocês compreendem então por que, em toda essa medicina da alienação mental, os sinais de maldade infantil eram objeto de uma disputa e de uma luta tão importante. Lembrem-se, por exemplo, no caso de Pierre Rivière[19], com que cuidado e, ao mesmo tempo, com que obstinação se polemizou em torno dos sinais da maldade infantil. Porque, com esses sinais, pode-se finalmente obter dois resultados. Podia-se muito bem dizer: estão vendo, quando ele ainda era criancinha, crucificava pererecas, matava passarinhos, queimava a planta dos pés do irmão; ou seja, já se preparava, no fundo da sua infância, uma conduta que é a própria conduta do personagem e que devia levá-lo um dia a matar a mãe, o irmão e a irmã. E, por conseguinte, nesse crime, não estamos diante de algo patológico, pois a vida inteira, desde o fundo da sua infância, tem a cara do seu crime. Vocês entendem, por conseguinte, que os psiquiatras, a partir do momento em que queriam psiquiatrizar a coisa e desculpabilizar Rivière, eram obrigados a dizer: mas esses sinais de maldade são precisamente sinais de maldade paroxísticos, e tão paroxísticos aliás que só são encontrados em certo período da sua infância. Quando ele tinha menos de sete anos, não os encontramos; e então, a partir dos sete anos, a coisa começa. Quer dizer que o processo patológico já estava em ação, processo patológico que devia desaguar, dez ou treze anos depois, no crime que sabemos. Donde toda essa batalha jurídico-psiquiátrica em torno da maldade infantil, batalha cujos ecos e vestígios vocês podem encontrar ao longo de toda essa psiquiatria legal dos anos 1820, 1860-1880, e mesmo depois.

Com esse novo modo de psiquiatrização que tento definir agora, nessa nova problemática, os sinais de maldade vão agir de outro modo. É na medida mesma em que um adulto se parecerá com o que era quando era criança, é na medida em que se poderá estabelecer uma continuidade infância-idade adulta, isto é, na medida em que se poderá encontrar no ato de hoje a maldade de outrora, é nessa medida que será efetivamente possível detectar esse estado, com seus estigmas, que é a condição da psiquiatrização. Os alienistas diziam no fundo a Henriette Cornier: "Você não era o que se tornou; é por isso que não se pode condenar você"; e os psiquiatras dizem a Charles Jouy: "Se não se pode condenar você, é porque você já era, em criança, o que é agora." Nessa medida, compreende-se que, de qualquer forma, desde o início do século XIX, o percurso biográfico era requerido, seja pela medicina da alienação mental do tipo Esquirol, seja por essa nova psiquiatria de que lhes falo agora. Mas esse percurso se faz de acordo com linhas totalmente diferentes, ele traça percursos que são inteiramente diferentes, produz efeitos bem diferentes de desculpabilização. Na medicina da alienação mental do início do século, quando se dizia: "Ele já era assim; ele já era o que é" – com isso, se incriminava. Ao passo que agora, quando se diz: "O que ele é agora, ele já era" – desculpa-se. De um modo geral, o que aparece no exame de Jouy é que a infância está se tornando uma peça decisiva no novo funcionamento da psiquiatria.

Em duas palavras, direi o seguinte. Henriette Cornier havia assassinado uma criança. Só se pôde constituí-la como doente mental separando-a radicalmente e duas vezes da infância. Separando-a da criança que ela matou, mostrando que entre a criança que ela matou e ela não havia vínculos; ela praticamente não conhecia a família da criança: nenhuma relação de ódio, nenhum vínculo de amor; ela mal conhecia a criança. Mínimo de relações com a criança que ela matou: primeira condição para psiquiatrizar Henriette Cornier. Segunda condição: que ela própria seja separada da sua infância. Seu passado, seu passado de criança, seu passado de mocinha, tem de se parecer o menos possível com o ato que ela cometeu. Corte radical, por conseguinte, entre a loucura e a infância. Em Charles Jouy, ao contrário, só se pode psiquiatrizar assegurando-se a aproximação extrema, quase a fusão, com a infância que ele teve e até com a criança com que se relacionou. É preciso mostrar que Charles Jouy e a menina que ele mais ou menos violentou eram no fim das contas bem próximos um do outro, eram do mesmo grão, eram da mesma água, eram – a palavra não foi empregada, mas vocês estão vendo que ela se insinua – do mesmo nível. É a identidade profunda dos dois que vai dar azo à psiquiatria. É porque a criança, a infância, a infantilidade está presente como traço comum entre o criminoso e sua vítima, que Charles Jouy pôde ser psiquiatrizado. A infância como fase histórica do desenvolvimento, como forma geral de comportamento, se torna o instrumento maior da psiquiatrização. E direi que é pela infância que a psiquiatria veio a se apropriar do adulto, e da totalidade do adulto. A infância foi o princípio da generalização da psiquiatria; a infância foi, na psiquiatria como em outros domínios, a armadilha de pegar adultos.

É sobre esse funcionamento, esse papel, esse lugar da criança na psiquiatria que gostaria agora de dizer duas palavras. Porque creio que com a introdução, não tanto da criança quanto da infância como ponto de referência central e constante da psiquiatria, podemos captar de uma maneira bastante clara, ao mesmo tempo, o novo funcionamento da psiquiatria em relação à medicina da alienação mental e um tipo de funcionamento que vai durar perto de um século, isto é, até hoje. Descoberta da criança pela psiquiatria. Eu queria notar o seguinte: primeiro, vocês estão vendo que, se o que lhes digo é verdade, essa descoberta da criança ou da infância pela psiquiatria não é um fenômeno tardio, mas bastante precoce. Temos um exemplo disso em 1867, portanto, mas poderíamos certamente encontrar outros nos anos precedentes. Não apenas é um fenômeno precoce, mas parece-me (é o que gostaria de mostrar) que [esse fenômeno está] longe de ser a consequência de uma ampliação da psiquiatria. Longe, por conseguinte, de considerar que a infância é um território novo que foi, a partir de certo momento, anexado à psiquiatria – parece-me que foi tomando a infância como ponto de mira da sua ação, ao mesmo tempo do seu saber e do seu poder, que a psiquiatria conseguiu se generalizar. Ou seja, a infância parece-me ser uma das condições históricas da generalização do saber e do poder psiquiátricos. Como é que a posição central da infância pode efetuar essa generalização da psiquiatria? Creio ser bastante fácil (resumindo muito) apreender esse papel de generalização da infância na psiquiatria. Efeito da extensão da psiquiatria, mas como princípio da sua generalização: é que, a partir do momento em que a infância ou a infantilidade vai ser o filtro para analisar os comportamentos, vocês compreendem que, para psiquiatrizar uma conduta, não será mais necessário, como era o caso na época da medicina das doenças mentais, inscrevê-la no interior de uma doença, situá-la no interior de uma sintomatologia coerente e reconhecida. Não será necessário descobrir essa espécie de pedacinho de delírio que os psiquiatras, mesmo na época de Esquirol, buscavam com tamanho frenesi atrás de um ato que lhes parecia duvidoso. Para que uma conduta entre no domínio da psiquiatria, para que ela seja psiquiatrizável, bastará que seja portadora de um vestígio qualquer de infantilidade. Com isso, serão submetidas de pleno direito à inspeção psiquiátrica todas as condutas da criança, pelo menos na medida em que são capazes de fixar, de bloquear, de deter a conduta do adulto, e se reproduzir nela. E, inversamente, serão psiquiatrizáveis todas as condutas do adulto, na medida em que podem, de uma maneira ou de outra, na forma da semelhança, da analogia ou da relação causal, ser rebatidas sobre e transportadas para as condutas da criança. Percurso, por conseguinte, integral de todas as condutas da criança, pois elas podem trazer consigo uma fixação adulta; e, inversamente, percurso total das condutas do adulto para desvendar o que pode haver nelas em matéria de traços de infantilidade. É esse o primeiro efeito da generalização que é levada, por essa problematização da infância, ao próprio âmago do campo da psiquiatria. Em segundo lugar, a partir dessa problematização da infância e da infantilidade, vai ser possível integrar uns aos outros três elementos que haviam ficado, até então, separados. Esses três elementos são: o prazer e sua economia; o instinto e sua mecânica; a imbecilidade ou, em todo caso, o retardo, com sua inércia e suas carências.

O que, de fato, havia de bem característico na psiquiatria da época dita "esquiroliana" (do início do século XIX até cerca de 1840) é que, no fundo, e insisti nisso, não se tinha conseguido encontrar o ponto de vinculação entre o prazer e o instinto. Não que o prazer não possa figurar na psiquiatria do tipo Esquirol, mas o prazer nunca figurava, a não ser investido no delírio[20]. Isso quer dizer que se admitia (o que, aliás, é um tema bem anterior a Esquirol, que encontramos desde os séculos XVII-XVIII)[21] que a imaginação delirante de um sujeito pode perfeitamente portar a expressão direta e imediata de um desejo. Assim vocês têm todas as descrições clássicas de alguém que, tendo uma decepção amorosa, imagina em seu delírio que a pessoa que o abandonou, ao contrário, o enche de afeto, de amor, etc.[22]. O investimento do delírio pelo desejo é perfeitamente admitido na psiquiatria clássica. Em compensação, o instinto, para funcionar como mecânica patológica, deve necessariamente ser emancipado do prazer, porque, se há prazer, o instinto não é mais automático. O instinto acompanhado de prazer é necessariamente reconhecido, registrado pelo sujeito como sendo capaz de provocar um prazer. Portanto ele entra naturalmente num cálculo e não se pode, por conseguinte, considerar como processo patológico o movimento, mesmo que violento, do instinto, a partir do momento em que ele é acompanhado de prazer. A patologização pelo instinto exclui o prazer. Quanto à imbecilidade, ela era patologizada, por sua vez, ora como a consequência final de uma evolução delirante ou demente, ora, ao contrário, como uma espécie de inércia fundamental do instinto.

Agora, vocês estão vendo que, com um personagem como o de Charles Jouy, com esse tipo de indivíduo psiquiatrizado como ele é, esses três elementos ou, se vocês preferirem, esses três personagens vão se encontrar: o pequeno masturbador, o grande monstro e aquele que resiste a todas as disciplinas. Doravante, o instinto pode perfeitamente ser um elemento patológico, sem deixar de ser portador de prazer. O instinto sexual, os prazeres de Charles Jouy são efetivamente patologizados, no próprio nível em que aparecem, sem que seja necessário fazer essa grande desconexão prazer/instinto que era requerida na época das monomanias instintivas. Basta mostrar que o procedimento, a mecânica do instinto e os prazeres que ele se proporciona são de um nível infantil e marcados pela infantilidade. Prazer-instinto-retardo, prazer-instinto-atraso: tudo isso vai se constituir agora em configuração unitária. Reunião, pois, desses três personagens.

A terceira maneira pela qual a problematização da criança permite a generalização da psiquiatria é que – a partir do momento em que a infância, a infantilidade, o bloqueio e a imobilização em torno da infância, vão constituir a forma maior e privilegiada do indivíduo psiquiatrizável – vai ser possível para a psiquiatria entrar em correlação com, de um lado, a neurologia e, de outro, a biologia geral. Aí também, referindo-se à psiquiatria esquiroliana, poder-se-ia dizer que ela só pôde se tornar efetivamente uma medicina à custa de toda uma série de procedimentos que eu diria imitativos. Foi preciso estabelecer sintomas como na medicina orgânica; foi preciso nomear, classificar, organizar, umas em relação às outras, as diferentes doenças; foi preciso fazer etiologias de tipo medicina orgânica, procurando no corpo ou nas predisposições os elementos capazes de explicar a formação da doença. A medicina mental de tipo Esquirol é medicina a título de imitação. Em compensação, a partir do momento em que a infância vai ser considerada o ponto focal em torno do qual vai se organizar a psiquiatria dos indivíduos e das condutas, vocês percebem que é possível fazer funcionar a psiquiatria, não no modo da imitação, mas no modo da correlação, no sentido de que a neurologia do desenvolvimento e das interrupções de desenvolvimento, a biologia geral também – com toda a análise que pode ser feita, tanto no nível dos indivíduos, como no nível das espécies, da evolução –, tudo isso vai ser, de certo modo, a margem e a garantia no interior das quais a psiquiatria vai poder funcionar como saber científico e como saber médico.

Enfim, o que é, a meu ver, o mais importante (e é esta a quarta via pela qual a infância é um fator de generalização para a psiquiatria) é que a infância e a infantilidade da conduta oferecem como objeto à psiquiatria não mais propriamente – e até não mais de maneira nenhuma – uma doença ou um processo patológico, mas certo estado que vai ser caracterizado como estado de desequilíbrio, isto é, um estado no qual os elementos vêm funcionar num modo que, sem ser patológico, sem ser portador de morbidez, nem por isso é um modo normal. A emergência de um instinto que não é em si doentio, que é em si sadio, mas que é anormal ver surgir aqui, agora, tão cedo ou tão tarde, e com tão pouco controle; o aparecimento de tal tipo de conduta que, em si, não é patológica mas que, no interior da constelação em que figura, não deveria normalmente aparecer – é tudo isso que vai ser agora o sistema de referência, o domínio de objetos em todo caso, que a psiquiatria vai tentar policiar. É um contratempo, é uma sacudida nas estruturas, que aparecem em contraste com um desenvolvimento normal e que vão constituir o objeto geral da psiquiatria. E é só secundariamente, em relação a essa anomalia fundamental, que as doenças vão aparecer como uma espécie de epifenômeno com relação a esse estado, que é fundamentalmente um estado de anomalia.

Tornando-se ciência da infantilidade das condutas e das estruturas, a psiquiatria pode se tornar ciência das condutas normais e anormais. De sorte que poderíamos deduzir essas duas consequências. A primeira é que, por uma espécie de trajeto em cotovelo, focalizando-se cada vez mais nesse cantinho de existência confusa que é a infância, a psiquiatria pôde se constituir como instância geral para a análise das condutas. Não foi conquistando a totalidade da vida, não foi percorrendo o conjunto do desenvolvimento dos indivíduos desde o nascimento até a morte; foi, ao contrário, limitando-se cada vez mais, revirando cada vez mais profundamente a infância, que a psiquiatria pôde se tornar a espécie de instância de controle geral das condutas, o juiz titular, se vocês quiserem, dos comportamentos em geral. Vocês compreendem, nessa medida, por que e como a psiquiatria pôde manifestar tanta obstinação em enfiar o nariz no quarto de criança ou na infância. Não é porque ela queria acrescentar uma peça anexa a seu domínio já imenso; não é porque queria colonizar mais uma pequena parte de existência em que ela não teria tocado; ao contrário, é que havia aí, para ela, o instrumento de sua universalização possível. Mas vocês hão de entender ao mesmo tempo – e é a segunda consequência sobre a qual eu queria insistir – que, vendo a psiquiatria focalizar-se assim na infância e dela fazer o instrumento da sua universalização, pode-se, na minha opinião, se não levantar, pelo menos denunciar ou, em todo caso, simplesmente ressaltar o que poderíamos chamar de segredo da psiquiatria moderna, a que se inaugura por volta dos anos 1860.

De fato, se situarmos nesses anos (1850-1870) o nascimento de uma psiquiatria que é outra coisa que não a velha medicina dos alienistas (a simbolizada por Pinel e Esquirol)[23], teremos de ver que essa nova psiquiatria passa, apesar de tudo, por cima de algo que até então havia constituído o essencial da justificação da medicina mental. Ela simplesmente passa por cima da doença. A psiquiatria deixa então de ser uma técnica e um saber da doença, ou é só secundariamente que ela pode se tornar – e como que no limite – técnica e saber da doença. A psiquiatria, nos anos 1850-1870 (época em que me situo agora), abandonou ao mesmo tempo o delírio, a alienação mental, a referência à verdade e, enfim, a doença. O que ela assume agora é o comportamento, são seus desvios, suas anomalias; ela toma sua referência num desenvolvimento normativo. Não é mais, pois, fundamentalmente, da doença ou das doenças que ela se ocupa; é uma medicina que passa pura e simplesmente por cima do patológico. E vocês estão vendo em que situação ela se encontra, desde meados do século XIX. Situação paradoxal, pois no fundo a medicina mental se constituiu como ciência, nos primeiros anos do século XIX, organizando a loucura como doença; por toda uma série de procedimentos (dentre os quais os procedimentos analógicos de que lhes falava há pouco), ela constituiu a loucura como doença. Foi assim que ela pôde, por sua vez, se constituir como ciência especial ao lado e no interior da medicina. Foi patologizando a loucura pela análise dos sintomas, pela classificação das formas, pela pesquisa das etiologias, que ela pôde constituir finalmente uma medicina própria da loucura: era a medicina dos alienistas. Ora, eis que, a partir de 1850-1870, trata-se para ela de preservar seu estatuto de medicina, já que é o estatuto de medicina que detém (pelo menos em parte) os efeitos de poder que ela tenta generalizar. Mas ela aplica esses efeitos de poder, e esse estatuto de medicina que é seu princípio, a algo que, em seu próprio discurso, não tem mais estatuto de doença, mas estatuto de anomalia.

Para dizer as coisas de uma maneira um pouco mais simples, direi que a psiquiatria, quando se constituía como medicina da alienação, psiquiatrizava uma loucura que, talvez, não era uma doença, mas que ela era obrigada a considerar e valorizar em seu discurso como doença. Ela só pôde estabelecer sua relação de poder sobre os loucos instituindo uma relação de objeto que era uma relação de objeto de medicina com doença: você será doença para um saber que me autorizará então a funcionar como poder médico. Eis, em linhas gerais, o que dizia a psiquiatria no início do século XIX. Mas, a partir de meados do século XIX, temos uma relação de poder que só se sustenta (e que só se sustenta ainda hoje) na medida em que é um poder medicalmente qualificado que submete a seu controle um domínio de objetos que são definidos como não sendo processos patológicos. Despatologização do objeto: foi essa a condição para que o poder, médico porém, da psiquiatria pudesse se generalizar assim. Surge então o problema: como pode funcionar um dispositivo tecnológico, um saber-poder tal em que o saber despatologiza de saída um domínio de objetos que, no entanto, oferece a um poder que só pode existir como poder médico? Poder médico sobre o não patológico: está aí, a meu ver, o problema central – mas, talvez vocês digam, evidente – da psiquiatria. Em todo caso, é aí que ele se forma, justamente em torno desse investimento da infância como ponto central a partir do qual a generalização pôde se fazer.

Eu queria agora situar esquematicamente a história do que aconteceu nesse momento e a partir desse momento. Para fazer agir duas relações – uma relação de poder e uma relação de objetos – que não vão no mesmo sentido, que são até heterogêneas uma em relação à outra, relação médica de poder e relação de objetos despatologizados, a psiquiatria da segunda metade do século XIX foi obrigada a construir um certo número do que poderíamos chamar de grandes edifícios teóricos, edifícios teóricos que não são tanto a expressão, a tradução dessa situação, mas que são, no fundo, exigências funcionais. Acho que é preciso tentar analisar as grandes estruturas, os grandes discursos teóricos da psiquiatria do fim do século XIX; é preciso analisá-los em termos de benefícios tecnológicos, na medida em que se trata, através desses discursos teóricos ou especulativos, de manter, ou eventualmente majorar, os efeitos de poder e os efeitos de saber da psiquiatria. Eu gostaria simplesmente de esquematizar essas grandes construções teóricas. Antes de mais nada, constituição de uma nova nosografia, e isso sob três aspectos.

Primeiramente, organizar e descrever, não como sintomas de uma doença, mas simplesmente como síndromes de certo modo válidas em si, como síndromes de anomalias, como síndromes anormais, toda uma série de condutas aberrantes, desviantes, etc. Assiste-se assim, nessa segunda metade ou nesse último terço do século XIX, ao que poderíamos chamar de consolidação das excentricidades em síndromes bem especificadas, autônomas e reconhecíveis. É assim que a paisagem da psiquiatria vai ser animada por toda uma gente que é, para ela, nesse momento, totalmente nova: a população dessas pessoas que não apresentam sintomas de uma doença, mas síndromes em si mesmas anormais, excentricidades consolidadas em anomalias. Vocês têm toda uma longa dinastia delas. Creio que uma dessas primeiras síndromes de anomalia é a célebre agorafobia, descrita por Krafft-Ebing, à qual se seguiu a claustrofobia[24]. Em 1867, houve uma tese de medicina na França, escrita por Zabé, consagrada aos doentes incendiários[25]. Vocês têm os cleptomaníacos, descritos por Gorry em 1879[26]; os exibicionistas de Lasègue, que datam de 1877[27]. Em 1870, Westphal, nos *Archives de neurologie*, descreveu os invertidos. É a primeira vez que a homossexualidade aparece como síndrome no interior do campo psiquiátrico[28]. E depois toda uma série... Os masoquistas aparecem por volta de 1875-1880. Haveria enfim toda uma história desse pequeno povo de anormais, toda uma história dessas síndromes de anomalia que emergem na psiquiatria praticamente a partir de 1865-1870 e que vão povoá-la até o fim do século XX [*rectius*: XIX]. Quando, por exemplo, uma sociedade protetora dos animais faz uma campanha contra a vivissecção, Magnan, que é um dos grandes psiquiatras do fim do século XIX, descobrirá uma síndrome: a síndrome dos antivivisseccionistas[29]. Ora, o ponto em que eu queria insistir é que tudo isso não é, como vocês estão vendo, sintoma de doença: é uma síndrome, isto é, uma configuração parcial e estável que se refere a um estado geral de anomalia[30].

A segunda característica da nova nosografia que se constitui a partir daí é o que poderíamos chamar de retorno do delírio, isto é, a reavaliação do problema do delírio. De fato, na medida em que o delírio era tradicionalmente o núcleo da doença mental, vocês compreendem que interesse os psiquiatras tinham, a partir do momento em que seu domínio de intervenção era o anormal, de tentar cobri-lo com o delírio, porque com o delírio eles tinham precisamente um objeto médico. Reconverter o anormal em doença, isso eles podiam fazer se conseguissem encontrar os vestígios ou as tramas do delírio através de todos esses comportamentos anormais de que estavam constituindo a grande "sindromatologia". Assim, a medicalização do anormal implicava ou exigia, em todo caso tornava desejável, o ajuste da análise do delírio à análise dos jogos do instinto e do prazer. Unir os efeitos do delírio à mecânica dos instintos, à economia do prazer: é isso que, no fundo, permitia constituir uma verdadeira medicina mental, uma verdadeira psiquiatria do anormal. É assim que vocês veem desenvolver-se, sempre nesse último terço do século XIX, as grandes tipologias do delírio, mas tipologias do delírio cujo princípio não é mais, como na época de Esquirol, o objeto, a temática do delírio, mas muito mais a raiz instintual e afetiva, a economia do instinto e do prazer, que é subjacente a esse delírio. É assim que vocês veem aparecer as grandes classificações do delírio: delírio de perseguição, delírio de posse, as crises virulentas dos erotômanos, etc.

A terceira característica dessa nosografia é o aparecimento (e creio ser esse o ponto essencial) da curiosa noção de "estado", que foi introduzida por volta dos anos 1860-1870 por Falret e que encontramos reformulada posteriormente de mil maneiras, essencialmente com o termo de "fundo psíquico"[31]. Ora, o que é um "estado"? O estado como objeto psiquiátrico privilegiado não é exatamente uma doença, aliás não tem nada a ver com uma doença, com seu desencadeamento, suas causas, seu processo. O estado é uma espécie de fundo causal permanente, a partir do qual podem se desenvolver certo número de processos, certo número de episódios que, estes sim, serão precisamente a doença. Em outras palavras, o estado é a base anormal a partir da qual as doenças se tornam possíveis. Vocês dirão: que diferença existe entre essa noção de estado e a velha noção tradicional de predisposição? É que a predisposição era, por um lado, uma simples virtualidade que não fazia o indivíduo cair fora do normal: podia-se ser normal e ser predisposto a uma doença. E, por outro lado, a predisposição predispunha precisamente a determinado tipo de doença e não a outro. O estado – como Falret e todos os seus sucessores vão utilizar essa noção – tem a seguinte particularidade: é que, precisamente, ele não se encontra nos indivíduos normais; não é um caráter mais ou menos acentuado. O estado é um verdadeiro discriminante radical. Quem é sujeito a um estado, quem é portador de um estado, não é um indivíduo normal. Por outro lado, esse estado que caracteriza um indivíduo dito anormal tem a seguinte particularidade: sua fecundidade etiológica é total, é absoluta. O estado pode produzir qualquer coisa, a qualquer momento e em qualquer ordem. Pode haver doenças físicas que se conectam a um estado; pode haver doenças psicológicas. Pode ser uma deformidade, um distúrbio funcional, um impulso, um ato de delinquência, a embriaguez. Em suma, tudo o que pode ser patológico ou desviante, no comportamento ou no corpo, pode ser efetivamente produzido a partir do estado. É que o estado não consiste num traço mais ou menos acentuado. O estado consiste essencialmente numa espécie de déficit geral das instâncias de coordenação do indivíduo. Distúrbio geral no jogo das excitações e das inibições; liberação descontínua e imprevisível do que deveria ser inibido, integrado e controlado; ausência de unidade dinâmica – é isso tudo que caracteriza o estado.

Ora, vocês veem que essa noção de estado apresenta duas grandes vantagens. A primeira é permitir pôr em relação qualquer elemento físico ou conduta desviante, por mais díspares e distantes que sejam, com uma espécie de fundo unitário que as explica, um fundo que difere do estado de saúde, sem no entanto ser uma doença. Formidável capacidade de integração, por conseguinte, dessa noção de estado, que se refere à não saúde mas que pode, ao mesmo tempo, acolher em seu campo qualquer conduta a partir do momento em que ela é fisiológica, psicológica, sociológica, moral e até juridicamente desviante. A capacidade de integração da noção de estado nessa patologia, nessa medicalização do anormal é, evidentemente, maravilhosa. Ao mesmo tempo, segunda vantagem, é possível, a partir dessa noção de estado, encontrar um modelo fisiológico. Trata-se daquele que foi apresentado sucessivamente por Luys, Baillarger, Jackson, etc.[32]. O que é esse estado? É precisamente a estrutura ou o conjunto estrutural característico de um indivíduo, ou que teve seu desenvolvimento interrompido, ou que regrediu de um estado de desenvolvimento ulterior a um estado de desenvolvimento anterior.

A nosografia das síndromes, a nosografia dos delírios, a nosografia dos estados, tudo isso corresponde, na psiquiatria do fim do século XIX, a essa espécie de grande tarefa que ela não podia se atribuir e em que não poderia ter êxito: essa grande tarefa de valorizar um poder médico sobre um domínio cuja extensão necessária excluía que ele fosse organizado em torno de uma doença. Foi o paradoxo de uma patologia do anormal que suscitou, como elemento de funcionamento, essas grandes teorias ou essas grandes estruturações. Só que, se isolarmos e se valorizarmos (como fizeram todos os psiquiatras, de Falret ou Griesinger a Magnan ou Kraepelin)[33] essa noção de estado, espécie de fundo causal que é, em si, uma anomalia, teremos de repor esse estado no interior de uma série capaz de produzi-lo e de justificá-lo. Que corpo pode produzir um estado, um estado que, justamente, marque o corpo de um indivíduo inteiro e de maneira definitiva? Donde a necessidade (e aí desembocamos em outro imenso edifício teórico da psiquiatria do fim do século XIX) de descobrir, de certo modo, o corpo de fundo que vai justificar, explicar por sua causalidade própria, o aparecimento de um indivíduo que é vítima, sujeito, portador desse estado de disfuncionamento. Esse corpo de fundo, esse corpo que está atrás do corpo anormal, o que será? É o corpo dos pais, é o corpo dos ancestrais, é o corpo da família, é o corpo da hereditariedade.

O estudo da hereditariedade, ou a atribuição à hereditariedade da origem do estado anormal, constitui essa "metassomatização" que é tornada necessária por todo o edifício. Essa metassomatização e esse estudo da hereditariedade apresentam por sua vez certo número de vantagens na tecnologia psiquiátrica. Primeiro um laxismo causal indefinido, laxismo que se caracteriza ao mesmo tempo pelo fato de que tudo pode ser causa de tudo. Na teoria da hereditariedade psiquiátrica, está estabelecido que não apenas uma doença de certo tipo pode provocar nos descendentes uma doença do mesmo tipo, mas que ela também pode produzir, com idêntica probabilidade, qualquer outra doença de qualquer tipo. Muito mais, não é necessariamente uma doença que provoca outra, mas algo como um vício, um defeito. A embriaguez, por exemplo, vai provocar na descendência qualquer outra forma de desvio de comportamento, seja o alcoolismo, claro, seja uma doença como a tuberculose, seja uma doença mental ou mesmo um comportamento delinquente. Por outro lado, esse laxismo causal que é dado à hereditariedade permite estabelecer as redes hereditárias mais fantásticas ou, em todo caso, mais maleáveis. Bastará encontrar em qualquer ponto da rede da hereditariedade um elemento desviante para poder explicar, a partir daí, a emergência de um estado no indivíduo descendente. Desse funcionamento ultraliberal da hereditariedade e da etiologia no campo da hereditariedade, vou dar apenas um exemplo. Trata-se de um estudo que tinha sido feito por Lombroso sobre um assassino italiano. Esse assassino italiano se chamava Misdea[34]. Ele tinha uma família muito numerosa; estabeleceu-se então a árvore genealógica da sua família para conseguir apreender o ponto de formação do "estado". Seu avô não era muito inteligente, porém muito ativo. Ele tinha um tio imbecil, outro tio esquisito e irascível, um terceiro tio coxo, um quarto tio que era um padre meio imbecil e irascível; e, quanto ao seu pai, era esquisito e beberrão. O irmão mais velho era obsceno, epiléptico e beberrão, seu irmão mais moço era sadio, o quarto era impetuoso e beberrão, o quinto tinha um caráter indócil. O segundo da série, pois, era nosso assassino[35]. Vocês estão vendo que a hereditariedade funciona como o corpo fantástico das anomalias tanto corporais, como psíquicas, funcionais ou de comportamento, que vão estar na origem – no nível desse metacorpo, dessa metassomatização – do aparecimento do "estado".

Outra vantagem dessa causalidade hereditária, vantagem mais moral do que epistemológica, é que, no momento em que a análise da infância e das suas anomalias mostra manifestamente que o instinto sexual não é ligado por natureza à função de reprodução (lembrem-se do que eu lhes disse da última vez), a hereditariedade vai possibilitar referir aos mecanismos anteriores da reprodução, nos ascendentes, a responsabilidade das aberrações que se podem constatar nos descendentes. Em outras palavras, a teoria da hereditariedade vai permitir que a psiquiatria do anormal não seja simplesmente uma técnica do prazer ou do instinto sexual, na verdade que não seja de forma alguma uma tecnologia do prazer e do instinto sexual, mas sim uma tecnologia do casamento são ou malsão, útil ou perigoso, proveitoso ou nocivo. Com isso, a psiquiatria centra no problema da reprodução, no momento mesmo em que ela integrava em seu campo de análise todas as aberrações do instinto sexual que faziam emanar desse instinto um funcionamento não reprodutivo.

Por conseguinte, remoralização, no nível dessa etiologia fantástica. E, finalmente, podemos dizer o seguinte: a nosografia dos estados anormais – reposta no grande corpo ao mesmo tempo policéfalo, lábil, flutuante, deslizante, da hereditariedade – vai se formular na grande teoria da degeneração. A "degeneração" é formulada em 1857 por Morel[36], isto é, na época mesma em que Falret estava liquidando a monomania e construindo a noção de estado[37]. É a época em que Baillarger, Griesinger, Luys propõem modelos neurológicos do comportamento anormal; é a época em que Lucas percorre o domínio da hereditariedade patológica[38]. A degeneração é a peça teórica maior da medicalização do anormal. O degenerado, digamos, numa palavra, que é o anormal mitologicamente – ou, se preferirem, cientificamente – medicalizado.

Ora, a partir daí, e a partir justamente da constituição desse personagem do degenerado reposto na árvore da hereditariedade e portador de um estado que não é um estado de doença, mas um estado de anomalia, pode-se ver não apenas que a degeneração permite o funcionamento dessa psiquiatria na qual a relação de poder e a relação de objeto não vão no mesmo sentido, mas bem melhor: o degenerado vai possibilitar uma formidável recuperação do poder psiquiátrico. De fato, a partir do momento em que a psiquiatria adquire a possibilidade de referir qualquer desvio, anomalia, retardo, a um estado de degeneração, vê-se que ela passa a ter uma possibilidade de ingerência indefinida nos comportamentos humanos. Mas, dando-se o poder de passar por cima da doença, dando-se o poder de desconsiderar o doentio ou o patológico, e de relacionar diretamente o desvio das condutas a um estado que é ao mesmo tempo hereditário e definitivo, a psiquiatria se dá o poder de não procurar mais curar. Claro, a medicina mental do início do século dava uma grande importância à incurabilidade, mas, precisamente, a incurabilidade era definida como tal em função do que devia ser o papel maior da medicina mental, isto é, curar. A incurabilidade era apenas o limite atual de uma curabilidade essencial à loucura. Mas a partir do momento em que a loucura se apresenta efetivamente como tecnologia do anormal, dos estados anormais fixados hereditariamente pela genealogia do indivíduo, vocês percebem que o próprio projeto de curar não tem sentido. De fato, é esse sentido terapêutico que desaparece com o conteúdo patológico do domínio coberto pela psiquiatria. A psiquiatria não visa mais, ou não visa mais essencialmente a cura. Ela pode propor (e é o que efetivamente ocorre nessa época) funcionar simplesmente como proteção da sociedade contra os perigos definitivos de que ela pode ser vítima de parte das pessoas que estão no estado anormal. A partir dessa medicalização do anormal, a partir dessa desconsideração do doentio e, portanto, do terapêutico, a psiquiatria vai poder se dar efetivamente uma função que será simplesmente uma função de proteção e de ordem. Ela se dá um papel de defesa social generalizada e, pela noção de hereditariedade, se dá ao mesmo tempo um direito de ingerência na sexualidade familiar. Ela se torna a ciência da proteção científica da sociedade, ela se torna a ciência da proteção biológica da espécie. É nesse ponto que eu queria me deter, nesse ponto em que a psiquiatria, tornando-se ciência e gestão das anomalias individuais, toma o que foi para a época seu máximo de poder. Ela pôde efetivamente (e é o que fez no fim do século XIX) pretender tomar o lugar da própria justiça; não apenas da higiene, mas na verdade da maioria das manipulações e controles da sociedade, por ser a instância geral de defesa da sociedade contra os perigos que a minam do interior.

Vocês estão vendo como, nessas condições, a psiquiatria pode efetivamente, a partir dessa noção de degeneração, a partir dessas análises da hereditariedade, conectar-se, ou antes, dar lugar a um racismo, um racismo que foi nessa época muito diferente do que poderíamos chamar de racismo tradicional, histórico, o "racismo étnico"[39]. O racismo que nasce na psiquiatria dessa época é o racismo contra o anormal, é o racismo contra os indivíduos, que, sendo portadores seja de um estado, seja de um estigma, seja de um defeito qualquer, podem transmitir a seus herdeiros, da maneira mais aleatória, as consequências imprevisíveis do mal que trazem em si, ou antes, do não normal que trazem em si. É portanto um racismo que terá por função não tanto a prevenção ou a defesa de um grupo contra outro, quanto a detecção, no interior mesmo de um grupo, de todos os que poderão ser efetivamente portadores do perigo. Racismo interno, racismo que possibilita filtrar todos os indivíduos no interior de uma sociedade dada. Claro, entre esse racismo e o racismo tradicional, que era essencialmente, no Ocidente, o racismo antissemita, houve logo toda uma série de interferências, mas sem que jamais tenha havido organização efetiva muito coerente dessas duas formas de racismo antes do nazismo, precisamente. Que a psiquiatria alemã tenha funcionado tão espontaneamente no interior do nazismo, não há por que se surpreender. O novo racismo, o neorracismo, o que é próprio do século XX como meio de defesa interna de uma sociedade contra seus anormais, nasceu da psiquiatria, e o nazismo nada mais fez que conectar esse novo racismo ao racismo étnico que era endêmico ao século XIX.

Creio portanto que as novas formas de racismo, que se firmam na Europa no fim do século XIX e início do século XX, devem ser historicamente referidas à psiquiatria. É certo no entanto que a psiquiatria, embora tenha dado nascimento a esse eugenismo, não se resumiu, longe disso, a essa forma de racismo que só cobriu ou confiscou uma parte relativamente limitada dela. Mas, mesmo quando ela se desembaraçou desse racismo ou quando ela não ativou efetivamente essas formas de racismo, mesmo nesses casos, a psiquiatria sempre funcionou, a partir do fim do século XIX, essencialmente como mecanismo e instância da defesa social. As três célebres perguntas atualmente feitas aos psiquiatras que vêm depor nos tribunais: "O indivíduo é perigoso? O réu é acessível à pena? O réu é curável?" – eu tentei lhes mostrar, a propósito dessas três perguntas, quão pouco sentido elas tinham em relação ao edifício jurídico do Código Penal, tal como ainda funciona atualmente. Perguntas sem significação no que concerne ao direito, perguntas sem significação tampouco no que concerne a uma psiquiatria que seria efetivamente centrada na doença; mas perguntas que têm um sentido muito preciso a partir do momento em que são feitas a uma psiquiatria que funciona essencialmente como defesa social ou, para retomar os termos do século XIX, que funciona como "caça aos degenerados". O degenerado é aquele que é portador de perigo. O degenerado é aquele que, o que quer que se faça, é inacessível à pena. O degenerado é aquele que, como quer que seja, será incurável. Essas três perguntas, sem significado do ponto de vista médico, sem significado do ponto de vista patológico, sem significado do ponto de vista jurídico, têm ao contrário um significado bem preciso numa medicina do anormal, que não é uma medicina do patológico e da doença; numa medicina, por conseguinte, que continua a ser, no fundo, a psiquiatria dos degenerados. Nessa medida, podemos dizer que as perguntas feitas ainda atualmente pelo aparelho judiciário aos psiquiatras reativam sem cessar uma problemática que era a problemática da psiquiatria dos degenerados no fim do século XIX. E essas famosas descrições ubuescas que ainda hoje encontramos nos exames médico-legais e em que se faz um retrato tão incrível ao mesmo tempo da hereditariedade, da ascendência, da infância, do comportamento do indivíduo, têm um sentido histórico perfeitamente preciso. São os restos (uma vez, é claro, abolida a grande teoria, a grande sistematização da degeneração, que havia sido feita de Morel a Magnan), os blocos erráticos dessa teoria da degeneração que vêm se alojar, e se alojar normalmente, em resposta a perguntas feitas pelo tribunal, mas que têm sua origem histórica na teoria da degeneração.

No fundo, o que eu queria tentar mostrar é que essa literatura, que parece uma literatura ao mesmo tempo trágica e maluca, tem sua genealogia histórica. É absolutamente ligados a esse funcionamento, a essa tecnologia da psiquiatria da segunda metade do século XIX, que ainda hoje encontramos em atividade esses procedimentos e essas noções. Tentarei retomar o problema do funcionamento, no fim do século XIX, da psiquiatria como defesa social, tomando como ponto de partida o problema da anarquia, da desordem social, da psiquiatrização da anarquia. Portanto, um trabalho sobre crime político, defesa social e psiquiatria da ordem[40].

*

NOTAS

1. Cf. H. Bonnet & J. Bulard, *Rapport médico-légal sur l'état mental de Charles-Joseph Jouy, inculpé d'attentats aux moeurs*, Nancy, 1868. Bonnet e Bulard eram médicos-chefes do asilo público de alienados de Maréville, onde Charles Jouy foi internado após o arquivamento do processo. M. Foucault faz referência a esse caso em *La volonté de savoir*, *op. cit.*, pp. 43-4.

2. Cf. H. Bonnet & J. Bulard, *op. cit.*, p. 13.

3. Cf. *supra*, aula de 5 de fevereiro.

4. H. Bonnet & J. Bulard, *op. cit.*, pp. 8-9.

5. *Ibid.*, p. 3.

6. *Ibid.*, p. 10.

7. Cf. *supra*, aula de 12 de março.

8. O relatório de Béchet pode ser encontrado em H. Bonnet & J. Bulard, *Rapport médico-légal...*, *op. cit.*, pp. 5-6.

9. *Ibid.*, p. 4: "O pai da pequena Adam se queixa muito da filha, que é das mais indisciplinadas, apesar de todos os corretivos. A população de Lupcourt [...] desejaria vivamente que a pequena Adam fosse internada numa casa de correção até a maioridade [...]. Parece que em Lupcourt os costumes estão muito relaxados entre as crianças e os jovens." Cf. as conferências dadas por J. Bulard como presidente da Sociedade para a Proteção da Infância (caixa Rp. 8941-8990 da Biblioteca Nacional da França).

10. Cf. *supra*, aula de 5 de fevereiro. Cf. J.-E.-D. Esquirol, *Des maladies mentales...*, *op. cit.*, I, pp. 35-6; II, pp. 6, 52; A. Brierre de Boismont, *De la menstruation considérée dans ses rapports physiologiques et pathologiques avec la folie*, Paris, 1842 (retomado em "Recherches bibliographiques et cliniques sur la folie puerpérale, précédées d'un aperçu sur les rapports de la menstruation et de l'aliénation mentale", *Annales médico-psychologiques*, 1851, III, pp. 574-610); E. Dauby, *De la menstruation dans ses rapports avec la folie*, Paris, 1866.

11. H. Bonnet & J. Bulard, *Rapport médico-légal...*, *op. cit.*, p. 6.

12. *Ibid.*, p. 11: "Jouy é filho natural, e foi viciado congenitamente. O aborto mental caminhou simultaneamente com a degeneração orgânica. No entanto ele possui faculdades, mas seu alcance é muito restrito. Se, desde a infância, ele tivesse sido educado e estado em contato com os princípios gerais que fazem a lei da vida e das sociedades, se enfim tivesse sido submetido a um poder moralizador, teria podido adquirir alguma coisa, encontrar um aperfeiçoamento para sua razão, aprender a deliberar de forma mais pertinente seus pensamentos, melhorar um sentido moral abastardado e entregue desenfreadamente a impulsos próprios aos atrasados da sua espécie, instruir-se quem sabe por conta própria do valor de um ato. Não teria sido menos imperfeito com isso, mas a psicologia médica teria podido pô-lo dentro dos limites de certa responsabilidade diante da coisa civil."

13. *Ibid.*, pp. 10-1.

14. *Ibid.*, p. 11: "Esse fato é observado nos imbecis, e é o que explica em parte suas tendências, porque eles têm órgãos que os estimulam; e, como não têm a faculdade de julgar o valor das coisas e o sentido moral para retê-los, deixam-se bruscamente arrastar."

15. *Ibid.*, pp. 9-12.

16. *Ibid.*, p. 7.

17. *Ibid.*, p. 9.

18. *Ibid.*, p. 10.

19. Cf. o dossiê já citado sobre *Moi, Pierre Rivière...*

20. Trata-se dos autores que, até a reviravolta assinalada por Griesinger e Falret (cf. *supra*, aula de 12 de fevereiro), aplicaram as ideias de J.-E.-D. Esquirol, *Note sur la monomanie homicide*, Paris, 1827.

21. O tema já está presente em obras como a de Th. Fienus, *De viribus imaginationis tractatus*, Londini, 1608.

22. À melancolia erótica (*love melancholy*) são consagrados o primeiro volume de R. Burton, *The Anatomy of Melancholy*, Oxford, 1621, e a obra de J. Ferrand, *De la maladie d'amour ou mélancolie érotique*, Paris, 1623.

23. Ver por exemplo J.-P. Falret, *Des maladies mentales et des asiles d'aliénés. Leçons cliniques et considérations générales*, Paris, 1864, p. III: "A doutrina sensualista de Locke e Condillac dominava então, como senhora quase absoluta [...]. Essa doutrina dos filósofos [...] foi trazida por Pinel para a patologia mental." Bem mais radicais, a percepção da distância ("As doutrinas de nossos mestres, Pinel e Esquirol, dominaram, de maneira absoluta, a medicina mental [...]. É raro ver assim doutrinas científicas bastante firmemente assentadas para poderem resistir aos esforços sucessivos de três gerações") e a consciência de uma ruptura a partir dos anos 50, em J. Falret, *Études cliniques sur les maladies mentales et nerveuses*, Paris, 1890, pp. V-VII.

24. Segundo H. Legrand du Saulle, *Étude clinique sur la peur des espaces (agoraphobie des Allemands), névrose émotive*, Paris, 1878, p. 5, o termo não foi inventado por R. Krafft-Ebing, mas sim por C. Westphal, "Die Agoraphobie. Eine neuropathische Erscheinung", *Archiv für Psychiatrie und Nervenkrankheiten*, III/1, 1872, pp. 138-61, com base numa solicitação de Griesinger de 1868.

25. A tese de E. Zabé, *Les aliénés incendiaires devant les tribunaux*, Paris, 1867, precedeu a de Ch.-Ch.-H. Marc, *De la folie...*, *op. cit.*, II, pp. 304-400 (publicada inicialmente com o título: "Considérations médico-légales sur la monomanie et particulièrement sur la monomanie incendiaire", *Annales d'hygiène publique et de médecine légale*, X, 1833, pp. 388-474); H. Legrand du Saulle, *De la monomanie incendiaire*, Paris, 1856 (cf. id., *De la folie devant les tribunaux*, *op. cit.*, pp. 461-84).

26. Th. Gorry, *Des aliénés voleurs. Non-existence de la kleptomanie et des monomanies en général comme entités morbides*, Paris, 1879. Ver também Ch.-Ch.-H. Marc, *De la folie...*, *op. cit.*, II, pp. 247-303.

27. Ch. Lasègue, "Les exhibitionnistes", *Union médicale*, 50, 1º de maio de 1877, pp. 709-14 (depois em *Études médicales*, I, Paris, 1884, pp. 692-700). Cf. o artigo citado, "Des exhibitionnistes", de V. Magnan.

28. J. C. Westphal, "Die conträre Sexualempfindung...", *art. cit.* (trad. fr.: "L'attraction des sexes semblables", *Gazette des hôpitaux*, 75, 29 de junho de 1878); cf. H. Gock, "Beitrag zur Kenntniss der conträren Sexualempfindung", *Archiv für Psychiatrie und Nervenkrankheiten*, V, 1876, pp. 564-74; J. C. Westphal, "Zur conträre Sexualempfindung", *Archiv für Psychiatrie und Nervenkrankheiten*, VI, 1876, pp. 620-1.

29. V. Magnan, *De la folie des antivivisectionnistes*, Paris [s.d.: 1884].

30. Cf. M. Foucault, *La volonté de savoir*, *op. cit.*, pp. 58-60.

31. Cf. J.-P. Falret, *Des maladies mentales et des asiles d'aliénés*, *op. cit.*, p. x: "Em vez de remontar até a lesão inicial das faculdades nas doenças mentais, o médico especialista deve se prender ao estudo dos estados psíquicos complexos tais como existem na natureza."

32. Os estudos de J.-G.-F. Baillarger foram citados *supra*, aula de 12 de fevereiro. Os trabalhos de J. Luys a que M. Foucault se refere foram reunidos em *Études de physiologie et de pathologie cerébrales. Des actions réflexes du cerveau, dans les conditions normales et morbides de leurs manifestations*, Paris, 1874. Entre 1879 e 1885, J. H. Jackson editou a revista de neurologia *Brain*. Ver em particular seu ensaio, *On the Anatomical and Physiological Localisation of Movements in the Brain* (1875), em *Selected Writings*, Londres, 1931. O interesse de Foucault pelas *Croonian Lectures* de Jackson e do jacksonismo remonta a *Maladie mentale et Psychologie*, Paris, 1995, pp. 23, 30-1 (reed. de *Maladie mentale et personnalité*, Paris, 1954).

33. Aos autores já citados, cumpre acrescentar E. Kraepelin, *Lehrbuch der Psychiatrie*, Leipzig, 1883; id., *Die psychiatrischen Aufgaben des Staates*, Jena, 1900 (trad. fr.: *Introduction à la psychiatrie clinique*, Paris, 1907, em particular pp. 5-16, 17-28, 88-99).

34. Sobre o caso Misdea, ver C. Lombroso & A. G. Bianchi, *Misdea e la nuova scuola penale*, Turim, 1884, pp. 86-95.

35. Cf. a árvore genealógica de Misdea, *ibid.*, p. 89.

36. B.-A. Morel, *Traité des dégénérescences...*, *op. cit.*

37. J.-P. Falret, "De la non-existence de la monomanie" e "De la folie circulaire", em id., *Des maladies mentales et des asiles d'aliénés*, *op. cit.*, pp. 425-48, 456-75 (a primeira publicação dos dois artigos data de 1854).

38. P. Lucas, *Traité philosophique et physiologique de l'hérédité naturelle...*, *op. cit.*

39. Cf. M. Foucault, *"Il faut défendre la société"*, *op. cit.*, pp. 230 e *passim*.

40. Michel Foucault consagrará seu seminário de 1976 "ao estudo da categoria de 'indivíduo perigoso' na psiquiatria criminal", comparando "as noções ligadas ao tema da 'defesa social' com as noções ligadas às novas teorias da responsabilidade civil, tais como apareceram no fim do século XIX" (*Dits et écrits*, III, p. 130). Esse seminário põe fim a um ciclo de pesquisas consagradas ao exame psiquiátrico e iniciadas em 1971.

*Resumo do curso**

* Publicado no *Annuaire du Collège de France, 76e année, Histoire des systèmes de pensée, année 1974-1975*, 1975, pp. 335-9. Republicado em *Dits et écrits, 1954-1988*, ed. Por D. Defert & F. Ewald, colab. J. Lagrange, Paris, Gallimard/"Bibliothèque des sciences humaines", 1994, 4 vol.; cf. II, nº 165, pp. 822-8.

A grande família indefinida e confusa dos "anormais", que amedrontará o fim do século XIX, não assinala apenas uma fase de incerteza ou um episódio um tanto infeliz na história da psicopatologia; ela foi formada em correlação com todo um conjunto de instituições de controle, toda uma série de mecanismos de vigilância e de distribuição; e, quando tiver sido quase inteiramente coberta pela categoria da "degeneração", dará lugar a elaborações teóricas ridículas, mas com efeitos duradouramente reais.

O grupo dos anormais formou-se a partir de três elementos cuja constituição não foi exatamente sincrônica.

1) O monstro humano. Velha noção cujo quadro de referência é a lei. Noção jurídica, portanto, mas no sentido lato, pois não se trata apenas das leis da sociedade, mas também das leis da natureza; o campo de aparecimento do monstro é um domínio jurídico-biológico. Sucessivamente, as figuras do ser meio homem, meio bicho (valorizadas principalmente na Idade Média), as individualidades duplas (valorizadas principalmente no Renascimento), os hermafroditas (que levantaram tantos problemas nos séculos XVII e XVIII) representaram essa dupla infração; o que faz que um monstro humano seja um monstro não é tão só a exceção em relação à forma da espécie, mas o distúrbio que traz às regularidades jurídicas (quer se trate das leis do casamento, dos cânones do batismo ou das regras da sucessão). O monstro humano combina o impossível e o interdito. Devem ser estudados nessa perspectiva os grandes processos de hermafroditas em que se enfrentaram juristas e médicos desde o caso de Rouen (início do século XVII) até o processo de Anne Grandjean, em meados do século seguinte; e também de obras como a *Embriologia sagrada*, de Cangiamila, publicada e traduzida no século XVIII.

A partir daí, podemos compreender certo número de equívocos que vão continuar a rondar a análise e o estatuto do homem anormal, mesmo quando ele tiver reduzido e confiscado os traços próprios do monstro. Na primeira linha desses equívocos, um jogo nunca totalmente controlado, entre a exceção de natureza e a infração ao direito. Elas param de se superpor sem parar de jogar uma em relação à outra. O descompasso entre o "natural" e a "natureza" modifica os efeitos jurídicos da transgressão, mas não os apaga de todo; ele não remete pura e simplesmente à lei, mas tampouco a suspende; ele lhe arma ciladas, suscitando efeitos, desencadeando mecanismos, apelando para instituições parajudiciais e marginalmente médicas. Pudemos estudar, nesse sentido, a evolução do exame médico-legal em matéria penal, do ato "monstruoso" problematizado no início do século XIX (com os casos Cornier, Léger, Papavoine) ao aparecimento da noção de indivíduo "perigoso", à qual é impossível dar um sentido médico ou um estatuto jurídico – e que no entanto é a noção fundamental dos exames contemporâneos. Fazendo hoje ao médico a pergunta propriamente insensata: esse indivíduo é perigoso? (pergunta que contradiz um direito penal fundado apenas na condenação dos atos e que postula uma pertinência de natureza entre doença e infração), os tribunais reconduzem, através das transformações que se trata de analisar, os equívocos dos velhos monstros seculares.

2) O indivíduo a corrigir. É um personagem mais recente que o monstro. É menos o correlato dos imperativos da lei e das formas canônicas da natureza do que das técnicas de disciplinamento com suas exigências próprias. O aparecimento do "incorrigível" é contemporâneo à instauração das técnicas de disciplina, a que assistimos durante o século XVII e o século XVIII – no exército, nas escolas, nas oficinas, depois, um pouco mais tarde, nas próprias famílias. Os novos procedimentos de disciplinamento do corpo, do comportamento, das aptidões abrem o problema dos que escapam dessa normatividade que não é mais a soberania da lei.

A "interdição" constituía a medida judiciária pela qual um indivíduo era parcialmente desqualificado como sujeito de direito. Esse contexto, jurídico e negativo, vai ser em parte preenchido, em parte substituído por um conjunto de técnicas e de procedimentos mediante os quais se tratará de disciplinar os que resistem ao disciplinamento e de corrigir os incorrigíveis. O "internamento" praticado em larga escala a partir do século XVII pode aparecer como uma espécie de fórmula intermediária entre o procedimento negativo da interdição judiciária e os procedimentos positivos de correção. O internamento exclui de fato e funciona fora das leis, mas se dá como justificativa a necessidade de corrigir, de melhorar, de conduzir à resipiscência, de fazer voltar aos "bons sentimentos". A partir dessa forma confusa, mas historicamente decisiva, é necessário estudar o aparecimento, em datas históricas precisas, das diferentes instituições de correção e das categorias de indivíduos a que elas se destinam. Nascimento técnico-institucional da cegueira, da surdo-mudez, dos imbecis, dos retardados, dos nervosos, dos desequilibrados.

Monstro banalizado e empalidecido, o anormal do século XIX é também um descendente desses incorrigíveis que apareceram à margem das modernas técnicas de "disciplinamento".

3) O onanista. Figura totalmente nova no século XVIII. Aparece em correlação com as novas relações entre a sexualidade e a organização familiar, com a nova posição da criança no meio do grupo parental, com a nova importância dada ao corpo e à saúde. Aparecimento do corpo sexual da criança.

Na verdade, essa emergência tem uma longa pré-história: o desenvolvimento conjunto das técnicas de direção de consciência (na nova pastoral nascida da Reforma e do concílio de Trento) e das instituições de educação. De Gerson a Afonso de Ligório, todo um policiamento discursivo do desejo sexual, do corpo sensual e do pecado de *mollities* é assegurado pela obrigação da confissão penitencial e por uma prática bem codificada dos interrogatórios sutis. Podemos dizer esquematicamente que o controle tradicional das relações proibidas (adultérios, incestos, sodomia, bestialidade) foi acompanhado pelo controle da "carne" nos movimentos elementares da concupiscência.

Mas, sobre esse pano de fundo, a cruzada contra a masturbação constitui uma ruptura. Ela se inicia com estardalhaço na Inglaterra, por volta de 1710, com a publicação de *Onania*, depois na Alemanha, antes de se deflagrar na França, por volta de 1760, com o livro de Tissot. Sua razão de ser é enigmática, mas seus efeitos, incontáveis. Uma e outros só podem ser determinados levando em conta algumas das características essenciais dessa campanha. De fato, seria insuficiente ver nela – e isso numa perspectiva próxima de Reich, que inspirou recentemente os trabalhos de Van Ussel – tão somente um processo de repressão ligado às novas exigências da industrialização: o corpo produtivo contra o corpo de prazer. De fato, essa cruzada não assume, pelo menos no século XVIII, a forma de uma disciplina sexual geral: ela se dirige, de maneira privilegiada, se não exclusiva, aos adolescentes ou às crianças, mais precisamente ainda aos filhos das famílias ricas ou remediadas. Ela coloca a sexualidade, ou pelo menos o uso sexual do corpo, na origem de uma série indefinida de distúrbios físicos que podem fazer sentir seus efeitos sob todas as formas e em todas as idades da vida. O poderio etiológico ilimitado da sexualidade, no nível do corpo e das doenças, é um dos temas mais constantes não apenas nos textos dessa nova moral médica, mas também nas obras de patologia mais sérias. Ora, embora a criança, com isso, se torne responsável por seu corpo e por sua vida, no "abuso" que ela faz da sua sexualidade, os pais são denunciados como os verdadeiros culpados: falta de vigilância, negligência e, principalmente, essa falta de interesse por seus filhos, pelo corpo e pela conduta deles, que os leva a confiá-los a babás, a domésticos, a preceptores, a todos esses intermediários denunciados regularmente como os iniciadores da depravação (Freud derivará daí sua teoria primeira da "sedução"). O que se esboça através dessa campanha é o imperativo de uma nova relação pais-filhos, mais amplamente, uma nova economia das relações intrafamiliares: consolidação e intensificação das relações pai-mãe-filhos (em detrimento das múltiplas relações que caracterizavam a "gente de casa" em sentido lato), inversão do sistema das obrigações familiares (que iam, outrora, dos filhos aos pais e que, agora, tendem a fazer da criança o objeto primeiro e incessante dos deveres dos pais, a quem é atribuída a responsabilidade moral e médica até o mais longínquo da sua descendência), aparecimento do princípio de saúde como lei fundamental dos vínculos familiares, distribuição da célula familiar em torno do corpo – e do corpo sexual – da criança, organização de um vínculo físico imediato, de um corpo a corpo pais-filhos em que se ligam de forma complexa o desejo e o poder, necessidade, enfim, de um controle e de um conhecimento médico externo para arbitrar e regular essas novas relações entre a vigilância obrigatória dos pais e o corpo tão frágil, irritável, excitável dos filhos. A cruzada contra a masturbação traduz a ordenação da família restrita (pais, filhos) como um novo aparelho de saber-poder. O questionamento da sexualidade da criança, e de todas as anomalias por que ela seria responsável, foi um dos procedimentos de constituição desse novo dispositivo. A pequena família incestuosa que caracteriza nossas sociedades, o minúsculo espaço familiar sexualmente saturado em que somos criados e em que vivemos formou-se aí.

O indivíduo "anormal" que, desde o fim do século XIX, tantas instituições, discursos e saberes levam em conta deriva ao mesmo tempo da exceção jurídico-natural do monstro, da multidão dos incorrigíveis pegos nos aparelhos de disciplinamento e do universal secreto da sexualidade infantil. Para dizer a verdade, as três figuras – do monstro, do incorrigível e do onanista – não vão se confundir exatamente. Cada uma se inscreverá em sistemas autônomos de referência científica: o monstro, numa teratologia e numa embriologia que encontraram em Geoffroy Saint-Hilaire sua primeira grande coerência científica; o incorrigível, numa psicofisiologia das sensações, da motricidade e das aptidões; o onanista, numa teoria da sexualidade que se elabora lentamente a partir da *Psychopathia sexualis* de Kaan.

Mas a especificidade dessas referências não deve fazer esquecer três fenômenos essenciais, que a anulam em parte ou, em todo caso, a modificam: a construção de uma teoria geral da "degeneração" que, a partir do livro de Morel (1857), vai, por mais de meio século, servir de marco teórico, ao mesmo tempo que de justificação social e moral, a todas as técnicas de detecção, classificação e intervenção concernentes aos anormais; a criação de uma rede institucional complexa que, nos confins entre a medicina e a justiça, serve ao mesmo tempo de estrutura de "recepção" para os anormais e de instrumento para a "defesa" da sociedade; enfim, o movimento pelo qual o elemento mais recentemente surgido na história (o problema da sexualidade infantil) vai cobrir os dois outros, para se tornar, no século XX, o princípio de explicação mais fecundo de todas as anomalias.

A *Antiphysis*, que o pavor ao monstro levava outrora à luz de um dia excepcional, é insinuada pela universal sexualidade das crianças sob as pequenas anomalias de todos os dias.

Desde 1970, a série de cursos teve por objeto a lenta formação de um saber e de um poder de normalização a partir dos procedimentos jurídicos tradicionais da punição. O curso do ano letivo de 1975-1976 encerrará esse ciclo com o estudo dos mecanismos pelos quais, desde o fim do século XIX, se pretende "defender a sociedade".

*

O seminário deste ano foi consagrado à análise das transformações do exame psiquiátrico em matéria penal, desde os grandes casos de monstruosidade criminal (caso *princeps*: Henriette Cornier) até o diagnóstico dos delinquentes "anormais".

Situação do curso

Os anormais é composto de uma série de onze aulas que desenvolvem, entre 8 de janeiro e 19 de março de 1975, o projeto de estudar e articular os diferentes elementos que permitiram, na história do Ocidente moderno, a formação do conceito de anormalidade.

O resumo publicado no *Annuaire du Collège de France* para o ano letivo de 1974-1975, aqui reproduzido[1], oferece uma boa síntese do curso quanto à enunciação e à descrição rigorosa dos "três elementos" que constituem o "grupo dos anormais", um conjunto cujo "estatuto" e cuja "amplitude" foram fixados apenas no fim do século XIX: o *monstro*, o *indisciplinado*, o *onanista*. Mas, em relação ao programa que Foucault apresenta na primeira sessão, há que precisar que a segunda categoria (a dos "indivíduos a corrigir"), sufocada entre as duas outras, desapareceu quase inteiramente como objeto a beneficiar de uma documentação autônoma e, sob certos aspectos, se dissolveu na exposição geral como uma figura do "inassimilável ao sistema normativo da educação" (19 de março).

Na décima sessão, isto é, quase no fim do curso, Foucault faz um primeiro balanço do seu trabalho e explica uma mudança que se produziu. Depois de delimitar a importância do tema do indisciplinado no que concerne ao "ajuste da problemática do monstro e do instinto à problemática do masturbador e da sexualidade infantil", Foucault tenta preencher, na medida do possível, essa lacuna. No dia 19 de março, expõe o caso de uma "criança indócil" submetida a um procedimento de "psiquiatrização", mas declara ao mesmo tempo que sua genealogia, que ele não teve "tempo de fazer", vai ficar "em branco". Também vai ficar assim em *La volonté de savoir*, que retoma esse caso de uma maneira mais concisa ainda e sem o apoio da discussão complexa que a tinha caracterizado nesse curso[2].

1. M. Foucault, *Dits et écrits, 1954-1988*, ed. por D. Defert & F. Ewald, colab. J. Lagrange, Paris, Gallimard, 1994, II, n.º 165, pp. 822-8 (doravante: *DE*, volume, n.º art., página[s]).
2. Cf. M. Foucault, *La volonté de savoir*. Paris: Gallimard, 1976, pp. 43-4.

A problematização aqui presente decorre não apenas de uma família ora ligada a um "sistema de controle e poder" diferente do da cultura aldeã; de uma "nova inquietude" que abre caminho e se impõe "diante de uma sexualidade em que as crianças e os adultos se encontravam", mas decorre sobretudo de uma maneira de agir importante levada a cabo, justamente no decorrer daqueles anos, no processo de "descoberta da criança e da infância pela psiquiatria". Porque, a partir do momento em que a "infantilidade" da criança começa a servir de critério para "analisar os comportamentos" disformes (isto é, o retardo no desenvolvimento), será necessário procurar sinal disso nas condutas, para que ela possa ser psiquiatrizada. Por conseguinte, "serão psiquiatrizáveis as condutas do adulto" em que podemos surpreender sinais de infantilidade.

Se for estabelecido um campo – o que havia sido anunciado na primeira sessão e que foi designado no resumo do *Annuaire* – no interior do qual se encontra não apenas o monstro humano (a "exceção" à norma da reprodução), numa acepção inicialmente "jurídico-natural", depois "jurídico-biológica", mas também o indivíduo a corrigir ("fenômeno regular em sua irregularidade") e a criança masturbadora ("personagem quase universal"), a arqueologia e a genealogia mostram que o anormal, tal como foi definido no fim do século XIX pelas instituições que se encarregaram dele, é o descendente dessas três figuras. É verdade que, para Foucault, elas têm uma origem e uma história totalmente diferentes. Elas permanecem distintas (e separadas) por muito tempo, porque "os sistemas de poder e os sistemas de saber" que as assumem permanecem, a seu modo, distintos (e separados). Ademais, ao longo de toda a Idade Moderna, produziu-se uma "inversão de importância" completa, e às vezes caótica, em sua hierarquia. Mas o que conta é que o *grande monstro* (inscrito daí em diante numa teratologia e numa embriologia de "grande coerência científica"), o *incorrigível* ("aquele que resiste a todas as disciplinas" e cujo comportamento é muitas vezes declinado de acordo com uma "psicofisiologia das sensações") e o *pequeno masturbador* (em torno do qual foi construída uma verdadeira psicopatologia sexual) vão se encontrar no anormal.

Enquanto o caso relatado na décima primeira sessão faz surgir o "perfil inquietante" de uma criança tida como indócil porque a família e a comunidade foram integradas em outra lógica de controle, as aulas sobre o monstro humano, que se tornou monstro judiciário, e o onanista, encadeado à constelação das perversões, propõem ao contrário um tratamento sistemático dessas duas figuras fundamentais na formação do anormal. A pesquisa é aprofundada e a documentação apresenta um caráter quase exaustivo. A razão dessa defasagem reside provavelmente no fato de que Foucault desenvolve aqui, de um lado, o conteúdo de certo número de dossiês já prontos e que ele pensava, pelo menos em parte, publicar; e de que ele retoma, por outro lado, a substância de alguns manuscritos destinados a tomar a forma de livro. Desses dossiês e desses manuscritos, *Os anormais* não apenas propõe um esboço bem nítido, mas também permite reconstituir o que foi perdido.

Os "Dossiês"*

1) O dossiê dos exames médico-legais

Em "Entretien sur la prison", Michel Foucault diz que preparava na época (1975) um estudo sobre o exame psiquiátrico em matéria penal, que ele pensava publicar[3]. De fato, esse trabalho aparece várias vezes no decorrer das aulas, na forma de dossiês já elaborados e quase prontos para a edição (a caixa foi conservada entre os documentos herdados por Daniel Defert). Ele se apresenta em dois grandes blocos. Certos dossiês, os que são analisados mais em profundidade por Foucault, remontam ao início do século XIX, no momento do nascimento da psiquiatria judiciária cujo discurso está apenas em gestação; outros datam da segunda metade do século XX[4]. Entre os dois conjuntos, há toda uma série de casos que atestam transformações importantes no processo de integração da psiquiatria na medicina legal.

a) Os exames contemporâneos. A primeira parte do dossiê que abre a sessão de 8 de janeiro é formada por um conjunto de exames propostos à justiça francesa por psiquiatras que gozaram de grande reputação entre 1955 e 1974. Foram escolhidos entre os inúmeros documentos que Foucault havia buscado nos órgãos de informação correntes. Eles se referem a processos ainda em curso ou encerrados fazia poucos anos. O material recolhido, composto também de informações provenientes da crônica policial ou de artigos da imprensa especializada (revistas jurídicas), permite que Foucault leia longos trechos em que fica claro, aqui e ali, que encerram certo número de problemas que vão constituir posteriormente a viga mestra de uma parte do curso. Afloram assim questões capitais, como a dos enunciados que têm "um poder de vida e morte" e "funcionam na ins-

* Assim designamos as compilações de notas classificadas por Michel Foucault, conservadas por Daniel Defert.

3. M. Foucault, *DE*, II, 156: 746. De fato, em seu seminário no Collège de France, Michel Foucault trabalhava na mesma época sobre o exame psiquiátrico.

4. *Ibid.*

tituição judiciária como discurso de verdade"; temas como o do grotesco ("a sabedoria grotesca") ou do ubuesco ("o terror ubuesco"), que deveriam sugerir o emprego de uma categoria da "análise histórico-política", pois mostram o ponto mais elevado dos "efeitos de poder a partir da desqualificação daquele que os produz". Em geral, é a partir de observações desse tipo, de análises que parecem de início puramente intersticiais e que muitas vezes desenvolvem argumentos já abordados ou hipóteses postas à prova nas sessões precedentes, que Foucault se afasta bruscamente do "presente", que se mete na "história", que volta subitamente ao "presente". Trata-se de um périplo que liga de uma maneira inabitual – e sempre inesperada – o conjunto dos problemas sobre os quais Foucault estava trabalhando (por exemplo, na primeira aula, a questão desses discursos que têm efeitos de poder superiores a outros e que apresentam "valores demonstrativos" pertencentes ao "sujeito que enuncia") às informações indispensáveis de ordem geral ou mesmo de uso corrente.

b) Os exames das primeiras décadas do século XIX. A segunda parte do dossiê, utilizada na sessão de 5 de fevereiro e retomada várias vezes nas aulas seguintes, é constituída por uma série de exames pedidos pela justiça francesa a psiquiatras de renome e realizados a partir de 1826. Ou seja, a partir do momento em que a aplicação do artigo 64 do Código Penal de 1810 ("Não há crime nem delito, quando o acusado estava em estado de demência na época da ação, ou quando foi coagido por uma força a que não pôde resistir")[5] faz que a instituição médica, em caso de loucura, tenha de tomar o lugar da instituição judiciária. Os problemas mais importantes levantados aqui por Foucault – que implicam, a julgar pelas remissões frequentes, os cursos dos três anos precedentes (*Théorie et institutions pénales*, *La société punitive*, *Le pouvoir psychiatrique*)[6] – se acham disseminados, numa forma às vezes um pouco modificada, no corpo de seus textos anteriores ou contemporâneos (em particular *Surveiller et Punir*, publicado em fevereiro de 1975) e posteriores (notadamente *La volonté de savoir*, que aparecerá em outubro de 1976). Esses mesmos problemas percorrem o ciclo do ensino no Collège de France que se desenrola de 1970-71 (algumas aulas de *La volonté de savoir*)[7] a 1975-76 (algumas aulas de *Il faut défen-*

5. Cf. E. Garçon, *Code pénal annoté*, I, Paris, 1952, pp. 207-26; R. Merle & A. Vitu, *Traité de droit criminel*, I, Paris, 1984[6], pp. 759-66 (1.ª ed. 1967).

6. Resumos em M. Foucault, *DE*, II, 115: 389-93; 131: 456-70; 145: 675-86.

7. Resumo em M. Foucault, *DE*, II, 101: 240-4. Trata-se aqui do primeiro curso de Michel Foucault no Collège de France, cujo título ele retomará, *La volonté de savoir*, para o primeiro volume da *Histoire de la sexualité*.

dre la société)[8]. Ou seja, a partir da época em que Foucault, depois de ter formulado a questão dos "procedimentos jurídicos tradicionais da punição", abordou o estudo da "lenta formação de um saber e de um poder de normalização", até que, tendo identificado os "mecanismos pelos quais, desde fim do século XIX, pretende-se 'defender a sociedade'", ele estima que sua pesquisa chegou a seu termo[9]. Encontramos no conjunto dos cursos que tratam da implicação da psiquiatria na medicina legal notáveis antecipações dos temas abordados *in extenso* nos anos seguintes (por exemplo, *Naissance de la biopolitique* e *Du gouvernement des vivants*, respectivamente de 1978-79[10] e de 1979-80[11]) e, sob certos aspectos, também podem ser detectadas aí as primícias de estudos posteriores (o curso *Subjectivité et vérité* é de 1980-81)[12]. Mas muitas vezes os problemas levantados nesse curso são desenvolvidos apenas em função do seu valor pedagógico. São destinados portanto a desaparecer com o remanejamento do plano de trabalho que se seguirá ao primeiro volume da *Histoire de la sexualité*. Atesta-o a mudança de perspectiva que a reviravolta de 1981 (*L'herméneutique du sujet*)[13] comporta, o que parece evidente se compararmos as intervenções reunidas no quarto volume dos *Dits et écrits* e o conjunto das últimas obras publicadas: *L'usage des plaisirs* e *Le souci de soi** (1984).

c) Os exames de junção. O primeiro "campo da anomalia" (ainda restrito e provisório), dominado maciçamente pelo "monstro judiciário", é atravessado, desde a sua constituição (sessão de 12 de março), pelo problema da sexualidade. Para Foucault, há duas maneiras de atravessar esse campo: por meio das noções de hereditariedade e de degeneração; por meio dos conceitos de desvio e perversão, aberração e inversão. O principal exame de transição concerne a um soldado em quem um médico militar (de observância esquiroliana, poder-se-ia dizer) diagnostica primeiro uma monomania. Ele é examinado depois por um psiquiatra que introduz (mas ainda em estado embrionário) a noção de "desvios doentios do ape-

8. M. Foucault, *"Il faut défendre la société". Cours au Collège de France (1975-1976)*, ed. por M. Bertani & A. Fontana, Paris, Gallimard/Seuil, 1997.

9. M. Foucault, *DE*, II, 165: 828.

10. Resumo em M. Foucault, *DE*, III, 274: 818-825.

11. Resumo em M. Foucault, *DE*, IV, 289: 125-129.

12. M. Foucault, *DE*, IV, 304: 214: "A história da subjetividade foi empreendida estudando as divisões realizadas na sociedade em nome da loucura, da doença, da delinquência, e seus efeitos sobre a constituição de um sujeito razoável e normal."

13. Resumo em M. Foucault, *DE*, IV, 323: 353-365.

* *História da sexualidade II. O uso dos prazeres. Hist. da Sex. III. O cuidado de si.* Trad. bras. Rio de Janeiro: Graal, 1992 e 1993.

tite genésico", preparando assim a fase na qual o prazer se tornará um "objeto psiquiátrico ou psiquiatrizável" e será construída uma "teoria do instinto" e "de suas aberrações, que é ligada à imaginação". Essas teorias vão dominar toda a segunda metade do século XIX.

2) O dossiê sobre o monstro humano

Michel Foucault evidentemente não teve a intenção de abordar, com base na documentação que recolhera, a questão do monstro no sentido dado a esse termo na última grande *summa* teratológica da literatura europeia, a de Cesare Taruffi[14]. Em vez disso, ele optou pela acepção, extremamente original, proposta na *Histoire* de Ernest Martin[15], que lhe permitiu estabelecer os marcos de relação da pesquisa: um cone de sombra do discurso ocidental, que Foucault chama de "tradição ao mesmo tempo jurídica e científica".

a) O monstro jurídico-natural e jurídico-biológico. No topo da tradição evocada por Foucault se encontra, provavelmente segundo a sugestão do próprio Martin, a *Embryologia sacra* de Francesco Emanuele Cangiamila[16]. Foucault, que utiliza a tradução francesa de Joseph-Antoine Dinouart, mas em sua última edição, consideravelmente aumentada e aprovada pela Academia Real de Cirurgia[17], lê essa obra como um tratado em que se fundem, sem dúvida pela primeira vez, duas teorias até então bem distintas: a teoria jurídico-natural e a teoria jurídico-biológica.

14. A obra, em 8 volumes, de C. Taruffi, *Storia della teratologia*, Bolonha, 1881-1894, reconstitui, nos mais ínfimos detalhes, a biblioteca e o museu dos monstros de que vários médicos e cirurgiões da Idade Moderna tinham se ocupado.

15. E. Martin, *Histoire des monstres depuis l'Antiquité jusqu'à nos jours*, Paris, 1880. O primeiro capítulo ("Les législations antiques et les monstres", pp. 4-16) propõe um contexto sintético da evolução do antigo direito romano sobre os *monstra*, que começa com esta observação: "Em Roma, descobre-se uma legislação teratológica que prova que o espírito jurídico dessa nação não desprezava nenhum dos temas capazes de uma regulamentação" (*ibid.*, p. 4).

16. F. E. Cangiamila, *Embriologia sacra ovvero dell'uffizio de' sacerdoti, medici e superiori circa l'eterna salute de' bambini racchiusi nell'utero libri quattro*, Palermo, 1745. A difusão desse texto na Europa começa apenas com sua tradução em latim, consideravelmente modificada e aumentada: *Embryologia sacra sive de officio sacerdotum, medicorum et aliorum circa aeternam parvulorum in utero existentium salutem libri quatuor*, Panormi, 1758.

17. F. E. Cangiamila, *Abrégé de l'embryologie sacrée, ou Traité des devoirs des prêtres, des médecins, des chirurgiens, et des sages-femmes envers les enfants qui sont dans le sein de leurs mères*, Paris, 1766. A primeira edição francesa, publicada com um título conforme ao latino (*Abrégé de l'embryologie sacrée ou Traité des devoirs des prêtres, des médecins et autres, sur le salut éternel des enfants qui sont dans le ventre de leur mère*), é de 1762.

b) O monstro moral. Isso representa a inversão, realizada no fim do século XVIII, da ideia do *monstro jurídico-natural* e *jurídico-biológico*. Enquanto, antes, "a monstruosidade trazia em si um indício de criminalidade", agora há "uma suspeita sistemática de monstruosidade no fundo da criminalidade". A primeira figura de monstro moral que Foucault detecta na história moderna do Ocidente é o monstro político. Ela é elaborada na época da Revolução francesa, no momento mesmo em que se tece o "parentesco entre o criminoso e o tirano", pois que um e outro rompem o "pacto social fundamental" e querem impor sua "lei arbitrária". Nessa perspectiva, "todos os monstros humanos são descendentes de Luís XVI". Grande parte das questões levantadas no curso das discussões sobre a condenação de Luís XVI vão ser retomadas a respeito de todos os que (criminosos de direito comum ou criminosos políticos) repelem o pacto social. Como quer que seja, entre a literatura jacobina que redige os anais dos crimes reais, interpretando a história da monarquia como uma sequência ininterrupta de delitos, e a literatura antijacobina, que vê na história da revolução a obra de monstros que romperam o pacto social pela revolta, há um consenso prenhe de consequências.

c) Os monstros fundadores da psiquiatria criminal. Reabrindo o dossiê dos exames médico-legais e excluindo dele os que fundaram a disciplina (os exames são assinados por Jean-Étienne Esquirol, Étienne-Jean Georget, Charles-Chrétien Marc), Foucault examina alguns dos casos mais importantes da primeira metade do século XIX (em particular os que mais são próximos da psiquiatria dos tribunais). Nas sessões correspondentes, exclui apenas, entre os casos maiores, os que já foram objeto de uma publicação específica[18]. Trata-se de uma divisão importantíssima para compreender o esquema geral do curso, porque ela permite apresentar o "grande domínio da ingerência" (o anormal) que se abriu "diante da psiquiatria".

3) O dossiê sobre o onanismo

Depois da reedição de várias fontes, sobretudo as relativas às origens, e depois dos estudos mais recentes, feitos em vários países, que fornecem um material vastíssimo, a documentação sobre o onanismo apresentada por Foucault em *Os anormais* – e que ele utilizará, se bem que em menor medida, em *La volonté de savoir* – parece bem limitada. Ela depende em

18. *Moi, Pierre Rivière, ayant égorgé ma mère, ma soeur et mon frère... Un cas de parricide au XIXe siècle*, apresentado por M. Foucault, Paris, Gallimard/Julliard, 1973.

grande parte – às vezes sem as verificações necessárias – do *Onanisme* de Léopold Deslandes (1835)[19], que Foucault, com base numa opinião de Claude-François Lallemand, chama de "o grande teórico da masturbação"[20]. A definição de Foucault não deve surpreender. De fato, utilizando a obra de Deslandes contra a *Onania* de Bekker (um livro, escreve Lallemand, sem importância) e *L'onanisme* de Samuel Tissot (uma modesta compilação, continua ele, que, apesar do enorme sucesso e da excelência da cruzada empreendida pelo autor, nunca teve o menor crédito entre a corporação médica), Lallemand observara que, na cultura europeia, estavam disponíveis fontes bem mais interessantes[21]. Por exemplo: as confissões de Jean-Jacques Rousseau[22] (o que lhe permitiu esboçar uma verdadeira análise dos problemas sexuais do autor de *Émile*)[23]; as informações sobre a relação entre masturbação e alienação mental[24], ou sobre a relação entre testículos e cérebro[25]; as propostas de uma terapia da masturbação (efeito da civilização, que afastou as crianças da sexualidade), consistente em reduzir a adolescência à experiência do outro sexo[26]. A escolha que Foucault fez do *Onanisme* de Deslandes foi portanto muito apropriada, pois isso lhe possibilitou passar, com certa facilidade, à segunda fase da cruzada contra a masturbação: aquela no decorrer da qual – depois de ter abandonado a "ficção" ou "fabulação científica da doença total" (a etiologia que passava pelo esgotamento do corpo, pelo ressecamento do sistema nervoso)[27],

19. L. Deslandes, *De l'onanisme et des autres abus vénériens considérés dans leurs rapports avec la santé*, Paris, 1835.

20. Cf. C.-F. Lallemand, *Des pertes séminales involontaires*, Paris-Montpellier, 1836, I, pp. 313-488 (cap. VI, sobre "os abusos", inteiramente consagrado aos efeitos da masturbação).

21. Em particular, ele notava essa fase intermediária representada por J.-L. Doussin-Dubreuil, *Lettres sur les dangers de l'onanisme, et Conseils relatifs au traitement des maladies qui en résultent. Ouvrage utile aux pères de famille et aux instituteurs*, Paris, 1806, e por J.-B. Téraube, *La chiromanie*, Paris, 1826 (cf. a definição do termo e a proposta de uma nova denominação, pp. 16-7).

22. C.-F. Lallemand, *Des pertes séminales involontaires*, *op. cit.*, I, pp. 403-88.

23. *Ibid.*, II, pp. 265-93.

24. *Ibid.*, III, pp. 182-200. Trata-se de um lugar-comum da literatura psiquiátrica contemporânea. Cf., por exemplo, Ch.-Ch.-H. Marc, *De la folie considérée dans ses rapports avec les questions médico-judiciaires*, I, Paris, 1840, p. 326.

25. Cf. o capítulo III do livro de J.-L. Doussin-Dubreuil, *De la gonorrhée bénigne ou sans virus vénérien et des fleurs blanches*, Paris, VI [1797-1798].

26. C.-F. Lallemand, *Des pertes séminales involontaires*, *op. cit.*, III, pp. 477-90.

27. M. Foucault utiliza J.-B.-T. Serrurier, "Masturbation", em *Dictionnaire des sciences médicales*, XXXI, Paris, 1819, pp. 100-35; "Pollution", *ibid.*, XLIV, 1820, pp. 114 s. Na segunda edição do *Dictionnaire* os dois verbetes desaparecem, sendo substituídos, respectivamente, por "Spermatorrhée" e "Onanisme" (*Dictionnaire de médecine ou Répertoire général des sciences médicales considérées sous les rapports théorique et pratique*, XXII, Paris, 1840, pp. 77-80). O verbete "Onanisme" é particularmente interessante, pois nele já está integrada a experiência médico-legal da patologia mental.

e as preocupações puramente físicas dos oftalmologistas[28], dos cardiologistas[29], dos osteólogos[30], bem como dos especialistas das afecções do cérebro e dos pulmões – começa-se, com Heinrich Kaan[31], a introduzir a ideia de uma relação entre onanismo e psicopatologia sexual, realizando-se assim a passagem "das aberrações sexuais para o campo da psiquiatria". Foucault tem o mérito de ter estudado o texto de Kaan em profundidade e ter nele descoberto uma teoria do *nisus sexualis* que põe em primeiro plano a reflexão sobre a sexualidade infantil e a importância da *phantasia* como instrumento preparatório das "aberrações sexuais". Logo: "genealogia psiquiátrica das aberrações sexuais"; "constituição de uma etiologia das loucuras ou das doenças mentais a partir da história do instinto sexual e da imaginação que lhe é vinculada".

Os "Manuscritos"*

São pelo menos dois: o primeiro diz respeito à tradição bissexual na literatura médico-jurídica; o segundo, à prática da confissão nos tratados cristãos de penitência.

1) O manuscrito sobre o hermafroditismo

Ele se apresenta de início como o prolongamento do dossiê sobre os monstros. Mas logo se torna autônomo. Em *Dits et Écrits*, com exceção do resumo do curso sobre os *Anormais*, percebem-se poucos indícios do

28. L.-J. Sanson, "Amaurose", em *Dictionnaire de médecine et de chirurgie pratiques*, II, Paris, 1829, p. 98; A. Scarpa, *Traité pratique de maladies des yeux, ou Expériences et Observations sur les maladies qui affectent ces organes*, II, trad. fr., Paris, 1802, pp. 242-3 (ed. orig.: *Saggio di osservazione e di esperienze sulle principali malattie degli occhi*, Pavia, 1801). Cf. A.-L.-M. Lullier-Winslow, "Amaurose", em *Dictionnaire des sciences médicales*, *op. cit.*, I, 1812, pp. 430-3; J.-N. Marjolin, "Amaurose", em *Dictionnaire de médecine*, II, Paris, 1833, pp. 306-34.

29. P. Blaud, "Mémoire sur les concrétions fibrineuses polypiformes dans les cavités du coeur", *Revue médicale française et étrangère. Journal de clinique*, IV, 1833, pp. 175-88, 331-52.

30. A. Richerand, editor de A. Boyer, *Leçons sur les maladies des os rédigées en un traité complet de ces maladies*, I, XI [1802-1803], p. 344, observa: "A masturbação às vezes é causa da cárie das vértebras e dos abscessos por congestão. A prática do cidadão Boyer proporcionou-lhe vários exemplos disso."

31. H. Kaan, *Psychopathia sexualis*, Lipsiae, 1844.

* Designamos assim os "dossiês" em que figuram notas e comentários de Michel Foucault, preparando sem dúvida futuras publicações.

tema[32]. Mas nós sabemos que um dos volumes da *Histoire de la sexualité* devia tratar do hermafroditismo. O próprio Foucault revela isso quando, em 1978, apresenta as *Mémoires* de Herculine Barbin: "A questão dos estranhos destinos, que se assemelham ao dela e que tantos problemas colocaram à medicina e ao direito desde o século XVI, será tratada num volume da *Histoire de la sexualité* consagrado aos hermafroditas."[33]

Quer se trate de fato de um livro inteiramente consagrado aos hermafroditas ou, ao contrário, segundo o plano indicado em *La volonté de savoir* (1976), de uma parte interna ao tomo sobre os perversos[34], o fato é que Foucault não publicou nada mais sobre esse tema além do dossiê relativo a Herculine Barbin (primeiro e único volume da coleção "Les vies parallèles", da Gallimard). Porque Foucault mudou radicalmente seu projeto da *Histoire de la sexualité*. Ele explica isso nas "Modifications" redigidas por ocasião da publicação de *L'usage des plaisirs*[35], em que dá a entender que, doravante, o "recentramento geral" de seus estudos "na genealogia do homem de desejo", limitada ao período que vai da "Antiguidade clássica aos primeiros séculos do cristianismo", não comporta tampouco *La volonté de savoir* tal como a conhecemos[36]. As observações sobre os dois grandes processos movidos contra Marie (Marin) Lemarcis (1601) e Anne (Jean-Baptiste) Grandjean (1765) derivam de uma ampla coleta de dados, bibliografia e transcrições, conservadas numa caixa que pudemos consultar graças à generosidade de Daniel Defert, e que indicam claramente o plano de edição de uma antologia de textos. Os dois casos inseridos no curso sobre os *Anormais* representam o destaque mais importante relativo à discussão médico-legal sobre a bissexualidade, no decorrer da Idade Moderna.

2) O manuscrito sobre as práticas de confissão e direção de consciência

Daniel Defert nos assinalou que Michel Foucault destruiu seu manuscrito sobre as práticas de confissão e de direção de consciência, intitulado *La chair et le corps*[37], que ele utilizara para organizar o curso sobre os

32. M. Foucault, *DE*, III, 237: 624-5; 242: 676-7.

33. *Herculine Barbin, dite Alexina B.*, apresentado por M. Foucault, Paris, Gallimard, 1978, p. 131.

34. Ver também o capítulo "L'implantation perverse", em M. Foucault, *La volonté de savoir*, *op. cit.*, pp. 50-67.

35. M. Foucault, *L'usage des plaisirs*, Paris, Gallimard, 1984, pp. 9-39.

36. Folha avulsa na primeira edição de *L'usage des plaisirs*.

37. O título do manuscrito é indicado por M. Foucault, *La volonté de savoir*, *op. cit.*, p. 30.

Anormais. Quanto ao último volume inédito da *Histoire de la sexualité* – de acordo com o plano de 1984 –, *Les aveux de la chair*, diz unicamente respeito aos padres da Igreja. Mas é possível reconstituir pelo menos uma parte desse trabalho com base no curso de 1974-75.

O ponto de partida de Foucault é a grande *History of Auricular Confession*, em três volumes, de Henry Charles Lea, de que nenhum pesquisador ainda pode prescindir[38]. Mesmo a documentação citada quase nunca excede a que foi recolhida pelo historiador americano[39]. Pode-se constatá-lo graças às citações de Alcuíno com respeito à alta Idade Média[40]; à regra formulada por Angiolo de Chivasso, segundo a qual o confessor não deve olhar nos olhos do penitente, se o penitente for uma mulher ou um rapaz[41]; à alegação de Pierre Milhard para os manuais tradicionais[42]; às disposições de Estrasburgo de 1722[43]. Mas, uma vez escolhidos os textos indispensáveis para a construção do seu discurso, centrado essencialmente no fim do século XVII e início do século XVIII, Foucault se embrenha numa leitura verdadeiramente penetrante.

A decisão de examinar, para o território francês, a obra sobre a confissão do "rigorista" Louis Habert (1625-1718) foi certamente sugerida a Foucault por Lea – o primeiro historiador a estudar a *Pratique du sacrement de pénitence ou méthode pour l'administrer utilement*[44]. A *Pratique*

38. H. Ch. Lea, *A History of Auricular Confession and Indulgences in the Latin Church*, Filadélfia, 1896.

39. M. Foucault não parece ter recorrido, pelo menos nessa fase da pesquisa, à riquíssima documentação do *Dictionnaire de théologie catholique*, III/1, Paris, 1923, col. 838-894, 894-926, 942-960, 960-974 (seções do verbete "Confession" redigidas por E. Vacandard, P. Bernard, T. Ortolan & B. Dolhagaray); XII/1, Paris, 1933, col. 722-1127 (seções do verbete "Pénitence" redigidas por E. Amman & A. Michel). Não parece tampouco ter utilizado os dois volumes de textos escolhidos, traduzidos e apresentados por C. Vogel: *Le pécheur et la pénitence dans l'Église ancienne*, Paris, 1966; *Le pécheur et la pénitence au Moyen Âge*, Paris, 1969. O notável ensaio de T. N. Tentler, *Sin and Confession on the Eve of Reformation*, Princeton, 1975, foi publicado no mesmo ano em que M. Foucault discutia a questão da confissão no âmbito dos *Anormais*.

40. F. Albinus seu Alcuinus, *Opera omnia*, I (*Patrologiae cursus completus*, series secunda, tomus 100), Lutetiae Parisiorum, 1851, col. 337-339.

41. A. de Clavasio, *Summa angelica de casibus conscientiae*, cum additionibus I. Ungarelli, Venettis, 1582, p. 678.

42. P. Milhard, *La grande guide des curés, vicaires et confesseurs*, Lyon, 1617. A primeira edição, conhecida pelo título de *Le vrai guide des curés*, é de 1604. Tornada obrigatória pelo arcebispo de Bordeaux em sua jurisdição, foi retirada de circulação em 1619, após a condenação da Sorbonne.

43. Dada sua raridade, Foucault certamente não pôde consultar os *Monita generalia de officiis confessarii olim ad usum diocesis argentinensis*, Argentinae, 1722. Sua tradução baseia-se na transcrição de H.Ch. Lea, *A History of Auricular Confession...*, *op. cit.*, I, p. 377.

44. A primeira edição da *Pratique du sacrement de pénitence ou méthode pour l'administrer utilement* foi publicada anonimamente em 1689, conjuntamente em Blois e Paris. O prefácio

– raro exemplo de um livro que permanece em circulação entre os tratados morais, apesar de o seu autor se ver progressivamente afastado do ensino da doutrina e marginalizado no meio teológico – foi escolhida entre os inúmeros manuais disponíveis porque mostra, mas levada ao nível do século XVII, a antiga concepção jurídica e médica da confissão. De fato, toda a linguagem teológica de Habert se revela profundamente contaminada por essa fusão, de modo que toda metáfora e todo *exemplum* comportam uma remissão às duas disciplinas.

La volonté de savoir demonstra a importância que a pastoral (um termo que designa, em geral, o ministério da hierarquia junto aos fiéis que ela tem sob sua responsabilidade e sobre os quais exerce sua autoridade) teve na pesquisa de Foucault[45], tanto no campo católico[46], como – com as variações oportunas – no caso dos países protestantes[47]. Aqui, Foucault acompanha a passagem da "prática da confissão" à "direção de consciência" segundo a vontade de Carlos Borromeu[48], sem abordar simultaneamente

incorpora o *Avis touchant les qualités du confesseur* e o texto compreende quatro partes: penitência, contrição, absolvição, satisfação. A segunda edição, que tem o mesmo título, apareceu em 1691, corrigida e consideravelmente aumentada. As oito edições que se sucederam entre 1700 e 1729 devem ser consideradas reimpressões da terceira edição (Paris, 1694), mas apenas a edição de 1722 traz o nome do autor. As edições de 1748 e 1755 foram completadas com um extrato dos cânones penitenciais extraídos das *Instructions* de Carlos Borromeu aos confessores e impressos por conta do clero francês. Louis Habert foi envolvido numa grande controvérsia por causa da sua *Theologia dogmatica et moralis*, publicada em Paris, em sete volumes, de que são conhecidas quatro edições até 1723. Ver em particular as *Défenses de l'auteur de la théologie du séminaire de Châlons contre un libelle intitulé "Dénonciation de la théologie de Monsieur Habert"*, Paris, 1711; *Réponse à la quatrième lettre d'un docteur de la Sorbonne à un homme de qualité*, Paris, 1714.

45. Sobre a complexidade do tema, cf. M. Foucault *DE*, IV, 291: 134-161.

46. A organização da pastoral católica no período pós-tridentino se desenvolve a partir dos *Acta ecclesiae mediolanensis*, Medionali, 1583. As *Reliqua secundae partis ad instructionem aliqua pertinentia* (pp. 230r°-254r°) são em língua vulgar e compreendem *Le avvertenze ai confessori* (pp. 230r°°-326r°). O in-fólio para a França foi publicado em Paris por J. Jost, em 1643.

47. M. Foucault, *La volonté de savoir*, *op. cit.*, p. 30: "A pastoral reformada, embora de uma maneira mais discreta, também instituiu regras para o discurso sobre o sexo."

48. A reativação do termo se dá depois da publicação, nos Países Baixos, de C. Borromeu, *Pastorum instructiones ad concionandum, confessionisque et eucharistiae sacramenta ministrandum utilissimae*, Antuérpia, 1586. A pastoral foi difundida na França graças à tradução de Ch. Borromée, *Instructions aux confesseurs de sa ville et de son diocèse. Ensemble: la manière d'administrer le sacrement de pénitence, avec les canons pénitentiaux, suivant l'ordre du Décalogue. Et l'ordonnance du même saint sur l'obligation des paroissieurs d'assister à leurs paroisses*, Paris, 1648 (4ª ed.: Ch. Borromée, Paris, 1665); *Règlements pour l'instruction du clergé, tirés des constitutions et décrets synodaux de saint Charles Borromée*, Paris, 1663. Mas cumpre notar também que, muito antes das traduções dos livros do arcebispo de Milão, tinha-se divulgado o tratado do arcebispo de Cosenza, J. B. Constanzo, *Avertissements aux recteurs, curés, prêtres et vicaires qui désirent s'acquitter dignement de leur charge et faire bien et saintement tout ce qui appartient à leurs offices*, Bordeaux, 1613, tendo inclusive tomado, no fim do século, o título de *La Pastorale de saint Charles Borromée*, Lyon, 1697 e 1717

o que ocorre na Europa reformada[49]. O grande *Methodus* de Tommaso Tamburini (um jesuíta submetido ao processo inquisitorial e condenado por Inocêncio XI por sua posição "probabilista") é objeto do mesmo tratamento aprofundado dispensado à *Pratique* de Habert[50]. O texto, importantíssimo, é tomado como uma ramificação extrema da produção religiosa que precede a reviravolta da "discrição" nas práticas de confissão (o *como dizer* se torna um imperativo) e permite que Foucault acompanhe as diferentes linhas que disputam entre si a direção de consciência. O trabalho sobre o *Homo apostolicus* de Afonso Maria de Ligório (1696-1787)[51] – a célebre *Praxis et instructio confessariorum* que "dá uma série de regras que vão caracterizar a confissão moderna e contemporânea"[52], carreando consigo outras disciplinas[53] e produzindo a primeira interpretação pansexualista do sacramento da penitência, cujo exemplo maior é a coletânea de Léo Taxtil[54] – não é menos aprofundado. Foucault insiste muito mais que em *La volonté de savoir* sobre o súbito aparecimento da barulhenta cruzada contra a masturbação na grande transformação da confissão e da direção de consciência, provocada pela "estilística da discrição" liguoriana. Também tenta explicar a precocidade do "discurso da masturbação nos países protestantes", que no entanto não conhecem a "direção das almas na forma católica". Mas o que conta é que a literatura sobre o onanismo, "ao contrário da literatura cristã precedente", produz um discurso de que estão "totalmente ausentes o desejo e o prazer".

(o V livro: "De l'administration du sacrement de pénitence", se divide em "De l'office du confesseur en tant que juge" [pp. 449-52], "maître" [pp. 457-60], "médecin" [pp. 462-3] [Do ofício do confessor como juiz, mestre, médico]).

49. M. Foucault, *La volonté de savoir*, *op. cit.*, p. 30: "Isso será desenvolvido no volume seguinte, *La chair et le corps*" (trata-se justamente do manuscrito destruído).

50. T. Tamburinus, *Methodus expeditae confessionis tum pro confessariis tum pro poenitentibus*, Roma, 1645. O livro VII da *Explicatio decalogi, duabus distincta partibus, in qua omnes fere conscientiae casus declarantur*, Venetiis, 1694, pp. 201-3, retoma o conteúdo do *Methodus*, pp. 388-92, com importantes acréscimos e explicações. A oposição principal ao "probabilismo" do *Methodus* de Tamburini foi organizada pelos padres de Paris, que, em 1659, apresentaram uma petição, na forma de libelo, ao arcebispo (o cardeal de Retz) para obter sua condenação.

51. A. de Ligorius, *Homo apostolicus instructus in sua vocatione ad audiendas confessiones sive praxis et instructio confessariorum*, Bassani, 1782 (trad. fr.: A. de Liguori, *Praxis confessarii ou Conduite du confesseur*, Lyon, 1854).

52. Note-se sua utilização no *Manuel des confesseurs*, composto por J.-J. Gaume, Paris, 1854[7].

53. Sobre o deslocamento do liguorismo para o campo médico, ver J. B. de Bourge, *Le livre d'or des enfants ou Causeries maternelles et scolaires sur l'hygiène*, Mirecourt, 1865.

54. A versão francesa da *Praxis et instructio confessariorum*, publicada em Paris, sem data, por P. Mellier, foi inserida em *Les livres secrets des confesseurs dévoilés aux pères de famille*, por obra de L. Taxil [G.-J. Pagès], Paris, 1883, pp. 527-77.

As observações sobre as "novas formas" de misticismo e as "novas formas" de discurso religioso, surgidas no topo da sociedade cristã em virtude da insistência da direção da alma sobre os fiéis e da propagação das suas técnicas, são apenas esboçadas, porém são muito convincentes. Outras são mais ousadas, como a tese segundo a qual, "embaixo", a prática de governo das consciências produziu uma série de comportamentos que – indicando a instauração de "aparelhos de controle" e de "sistemas de poder" sempre novos na Igreja – levou, no longo prazo, às *possessões* (fenômeno ao mesmo tempo confuso e "radicalmente" distinto da feitiçaria[55]), às *convulsões* ("a convulsão é a forma plástica e visível do combate no corpo da possuída") e finalmente às *aparições* (que "excluem absolutamente o corpo a corpo" e impõem "a regra do não contato, do não corpo a corpo, da não mistura do corpo espiritual da Virgem com o corpo material do miraculado").

Se Foucault chega a essas conclusões, é graças à convivência histórica, por meio da literatura psiquiátrica do século XIX, com os grandes episódios de possessão, convulsão e aparição, no mesmo momento em que essa literatura dava forma à noção de patologia do sentimento religioso. Estamos nos referindo sobretudo, no que concerne às possessões e às convulsões, à presença implícita, na aula de 26 de fevereiro, da obra de L.-F. Calmeil[56]. Mas também é possível reconstituir a trama desse discurso analisando atentamente os verbetes que os historiadores consagraram aos dois fenômenos nos dicionários e nas enciclopédias[57]. Entre as leituras de Foucault, não se deve esquecer tampouco as pesquisas que Bénédict-Auguste Morel incluiu em seu *Traité* de 1866[58]. Elas ainda se baseiam essencialmente nos trabalhos de Calmeil, mas já trazem os sinais de uma transformação em curso: um processo que fará das convulsões um "objeto médico privilegiado".

Poder-se-ia também resumir a situação do refluxo do discurso médico para o discurso religioso com as palavras de um pastor, numa tese sobre os *Inspirados de Cévennes* apresentada à faculdade de teologia protestante

55. "Quem diz *possessão* não diz *feitiçaria*. Os dois fenômenos são distintos e se revezam, embora muitos tratados antigos os associem, ou até os confundam", escreve M. de Certeau na apresentação de *La possession de Loudun*, Paris, Gallimard/Julliard, 1980 (1ª ed. 1970), p. 10.

56. L.-F. Calmeil, *De la folie considérée sous le point de vue pathologique, philosophique, historique et judiciaire*, Paris, 1842.

57. Por exemplo: A.-F. Jenin de Montegre, "Convulsion", em *Dictionnaire des sciences médicales*, *op. cit.*, VI, 1813, pp. 197-238.

58. B.-A. Morel, *Traité de la médecine légale des aliénés dans ses rapports avec la capacité civile et la responsabilité juridique des individus atteints de diverses affections aiguës ou chroniques du système nerveux*, Paris, 1866.

de Montauban: "Esses fenômenos de inspiração foram objeto de um estudo sério e aprofundado de vários médicos alienistas destacados, em particular L.-F. Calmeil [*De la folie*..., *op. cit.*, II, pp. 242-310] e A. Bertrand [*Du magnétisme animal en France et des jugements qu'en ont portés les sociétés savantes*, Paris, 1826, p. 447]. Recordemos aqui [...] as diversas explicações que eles deram. Calmeil [...] relaciona a teomania extática dos calvinistas a afecções patológicas, à histeria, nos casos mais simples, e à epilepsia, nos casos mais graves. Bertrand conclui por 'um estado particular que não é nem a vigília, nem o sono, nem uma doença, que é natural ao homem, isto é, que vemos aparecer constantemente sempre idêntico, no fundo, em certas circunstâncias dadas' e que ele chama de *êxtase*"; "Quem, lendo a história, tão conhecida e tão interessante, dos convulsionários de Saint-Médard, dos diabos de Loudun, das mesas que se movem e do magnetismo animal, não se impressiona com a analogia entre esses fenômenos e os que o *Théâtre sacré* conta?" [M. Misson, *Le théâtre sacré des Cévennes ou Récit des diverses merveilles opérées dans cette partie de la province de Languedoc*, Londres, 1707]; "A semelhança, sem ser levada à altura de uma identidade absoluta, é real, inconteste e, ouso afirmar, incontestada. Por conseguinte, se não podemos atribuir uma causa sobrenatural aos fenômenos do magnetismo animal, às possessões das ursulinas de Loudun, às crises nervosas dos convulsionários jansenistas [...], poderíamos acaso atribuí-la aos êxtases dos profetas de Cévennes?"[59]

Poder-se-ia dizer portanto que o paradigma se impõe na literatura especializada após uma série de aproximações complexas e, por fim, da apropriação terapêutica do fenômeno pelos magnetistas[60], com as teses de Calmeil; que ele entra na Salpêtrière em 1872 com Jean-Martin Charcot e aí permanece solidamente instalado com Désiré-Magloire Bourneville, P. Vulet, P.-M.-L. Regnard, P. Richer[61]. Na conclusão desse processo de deslocamentos, encontramos outra intervenção de Charcot[62], o que

59. A. Kissel, *Les inspirés des Cévennes*, Montauban, 1882, pp. 70-1. O livro de M. Misson foi reimpresso na época em que a psiquiatria descobria as convulsões, com o título de *Les prophètes protestants*, Paris, 1847.

60. J.-P. Deleuze, *Histoire critique du magnétisme animal*, Paris, 1913.

61. J.-M. Charcot, *Oeuvres complètes*, I, Paris, 1872; D.-M. Bourneville & P. Vulet, *De la contracture hystérique permanente*, Paris, 1872; D.-M. Bourneville & P.-M.-L. Regnard, *L'iconographie photographique de la Salpêtrière*, Paris, 1876-1878; P. Richer, *Études cliniques sur la grande hystérie ou hystéro-épilepsie*, Paris, 1881.

62. J.-M. Charcot, *La foi qui guérit*, Paris, 1897. Para compreender a alusão à valorização das aparições, é útil conhecer o ponto de vista da Igreja romana, expresso por um autor que havia acompanhado a evolução da psiquiatria. Ver os verbetes de R. Van der Elst, "Guérisons miraculeues" e "Hystérie", em *Dictionnaire apologétique de la foi catholique contenant les épreuves de la vérité de la religion et les réponses aux objections tirées des sciences humaines*, II, Paris, 1911, pp. 419-38, 534-40.

permite a Foucault passar do tema das convulsões, desqualificadas do ponto de vista médico, ao das aparições.

Critérios de edição do texto

A transcrição do curso se baseia nas regras gerais desta edição, lembradas na "Advertência": a transposição da voz de Michel Foucault do suporte magnético para sua representação visual, a escrita, foi realizada da maneira mais fiel possível.

Mas a escrita conserva suas exigências próprias e as impõe à expressão oral. Ela não requer apenas uma pontuação que torne a leitura fluida; uma subdivisão das ideias que lhes assegure uma unidade lógica adequada; uma divisão em parágrafos que convenha à forma do livro. Ela impõe também concluir todas as frases que comportam um desvio ou uma ruptura no encadeamento das dependências sintáticas; unir uma proposição principal a uma subordinada que ficou (qualquer que seja a razão) autônoma; corrigir as construções gramaticais vedadas pela norma expositiva; inverter uma ordem ou uma disposição ditadas pelo arroubo oratório; adaptar certas concordâncias inexatas (na maioria das vezes entre o singular e o plural) de pronomes pessoais e desinências verbais. A escrita também requereria – mas trata-se de uma exigência muito menos forte – que fossem suprimidas as repetições desagradáveis provocadas pela rapidez e pela espontaneidade da expressão oral; os prosseguimentos que não obedecem à modulação estilística do discurso; as incontáveis interjeições e exclamações, ou as fórmulas de hesitação, as locuções de ligação e de acentuação ("digamos", "se preferirem", "e também").

Sempre interviemos com a maior prudência e muitas precauções. Em todo caso, somente depois de ter verificado que não estávamos traindo as intenções do locutor. Pareceu-nos oportuno, por exemplo, pôr entre aspas certas expressões para fazer que certas palavras se destacassem ou lhes dar um sentido específico. As mudanças que são parte integrante da passagem do oral ao escrito não são assinaladas; a responsabilidade por elas deve ser atribuída aos editores do texto, cuja primeira preocupação foi tornar perfeitamente legível o que estavam ouvindo da viva voz de Foucault.

As regras gerais, válidas para a íntegra dos cursos no Collège de France, foram adaptadas às necessidades particulares de *Os anormais*.

As numerosas transcrições do francês da Idade Clássica foram feitas, em princípio, seguindo critérios modernos. Todavia, nas notas, as grafias dos nomes de pessoas foram restauradas nas diferentes formas que elas apresentam na página de rosto dos livros citados (por exemplo: Borromée, Boromée e Borromeus; Liguori, Liguory e Ligorius).

Corrigimos a maior parte dos pequenos erros materiais que pudemos identificar, tanto os que podem ter sido provocados por uma falha de memória, como os que podem ter resultado de uma falta de atenção ou de uma passagem omitida na leitura do texto. Quando necessário, não hesitamos em substituir, numa enumeração, um equivocado "segundo" por um correto "terceiro"; ou, ocasionalmente, introduzimos sem reticências "por um lado" quando havia apenas o correlativo "por outro lado". Também não assinalamos as autocorreções, nem as mais simples (um vago "de certo modo" após um peremptório "precisamente"), nem as mais complexas ("de acordo com o regulamento da diocese de Châlons, eh! o regulamento não da diocese mas do seminário de Châlons, desculpem" se torna evidentemente "de acordo com o regulamento do seminário de Châlons"). Quando se tratava apenas de adaptar o oral ao escrito, não explicitamos nossas intervenções ou nossas opções.

Em outras circunstâncias, procedemos de outro modo. Por exemplo, quando Foucault apresenta o caso da hermafrodita de Rouen, Marie Lemarcis (sessão de 22 de janeiro), ele confunde o ano do processo (1601) com o da publicação de certos textos que o relatam (1614-15). Esse equívoco se reproduz várias vezes, mas não prejudica o sentido do discurso. Na primeira ocasião anotamos o erro e, em seguida, o corrigimos automaticamente cada vez que Foucault se refere ao processo. Quando, ao contrário, deparamos com erros (nomes de pessoas, datas, títulos) que só aparecem uma vez, introduzimos entre colchetes e precedida pelo termo *rectius* a correção, seguindo as normas correntes do trabalho de edição de texto.

O problema das citações trouxe várias dificuldades. Foucault é bastante fiel aos textos que propõe em leitura a seus ouvintes. Mas se dá a liberdade de adaptar os tempos para proporcionar uma *consecutio* correta, faz inversões estilísticas e suprime palavras e frases secundárias. Tendo encontrado a quase totalidade das fontes citadas, teria sido útil reproduzir em nota o documento original completo. Isso teria contribuído para dar a conhecer melhor a maneira de trabalhar de Foucault e apreciar melhor as seleções por ele feitas. Demos certo número de espécimes ao oferecer, por exemplo, várias passagens do tratado de Louis Habert (*Pratique du sacrement de pénitence*) que serviram para construir uma fala importante do discurso cristão sobre a confissão. Mas, em geral, pareceu-nos mais oportuno, para evitar uma infraestrutura demasiado pesada, indicar onde pode ser encontrado o trecho em questão (o que possibilita a consulta imediata da fonte) e pusemos entre aspas apenas os extratos efetivamente citados.

No entanto, a modificação de Foucault às vezes foi tão profunda que tivemos de comparar com o original. Em certos casos, foi possível deixá-la clara no texto graças ao jogo dos parênteses e das aspas. Em outros casos (mais raros), foi necessário recorrer ao aparato crítico. Na presença de citações muito longas, em que a intervenção (complementar ou modificadora) de Foucault foi sugerida pela necessidade de tornar mais compreensível o contexto, indicamos entre colchetes a adição ou a explicação, seguida da sigla M.F. (por exemplo: "Nem haviam decorrido inteiramente oito dias [a contar do casamento – M.F.], quando..."; "Essas tendências impulsivas encontraram nos acontecimentos recentes [isto é, a Comuna de Paris – M.F.] uma oportunidade..."). Por outro lado, as intervenções restritivas foram normalmente assinaladas por colchetes e pelas reticências correspondentes (por exemplo, na frase: "A virtude da jovem mulher sacrificada seria digna de um objetivo mais elevado [...]", os colchetes indicam simplesmente um corte).

Bem diferente foi nosso comportamento em relação às traduções ou paráfrases dos textos latinos. Tanto no caso do comentário a uma seção do *Methodus expeditae confessionis* (obra de Tommaso Tamburini, importante teólogo moral do século XVII), como no caso de um dos últimos tratados de sexologia escritos na língua comum dos eruditos europeus (a *Psychopathia sexualis* de Heinrich Kaan), reproduzimos as passagens em sua íntegra. A razão é simples: essas versões latinas demonstram, comparadas com os originais, todo o cuidado que Foucault tomava na preparação das suas aulas.

Os cassetes que utilizamos não são de grande qualidade. Mas a escuta nunca apresentou dificuldades insuperáveis. As lacunas mecânicas puderam ser restauradas[63]. Diante das ambiguidades interpretativas impossíveis de resolver, utilizamos o sinal <...>. Por exemplo, em vez de optar entre uma possível "percussão" e uma possível "persuasão", optamos por <persuasão>. As frases reconstituídas são assinaladas por colchetes (por exemplo: "que se poderá entender por que o(a)s possuído(a)s, por que o(a)s convulsionário(a)s [apareceram]"). O mesmo sinal foi adotado para reintroduzir nas citações os cortes de palavras ou sintagmas.

Assinalamos certas intervenções extrínsecas (por exemplo, na sexta sessão cortamos, sem explicitar, a seguinte observação: "Já que todo o mundo está mudando a coisinha [o cassete do gravador], vou aproveitar para lhes dar outro exemplo puramente recreativo", exemplo que foi perfeitamente gravado). Além disso, não anotamos os risos (da sala) que muitas vezes acompanham a leitura dos textos e que Foucault, aliás, provoca – já nos

63. Utilizamos os cassetes gravados por Gilbert Burlet e Jacques Lagrange.

primeiros exames –, insistindo em certos detalhes (em particular, o grotesco e a puerilidade da linguagem psiquiátrica em matéria penal).

Critérios de edição do aparato crítico

As obras publicadas por Michel Foucault são bastante avaras de citações literais e de remissões ao conjunto das fontes utilizadas no trabalho. Nelas também faltam completamente, com raras exceções, o tradicional sistema de notas que reconstituem a história da questão abordada e que convocam os estudos correntes sobre o tema. As aulas, que sempre conservam um perfil e um valor ligados à prestação pública de contas de uma pesquisa, são orais. Elas apresentam com frequência passagens improvisadas, baseadas numa documentação que não foi revista pelo autor para publicação. Ademais, em razão das referências aproximadas e das citações vagas (às vezes pronunciadas de memória), elas colocam para o editor uma grande responsabilidade de controle: é preciso oferecer ao leitor de hoje, que não é mais o ouvinte do Collège de France, uma remissão pontual e prática aos diferentes documentos que Foucault já havia explorado, ou mesmo transcrito em suas notas, mas também assinalar os vestígios, embora imperceptíveis à primeira vista, dos livros que formam sua biblioteca. Nosso aparato crítico, ao insistir vivamente sobre as fontes (às vezes oferecidas integralmente) em detrimento da bibliografia corrente, procura demonstrar a validade de um juízo de Georges Canguilhem, que nos serviu de guia: Foucault cita apenas textos originais como se quisesse ler o passado através do "gabarito" mais tênue possível[64].

No que concerne às fontes implícitas (algumas são mais evidentes, outras menos), observe-se que nossas referências constituem apenas um indício para a pesquisa e não pretendem, de maneira nenhuma, levar a crer que se trata de remissões sugeridas pelo próprio Foucault. Os editores (que seguiram o princípio de nunca citar obras posteriores a 1975, salvo nos casos de reedições sem variações ou reimpressões) assumem inteira responsabilidade por elas.

No que concerne à literatura histórica secundária, privilegiamos a que se refere essencialmente à produção histórica dos psiquiatras e à história da medicina. Foucault tinha um conhecimento profundo dessa literatura, principalmente graças às pesquisas publicadas nas revistas espe-

64. G. Canguilhem, "Mort de l'homme ou épuisement du cogito?", *Critique*, 242, juillet 1967.

cializadas (por exemplo, os *Annales d'hygiène publique et de médecine légale* ou os *Annales médico-psychologiques*), nas publicações periódicas (provenientes muitas vezes de instituições locais) e nas grandes coleções (como as edições médicas Ballière). E a utilizava como uma espécie de traçado, suficientemente claro, para desenhar o mapa das questões a problematizar em termos genealógicos. Basta examinar o interesse crescente da literatura médica do século XIX pelas questões relativas à monstruosidade ou ao onanismo (os dois temas principais do curso), ao hermafroditismo ou à confissão (os dois manuscritos que servem de suporte ao curso), às possessões-convulsões-aparições, para se dar conta dessa particularidade do seu trabalho.

Também se poderia sustentar, por exemplo, que a viva percepção da importância política das medidas contra a peste é muito mais o efeito da leitura de certo número de *Histórias médicas* do século XIX do que da utilização das pesquisas contemporâneas. Isso não significa que Foucault não esteja a par da bibliografia existente e que não acompanhe as atividades dos historiadores da sua época. Mas a posição histórica da psiquiatria do século XIX, até mesmo por sua organização dos materiais, estimula muito mais a problemalização de Foucault do que as orientações predominantes nos anos que o viram pronunciar a série de cursos, de 1970 a 1976. Podemos citar, a esse respeito, *Surveiller et Punir* (a montante) e *La volonté de savoir* (a jusante), em que Foucault, para abordar a complexa questão do "poder de normalização", concede um lugar importante às técnicas de controle da sexualidade introduzidas depois do século XVII; ele reconhece a existência, nesse mesmo período, de uma notável produção de obras sobre a repressão da sexualidade e sobre sua história; admite a necessidade de adotar outra teoria do poder, que questiona suas análises anteriores da *Histoire de la folie* (e elas foram efetivamente modificadas, em vários pontos, pelos resultados de *Surveiller et Punir*).

Encontramos aqui a oposição entre o modelo da exclusão (a lepra) e o modelo do controle (a peste). Em *Surveiller et punir*, Foucault faz referência a um regulamento do fim do século XVII proveniente dos Arquivos Militares de Vincennes. Mas acrescenta: "Esse regulamento é, no essencial, conforme a toda uma série de outros que datam dessa mesma época ou de um período anterior."[65] Essa série está presente no curso que publicamos. É pouco provável que, uma vez examinadas as concordâncias, Foucault não tenha utilizado, para empreender sua pesquisa e sintetizar seu conteúdo ("Vou citar para vocês toda uma série de regulamen-

65. M. Foucault, *Surveiller et punir. Naissance de la prison*, Paris, Gallimard, 1975, p. 197.

tos, aliás absolutamente idênticos uns aos outros, que foram publicados desde o fim da Idade Média até o início do século XVIII"), pelo menos a descrição do policiamento que nos deixou a célebre *Histoire médicale générale et particulière des maladies épidémiques* de Jean-Antoine--François Ozanam[66].

O que importa é que, em relação a *Surveiller et punir*, as conclusões são muito fortes e mais abrangentes: "a reação à lepra é uma reação negativa" (*exclusão*); "a reação à peste é uma reação positiva" (*inclusão*). Mas fica manifesto que, em *La volonté de savoir*, o resultado do curso – evidentemente forçado – não é incluído na sessão "L'hypothèse répressive", que estava destinada a acolhê-lo. Cumpre notar enfim que, na sessão de 15 de janeiro, Foucault também abandona, e rapidamente, o tradicional "sonho literário" da peste (sobre o qual havia, na época, uma literatura considerável) para insistir no "sonho político", muito mais importante, dado que o poder se exerce plenamente. É justamente Ozanam que propõe uma trama diferente, tomando como modelo, para estudar "as medidas de polícia sanitária", os regulamentos adotados pela cidade de Nola, no reino de Nápoles, em 1815, "repletos de sabedoria e de previdência e que podem servir de tipo e exemplo a seguir em semelhante calamidade"[67]; que lembra que "uma das melhores obras a consultar para esse mesmo objeto é a de Ludovico Antonio Muratori intitulada *Del governo in tempo di peste*", em que se "encontra um resumo muito bem feito de todos os meios sanitários empregados em diferentes pestes da Europa, até a de Marselha"; que faz apreciar a grande documentação recolhida na obra do cardeal Gastaldi, *De avertenda peste*, e no *Traité historique de la peste* de Papon, "cujo segundo volume é consagrado a reconstituir todas as precauções que se devem tomar para impedir a propagação e a introdução da peste"[68].

O exemplo da vasta e importante literatura política sobre a peste (*Do governo em tempo de peste*), citada aqui por intermédio da *Histoire médicale* de Ozanam, nos leva a recordar finalmente que, entre as notas do aparato crítico dos *Anormais*, tais como as apresentamos a partir de indí-

66. J.-A.-F. Ozanam, *Histoire médicale générale et particulière des maladies épidémiques, contagieuses et épizootiques, qui ont regné en Europe depuis les temps les plus réculés jusqu'à nos jours*, IV, Paris, 1835², pp. 5-93.

67. *Ibid.*, pp. 64-9.

68. *Ibid.*, pp. 69-70. Cf. H. Gastaldus, *Tractatus de avertenda et profliganda peste politico-legalis, eo lucubratus tempore quo ipse loemocomiorum primo, mox sanitatis commissarius generalis fuit, peste urbem invadente, anno 1656 et 57 ac nuperrime Goritiam depopulante typis commissus*, Bononiae, 1684; L. A. Muratori, *Del governo della peste e della maniera di guardarsene. Trattato diviso in politico, medico et ecclesiastico, da conservarsi et aversi pronto per le occasioni, che dio tenga sempre lontane*, Modena, 1714; J.-P. Papon, *de la peste ou époque mémorable de ce fléau et les moyens de s'en préserver*, I-II, Paris, VIII [1799-1800].

cios evidentes, e a "Situação do curso", há uma contiguidade cuja ambição é a da continuidade. De fato, invocamos, na "Situação do curso", toda uma série de referências que teria sido imprudente integrar ao aparato crítico, porque não devem de modo algum ser atribuídas a Michel Foucault. Pareceu-nos, não obstante, que elas podiam contribuir para a inteligência e a explicação do texto.

VALERIO MARCHETTI e ANTONELLA SALOMONI*

* Valerio Marchetti é professor de história moderna da Universidade de Bolonha. Antonella Salomoni ensina história social na Universidade de Siena (seção de Arezzo). Eles redigiram juntos esta "Situação". Para o estabelecimento do texto do curso, V. Marchetti encarregou-se das sessões de 19 e 26 de fevereiro, 5, 12 e 19 de março; A. Salomoni, das dos dias 8, 15, 22 e 29 de janeiro, 5 e 12 de fevereiro.

Índice das noções e conceitos

Aberração(ões)
  – sexuais: 143, 245-50
  genealogia psiquiátrica das – sexuais: 246
Agorafobia: 272
Alienista(s): 128, 134, 139, 208, 263-4
  a medicina dos –: 270
Anarquia
  – e criminalidade: 82, 131-2
  psiquiatrização da –: 279
Anomalia(s)
  arqueologia da anomalia: 51
  constituição do domínio da –: 144
  genealogia da –: 49, 52
  síndromes de –: 271
Anormal(ais)
  o descendente do monstro, do incorrigível, do masturbador –: 51-2
  arqueologia do indivíduo –: 51
  distribuição em indivíduos normais e –: 73
  genealogia do –: 51-2
  história separada até o início do século XIX dos três indivíduos –: 52-3
  o – é descendente do monstro, do incorrigível, do masturbador: 51-2
Anticonvulsivo(s): 187-95
  apelo à medicina como –: 190
  modulação estilística da confissão como –: 190
  recurso aos sistemas disciplinares como –: 194
Antropofagia: 83-9, 93, 112, 242
  o par – e incesto: 83-9, 93
Aparelhos disciplinares: 41, 195
  os efeitos da normalização dos –: 42
Aparição(ões): 193-4
Apetite genésico
  desvio doentio do –: 144
Ato(s)
  – de delírio: 111
  – instintivos: 83, 111-2
  – sem razão: 98-9, 104, 106, 109, 112
Atrocidade
  – do crime e – da pena: 71, 76
Autobiografia
  – do masturbador: 208
  – permanente nos meios puritanos ingleses: 158

Bicho-papão
  – e Pequenos Polegares: 93-4

Carne
  a – convulsiva: 183, 186, 195
  a – é o que se nomeia, aquilo de que se fala, o que se diz: 174
  pecado contra a – na literatura católica depois do concílio de Trento: 161-6, 173-5
  uma fisiologia moral da –: 162, 166
Censura
  houve – da sexualidade: 60, 144-5
Circunstâncias atenuantes: 9-10, 28
  – e *continuum* médico-judiciário: 28
Claustrofobia: 272
Clitóris
  ablação do – como meio antimasturbatório: 219-20

Código Penal
de 1810: 9, 27, 78, 79, 278
anos de aplicação do – de 1810: 21
– e circunstâncias atenuantes: 9
– e circular de 1958: 22, 30
o artigo 64 do –: 17, 19, 22, 27, 98-9, 106-7
Comuna de Paris
retratos psiquiátricos dos participantes da –: 132-3
Concupiscência, ver: Sexto mandamento
Confessor(es): 151-61
a prudência do –: 154
as virtudes do –: poder, zelo, santidade: 153-4
instruções aos –: 152
o – como juiz, médico, guia: 158
Confissão, ver também: Revelação
a – como medicina: 148
a – sacramental como procedimento codificado da confissão da sexualidade: 145-6
a obrigação da – anual: 150, 164, 174
as normas de regularidade, continuidade e exaustividade da –: 150
as regras da – dadas por Afonso de Ligório: 189
– e casuística: 165
– e confessionário: 155
– e formação das elites: 164
manuais de –: 152, 162, 187, 204
Consentimento:
– ao pecado: 162-3
– à possessão: 180-1
Convicção íntima
– e certeza total: 8
– e circunstâncias atenuantes: 9-10, 28
– e demonstratividade da prova: 8
– e modulação da pena: 9
– e verdade universal: 9
princípio da –: 7-10, 75
convulsão(ões), ver também: Anticonvulsivo
– e aparições: 193-4
– e distúrbios carnais: 185
– e histeroepilepsia: 138, 192
–: forma plástica e visível do combate no corpo da possuída: 180, 182
–: a primeira forma de neuropatologia: 192
–: causa de uma batalha entre a medicina e o catolicismo: 183
Convulsionária(o)(s)
– de Saint-Médard: 177, 191-2
– em Loudun: 176-81, 184-6, 191 194, 288-9
– entre os protestantes de Cévennes: 191-2, 289
Corpo
– de desejo e prazer: 205, 238
exaltação do – produtivo: 205
Crime
– e castigo (punição): 16, 70-1, 75-6
– no direito clássico: um regicídio: 70
– sem razão: 95, 100, 103-4, 240
pertinência do – à loucura e da loucura ao –: 27-8, 102
interesse ou razão do –: 75-80, 87, 95-8, 104-6, 117, 260
Criminalidade
– e doença: 29, 77
definição de um campo comum à – e à loucura: 27, 103, 240
Criminoso(s)
– natos: 82
– e soberano: 66, 70, 79
– e tirano: 79
o louco como monstro –: 93, 102
Cristianização
– em profundidade: as resistências periféricas: 176
– em profundidade ou descristianização?: 151
a frente da – em profundidade: 175
Culpabilização
– do espaço doméstico: 213-21, 223-7, 233, 237-40
– dos pais: 213
– do corpo pela carne: 173
masturbação e – das crianças: 206

Degeneração
teoria da –: 102, 115, 143, 206, 252, 276-8
Delírio
– instintivo: 261
investimento do – pelo desejo: 267
o retorno do –: 272
Direção espiritual ou direção de consciência
– e elites: 173
– e o desenvolvimento do misticismo católico: 175
– e possessão: 175-6
a – a partir da pastoral borromiana: 157
a prática da – fez surgir a carne convulsiva: 183
o que é a –?: 157
Disciplina(s)
– para a normalização: 44
– como elemento da nova tecnologia de poder: 75
Discrição
a – como anticonvulsivo: 187
a – na penitência: 152, 288
nova estilística da – na confissão e na direção de consciência: 202
regra da –: 187, 202
Discriminação
o princípio de – política elaborado pela psiquiatria: 131
Discurso(s)
– de verdade ou de estudo científico: 7, 13
– e decisão de justiça: 7, 21
– e poder de vida e de morte: 7
– que matam e que fazem rir: 7
efeitos de poder do –: 11-4, 31
propriedades do – dos exames psiquiátricos: 7-12

Educação
– natural das crianças: 222
reivindicação de uma – estatal: 223
Empregados domésticos
– e masturbação das crianças: 212-3, 222, 236
Epilepsia(s): 113, 138, 192
as alucinações como – sensoriais: 138
Escolarização
– e separação da criança do meio familiar: 234
Esquizofrenia
– e perigo social: 101-2
Estado
a noção de –: 273-5
Etnologia e antropologia
antropofagia e incesto na formação da – e da –: 87-9
Eugenismo
– e psicanálise: 114, 278
Exame
o – de consciência começa nos pensamentos: 162
o – é coextensivo à totalidade da existência: 174
o – é colhido numa relação de autoridade: 174
o – obedece às regras de exaustividade e de exclusividade: 149-50, 174-6, 183, 186-9, 194
extensão do – no interior do sacramento da penitência: 151
no – a totalidade da existência passa pelo filtro da análise e do discurso: 174
o direito de –: 152, 183
o pecado de luxúria e concupiscência no estabelecimento dos procedimentos de –: 158-66, 174-95
Exame(s) psiquiátrico(s)
o – não deriva do direito nem da medicina, mas do poder de normalização: 35-6
as noções do –: 15-6, 19
os antigos rituais cristãos do –: 146-7
os rituais cristãos modernos do –: 151-66
– como instância de controle do anormal: 36
– como mecanismo na fronteira entre o médico e o judiciário: 35
– como transposição da experiência clínica à instituição judiciária: 31

– e a constituição do juiz-médico: 19
– e categoria dos anormais: 36
– e categorias elementares da moralidade: 30
– e dobramento do delito: 14-21
– e indivíduo perigoso: 30
– e infrapenalidade parapatológica: 18
– em matéria penal: 3, 21, 35
– e princípio de homogeneidade da reação social: 29
– e puerilidade: 28
– e regressão, desqualificação e decomposição do saber psiquiátrico: 32
os elementos biográficos no –: 36-7
Exclusão(ões)
– dos leprosos: 37-8, 39-40
Exibicionismo: 272

Família
a campanha antimasturbatória voltada para a – aristocrática e burguesa: 216
– celular: 216, 221, 224, 232, 238-9, 242
– do proletariado urbano e campanha de liquidação da união livre: 236-7
– medicalizada: 218, 221
– medicalizada como princípio de normalização: 221
involução cultural da – em torno da relação pais-filhos: 216
o incesto epistemofílico na base da – moderna: 217
transformações imputáveis à –: somatização, infantilização, medicalização: 232
transposição da carne cristã ao elemento da –: 231
Fantasma(s)
– da devoração: 94
– do regicídio: 94
Feitiçaria
– e efeitos de cristianização: 175-6, 183-6
– e pacto com o diabo: 177-82, 186
– e possessão: 175-86
– nos procedimentos da Inquisição: 178-86
teatro da –: a zona rural: 176

Genealogia(s): 36, 49, 51, 82, 203, 240, 241, 243, 247, 250, 255, 275-6, 278
– da anomalia e do indivíduo anormal: 49-52, 240
– da realeza: 82
– do discurso cristão da carne: 203
– psiquiátrica das aberrações sexuais: 247
Governo
as três coisas que cumpre entender por –: 42
– das almas: 147, 152, 183, 186
– das crianças: 42
– dos loucos: 42, 241
– dos operários e dos pobres: 42
Grotesco(s) ou ubuesco(s): 30
caráter – dos exames: 30
caráter – do discurso penal: 30
categoria do –: 11
– administrativo da burocracia: 12
– e fascismo: 12
– e soberania infame: 11-3
– e tragédias dos reis: 13
– psiquiátrico-penal: 14
o – e o par perversão/perigo: 30
o – no Império romano: 12-3
terror do –: 11
textos – que têm a propriedade de ser estranhos a todas as regras de formação de um discurso científico: 11

Hereditariedade: 272-9
– e anormalidade: 275
tecnologia eugênica e problema da –: 114
Hermafroditas: 57-64
Higiene social
a psiquiatria como ramo da –: 100-3, 119-21, 277
Histeroepilepsia, ver: Convulsão
História
– como discriminante político do passado e do presente: 130

– da problematização psiquiátrica da sexualidade: 245
– da psicanálise: 96, 101
– da repressão sexual: 205
– das tecnologias do poder: 194
– do instinto sexual: 247
– do poder de normalização: 36
– natural do criminoso: 76
– política do corpo: 184
Homossexualidade: 6, 18, 84, 144, 203, 272

Idiota
o – da aldeia: 256-7
Imaginação
– delirante: 267
– e sexualidade: 245-8, 251
– jurídica: 84
inserção da – na economia instintual: 246
Imbecilidade: 261, 267
– e perversão: 144, 210, 219, 263
Incesto: 159-60, 187, 242
duas teorias do –: 239
– e antropofagia: 84, 87-9
– e cruzada contra a masturbação infantil: 217, 233, 234-5
o perigo do – vem do desejo da criança: família burguesa: 232-5
o perigo do – vem do pai e dos irmãos: família popular: 234-6
o que torna aceitável a teoria psicanalítica do –: 234-5
Inclusão
– dos pestíferos: 38-41
um poder que age por –: 41
Indivíduo(s)
– perigosos: 22, 30-6
o – a corrigir e seu campo de aparecimento: 49-52
Infância
– como peça decisiva da psiquiatria: 265
descoberta da – pela psiquiatria: 266
problematização da –: 237, 267-8
Infanticídio
– e circunstâncias atenuantes: 9
Infantilidade
psiquiatrização da –: 263-9
Instinto(s)
a nova economia das relações entre loucura e –: 133
a psiquiatria e as perturbações do –: 192
a psiquiatria e o campo unitário do – e da sexualidade: 242
dinâmica do –: 110-3, 250, 260
– como gabarito de inteligibilidade do crime: 118
– como pulsão irresistível: 110, 122, 134, 240
– de morte: 124
– e teoria do automatismo: 112, 113, 247
– sem interesse e não punível: 118
– sexual: 240-8
o ponto de descoberta do –: 118
patologização do –: 267
problematização do –: 119
senso moral insuficiente para resistir aos – animais: 259
tecnologia do –: 275
Internação
– em nome da família: 32, 119, 122, 124-8
– por ordem da administração prefeitoral: 119
Internação *ex officio*
– de um alienado num hospital psiquiátrico: 119-21
– e internação voluntária: 123-4

Júri
debate sobre a supressão do –: 34

Laxismo
o – imputado aos jesuítas: 188
Lepra
a – como modelo de controle político: 37-42
Licença verbal: 60
Loucura
a – em suas relações fisiológicas e patológicas com a menstruação: 108, 260

a nova economia das relações entre instinto e –: 133
codificação da – como doença e como perigo: 101
definição de um campo comum à criminalidade e à –: 240
– lúcida: 125, 128, 134
– moral: 134
– e delírio: 95, 102, 106, 111-2, 113, 134-5, 137, 192, 241, 247, 250
– e alucinações: 131, 138
– e interesse das famílias: 126
– e sonho: 111
pertinência da – ao crime e do crime à –: 22, 27, 102
vínculo entre – e perigo: 121
Luxúria, ver: Sexto mandamento

Masoquismo: 272
Massacre(s)
– de setembro: 84-5
Masturbador, ver: Onanista
Masturbação, ver: Onanismo
Medicina
a família como agente do saber da –: 219
a – faz falar da sexualidade: 219
a – se firma na ordem da sexualidade: 191
– e convulsão: um objeto privilegiado: 191
Medicalização e patologização
– das relações e/ou sentimentos do campo intrafamiliar: 128
Menstruação
a – em suas relações com a loucura: 108, 260
Monomania
– destrutiva e erótica: 248-9
– e perigo social: 101
– homicida: 101, 121-2, 126, 133
– instintiva: 261, 268
– respeitosa: 123
Monstro
campo de aparecimento do – humano: 47-8, 83, 88
grande – natural e pequeno delinquente: 48
– como categoria jurídica e fantasma político: 94
– como princípio de inteligibilidade de todas as formas da anomalia: 48
– e criminoso cotidiano: 82
– incestuoso representado pela figura do rei: 80
– jurídico: 80
– moral: 64, 69, 78
– político: 78-9, 85
– popular: 84, 87
noção jurídico-biológica do –: 47
o anormal é um – cotidiano: 49
o grande –: 139, 240, 255, 268
o – antropófago ou o povo revoltado: 86-7, 89
o – e a formação de uma engrenagem psiquiátrico-judiciária: 240
o – sexual: 52
passagem do – ao anormal: 94
Monstruosidade
– do poderoso e do homem do povo: 89
– e direito canônico: 54-5
– e direito romano: 53
– e embriologia sagrada: 56
– e hermafroditismo, ver: Hermafroditas

Neurologia
a – faz psiquiatria e medicina se comunicarem: 137
Normal
o – e o patológico: 78
Normalização
emergência do poder e das técnicas de –: 22
– médica da família: 234
poder de –: 36-7, 41-2, 44
Nosografia
a – dos estados anormais e a teoria da degeneração: 276
– das síndromes, dos delírios, dos estados: 240

Obcecado
o pequeno – sucede o grande monômano: 90, 122

Onanismo ou masturbação
cruzada contra a –: 210-11
– como causa de todas as doenças: 207-8, 209-10
– e culpabilização das crianças: 206
– e distúrbios somáticos e psíquicos: 246-7
– e sedução pelo adulto: 212
– e temática hipocondríaca: 208-9
– pré-púbere: 211
meios mecânicos, químicos, cirúrgicos contra a –: 219-20
repressão da – e exaltação do corpo produtivo: 211
Onanista(s) ou masturbador(es)
campo de aparecimento da criança –: 50-3, 212-5, 242
campo de aparecimento do adolescente –: 166, 195, 204, 207, 241
o gênero literário "carta do –": 208
o – precisa confessar seu vício ao médico: 218-9
o pequeno – e a criança indócil: 255, 268

Pacto social
crime e ruptura do –: 80-1
monstro político e –: 84
Pastoral: 163-5, 190, 195
definição e desenvolvimento da – católica: 152-65
a – nos países protestantes: 158
Patologia
– da conduta criminosa: 78
– evolucionista e psiquiatria: 113
Patologização
– das relações no campo intrafamiliar: 128
– do autoerotismo das crianças: 210
– do crime: 79
– do instinto: 267
Pena
atrocidade da –: 71-3
modulação da – e princípio da convicção íntima: 7-11, 75
– no direito clássico: 8
Penitência, ver também: Confissão, Pena
a – tarifada e o modelo germânico de penalidade: 147-9, 154, 158, 163-5
doutrina da – na época dos escolásticos: 149, 157, 161
economia sacramental da –: 151
extensão do exame no interior do sacramento da – ou confissão: 151-8
– e satisfação: 147-51, 156, 272
Perversidade e perversão: 94, 127, 212
a noção de –: 30
– e perigo: 30-5
– e puerilidade: 28-31
Perverso(s): 113, 127, 132
Peste
a – como novo modelo de controle político: 35-41
Poder(es)
concepção positiva dos mecanismos de –: 44
constituição do – médico-judiciário: 27-30, 34-6, 96, 139, 240
economia do – de punição: 64, 70-81, 85, 89, 97-8, 110
exercício do – de punir: 31, 39, 41-5, 49, 72-6, 80, 85, 97-100, 104-8, 165, 174
extensão do – de ingerência da psiquiatria: 119, 242
indignidade ou infâmia do –: 12-3
manifestação ritual do – infinito de punir: 72
nova economia dos mecanismos de – no século XVIII: 74, 76-9, 85, 89, 97
o – não é apenas um mecanismo negativo: 43
– de normalização: 23, 36-7, 42-3
– e saber judiciário do médico: 11, 17, 20-3, 31-4, 35-7
– e sociedade da monarquia administrativa: 44, 74-5
– e sociedade de casta: 44
– e sociedade escravagista: 43
– e sociedade feudal: 44, 74-5, 85-6
– médico do juiz: 33
reivindicação de – em nome da modernização da justiça: 33

Posse
– e desapossamento do corpo da criança no que concerne à família: 234
Possessão: 175-95
interpenetração da feitiçaria e da –: 184
na – há insidiosa penetração no corpo de sensações estranhas: 179
personagens centrais nos fenômenos de –: confessor, diretor, guia: 177
– de Loudun: 177-81,184-6, 191, 194
– de Saint-Médard: 176, 191
– e história política dos corpos: 184
– e feitiçaria: 180-6
– e medicina: 190
Possuída(s)
a – e a penetração do diabo no corpo: 178-9
a – resiste ao diabo, de que é o receptáculo: 178
o consentimento da –: 180-2
Proteção
a psiquiatria como ramo da – social: 100-3, 276
da – científica da sociedade à proteção biológica da espécie: 277
incesto e – das crianças: 238
Prova
crítica da – pelos reformadores: 8
– e enunciados judiciários privilegiados: 7-8, 10
– legal da verdade: 7-8, 11
Prudência
a – do confessor: 154
conselhos de – aos confessores: 188
Psicanálise: 94, 205
a – como normalização da economia dos instintos: 114
– e confissão da sexualidade: 145
– e eugenismo: 114
– e incesto: 88-9, 233, 239
– e infância: 224, 234-5, 237-8
– e instintos: 113
Psicopatologia
– sexual: 203-4, 224, 243, 245
Psiquiatria
a liquidação da – dos alienistas: 247, 251, 270
a – como ramo da higiene pública: 100
a – e a Comuna de Paris: 132-3
a – e os pares instinto-sexualidade, desejo-loucura, prazer-crime: 242
a – substitui a medicina dos alienistas: 139
demanda familiar de –: 124
demanda política formulada em relação à –: 129
deriva da lei em direção à –: 99
desalienação da –: 136
de uma – do delírio a uma – do instinto: 114
história da –: 124
inscrição da – na regulamentação administrativa de 1838: 119
os grandes edifícios teóricos da – da segunda metade do século XIX: 271
proeza de entronização da –: 103
– e atos sem razão cometidos por um sujeito dotado de razão: 99
– e defesa da sociedade: 278-9
– e eugenismo: 278
– e patologia evolucionista: 113
– e psiquiatrização: 251, 258, 260, 263-4, 279
– e racismo: 277
– e sistema de regulação de higiene pública: 121-2
– e somatização essencial da doença mental: 138
Psiquiatrização
– da infância e da infantilidade: 265-6
– do prazer: 251
– vinda de baixo: mais pedida que imposta: 258-9
Puerilidade
– e perversidades: 28-9
Punição
desaparecimento dos grandes rituais de –: 75
– do crime ou do criminoso?: 70
– e vingança do soberano: 70-1

Raça
purificação da –: 114
Racionalidade
– do crime: 76, 76-7
Racismo
– e psiquiatria: 277
Rei
processo do – Luís XVI: 80-5
– como monstro: 80-9
– e rainha como canibais ou antropófagos: 83
Repressão
a noção de – da sexualidade: 36
– médica: 217, 222, 232-3, 238
– ou normalização da sexualidade?: 43, 205-6
Revelação, ver também: Confissão
a – não pertencia originalmente ao ritual cristão da penitência: 146
a função positiva da –: 145
– da sexualidade antes do concílio de Trento: 158
– forçada e obrigatória da sexualidade: 144
– e silêncio: 145, 174-5, 202
o mecanismo de remissão dos pecados se estreita em torno da –: 146
para uma história da – da sexualidade: 148
psiquiatria, psicanálise e sexologia como procedimentos institucionalizados da – da sexualidade: 145
reinserção da – na mecânica do poder eclesiástico: 149
Revolução(ões)
códigos intermediários da –: 14
– inglesa: 130
– burguesa e novas tecnologias de poder: 75
– e reformulação das teorias jurídico-políticas: 130
– francesa: 79, 84, 89, 130
– francesa e novo Código Penal: 78

Senso
aberração do – genésico: 144
– moral: 220
– moral abortado: 263
– moral insuficiente para resistir aos instintos animais: 259
Sexto mandamento
a confissão do – no método de Tamburini: 187-90
o modelo de interrogatório sobre o – nos manuais de Milhard e de Habert: 160
o – antes do concílio de Trento: 158-9
o – e as novas técnicas de interrogatório a partir do concílio de Trento: 158-60
o – em Alfonso de Liguori: 189-90
Sexualidade
aberrações da –: 143-4, 245-8, 251-2, 260, 263, 275
anomalias da –: 51, 143-4, 166, 245, 246-7, 275
a psiquiatria e o campo unitário do instinto e da –: 242
a – no Ocidente é o que se é obrigado a revelar: 145
a – só pode ser dita ao médico: 217
controle da – nos estabelecimentos de formação escolar: 164, 201-3, 206, 223
dificuldade de reinserir a – da criança numa relação incestuosa com o adulto: 233
dois modos de familiarização da –: 240
inversão da –: 6, 271-2
medicalização da – da criança: 219-21
normalização da –: 36-7, 42-3
o incesto e a inversão da teoria da – autoerótica da criança: 234
os mecanismos da masturbação infantil são diferentes da – adulta: 243
– autoerótica da criança e masturbação: 210, 216-7, 232-3, 243
– e indiscrição tagarela: 202
– e regra do silêncio: 144-7, 174
– extramatrimonial do proletariado urbano: 236-7
– promiscuidade e incesto: 237

Soberania
as teorias jurídico-políticas da – após a Revolução inglesa: 130
– despótica e povo revoltado: 89
– despótica ou arbitrária: 74, 89
– e crime: 70-2, 80, 83-4, 97
– grotesca, infame, ubuesca: 11-4
Sodomia: 6
pecado de –: 84,159-60, 187
Somatização: 138, 232, 274-5
as três formas da – da masturbação: 206-10

Teratologia, ver: Monstruosidade
Terror
a literatura do –: 85-6
– e castigo: 70-1
– ubuesco ou grotesco: 11-2
Tribunal(ais)
a loucura nos –: 126
– da Inquisição: 184-6
– especiais para as crianças: 35

Ubuesco(s), ver: Grotesco(s); Terror

Vampirismo: 87, 250
Verdade
discurso de – e justiça: 6-14
Voluntário/involuntário
eixo do – e do –: 134

Índice onomástico

A., ver Algarron, J.
Adam, S.: 256, 258-9, 279n.9
Adelon, N.-P.: 105 e 116n.12
Albinus seu Alcuinus, F.: 148 e 167n.13-148 e 167n.14-15, 303 e n.40
Alcebíades: 23n.3
Algarron, J.: 3 e 23n.1, 3 e 24n.6, 4, 16
Alibert, J.-L.: 226n.11
Alliaume, J.-M.: 252n.1
Amann, E.: 303n.39
André, X.: 225n.6
Andrieux, J.: 212 e 228n.44
Arnaud de Ronsil, G.: 67n.29, 68n.43
Artaud, A.: 46n.15
Artois, C., conde de, ver: Carlos X
Atanagildo, rei dos visigodos da Espanha: 91n.18

Baillarger, J.-G.-F.: 122 e 140n.5, 123, 126, 132, 135 e 142n.26-137, 144 e 167n.4, 240, 242, 247, 274, 276
Balzac, H. de: 12
Barbin, H.: 302 e n.33
Bardenat, C.: 24n.4, 45n.1
Barret-Kriegel, B.: 252n.1
Barruel, A.: 84 e 91n.29
Basedow, J. B.: 202 e 225n.4, 223
Beccaria, C.: 8 e 24n.15, 110
Béchet, doutor: 259 e 279n.8
Bédor, doutor: 253n.22
Bégin, doutor: 227n.32
Béguin, F.: 252n.1
Bekker, doutor: 202 e 225n.2, 300
Belon, F.: 109
Bento XIII, papa: 198n.35
Bergson, H.: 214 e 228n.49
Bernard, P.: 303n.39
Berry, M.-L.-E., duquesa de: 94
Berryer, G.: 140n.2
Bertani, M.: 297n.8
Bertrand, A.: 307
Bertrand, F.: 87, 248 e 253n.17 - 248 e 253n.19-21 - 249 e 253n.22-3
Bertrand de Molleville, A.-F.: 84 e 91n.31
Beuvelet, M.: 157 e 170n.55
Bianchi, A. G.: 281n.34
Blaud, P.: 208 e 226n.25, 301n.29
Bleuler, E.: 115n.10
Bonnet, H.: 256 e 279n.1, 258, 260, 262 e 279n.12, 262 e 280n.14
Bonnetain, P.: 226n.16
Boromée, C., ver: Borromeu, C.
Borromée, C., ver: Borromeu, C.
Borromeu, C.: 152 e 168n.20, 155 e 169-70n.35-42, 156 e 170n.44-50, 162, 304n.44 e n.48, 309
Borromeus, C., ver Borromeu, C.
Bottex, A.: 127 e 141n.15
Bourge, J. B. de: 211, 226n.13, 305n.53
Bourgeois, A.: 46n.11
Bourgeois, L.: 226n.11
Bourneville, D.-M.: 196n.13, 307 e n.61
Bouvier de la Motte, J.-M.: 175 e 196n.1
Boyer, A.: 208 e 226n.22, 301n.30
Brantôme, P. de Bourdeille, senhor de: 71 e 89n.3
Bremond, H.: 196n.1
Brierre de Boismont, A.: 144 e 167n.2, 253n.17, 279n.10

Brillon, P.-J.: 57 e 66n.17, 66n.18
Bruneau, A.: 73 e 89n.4 e n.5
Brunilda, princesa visigoda da Espanha: 82 e 91n.18
Bulard, J.: 258, 260, 262 e 279n.12, 262 e 280n.14, 279n.1 e n.9
Burlet, G.: 310n.63
Burton, R.: 280n.22

Calígula, imperador romano: 25n.21
Calmeil, L.-F.: 306 e n.56
Camus, A.: 46n.15
Cangiamila, F. E.: 56 e 66n.14, 65n.7 e n.9-10, 298 e n.16-17
Canguilhem, G.: 42-3 e 46n.17, 311 e n.64
Caradeuc de la Chalotois, L.-R.: 223 e 229n.67
Carlos I, o Grande, dito Carlos Magno: 46n.11
Caron, P.: 91n.30
Carré de Montgeron, L.-B.: 196n.5
Castelnau, de: 253n.17
Catherine, ver: Labbé, C.
Céard, J.: 66n.15
Cénac, M.: 30 e 45n.1
Cerise, L.-A.-P.: 211 e 227n.38
Certeau, M. de: 179 e 196n.9-11, 196n.2, 196n.13, 306n.55
Champeaux, C.: 61 e 68n.36, 67-8n.29, n.35 e n.37-42
Charcot, J.-M.: 167n.7, 192 e 198n.43, 196n.13, 307 e n.61-62
Chaumié, J.: 22 e 26n.33
Chevalot, C.: 46n.8
Chivasso, A. de: 188 e 198n.33, 303 e n.41
Clastres, P.: 12 e 25n.22
Claude, C.: 126-7
Clavasio, A. de, ver: Chivasso, A. de
Clément, E.: 225n.6
Cochin: 32
Collas, A.: 57 e 66n.16
Condillac, E. Bonnot de: 161 e 171n.62, 280n.23
Constanzo, J. B.: 304n.48
Corday, C.: 131
Cornier, H.: 53, 94 e 115n.4, 94-7, 100, 105-15, 118, 122, 128, 133, 248, 257, 258, 260, 279 e 279n.10, 261, 263, 264, 265, 286, 289
Courteline, G. Moineaux, dito: 12

Dauby, E.: 279n.10
Davila, J., ver: Madrid-Davila, J. de
Defert, D.: 23n.1, 284n., 294, 295 e n., 302
Defossez, E.: 142n.29
Deleuze, G.: 252n.2
Deleuze, J.-P.: 307n.60
Delumeau, J.: 168n.18
Deslandes, L.: 212 e 228n.43, 213-4, 215, 218, 220, 226n.20, 300 e n.19
Despois, E.: 24n.8
Diderot, D.: 68n.35
Dinouart, J.-A.-T.: 65n.7, 298 e n.17
Dolhagaray, B.: 303n.39
Dostoiévski, F.: 12
Doussin-Dubreuil, J.-L.: 213, 226n.16, 227n.29, 300n.21, 300n.25
Dubois, A.: 219 e 229n.63
Duchemin, P.-V.: 91n.33
Dumeige, G.: 168n.16
Dupaty, C.-M.-J.-B. Mercier: 8 e 24n.15
Duport, A.-J.-F.: 79, 90n.10
Dupuytren, G.: 208 e 226n.21
Durkheim, E.: 87 e 92n.41
Duval, J.: 58-60 e 67n.23-26 e n.33

Eróstrato de Éfeso: 24n.4
Esquirol, J.-E.-D.: 31 e 45n.2, 32 e 45n.4, 82, 105 e 116n.12, 123 e 141n.10, 137, 138, 129, 133, 135 e 142n.28, 250, 264, 265, 267 e 280n.20, 268, 270 e 280n.23, 272, 299
Ewald, F.: 23n.1, 284n., 293

Falret, J.: 142n.29, 280n.23
Falret, J.-P.: 273 e 281n.31, 274, 276 e 281n.37, 280n.20 e n.23
Farge, A.: 46n.6
Féré, C.: 199n.43
Ferrand, J.: 280n.22
Ferré, R.-F.: 144 e 167n.2
Ferrus, G.-M.-A.: 144 e 167n.2

Fest, J.: 25n.24
Fienus, T.: 280n.21
Figliucci, V.: 198n.34
Filliucius, V., ver: Figliucci, V.
F.-J.: 253n.17
Flaubert, G.: 4 e 24n.5
Floriot, R.: 45n.3
Fontaine, J.: 196n.3
Fontana, A.: 297n.8
Foreville, R.: 168n.16
Fouquier-Tinville, A.-Q.: 31 e 45n.2
Fournier, H.: 110 e 116n.17, 111, 112, 227n.32
Fournier, L.-P.-N.: 110 e 116n.17, 111
Foville, A.-L.: 144 e 167n.2
Freud, S.: 89 e 92n.44, 141n.11, 288

Gambetta, L.: 131
Ganebin, B.: 227n.34
Garçon, E.: 25n.29, 296n.5
Garibaldi, G.: 131
Garimond, E.: 142n.29
Garnier, Paul: 167n.8
Garnier, Pierre: 220 e 229n.66
Gastaldi, G., ver: Gastaldus, H.
Gastaldus, H.: 313 e n.68
Gaufridi, L.: 177 e 196n.3
Gaultier, J. de: 24n.5
Gaume, J.-J.: 305n.52
Geoffroy Saint-Hilaire, E.: 116n.18
Geoffroy Saint-Hilaire, I.: 112 e 116n.18, 288
Georget, E.-J.: 32 e 45n.4, 92n.39, 115n.4, 116n.11-12 e n.17, 299
Glenadel, J.: 122 e 140n.5, 140-1n.7-9
Gerson, J.: 287
Gock, H.: 280n.28
Goldman, P.: 10 e 24n.18
Gorry, T.: 272 e 280n.26
Gouriou, P.: 30 e 45n.1
Graciano, ver: Gratianus
Graefe, E.A.G.: 220 e 229n.64
Grand, N.: 115n.4
Grandier, U.: 177 e 196n.4, 177 e 196n.6, 179, 184, 185
Grandjean, A.: 61 e 67n.29-32, 62, 63 e 68n.43-44, 285, 302
Granier de Cassagnac, A.: 91n.33
Gratianus: 150 e 168n.17
Gratiolet, P.-L.: 122 e 140n.5
Griesinger, W.: 135 e 142n.27, 144, 247, 274, 276, 280n.20
Guattari, F.: 252n.2
Guerber, J.: 198n.36
Guilherme de Orange: 71
Guilherme, duque de Jülich-Kleve: 198n.39
Guilleameau, I.: 65n.6
Guyon, Madame, ver: Bouvier de la Motte, J.-M.

Habert, L.: 153 e 168-9n.22-34, 156 e 170n.51-52, 159, 160, 162, 171n.67-69 e n.44, 303, 304, 305, 309
Havelock Ellis, H.: 203 e 225n.10
Hélie, F.: 24n.13 e n.14
Heliogábalo, imperador romano: 12 e 25n.21
Héricourt, L. de: 57 e 66n.19-20
Heuyer, G.: 30 e 45n.1
Hitler, A.: 114
Hobbes, T.: 130
Humbert, A.: 168n.22

Imbert, J.: 196n.6
Institoris, H.: 196n.7
Inocêncio XI, papa: 305

Jackson, J. H.: 274 e 281n.32
Jalade-Laffont, G.: 219 e 228n.57
James, R.: 68n.35
Jarry, A.: 25n.20
Jaucourt, L., cavalheiro de: 90n.7
Joana dos Anjos, madre: 180 e 196-7n.13-17, 182
Jénil-Perrin, doutor: 30 e 45n.1
Jenin de Montegre, A.-F.: 306n.57
Jesus Cristo: 167n.15, 168n.25
José II de Augsburgo, imperador: 83
Jost, J.: 304n.46
Jousse, D.: 24n.13
Jouy, C.-J.: 256 e 279n.1, 257-8, 260, 261 e 279n.12, 263, 265, 268
Jozan, E.: 227n.42

Kaan, H.: 203 e 225n.7, 243-5 e 252-3n.6-10 e 253n.12, 246 e 253n.13 e 247, 248, 289, 301, 301n.31
Kafka, F.: 12
Kissel, A.: 307n.59
Klein, M.: 89 e 92n.45
Kopp, J.H.: 92n.38
Krafft-Ebing, R.: 144 e 167n.6, 203, 245, 272 e 280n.24
Kraepelin, E.: 274 e 281n.33

L., ver Labbé, D.
Labbé, C.: 5
Labbé, D.: 3, 4, 5, 16, 23n.1
Laborde, J.-B.-V.: 132 e 142n.24
Lacan, J.: 25n.25, 45n.1
Lactance, padre: 181
Lagrange, J.: 23n.1, 284n., 293, 310n.63
Laingui, A.: 140n.4
Lallemand, C.-F.: 219 e 229n.59, 300 e n.20
Lambert, F.: 61 e 67n.32, 68n.44
La'Mert, S.: 218 e 228n.55
La Mettrie, J. O. de: 254n.27
Laplanche, J.: 141n.11
Larrey, D.-J.: 219 e 229n.61
Laschi, R.: 141n.21-23
Lasègue, C.: 272 e 280n.27
Lea, H. C.: 167n.11, 170n.38, 171n.73 e n.76, 198n.33, 303 e n.38, 303 e n.43
Léger, A.: 53, 87, 122, 248, 286
Legrand du Saulle, H.: 126 e 141n.15, 132, 140n.2, 141n.21, 280n.24 e n.25
Legrain, P.-M.: 115n.9
Lemarcis, Marie: 58, 61, 66n.16, 302, 309
Lemarcis, Martin, ver: Lemarcis Marie
Leopoldo II de Augsburgo, imperador: 83
Lepeletier de Saint-Fargeau, L.-M.: 90n.8, 91n.16
Lepointe, G.: 25n.27
Leuret, F.: 251 e 254n.30
Levasseur: 82 e 91n.19
Léveillé, J.-B.-F.: 105 e 116n.12
Lévi-Strauss, C.: 88 e 92n.43
Lévy-Bruhl, L.: 88 e 92n.42
Ligorius, A. M. de, ver: Liguori, A. M. de
Liguori, A. M. de: 163 e 171n.74-75, 189, 202, 287, 305 e n.51, 309
Liguory, A.-M. de, ver: Liguori, A. M. de
Lisle: 227n.27
Livi, C.: 141n.21
Locke, J.: 130, 280n.23
Lombroso, C.: 48 e 64n.1, 82, 131 e 141n.21-23, 275 e 281n.34
Lucas, P.: 166n.1, 276 e 281n.38
Lucrécio, ver: Lucretius Carus
Lucretius Carus, T.: 46n.15
Luís XV, rei da França: 83
Luís XVI, rei da França: 81, 82, 83, 85, 299
Lullier-Winslow, A.-L.-M.: 301n.28
Lunier, J.-J.-L.: 253n.17
Luys, J.: 274 e 281n.32, 276

Madrid-Davila, J. de: 219 e 229n.60
Magnan, V.: 115n.9, 167n.7, 253n.11, 272 e 280n.29, 274, 278
Maria, mãe de Jesus Cristo: 59, 306
Maiolus, S.: 66n.13
Malo, C.: 212 e 227n.41, 213
Mandrou, R.: 198n.40
Manuel, P.-L.: 84
Marc, C.-C.-H.: 32 e 45n.4, 92n.38, 105, 108-11, 115n.4 e n.6, 116n.15, 280n.25, 299, 300n.24
Marcuse, H.: 205 e 226n.17
Marchal de Calvi, doutor: 249 e 253n.19-21 - 249 e 253n.22
Maria Antonieta de Lorena: 82, 83-4, 89
Marjolin, J.-N.: 301n.28
Martin, C.: 32 e 46n.6
Martin, E.: 65, 65n.3-4, 66n.8, 66n.16 e 67n.21, 298 e n.15, 298
Martin, Thérèse, ver: Teresa do Menino Jesus
Marx, K.: 131
Mathieu, P.-F.: 196n.2
Maton de la Varenne, P.-A.-L.: 84 e 91n.32
Matthey, A.: 91n.19

Mazzini, G.: 131
Mellier, P.: 305n.54
Merle, R.: 25n.29, 296n.5
Mesnard, P.: 24n.8
Michéa, C.-F.: 144 e 167n.3, 250-1 e 253n.23 - 254n.24-29, 253n.17
Michel, A.: 303n.39
Michelet, J.: 130 e 141n.19
Milhard, P.: 144, 160 e 171n.57, 303 e n.42
Misdea: 275 e 281n.34
Misson, M.: 198n.42, 307 e n.59
Molière, J.-B. Poquelin, dito: 24n.8, 25n.28
Moll, A.: 167n.6 e n.8
Mommsen, T.: 65n.4
Montesquieu, C. de Secondat, barão de la Brède e de: 77 e 90n.7
Mopinot de la Chapotte, A.-R.: 82 e 91n.18
Moreau de la Sarthe: 211 e 227n.35
Moreau de Tours, P.: 144 e 167n.5
Morel, B.-A.: 115n.9, 253n.22-23, 276, 278, 289, 306 e n.58
Morel, C.-T.: 225n.6
Morin, J.: 227n.29
Motet, A.: 253n.11
Muratori, L.A.: 313 e n.68
Mussolini, B.: 12

Napoleão, imperador da França: 219
Nero, imperador romano: 12 e 25n.21, 13
Ninrode, imperador babilônio: 82 e 91n.18

Olier, J.-J.: 157 e 170n.54, 160 e 199n.45
Ortolan, T.: 303n.39
Ozanam, J.-A.-F.: 46n.13, 313 e n.66 - 313

Pagès, G.-J.: 305 e n.54
Paoli, P.: 131
Papavoine, L. A.: 53, 94 e 115n.3, 95, 96, 122, 248, 286
Papon, J.-P.: 313 e n.68
Paré, A.: 65n.6, 66n.15
Pareus, A., ver: Paré, A.
Pâris, F. de: 177 e 196n.5
Pastor, L. von: 198n.35
Payen, J.-L.-N.: 208 e 226n.20
Peltier, J.-G.: 92n.34
Pérignon, condessa de: 84
Perrault, C.: 115n.1
Perroud, C.: 91n.28
Peter, J.-P.: 25n.31, 87 e 92n.38-39
Pinel, P.: 45n.2 e 270n.23
Pinloche, A.: 229n.68
Ponchet, G.: 140n.2
Pontalis, J.-B.: 141n.11
Porot, A.: 24n.4 e n.5, 26n.33, 45n.1
Portal, A.: 208 e 226n.26
Prichard, J. C.: 134 e 142n.25, 247 e 253n.14
Prudhomme, L.-M.: 82 e 91n.20, 83
Prugnon, L.-P.-J.: 78 e 90n.9
Prunelle, C. V.-F.-G.: 78 e 90n.12

Quinet, E.: 130 e 141n.19

R., ver: Rapin, G.
Rached, A.: 24n.16
Radcliffe, A. W.: 85 e 92n.36-37
Rancière, D.: 252n.1
Rapin, G.: 17-8 e 25n.30, 31 e 45n.3, 132
Raymond, M.: 227n.34
Regnard, P.-M.-L.: 307 e n.61
Reich, W.: 287
Reisseisen, F. D.: 92n.38
Richer, P.: 307 e n.61
Richerand, A.: 229n.63, 301n.30
Richter, Æ. L.: 168n.19
Riolan, J.: 58 e 67n.24, 60 e 67n.27-28, 61
Rivière, P.: 18 e 25n.31, 31, 127, 258, 264, 299n.18
Robert, L., ver; Prudhomme, L.-M.
Roland de la Platière, J.-M.: 84 e 91n.28
Rostopchine, S., ver: Ségur, condessa de
Rousseau, J.-J.: 211 e 227n.34, 300
Rozier, doutor: 208 e 227n.30-31, 211 e 227n.36, 213, 215-6
Rycroft, C.: 141n.11

Sabatier, doutor: 211 e 227n.37
Sade, D., marquês de: 64, 86
Saint-Just, L.-A.-L. de: 81 e 90n.16
Salzmann, C. G.: 202 e 225n.5, 204 e 226n.15
Sanson, L.-J.: 208 e 226n.23, 301n.28
Sauval, H.: 65n.12, 66n.15
Scarpa, A.: 208 e 226n.24, 301n.28
Seglas, J.: 142n.29
Ségur, condessa de (nascida Rostopchine, S.): 31 e 45n.2
Segusio, H. de: 65n.13
Sélestat, mulher de (anônima): 53, 87 e 92n.38, 94, 95, 96, 117, 122, 221-5
Serpillon, F.: 24n.14
Serres, E.-R.-A.: 207 e 226n.19
Serrurier, J.-B.-T.: 206 e 226n.18, 300n.27
Servan, J.-M.-A.: 8 e 24n.15
Shakespeare, W.: 13 e 25n.23
Siméon, A.: 253n.22
Simon, E.-T.: 68n.44
Simon de Metz, F.: 211 e 227n.40
Soboul, A.: 90n.15
Socquet, J.: 253n.11
Sombreuil, mademoiselle M. de: 84 e 91n.33
Sprenger, ver: Sprengerus, I.
Sprengerus, I.: 178 e 196n.7
Suetônio, historiador: 25n.21
Surin, J.-J.: 175 e 196n.1, 196n.13 e n.14

Tamburini, A.: 142n.29
Tamburini, T.: 187 e 197-8n.20-33, 190, 198n.34, 305n.50, 310
Tamburinus, T., ver: Tamburini, T.
Tardieu, A.-A.: 253n.17
Taruffi, C.: 298 e n.14
Taxil, L., ver: Pagès, G.-J.
Tentler, T. N.: 303n.39
Téraube, J.-B.: 300n.21
Thalamy, A.: 252n.1
Teresa do Menino Jesus: 199n.44
Tucídides, historiador: 46n.15
Tissot, S.-A.-A.-D.: 202 e 225n.2-3, 203 e 225n.6, 208, 287, 300
Trélat, U.: 125-6 e 141n.12-14, 129, 134

Ungarelli, I.: 198n.33

Vacancard, E.: 303n.39
Valette, P.: 24n.4
Vallette, C.: 140n.3
Van der Elst, R.: 307n.62
Van Gennep, A.: 225n.10
Van Ussel, J.: 36 e 46n.8, 205, 206, 287
Verga, A.: 141n.21
Vermeil, F.-M.: 63, 67n.29-31 e n.32
Vialart, F.: 170n.53
Viard, J.: 196n.6
Virey, J.-J.: 78 e 90n.11, 141n.11
Vitélio, imperador romano: 25n.21
Vitet, L.: 78 e 90n.11
Vitória, rainha da Inglaterra: 87
Vitu, A.: 25n.29, 296n.5
Vogel, C.: 303n.39
Voisin, A.: 253n.11
Voltaire, F.-M. Arouet, dito: 8 e 24n.15
Vulet, P.: 307 e n.61

Wender, A. J.: 219 e 229n.58
Westphal, J. C.: 144 e 167n.7, 272 e 280n.28, 280n.24
Wierus, I., ver: Wijr, J.
Wijr, J.: 198n.39

X (anônimo): 6

Y (anônimo): 6

Z (anônimo): 6
Zabé, E.: 272 e 280n.25
Zacchia, P.: 65n.8, 198n.41

GRÁFICA PAYM
Tel. [11] 4392-3344
paym@graficapaym.com.br